STUDIA PATRISTICA ET BYZANTINA

IN GEMEINSCHAFT MIT DEN BYZANTINISCHEN INSTITUTEN SCHEYERN UND ETTAL
UND P. RAIMUND LOENERTZ O.P. / ROM
HERAUSGEGEBEN VON JOHANNES M. HOECK O.S.B. ABT VON ETTAL

5. HEFT

DIE ÜBERLIEFERUNG
DER PEGE GNOSEOS
DES HL. JOHANNES VON DAMASKOS

P. BONIFAZ KOTTER

BENEDIKTINER VON SCHEYERN

1959

BUCH-KUNSTVERLAG ETTAL

141102

Mit kirchlicher Druckerlaubnis

Scheyern, 15. Oktober 1959. Franz Seraph Schreyer, Abt

München, 19. Oktober 1959. GV Nr. 10401. Dr. Johann Fuchs, Generalvikar

Gesamtherstellung: Ferd. Oechelhäusersche Buchdruckerei, Kempten im Allgäu

VORWORT

Die vorliegende Untersuchung ist ein Teil der Vorarbeiten zur geplanten Neuausgabe der Werke des heiligen Johannes Damaskenos, in unserem Fall der Πηγὴ γνώσεως. Es soll dabei ein Überblick gewonnen werden über die Weitergabe der genannten Schrift in Handschriften, Übersetzungen und Editionen mit dem primären Ziel, die Veränderungen festzustellen, die sie im Verlauf dieser Überlieferung erfahren hat, und daraus den mutmaßlichen Originaltext herauszuschälen. Hierzu wurde versucht, alle Hss, die damaskenisches Gut in größerem oder geringerem Umfang enthalten, ohne Rücksicht auf das Alter zu erfassen und in Auswahl zu kollationieren. Bei der Häresiengeschichte lag es nahe, alle kanonistischen Hss aufzunehmen, in denen sie unter dem Namen des Damaskeners Eingang gefunden hatte; wo sie aber dem Epiphanios zugeeignet ist, wurde schließlich im Hinblick auf die gestellte Aufgabe, die Überlieferung der Pege und nicht die von kirchenrechtlichen Sammlungen zu bearbeiten, bewußt auf eine Vollständigkeit verzichtet.

Daß es nicht im vollen Umfang gelang, von den Hss Aufnahmen zu bekommen – besonders die Oststaaten und der Athos lassen noch manches zu wünschen übrig –, wird sicherlich als Mangel empfunden. Dieser fällt aber insofern nicht übermäßig ins Gewicht, als die vermißten Hss hinter den erreichbaren an Zahl sehr zurücktreten und von den Gebieten, aus denen sie stammen, andere in weitem Umfang berücksichtigt sind, so daß nicht ohne Grund anzunehmen ist, die Erforschung der bisher unzugänglichen werde die häufigen Lücken im Stemma kaum mehr sonderlich schließen und keine wesentlich neuen Textformen mehr zu Tage fördern. Die erst kurz vor Abschluß der Arbeit zugänglich gewordenen Hss, wie besonders cod. Mosqu. Synod. 201, unsere älteste Expositio-Hs, erbrachten den Beweis für die Richtigkeit dieser Annahme.

Diese Arbeit ist nicht die Frucht der Mühe dessen allein, der den Namen dafür hergibt. So wird auch hier das Wort wahr: ,,Ein anderer sät, ein anderer erntet.''

Darum sei der schuldige Dank hier jenen zuerkannt, die schon seit 1939 auf diesem Felde pflügten und säten, zuvörderst den Gründungsmitgliedern unseres Institutes, Herrn P. Dr. Johannes Hoeck, der 1951 zum Abt von Ettal gewählt wurde, seinem Kinde aber seine Liebe bewahrte, ihm mit seinen weitgespannten Beziehungen nach Möglichkeit unter die Arme griff und nun auch die Drucklegung dieser Arbeit übernahm, und Herrn Dr. H.-G. Beck, nunmehr Univ.-Professor in München, sodann Herrn Prof. Dr. Franz Dölger, der sich unserem Institut mehrere Jahre hindurch zur Verfügung stellte, um unschätzbares Material zu

VI

sammeln, worunter das damaskenische Glossar eigens erwähnt sei, und durch seine Forschung neue, grundlegende Erkenntnisse zu ermitteln und schließlich durch die Anregung dieses Themas und die kräftige Unterstützung bei seiner Durchführung die geplante Edition vorantrieb. Was die Genannten durch ihre Organisation, durch Erfassung und Sammlung der Literatur, durch sprachliche und quellenkritische Untersuchungen, durch Ausziehen von Hss-Katalogen und durch Beschaffung von Photographien für das breit angelegte Unternehmen schufen, kam alles auch dieser Arbeit zugute. Sollten alle aufgezählt werden, die dieses Werk durch Rat und Tat oder auch durch das bloße Interesse sonst noch förderten, die Reihe der Namen würde zu lang. Es wären alle Gelehrten anzuführen, die uns mit ihrem Fachwissen halfen, alle Bibliothekare, die uns ihre Bücherschätze zur Verfügung stellten, alle Weltenfahrer der Wissenschaft, die auf ihren fernen Pfaden auch an unsere Bedürfnisse und Wünsche dachten, wie ein Abbé Marcel Richard – Paris. Von den vielen stillen Helfern darf aber nicht ungenannt bleiben M. Reichhold ob der vielen Dienste besonders bei der langwierigen Durchsicht der Filme, der umfänglichen Kollation und der Niederschrift dieser Arbeit.

Als ein ersehnter Ertrag des teuren Ackers sei diese Arbeit vor allem seinem Herrn dargebracht, dem Abt des Klosters, dem Hochwürdigsten Herrn Franz Seraph Schreyer, der für seine Erwerbung und Bestellung so große finanzielle und personelle Opfer brachte und bringt. Zu Dank verpflichtet ist das Institut auch Sr. Eminenz Herrn Kardinal Tisserant und dem ehemaligen Vater des Hauses, dem Hochwürdigsten Herrn Bischof von Passau DDr. Simon Konrad Landersdorfer für die wohlwollende Förderung des Unternehmens und für namhafte Spenden.

Wie so mancher Kopist schließt auch der Schreiber dieser Zeilen mit der Bitte an den Leser, mit den unterlaufenen Fehlern nicht zu streng ins Gericht zu gehen, vor allem aber mit einem aufrichtigen Χάρις Θεῷ.

Scheyern, im September 1959   P. Bonifatius Kotter
O. S. B.

INHALTSVERZEICHNIS

ABKÜRZUNGEN

b = brev.	=	brevior: kürzere Fassung der Dialektik. Vgl. Einleitung S. 2.
b bei Kpp. der D	=	das betreffende Kapitel in der typischen brev.-Fassung. Vgl. S. 2.
b bei Kpp. der E	=	die Zusätze zu den Expositio-Kapiteln 12, 22, 23 und 52. Vgl. S. 3.
D = Dial.	=	Dialectica. Vgl. S. 2.
Deff.	=	De iis qui in fide dormierunt: MG 95, 247–278.
E = Expos.	=	Expositio fidei. Vgl. S. 3.
Epist(ola)	=	Widmungsepistel zur Dial. Vgl. S. 2.
f = fus.	=	fusior: längere Fassung der Dial. Vgl. S. 2.
f nach Zahlen	=	und die folgende.
f bei Kpp. der D	=	das betreffende Kapitel in der typischen fus.-Fassung. Vgl. S. 2.
Film (g) oder (t)	=	die betreffende Hs lag ganz (g) oder teilweise (t) in Mikrofilm vor.
Gordillo	=	M. Gordillo, Damascenica [Orientalia Christ. 8,2 S. 45–104] Rom 1926.
Graf	=	G. Graf, Geschichte der christlichen arabischen Literatur, Bd. I–IV [Studi e Testi 118, 133, 146, 147] Città del Vaticano 1944–1951.
H = Haer.	=	Haereses: Liber de haeresibus. Vgl. S. 3.
Hom.	=	Homoioteleuton.
Hs, Hss	=	Handschrift(en).
i = inv.	=	inversa: die Form der Expos., in der die Kapitel gruppenweise umgestellt sind. Vgl. S. 3.
JD	=	Johannes Damaskenos.
JD-Hs	=	Die Hs enthält ausschließlich damaskenische Werke.
MG	=	Migne, Patrologiae cursus completus, series graeca.
o = ord.	=	ordinata: die gewöhnliche Form der Expos., häufig auch ohne diese Spezifizierung.
Pinax I	=	Verzeichnis der Kapiteltitel der Dial.
Pinax II	=	Verzeichnis der Kapiteltitel der Expos.
R	=	M. Richard, Répertoire des bibliothèques et des catalogues de manuscrits grecs, 2me éd., Paris 1958. Vgl. S. 6.
Trisag.	=	Epistola ad Jordanem Archimandritam de hymno Trisagio: MG 95, 21–62.
Var(r).	=	Variante(n).
Vogel-G.	=	M. Vogel u. V. Gardthausen, Die griechischen Schreiber des Mittelalters und der Renaissance [Zentralblatt f. Bibliothekswesen, Beih. 33] Leipzig 1909.
Zahlen in Form von Dezimalbrüchen	=	Spalte und Zeile der griechischen Spalte von MG 94. Vgl. S. 1 f.
Zahlen ein- bis dreistellig	=	Siglen für Hss.
Zahlen von 1500 aufwärts	=	Siglen für Ausgaben der betreffenden Jahre.
Zahlen mit Exponenten und Bruchzahlen	=	vgl. S. 2.
ZKp.	=	Zusatzkapitel bei der Dial. Vgl. S. 2.

I.

EINLEITUNG

Zu den Vorarbeiten einer Edition gehört die Erfassung der Handschriften und die Prüfung ihrer gegenseitigen Abhängigkeit, um so eine
verlässige Grundlage für die Gestaltung des Textes und des Apparates
zu schaffen. Das Ergebnis dieser Untersuchung soll im folgenden dargelegt
werden. Zuvor sei aber der Sinn der dabei verwendeten Termini erklärt.

Johannes von Damaskos legt für sein Hauptwerk in der Widmungsepistel (MG 94, 524 f.) folgenden Plan dar: Καὶ πρότερον μὲν τῶν παρ' Ἕλλησι
σοφῶν τὰ κάλλιστα παραθήσομαι ... Εἶτα τούτων ἐχόμενα τῶν θεοστυγῶν
αἱρέσεων συντάξω τὰ φληναφήματα ... Εἶτα τὴν ... τοῖς τῶν θεοπνεύστων
προφητῶν καὶ θεοδιδάκτων ἁλιέων καὶ θεοφόρων ποιμένων τε καὶ διδασκάλων
λόγοις κεκαλλωπισμένην καὶ περικεκοσμημένην ἀλήθειαν σὺν θεῷ καὶ τῇ αὐτοῦ
ἐκθήσομαι χάριτι.

Für den ersten Teil dieses Werkes ist die Bezeichnung „Dialektik"
üblich geworden (ohne Stütze in den Hss); den zweiten Teil heißen wir
„Häresiengeschichte", in den Hss περὶ αἱρέσεων überschrieben, den dritten
„Darlegung des Glaubens" oder kurz „Expositio", in den Hss gewöhnlich
Ἔκθεσις ἀκριβὴς τῆς ὀρθοδόξου πίστεως genannt. Für das ganze dreiteilige
Werk hat sich der Name πηγὴ γνώσεως eingebürgert; diesen Titel hat der
Autor zwar selbst geprägt im Kap. 2 der Dialektik, jedoch kaum als Bezeichnung für die ganze Trilogie. JD spricht nämlich im 1. Kapitel der
Dialektik über die Erkenntnis, im 2. berührt er kurz die Notwendigkeit
einer Zielsetzung für jede Arbeit und fährt fort: Φέρε τὸν προκείμενον τοῦ
λόγου σκοπὸν πρότερον εἴπωμεν, ὡς ἂν εὔληπτα εἴη τὰ λεγόμενα. Σκοπὸς τοίνυν
ἡμῖν ἐστι φιλοσοφίας ἀπάρξασθαι καὶ παντοδαπὴν γνῶσιν, ὅση δύναμις,
συντετμημένως τῇ παρούσῃ ἐναπογράψασθαι δέλτῳ. Διὸ πηγὴ γνώσεως ὀνο-
μαζέσθω. Dem Kontext nach bezieht der Verfasser den Titel also nur
auf die philosophische Grundlegung, die Dialektik[1]. Da aber πηγὴ
γνώσεως als Titel für das Gesamtwerk allgemein üblich geworden und
aus den Hss kein besserer zu gewinnen ist, wurde er auch hier in diesem
Sinne gebraucht.

---

[1] Die Auffassung, daß mit πηγὴ γνώσεως nur die Dialektik gemeint ist, machen sich
manche griechisch schreibende Verfasser von Hss-Katalogen zu eigen, z. B. Papadopulos-
Kerameus und Moschonas.

Stellenbelege werden zur größeren Genauigkeit und zur Vereinfachung der Zitation angegeben nach Spalte und Zeile des griechischen
Textes bei Migne, Patrologiae cursus completus, series graeca, Tom. 94
unter Außerachtlassung der Buchstaben A, B usw. (diese Buchstaben
umfassen bekanntlich immer 15 Zeilen der längeren Spalte). Ein Beispiel:
565, 31 = MG Band 94, Spalte 565, Zeile (nur die griechischen zählen) 31. –
Als Siglen für die Hss werden Zahlen verwendet. Exponenten dabei
(z. B. 510¹) weisen auf Händewechsel hin, entsprechend der Festlegung
in der Hss-Beschreibung, kleine Buchstaben (z. B. 620a) auf Wiederholungen desselben Textes in der gleichen Hs, Bruchzahlen auf den
betreffenden Teil der Hs bzw. des im jeweiligen Abschnitt gerade behandelten Werkes (z. B. 632/2 in der Bearbeitung des Stemmas der Dialektik = 2. Teil der in 632 enthaltenen Dialektik).

Von den den einzelnen Schriften häufig vorausgeschickten Kapitelverzeichnissen bedeutet Pinax I den Index zur Dialektik, Pinax II den
zur Expositio.

Epist(ola) ist die der Dialektik vorausgehende Widmungsepistel,
MG 94, 521–525.

Die Dial(ectica, auch D abgekürzt) existiert in 2 Fassungen, in einer
längeren und in einer kürzeren. Die Dial. fus(ior), auch Df abgekürzt,
hat im allgemeinen die Gestalt, wie sie bei Migne 529–676 gedruckt ist.
Es sind aber die für die kürzere Fassung typischen Kapitel 4b, 6b, 10b¹)
wegzudenken. Nach dem hsl. Befund ist auch c. 17 in zwei Gestalten überliefert; was bei Migne wiedergegeben ist, ist c. 17b. Der Text von c. 17f
ist noch nicht veröffentlicht; er beginnt mit Ἐν τῷ τί μέν ἐστι und schließt
mit ἀνθρώπων ἀνάπαυσιν. Charakteristisch für den äußeren Aufbau der fus.
ist auch die Teilung des c. 16 bei 581, 8 in ein neues Kapitel mit dem Titel
Περὶ ὑποκειμένου und dem Beginn Δεῖ δὲ γινώσκειν, ὅτι τὸ ὑποκείμενον,
sowie am Schluß der Dial. die sogenannte Lysis (lexeon) = 673–676. –
Eigentümlich für die Dial. brev(ior) (auch = Db) sind das Fehlen von
cc. 1–3, 5, 9, 18–28, die abweichende Anordnung der restlichen Kapitel
in der ersten Hälfte der Dial. (s. unten!), der eigene Text von c. 4 (537–540),
c. 6 (548–552), c. 10 (568–573) und c. 17 (581–584) und das Fehlen der
Lysis. Ferner schließt nach den Hss in der Db c. 8 mit γραμματικός ἐστιν
(556, 19), c. 12 beginnt erst mit 573, 34 ἡ διαφορὰ (statt αὕτη δὲ) τριχῶς
λέγεται, außerdem haben manche Überlieferungszweige beachtliche Zusätze: die Stemmagruppe q (vgl. unten S. 115) erweitert c. 11 um
den Text ἡ οὐσία διαιρεῖται ... φύσεως wie 617, 17–620, 31 und fügt am
Schluß der D das sogenannte „Zusatzkapitel" an (inc. Τὸ γένος διαιρεῖται,
expl. ποτὲ δὲ τὸ συμβεβηκός); x (vgl. unten S. 119) gibt zu c. 39 noch
die 2. Hälfte von c. 47 (ab Τί μέν 620, 32), wobei der Text der ersten 4

---

¹) f oder b bei diesen Kapiteln wollen besagen, daß es sich um die Fassung der fus. oder
brev. handelt.

Zeilen aber etwas zusammengezogen ist. Die Anordnung der ersten Kapitel der D brev. ist folgende (in Klammern die Nummer des betreffenden Kapitels bei Migne):

c. 1. Περὶ τοῦ ὄντος, οὐσίας . . . (c. 4)
c. 2. Περὶ γένους τοῦ γενικωτάτου (c. 10)
c. 3. Περὶ ἀτόμου (c. 11)
c. 4. Περὶ διαφορᾶς (c. 12)
c. 5. Περὶ συμβεβηκότος (c. 13)
c. 6. Περὶ ἰδίου (c. 14)
c. 7. Περὶ κατηγορουμένων (c. 15)
c. 8. Περὶ συνωνύμου . . . (c. 16)
c. 9. Περὶ τῆς ἐν τῷ τί ἐστι . . . (c. 17)
c. 10. Περὶ ὑποστάσεως . . . (c. 29)
c. 11. Περὶ οὐσίας καὶ φύσεως . . . (c. 30)
c. 12. Περὶ διαιρέσεως (c. 6)
c. 13. Περὶ τοῦ φύσει προτέρου . . . (c. 7)
c. 14. Περὶ ὁρισμοῦ (c. 8)
c. 15. Περὶ ὁμωνύμων (c. 31)

Von da ab gleichlaufend mit Dial. fus., also in (Migne-) Zahlen: cc. 4, 10–17, 29, 30, 6–8, 31 bis Schluß. – Diese Ordnung ist vor Augen zu halten, wenn hier von der Kapitelfolge der Dial. brev. die Rede ist.

In beiden Rezensionen der Dial. ist nach dem ziemlich einmütigen Zeugnis der Hss am äußeren Rahmen noch zu ändern, was unten (S. 230) in der Beschreibung der Ausgabe von 1712 angeführt ist.

Der zweite Teil der Pege mit dem Titel περὶ αἱρέσεων (Haeres. oder H = MG 94, 677–780) stellt in cc. 1–80 nur die Rekapitulation des Panarion des Epiphanios dar. Wiederum ist vom normalen Bestand abzurechnen, was erst von Cotelerius (1677) dazugefügt und von Lequien übernommen wurde; vgl. die Beschreibung der Ausgabe von 1712, unten S. 230. – Von der gewöhnlichen Überlieferung hebt sich deutlich ab eine Gruppe von Hss, die einen teilweise umgearbeiteten und erweiterten Text bietet, von mir bezeichnet als Haeres. auctae.

Die Expos(itio fidei, auch E oder E. ordinata) schließlich weist in der hsl. Überlieferung im großen und ganzen die Form auf, wie sie aus dem Druck bei Migne (94,789–1228) bekannt ist. Unter b-Kapiteln verstehe ich hier die Zusätze zu einigen Kapiteln: 12b Ἔτι περὶ θείων ὀνομάτων ἀκριβέστερον (845–849), 22b Ἄνεμοι . . . ὀνομαζόμενος bzw. Σάκαι (900, 35–46 bzw. 901, 10) und 23b Περὶ πελαγῶν (905–908). C. 52b (1016, 5–32) steht in keiner Hs an dieser Stelle, sondern immer bei c. 81 oder fehlt überhaupt. Der Schluß von c. 26 Τοῦ δὲ μὴ πειθομένου . . . ἐνεργοῦσιν (928, 38–929, 14) bildet gewöhnlich den letzten Teil von c. 30. Weitere Änderungen, die auf Lequien oder andere Herausgeber zurückzuführen sind, vgl. bei der Beschreibung der Ausgabe von 1712 (unten S. 230).

In einem starken Überlieferungszweig aber sind die Kapitel in folgender Weise umgestellt: 1–18, 82–100, 19–81; ich bezeichne diese Form als Expos. inv(ersa).

Für eine Einteilung der Expos. in 4 Bücher fehlt in griechischen Hss jede Handhabe. Diese Zählung rührt von der lateinischen Übersetzung her und scheint gegen 1224 aufgekommen zu sein. Das 13. Jh. kannte noch eine weitere Zählung, in der die ersten 8 Kapitel des IV. Buches noch zum III. genommen waren[1]). – Dadurch, daß Lequien beim lat. Text nur die Zählung nach Büchern und Kapiteln anbringt, Migne diese Einteilung auch noch auf die griechische Spalte überträgt[2]) und die richtigere (durchlaufende) Numerierung nur noch in Klammern beifügt, mag es gekommen sein, daß in der westlichen Literatur fast ausschließlich nach Büchern und Kapiteln zitiert wird. In der folgenden Konkordanz sind die wichtigsten Zählungen nebeneinandergestellt. Neben diesen gibt es aber noch viele andere, die auf evidente Freizügigkeit der Schreiber im Teilen, Zusammenfassen oder Umstellen von Kapiteln zurückzuführen sind.

---

[1]) Über diese Fragen vgl. E. Buytaert, Damascenus latinus, in Franciscan Studies 13 (1953) :37–70, und denselben in der Einleitung zur Ausgabe von 1955 (s. unten S. 234).

[2]) Bei Lequien und Migne herrschen in der Zählung der Kapp. 14-18 Unstimmigkeiten, wie folgende Konkordanz zeigt:

Expos.		Lequ.	Lib.	I, c. XIII	Migne	Lib.	I, c. XIII
13	=	$\iota\gamma'$,	I	XIII =	$\iota\gamma'$,	I	XIII
14		$\iota\gamma'$ (!),	I	XIX (!)	$\iota\delta'$,	I	XIV
15		$\iota\varepsilon'$,	II	I	$\iota\varepsilon'$,	II	I
16		$\iota\varsigma'$,	II	II	$\iota\varepsilon'$ (!),	II	II
17		$\iota\varsigma'$ (!),	II	III	$\iota\varsigma'$ (!),	II	III
18		$\iota\zeta'$ (!),	II	IV	$\iota\eta'$,	II	IV
19		$\iota\theta'$,	II	V	$\iota\theta'$,	II	V

Konkordanz der hauptsächlichsten Kapitelzählungen in der Expositio

griech. ord.	griech. inv.	lat. Burg.	lat. spät.	griech. ord.	griech. inv.	lat. Burg.	lat. spät.	griech. ord.	griech. inv.	lat. Burg.	lat. spät.
α	α	1	I 1	λγ	νγ	33	II 19	ξζ	πζ	67	III 23
β	β	2	I 2	λδ	νδ	34	II 20	ξη	πη	68	III 24
γ	γ	3	I 3	λε	νε	35	II 21	ξθ	πθ	69	III 25
δ	δ	4	I 4	λς	νς	36	II 22	ο	ϙ	70	III 26
ε	ε	5	I 5	λζ	νζ	37	II 23	οα	ϙα	71	III 27
ς	ς	6	I 6	λη	νη	38	II 24	οβ	ϙβ	72	III 28
ζ	ζ	7	I 7	λθ	νθ	39	II 25	ογ	ϙγ	73	III 29
η	η	8	I 8¹)	μ	ξ	40	II 26	οδ	ϙδ	74	IV 1
θ }θ {		9	I 9	μα	ξα	41	II 27	οε	ϙε	75	IV 2
ι		10	I 10	μβ	ξβ	42	II 28	ος	ϙς	76	IV 3
ια	ι	11	I 11	μγ	ξγ	43	II 29	οζ	ϙζ	77	IV 4
ιβ	ια	12	I 12	μδ	ξδ	44	II 30	οη	ϙη	78	IV 5
	ιβ		I 12b	με	ξε	45	III 1	οθ	ϙθ	79	IV 6
ιγ	ιγ	13	I 13¹)	μς	ξς	46	III 2	π	ρ	80	IV 7
ιδ	ιδ	14	I 14	μζ	ξζ	47	III 3	πα	ρα	81	IV 8
ιε	ιε	15	II 1	μη	ξη	48	III 4	πβ	ιθ(!)	82	IV 9
ις	ις	16	II 2	μθ	ξθ	49	III 5	πγ	ϰ	83	IV 10
ιζ	ιζ	17	II 3	ν	ο	50	III 6	πδ	ϰα	84	IV 11
ιη	ιη	18	II 4	να	οα	51	III 7	πε	ϰβ	85	IV 12
ιθ	λη(!)	19	II 5	νβ	οβ	52	III 8	πς	ϰγ	86	IV 13
κ	λθ	20	II 6	νγ	ογ	53	III 9	πζ	ϰδ	87	IV 14
κα	μ	21	II 7	νδ	οδ	54	III 10	πη	ϰε	88	IV 15
κβ	μα	22	II 8	νε	οε	55	III 11	πθ	ϰς	89	IV 16
κγ	μβ	23	II 9	νς	ος	56	III 12	ϙ	ϰζ	90	IV 17
	μγ		II 23b	νζ	οζ	57	III 13	ϙα	ϰη	91	IV 18
κδ	μδ	24	II 10	νη	οη	58	III 14	ϙβ	ϰθ	92	IV 19
κε	με	25	II 11	νθ	οθ	59	III 15	ϙγ	λ	93	IV 20
κς	μς	26	II 12	ξ	π	60	III 16	ϙδ	λα	94	IV 21
κζ	μζ	27	II 13	ξα	πα	61	III 17	ϙε	λβ	95	IV 22
κη	μη	28	II 14	ξβ	πβ	62	III 18	ϙς	λγ	96	IV 23
κθ	μθ	29	II 15	ξγ	πγ	63	III 19	ϙζ	λδ	97	IV 24
λ	ν	30	II 16	ξδ	πδ	64	III 20	ϙη	λε	98	IV 25
λα	να	31	II 17	ξε	πε	65	III 21	ϙθ	λς	99	IV 26
λβ	νβ	32	II 18	ξς	πς	66	III 22	ρ	λζ	100	IV 27

---

¹) In den lateinischen Hss ist oft c. 8 in 4 und c. 13 in 3 Kapitel geteilt, wodurch sich die Zählung gegen Ende des lib. I entsprechend verschiebt.

II.

VERZEICHNIS UND BESCHREIBUNG DER PEGE-HSS

Vorbemerkung

Erfaßt sind hier alle griechischen Hss, von denen mir bekannt wurde, daß sie – wenigstens angeblich – Teile der Pege enthalten, und zwar nur so weit, als dies der Fall ist. Dieser Rahmen wurde nicht nur deshalb so weit gespannt, um möglichst sicher zu gehen und um fragliche Zueignungen zu klären, sondern auch, um einen Überblick über die Geschichte der Überlieferung und das Fortwirken unseres Kirchenvaters in der byzantinischen Theologie zu gewinnen und nicht zuletzt, um an einem besonders ergiebigen Beispiel allgemeine diesbezügliche Erfahrungen zu sammeln. Auf Vollständigkeit in der Erfassung der Hss wurde jedoch dort verzichtet, wo damaskenisches Gut als Teil einer fest umrissenen Schrift erscheint, z. B. in Katenen oder im Nomokanon. – Die Hss sind nach dem deutschen Alphabet ihrer Standorte geordnet. Die Ziffer vor der Signatur bedeutet die Sigle, unter der die betreffende Hs kollationiert und in dieser Arbeit gewöhnlich angeführt ist. Fettdruck zeigt dabei an, daß mindestens einer der drei Bestandteile der Pege ganz oder fast ganz in ihr enthalten ist. – Die Katalogtitel sind ersetzt durch Verweise auf R = M. Richard, Répertoire des bibliothèques et des catalogues de manuscrits grecs, 2.éd., Paris 1958, wobei die erste Zahl den Katalog, die zweite die Seite (eventuell auch Band) des betreffenden Kataloges bezeichnet. – Die auf die Inhaltsangabe folgenden Verweise beziehen sich auf die Stelle bzw. Stellen in dieser Arbeit, an denen die betreffende Hs stemmatisch behandelt und eingeordnet ist. Wo eine solche fehlt, konnte eine Einreihung nicht vorgenommen werden, weil entweder kein Film zur Verfügung stand, oder weil das Stück nicht in unsere Kollationsauswahl fiel (s. Vorbemerkung S. 98) und darum bis zur Vollkollation zurückgestellt werden muß.

1 *Adrianopolit. 25 (1177)*

R 117: 14 (1905) 596. – Pap., ohne Datierung. – JD-Hs, Expos. (ohne nähere Angaben).

2 *Adrianopolit. 50 (1331)*

R 117: 14 (1905) 602. – Pap., ohne Datierung. – JD-Hs, Expos. (ohne nähere Angaben).

3 *Alexandr. Patr. 123 (Cahirens. 160; Charit. 34; 1055)*
R 106: 112 (Dieser Katalog gibt kein Alter an, auch fehlt im Index der Hinweis auf unsere Stelle); R 109: 148. – Pap., 1575. – Theologische Mischhs, ff. 112v–130v Haeres. auct. – Vgl. unten S. 209*.

3A *Alexandr. Patr. 153 (135)*
R 106: 148. – Pap., ohne Datierung. – JD-Hs., ff. 1r–2v Pinax (wahrscheinlich I u. II); ff. 3r–58r Epist. u. Dial. fus.; ff. 58v bis 106v Expos. inv. – Vgl. unten S. 138* u. 179*.
Laut Katalog umfaßt der Kodex 196 Fol.; die Inhaltsangabe reicht jedoch nur bis f. 106. Es ist wohl 58v–196v (statt 106v) zu lesen, was auch dem Umfang der Expos. besser entspricht. Am Schlusse der Expos. steht nach Katalog c.81; demnach Expos. inv.

4 *Alexandr. Patr. 159 (214; 243)*
R 106: 151. – Pap., ohne Datierung. – Hauptsächlich philos. Hs, ff. 178r bis 218v Epist. u. Dial. – Vgl. unten S. 144*.

5 *Alexandr. Patr. 178 (374; 266)*
R 106: 168. – Pap., 17. Jh. – Theolog. Mischhs, ff. 1r–2r Epist.; ff. 2r–39v Dial. fus. (Katalog: „πηγὴ γνώσεως"). – Vgl. unten S. 144*.

6 *Alexandr. Patr. 209 (136)*
R 106: 196. – Pap., ohne Datierung. – Im wesentlichen JD-Hs, ff. 2r–4v Pinax I (u. II?); ff. 5r–40r Epist. u. Dial.; ff. 41r–157r Expos. – Vgl. unten S. 119*.

7 *Alexandr. Patr. 360 (217)*
R 106: 299. – Pap., ohne Datierung. – Theol. Sammelhs, ff. 202r–225r Dial. (?); ff. 231v–292 Expos. – Überschrieben ist das erste Stück: Διαίρεσις τῆς κατὰ Χριστὸν φιλοσοφίας. Am Schluß steht: Ἐτελειώθησαν σὺν θεῷ τὰ φιλόσοφα τοῦ ἁγιωτάτου Ἰωάννου τοῦ Δαμασκ. Möglicherweise handelt es sich um Dial. Das folgende Stück freilich ist bezeichnet als πηγὴ γνώσεως (sonst = Dial.) καὶ ἔκθεσις ἀκριβὴς τῆς ὀρθοδόξου πίστεως ἀτελής.

8 *Ancyr., Aziz Ogan 47 (Sumela 57)*
R 810: 298; 130: 34 (1935) 279 (als Nr.42); 131: 229. – Pap., 17. Jh., geschrieben von dem Kreter Jeremias, Protosynkellos von Alexandreia. – Patrist. Sammelhs, ff. 10r–34 Expos.

Ancyr., Societ. Hist. Turc. vide *Constantinopol. Soc. Graec. Philol.*

9 *Athen. 288*
R 146: 50 u. Film (g). – Perg., 13. Jh. – JD-Hs, f. 1r–v Pinax I; ff. 2r–3v Epist.; ff. 3v–48v Dial. fus.; ff. 54v–55v Pinax II; ff. 56r–183r Expos. inv. – Vgl. unten S. 137*, 146, 177* u. 184.

10 *Athen. 321*

R 146: 54 u. Film (g). – Perg., 12. Jh. – JD-Hs, ff. 2r–9v Expos. 1–11 (bis 841, 20; von späterer Hand = 10¹ als Ergänzung zur folgenden Expos.); ff. 46r–49v Pinakes I und II; ff. 49v–51v Epist.; ff. 51v–103v Dial. fus. (bis c. 66 = 668,18); ff. 104r–218r Expos. inv. ab c. 11 (841,19; c. 59 schließt mit 1056, 24). – Vgl. unten S. 137f*, 169* u. 184*.

11 *Athen. 325*

R 146: 54 u. Film (g). – Bombyz., 14. Jh. – Überwiegend JD-Hs, ff. 11r–12v Epist.; ff. 13r–58v Dial. fus.; ff. 65r–175r und 194r bis 194v Expos.; (cc. 93 und 94 stehen vor c. 82, c. 70 nach c. 100). Vgl. unten S. 140* u. 164*.

12 *Athen. 341*

R 146: 57 u. Film (g). – Pap., 16. Jh. – Hauptsächlich JD-Hs, ff. 1r–29r Dial. brev. ab c. 14 (577, 21; c. 39 folgt auf c. 40); ff. 29r bis 136v Expos. bis c. 96 (1201, 34, Ende verstümmelt; c. 70 fehlt). Die Lagen ιε′ u. ις′ (ff. 106–121) sind nach ιβ′ (f. 89v) einzureihen. – Vgl. S. 115*, 164* u. 174.

13 *Athen. 360*

R 146: 61 u. Film (g). – Bombyz., 12. Jh. – In der Hauptsache JD-Hs, ff. 49r–50r Epist.; ff. 50v–80v Dial. brev.; ff. 81r–208v Expos. (Schluß von c. 100 ab 1225, 14 fehlt durch Ausfall eines Blattes.) – Vgl. unten S. 116* u. 169*.

14 *Athen. 386*

R 146: 67 u. Film (g). – Pap., 17. Jh. – JD-Hs, ff. 1r–56v Expos. 8–87 (ca. 821, 32–1161, 27; Blattausfall am Anfang und Schluß); f. 1r ist nur z.T. lesbar. – Vgl. unten S. 174*.

15 *Athen. 462 (166)*

R 146: 91 u. Film (g). – Pap., 17. Jh. – Dogmat.-asket. Sammelhs, S. 1–6 Pinakes I u. II; S. 7–9 Epist.; S. 10–95 Dial. fus.; S. 96–335 Expos. inv. – Vgl. unten S. 132* u. 177*.

Textlücke in Dial. 15/16 (577,33–581,9) durch Blattverlust zwischen S.39 und 40 vor der Paginierung. Die Unordnung bei c.79–c.81 auf S.332–333 beruht darauf, daß in der Vorlage ein Blatt mit dem Text ὡς τό . . . βαπτίσματος (1113, 7–1117,1) seitenverkehrt eingefügt und so abgeschrieben wurde.

16 *Athen. 463 (167)*

R 146: 91f u. Film (g). – Pap., geschrieben Ende des 17. Jh. von Hieromonachos Hyakinthos. – JD-Hs, S.1–436 Expos. ab c.3 (796,16). – Vgl. unten S. 154* u. 188.

Durch Ausfall von Blättern entstanden folgende Textlücken: zwischen S.34 u. 35 in cc.8/9 (828,30–836,15); zwischen S.62 u. 63 in cc.17/18 (873,25–877,5); zwischen S.188 u. 189 in cc.46/47 (988,4–996,2); zwischen S.190 u. 191 in c.48 (997,8–36); zwischen S.280 u. 281 in c.62 (1073,3–33); zwischen S.338 u. 339 in cc.82/84 (1121,36–1132,30) und zwischen S.352 u. 353 in cc.86/87 (1145,13–1161,9).

17 *Athen. 475*

R 146: 94 u. Film (g). – Pap., Anfang 16. Jh. – Philos.-theol. Sammelhs, S. 434–626 ausgewählte Kapitel aus Expos.: 23 b (ab 905,36) bis 27, 3–7, 9–10, 80, 60, 82, 86, 56, 87–89, 91, 8, 15–19, 32, 36, 96–100, 77. – Vgl. unten S. 154*.

18 *Athen. 1049 (210)*

R 146: 186 u. Film (g). – Pap., 16. Jh. – Erbauliche Sammelhs, S. 423–426 Praefatio Donati u. Nota Suidae, S. 427–432 Pinax II; S. 433–522 Expos. 1–25 (bis 917, 9; Lücke in cc. 21/22 [892, 11–900, 8] durch Blattausfall zwischen S. 506 und 507). Abschrift der Ausgabe von 1531 (s. unten S. 225). – Vgl. unten S. 174*.

19 *Athen. 2205*

Bei R 146 nicht mehr beschrieben. – Film (g). – Pap., 1250. – Vornehmlich JD-Hs, ff. 1 r–23 v Dial. fus ab c. 10 (568, 5; Anfang verstümmelt); ff. 31 r bis 116 v Expos. inv., Lücken in cc. 56–58 (1029, 30–1033, 40) durch Blattausfall zwischen ff. 101 und 102 und ab c. 79 (1112, 34; Schluß verstümmelt). – Vgl. unten S. 137*, 146, 167, 171, 179* u. 182.

22 *Athen. Bules 24*

R 155: 1 (1904) 364. – Pap., 17. Jh. – Predigtsammlung, ff. 45 v–48 v Expos. 99.

23 *Athen. Bules 30*

R 155: 1 (1904) 495 u. Film (t). – Pap., 1747. – Unser Teil mit einem anderer Herkunft zusammengebunden, ff. 100 r–102 r Epist.; ff. 102 r–147 v Dial. brev. bis c. 68 (672, 44). – Vgl. unten S. 115 f*.

24 *Athen. Bules 32*

R 155: 2 (1905) 226 ff u. Film (t). – Pap., 1454. – JD-Hs, ff. 3 r–5 v Pinakes I u. II; ff. 6 r–7 r Dial. Lysis; ff. 17 r–18 v Epist.; ff. 18 v–59 r Dial. brev. mit c. 1; ff. 60 v–207 r Expos. inv. – Vgl. unten S. 73, 120*, 122, 162 u. 182*,

33 *Athen. Soc. Archaeol. Christ. 23*, nunc *Mus. Byzant.*

R 156: 6 (1906) Sdr. 24 u. Film (t). – Pap., 17. Jh. – JD-Hs, ff. 1 r–2 r Pinax I; ff. 5 r–7 r Epist.; ff. 7 v–83 r Dial. fus. – Vgl. unten S. 136*.

35 *Athen. Soc. Hist. et Ethnol. 257*

R 168: 10 (1913) 337. – Perg., 11. Jh., erworben auf Kypros. – Dogmat. Sammelhs, ff. 51 v–134 Expos. 1–70 (Ende verstümmelt; nach Katalog die Blätter in Unordnung. Die Hs war im Sommer 1954 noch nicht zugänglich).

36 *Athous Dionys. 167 (3701)*

R 184: I 352f u. Film (g). – Pap., 15. Jh. – Dogmat. Hs, besonders über den Ausgang des Heiligen Geistes, ff. 143v–144v Expos. 98, als Auszug aus der Panoplia des Euthymios Zigabenos. – In der Mitte von f. 144r bei 1213, 11 setzt eine andere Hand ein (= 36[1]). – Vgl. unten S. 191.

37 *Athous Dionys. 175 (3709)*

R 184: I 354 u. Film (g). – Bombyz., 13. Jh. – Dogmat. Hs, vornehmlich JD, f. 40v Exzerpt aus Dial. 47, von ergänzender Hand (= 37[1]); ff. 41r–42v Pinakes I u. II; ff. 43r–44r Epist.; ff. 44v–77r Dial. brev.; ff. 77v–187r Expos.; ff. 200r–203r Haeres. 80; ff. 259v–260r nochmals Expos. 10 (= 37a). – Vgl. unten S. 109f*, 130, 162*, 174, 185*, 187 u. 192.

38 *Athous Dionys. 180 (3714)*

R 184: I 355; Excerptorum Constantini de natura animalium libri duo, ed. Sp. Lambros [Supplementum Aristotelicum 1,1] Berlin 1885, S. V, u. Film (t). – Bombyz., 13.–14. Jh. – Gnomisch-moralische Hs, ff. 114v (?) bis 140 (?) Auswahl aus Expos.: c. 17 (869, 31–872, 30); c. 18 (876, 9–13; 877, 4–23); c. 20 (880, 14–20; 884, 44–885, 10); c. 21 (888, 3–19. 21–43; 888, 44/45–889, 2; 889, 19–22; 892, 14–27. 42–44; 893, 8–22. 28–32; 896, 9–39); (f. 117r) c. 22 (900, 5–17. 22–34); c. 23a (901, 14–16. 18–20. 27–33; 904, 6–8; 904, 15–905, 2; 905, 12–15); c. 24 (908, 5–14. 19–20; 908, 41–909, 3; 909, 30–36); (f. 118r) c. 25 (913, 14–22; 913, 25–916, 4; 916, 18–20; 916, 40 bis 917, 6; 917, 26–29. 39–43); c. 26 (920, 6–8. 24–26; 924, 9–925, 3; 925, 15–39; 928, 5–9. 19–27; 929, 15–21); (f. 120r) cc. 27–35; (f. 123v) c. 36 (940, 41–941, 32; 941, 36–944, 11; 944, 14–22; 944, 28–945, 37; 945, 40–41); c. 38 (953, 3–21); (f. 125r) c. 41 (961, 7–13); c. 42 (961, 15–30); c. 43 (auf unserem Film, der bis f. 126r geht, bis 965, 15). Unsere Aufnahmen umfassen nur ff. 114v–126r; über den Inhalt der übrigen Fol. kann darum hier nichts gesagt werden. – Vgl. unten S. 181*.

39 *Athous Dionys. 184 (3718)*

R 184: I 356. – Bombyz., 13. Jh. – Nach Katalog eine Exzerptensammlung gegen Arianer und Juden aus verschiedenen Vätern, darunter auch JD. Der genaue Inhalt ist unbekannt; es ist fraglich, ob die Hs für unsere Arbeit überhaupt einschlägig ist.

40 *Athous Dionys. 194 (3728)*

R 184: I 357f u. Film (g). – Pap., 1363. – Dogmat.-polem. Hs, Exzerpte aus Expos., und zwar ff. 25r–26v aus c. 59 (1045, 31–1049, 16); c. 4 (ganz); f. 29r aus c. 9 (837, 15–17); ff. 36v–37v aus c. 4 (800, 5–9. 22–30); c. 9 (837, 9 bis 13. 15–17); c. 37 (949, 20–22. 14–15); c. 59 (1048, 5–10; 1057, 7–11); c. 57 (1033, 8–17) u. c. 59 (1056, 13–23).

41 *Athous Dionys. 201 (3735)*

R 184: I 361 f. – Unser Stück Perg., 14. Jh. – Expos. Fragment (?). Die dem Kodex vorausgesetzten 4 Pergamentblätter enthalten als letztes unvollständiges Stück eine ἔκθεσις σύντομος τῆς ὀρθοδόξου πίστεως Ἰωάννου τοῦ φιλοσόφου πρός τινα ζητήσαντα αὐτόν (= Expos. ?).

42 *Athous Dionys. 213 (3747)*

R 184: I 363 u. Film (t). – Pap., 15. Jh. – Dogmat. Hs, f. 174r Pinax I; ff. 177 r–178 r Epist.; ff. 178 r–206 r Dial. fus. ohne cc. 2, 3, 18–28; ff. 206 r bis 207 r Pinax II; ff. 207 v–296 v Expos. in 116 Kapiteln. – Vgl. unten S. 118*, 142 f*, 186* u. 189.

43 *Athous Dionys. 224 (3758)*

R 184: I 368 ff u. Film (t). – Pap., 1552–1565. – Theol.-histor. Sammelhs, Exzerpte aus Expos. inv. f. 492 r–v c. 26 (925, 11–27); ff. 496 v–500 r, cc. 20, 24, 25, 23 A, 21, 22 (bis 900, 12 photographiert). Die Expos.-Zitate auf den ff. 411–417 stammen nicht unmittelbar von JD, sondern gehören der Panoplia des Euthymios Zigabenos an. – Vgl. unten S. 186*.

44 *Athous Dionys. 268 (3802)*

R 184: I 390. – Pap., 15. Jh. – Gegen Ende einige Stücke von JD und Epiphanios (Haeres. ?).

45 *Athous Dionys. 274 (3808)*

R 184: I 392 ff. – Pap., „16. Jh.“ (laut Schreibernotiz am Schluß aber a. 1647). – Philos.-theol. Hs, ff. 420 r–427 v Expos. 63–67.

46 *Athous Dionys. 277 (3811)*

R 184: I 399 u. Film (t). – Pap., 15. Jh. – JD-Hs, ff. 1 v–3 v Epist.; ff. 3 v bis 67 v Dial. fus.; ff. 67 v–242 r Expos. inv. (schließt mit c. 81 und Titel von c. 52 b). – Vgl. unten S. 134* u. 179*.

47 *Athous Dionys. 278 (3812)*

R 184: I 399 u. Film (g). – Pap., 17. Jh. – Dogmat. Hs, ff. 23 v–28 r Exzerpte aus Expos.: c. 52 ab 1013,30, c. 53, c. 55 ab 1025,16, c. 71 ab 1097,7.

48 *Athous Dionys. 292 (3826)*

R 184: I 406 u. Film (t). – Pap., 15. Jh. – Dogmat. Hs, (bis f. 308 v) Expos. in 101 Kapiteln (vom letzten fehlt ein Blatt mit dem Text von 1225, 11 ab). – Vgl. unten S. 186*.

49 *Athous Dionys. 295 (3829)*

R 184: I 406 u. Film (t). – Pap., 15. Jh. – JD-Hs, Expos. ab c. 17 (865, 11, Anfang verstümmelt; c. 100 schließt der Schreiber bei 1221, 36).

54 *Athous Iberon 38 (4158)*

R 184: II 5 u. Film (g). – Perg., 1281/82 (nach M. Richard). – Patrist.
Florileg; darin ff. 87r–88v Expos. 20 (880,14–884,16/17; 884,25–35);
f. 90r–v Expos. 44 (bis 976,4). – Vgl. unten S. 82 u. 162*.

56 *Athous Iberon 159 (4279)*

R 184: II 38f. – Pap., 15. Jh. – Poetisch-theol. Mischhs, ff. 70r–71v Expos.
89 (?). Nach Katalog ist das Stück betitelt: „περὶ τῶν . . . εἰκόνων, κεφά-
λαια (sic!) κε′.“ Eine der Bilderreden kann unmöglich auf diesem Raum
Platz haben. Eher ließe sich denken, daß es sich um c. 89 der Expos. handelt, das ungefähr diesen Raum einnehmen würde und das in der Expos.
inv. als c. 25 gezählt werden könnte. Vielleicht ist daher in der Hs κεφά-
λαι<u>ο</u>ν zu lesen.

57 *Athous Iberon 190 (4310)*

R 184: II 53f. – Bombyz., 13. Jh. – Dogmat.-homilet. Hs, ff. 11v–12v
Väterzitate, darunter auch JD (Stücke der Pege?); ff. 44r–46r Expos. 11;
ff. 55r–57r kurze Auszüge aus JD (Pege?) und anderen Vätern.

58 *Athous Iberon 234 (4354)*

R 184: II 64f. – Pap., 18. Jh. – Philos.-grammat. Hs, ff. 34r–42v Dial. fus.,
bricht in c. 10 (560,40) ab.

59 *Athous Iberon 329 (4449)*

R 184: II 84ff u. Film (g). – Pap., „16. Jh.“, nach Randnotizen am Anfang aber wohl 1. Hälfte des 15. Jh. – Moral.-asket. Hs, ff. 169v–170r
Expos. 74, 75 und Exzerpt aus Expos. 79 (1113,6–13).

60 *Athous Iberon 370 (4490)*

R 184: II 98f u. Film (t). – Pap., unser Stück 15. Jh. – Dogmat.-asket. Hs,
f. 9r Schluß der Epist. (ab 525,5); ff. 9r–37r Dial. brev., voraus c. 1, c. 40
zwischen cc. 45 u. 46; ff. 37v bis ca. 125 Expos. Wo Expos. 100 schließt,
kann nicht gesagt werden, weil unser Film nur bis f. 123r reicht und nur
noch den Anfang von c. 100 zeigt. Die Kapitel der Expos. sind (gegen
Lampros) in der üblichen Ordnung; eine Textlücke (ohne Blattausfall)
findet sich in cc. 96–99 (1205,16–1216,28) auf f. 122v. – Vgl. unten S. 120*,
126f, 173* u. 192.

61 *Athous Iberon 371 (4491)*

R 184: II 99f; 23: 1120. – Perg., 13. Jh., u. Pap., 1576 geschr. vom
Mönch Parthenios. – Niketas, Lukaskatene. Unter den im Katalog genannten Vätern steht als 22. auch JD; aus der Pege?

62 *Athous Iberon 373 (4493)*

R 184: II 101. – Pap., 18. Jh. – Exeget. Hs, als Nr. 1 Expos. 90.

63 *Athous Iberon 374 (4494)*

R 184: II 101 f. – Pap., 1345 (Lampros irrig 1346). – Dogmat. Hs, ff. 2 r–4 v
Pinakes I u. II; ff. 5 r–7 v (?) Epist.; ff. 8 r– ? Lysis, Dial. fus., Expos. inv.
Da c. 52 b am Schlusse steht und laut Katalog die Kapitelfolge von der
bei Migne abweicht, haben wir wahrscheinlich eine Expos. inv. vor uns.
Vgl. unten S. 144*.

64 *Athous Iberon 380 (4500)*

R 184: II 103 u. Film (t). – Pap., 14.–15. Jh. – JD-Hs, ff. 1 r–2 v Epist.;
ff. 2ᵃr–57 r Dial. fus.; ff. 57 r–59 v Expos. 12 b; ff. 61 r–228 v Expos.; ff. 261 r
bis 292 v Haeres. auct. – Auf f. 2 folgt ein unnummeriertes Blatt (hier = 2ᵃ).
Die Kapitelfolge ist in Dial.: 3–41, 43, 46–66, 1, 2, 42, 44, 45, Lysis; in
Expos. gegen Ende: 81, 52 b, 93, 94, 82–88, 91, 92, 95–100, 89, 90. Bei
Haeres. steht am Schluß c. 88 verstümmelt; außerdem sind offenbar
Blätter verbunden: f. 291 v schließt c. 101, f. 292 hat cc. 83 (Schluß) bis 88.
Da an dieser Stelle unser Film nicht weiter reicht, bleibt das Weitere für
uns im Dunkeln. Vermutlich sollte f. 292 vor f. 287 eingereiht werden. –
Haeres. und einige Fol. der Expos. scheinen mir von einer zweiten Hand
zu stammen. Vgl. unten S. 142*, 163*, 174 u. 209*.

65 *Athous Iberon 381 (4501)*

R 184: II 103 ff; E. Schwartz, Collectio Sabbaitica [Acta conciliorum
oecumenicorum III] Berlin 1940, S. Vf. – Pap., 15.–16. Jh. – Kanonist.
Hs, ff. 377 v–378 v Expos. 96 (über den Sabbat).

66 *Athous Iberon 382 (4502)*

R 184: II 109 ff; R 20: 13 u. Film (t). – Pap., 1514. – Theol.-kanonist.
Mischhs, ff. 81 v–82 v Pinakes I u. II; f. 83 r–v Epist.; ff. 83 v–105 r Dial.
fus.; ff. 105 r–170 v Expos. inv.; f. 690 v–691 r Expos. 56 (bis 1028, 31).
Vgl. unten S. 135*, 178* u. 188.

68 *Athous Iberon 388 (4508)*

R 184: II 122 ff. – Pap., 16. Jh. – Vorwiegend theol. Mischhs, ff. 530 v bis
533 r „κατὰ ᾿Αρειανῶν τοῦ Δαμασκηνοῦ". Möglicherweise handelt es sich
um Haeres. 69; dieses Kapitelchen könnte jedoch keine 2 ½ Fol. ausfüllen.

69 *Athous Iberon 494 (4614)*

R 184: II 155 f. – Pap., 16. Jh. – Hagiogr.-histor.-geogr. Sammelhs, f. 13 r–v
JD über den Sitz der Seele im Körper, über ihre Dreiteilung und über die
Denkkraft. Ohne nähere Angaben. Es ist fraglich, ob es sich überhaupt
um damaskenisches Gut handelt.

70 *Athous Iberon 511 (4631)*

R 184: II 160. – Pap., 14. Jh. – Väter-Hs, Nr. 1 Expos. 90.

71 *Athous Iberon 693 (4813)*

R 184: II 206. – Pap., 14. Jh. – Dogmat.-geograph. Mischhs, Nr. 1 Dial. u. Expos. (inv. ?), ohne nähere Angaben, außer daß die Ordnung der Kapitel von der bei Migne abweicht.

72 *Athous Iberon 751 (4871)*

R 184: II 218 ff. – Pap., 17. Jh. – Dogmat. Hs, Nr. 6 Expos. 19.

73 *Athous Iberon 1312 (5432)*

R 184: II 263. – Pap., 18. Jh. – Theol. Mischhs, als Nr. 8 Auszüge aus Vätern, darunter auch JD (Pege ?).

74 *Athous Iberon 1319 (5439)*

R 184: II 265 ff. – Pap., 18. Jh. – Dogmat.-polem. Hs (teilweise gegen Lateiner), unter Nr. 139 Beweise für die Göttlichkeit des Lichtes, darunter auch JD (unbekannt, aus welcher Schrift).

75 *Athous Iberon 1333 (5453)*

R 184: II 271. – Pap., 17. Jh. – Vorwiegend theol. Mischhs, Nr. 4 Auswahl von philosophischen und dogmatischen Kapiteln aus der Pege (ohne nähere Angaben).

77 *Athous Iberon 1357 (5477)*

R 184: II 277. – Pap., 18. Jh. – Als Ganzes Erläuterung und Sinn des gesamten Inhalts der Logik des JD (= Dial. ?).

80 *Athous Cutlum. 9 (3078)*

R 184: I 271 u. Film (t). – Perg., 14. Jh. – Asket. Mischhs, S. 1*–4* Pinakes I u. II; S. 12* u. S. 15* Expos. 12b (= 80¹); S. 19*–22* Expos. 12b (= 80²); S. 1–3 Epist.; S. 3–73 Dial. brev. + ZKp.; S. 73–74 Expos. 23b + c. 22 ab 900, 35; S. 75–298 (= 80³) Expos. (cc. 93 und 94 stehen vor c. 82); S. 310–311 Expos. 10 (= 80a). – Vgl. unten S. 110*, 130, 163*, 185*, 190 u. 192.

82 *Athous Cutlum. 91 (3164)*

R 184: I 282 – Bombyz., 14. Jh. – Väterhs über die Trinität, darunter auch JD (Pege?).

83 *Athous Cutlum. 116 (3189)*

R 184: I 284f. – Bombyz., 14. Jh. – Theol. Hs, Nr. 10 kurze Auswahl aus Väterschriften, auch aus JD.

84 *Athous Cutlum. 178 (3251)*

R 184: I 292 u. Film (g). – Pap., 13. Jh. – Gnomische Hs, u. a. Exzerpte aus Dial. und Expos.; aus Dial. fus. f. 10r–v c. 68 (672, 31/32–673, 4), Lysis (κεφ. ξη΄), cc. 54–56; aus Expos. f. 9v c. 15 (bis 864, 1); f. 14v–15r

c. 87 (1156, 4–1160, 8); f. 15r c. 70 (1093, 35–1096, 7); f. 15v–16r cc. 72, 74, 75 (ganz); f. 16r c. 20 (885, 9–10; 880, 14–20); f. 16r–v c. 21 (896, 9–18); f. 17v c. 86 (1153, 5–23); f. 19v–20r c. 8 (832, 5–833, 11; 820, 11–24; 812, 8–15); f. 20r c. 56 (1029, 5–13) u. c. 80 (1113, 38–1116, 14); f. 22r c. 79 (1112, 6–14) u. c. 76 (ganz); f. 22v c. 62 (1073, 32–1076, 7); f. 23r–v c. 20 (881, 34–884, 35; das auf f. 23r oben befindliche und JD zugeschriebene Lemma konnte nicht verifiziert werden.); ff. 23v–25r c. 21 (885, 34–892, 14; 896, 19–39; 893, 29–896, 8); f. 25v c. 41 (bis 961, 6); f. 25v–26r c. 26 (925, 29 bis 41. 12–23; 928, 10–22), c. 27 (929, 24–31) u. c. 44 (bis 976, 1). – Vgl. unten S. 92 u. 185*.

85 *Athous Cutlum. 238 (3311)*

R 184: I 304 u. Film (t). – Pap., 18. Jh. – JD-Hs, Dial. fus.; durch Blattverlust zwischen ff. 39 und 40 Lücke in cc. 57/67 (645, 6–672, 2). – Vgl. unten S. 135f*.

89 *Athous Laurae 158 (B 38)*

R 195: 16f u. Film (g). – Perg., 14.–15. Jh. (Katalog 10.). – Palimpsestkodex, der mit dogmat.-asket. Werken wiederbeschrieben ist. ff. 1r–2v Epist.; ff. 2v–52v Dial. fus.; ff. 53r–55v Pinax II; ff. 56r–198r Expos. Durch Ausfall von etwa einer Tetrade zwischen ff. 16 und 17 ergab sich eine Lücke bei Dial. cc. 14–30 (577, 5–589, 41) und durch Verlust von etwa 3 Lagen zwischen ff. 171 und 172 bei Expos. cc. 84–87 (1133, 6–1161, 9). – Die Datierung der älteren wie der jüngeren Schrift bedarf der Berichtigung. Die jüngere Schrift ist mit dem 10. Jh. sicher zu früh angesetzt. Offensichtlich handelt es sich um eine Nachahmungsschrift, die bei flüchtiger Betrachtung auf den meisten Seiten den Eindruck hohen Alters machen kann. Auf anderen Seiten aber, z. B. f. 24r, 30r, 132r usw., legt der Schreiber seine Künstelei ab und verrät deutlich seine Zeit. Der Unterschied in der Sorgfalt ist teilweise so groß, daß man an der Identität des Schreibers zweifeln könnte, wären nicht manche Wörter mit dem gleichen Duktus geschrieben. Als Kriterien einer späteren Zeit möchte ich betrachten das häufige (aber nicht dominierende) liegende ε, das unziale κ mit geschweifter Anfangs- und Schlußhaste, den fast ausschließlichen Gebrauch des unzialen λ, die rechtsgewendete Form des ξ in weit überwiegender Zahl und die öftere Verbindung des Akzentes mit seinem Vokal. So wäre die Hs wohl in das 14.–15. Jh. zu setzen. – Vgl. unten S. 141f*, 181*, 184 u. 188.

89 A *Athous Laurae 213 (B 93)*

R 195: 24f; B. Beneševič, Monum. Vatic. ad ius canon. pertinentia, in Studi bizant. 2 (1927) 121–191, hier 167. – Perg., 11. Jh. – Nomokanon, ff. 239v–257r Haeres. – Vgl. unten S. 210*.

90 *Athous Laurae 283 (Γ 43)*

R 195: 38 u. Film (g). – Perg., 14. Jh. – JD-Hs, ff. 1r–2v Pinakes I u. II;
ff. 3r–4r Epist.; ff. 4r–27r Dial. brev.; ff. 27r–106r Expos. Durch Ausfall
von Blättern zwischen ff. 61 und 62 gingen die Texte von cc. 43 bis 45
(968, 10–984, 5) verloren. – Vgl. S. 118*, 130 u. 186f*.

92 *Athous Laurae 679 (H 24)*

R 195: 106 u. Film (g). – Pap., 16. Jh. – Dogmat. Sammelhs, ff. 129r bis
136v Expos. 21, 11, 12a (bis 844, 34).

93 *Athous Laurae 689 (H 34)*

R 195: 108; R 188: 1 (1917) 763 u. Film (t). – Pap., 1769 geschrieben vom
Mönch Kyrillos Koronaios in Smyrna. – Philos.-theol. Mischhs; ff. 1r–24v
Dial. fus. ab c. 29 (ohne cc. 67 u. 68). – Vgl. unten S. 122 u. 145*.

94 *Athous Laurae 690 (H 35)*

R 195: 108 u. Film (t). – Pap., 17. Jh. – Theol.-polem. Mischhs; die im
Katalog angegebenen JD-Kapitel sind Auszüge aus der Panoplia des
Euthymios Zigabenos. – Vgl. unten S. 191.

95 *Athous Laurae 1049 (Θ 187)*

R 195: 161; R 189: 71; R 23: 1180 (als Nr. 1774). – Pap., 18. Jh. – Vornehmlich theol. Mischhs, ff. 39r–41 Expos. 84; ff. 44–47 Expos. 82 (?).

96 *Athous Laurae 1328 (K 41)*

R 195: 222f. – Pap., 18. Jh., Vorbesitzer: Seraphim von Kos. – Miszellanhs, ff. 215r–244v nicht näher bezeichnete 55 Kapitel aus Expos.; f. 244v
bis 245r Expos. 82.

97 *Athous Laurae 1362 (K 75)*

R 195: 229; R 189: 105. – Pap., 17. Jh. – Theol. Mischhs, ff. 183v–195r
Expos. 96, 97, 99, 100; ff. 212r–213v Expos. 94, 95.

98 *Athous Laurae 1401 (K 114)*

R 195: 241f. – Pap., 15. Jh. – Theol. Mischhs, f. 293v Expos. 78; ff. 297r
bis 299r Theologisches von Vätern, darunter auch JD (Pege ?).

100 *Athous Laurae 1521 (Λ 31)*

R 195: 267. – Pap., 18. Jh., geschrieben von Konstantinos Peloponnesios
in der Schule in Siphnos. – Miszellanhs, S. 432–433 Expos. 22 (εἰς φύλλον
νη' περὶ ἀέρων ἤτοι ἀνέμων).

101 *Athous Laurae 1598 (Λ 107)*

R 195: 282f. – Pap., 15. Jh. – JD-Hs, ff. 1r–46v Epist., Dial. fus.; ff. 47r
bis 168r Expos.; ff. 168r–193v Haeres. auct. (nach Anschlußstück, darum
vermutlich auch E inv.).

102 *Athous Laurae 1838 (Ω 28)*

R 195: 329. – Pap., 17. Jh. – Erklärung der Proskomide; daran anschließend ff. 38r–39r Expos. 85.

105 *Athous Pantel. 763 (6270)*

R 184: II 428. – Pap., 18. Jh. – JD-Hs, S. 1–204 Expos.; S. 337–407 ,,Πηγὴ γνώσεως'' (wohl = Dial.).

108 *Athous Pantocr. 97 (1131)*

R 184: I 102. – Pap., 18. Jh. – JD-Hs, Expos. 8–100 (Anfang und Ende verstümmelt) in 103 gezählten Kapiteln.

109 *Athous Pantocr. 234 (1268; in der Kirche)*

R 184: I 112f; R 20: 22; R 23: 260. 1144 u. Film (g). – Perg., 13. Jh. – Bibl.-jurist. Hs, f. 210r–v Epist.; ff. 210v–219r Dial. brev. (c. 63 fehlt; c. 66 vor 67); ff. 219r–249v Expos.; f. 226v am Rand c. 23b von anderer Hand (= 109ˢ); f. 252r–v Dial. fus. 1 (bis 532, 15) u. 5 (bis 545, 20). – Vgl. unten S. 120*, 123f u. 186*.

111 *Athous Philoth. 42 (1805)*

R 184: I 153f u. Film (t). – Unser Teil Pap., 13. Jh. – Kanonist. Hs, ff. 259r–298v Haeres. (Ende verstümmelt). – Vgl. unten S. 206*.

114 *Athous Simopet. 80 (1348)*

R 184: I 123. – Pap., 17. Jh. – JD-Hs, Expos. in 104 Kap. Die Hs ist verschollen (verbrannt?).

116 *Athous Stauronic. 62 (927)*

R 184: I 81f. – Pap., 14.–15. Jh. – Polem.-theol. Hs (gegen die Lateiner), ff. 109r–153r Epist. u. Dial. (fus.?) mit erweiterter Lysis; ff. 153v–263v Expos.

119 *Athous Batoped. 280*

R 191: 60 u. Film (g). – Perg., 12. Jh. – JD-Hs, ff. 1r–22v Dial. brev. ab c. 17 (584, 4; Anfang verstümmelt); ff. 22v–122r Expos. (cc. 93 u. 94 sind vor c. 82 eingereiht); f. 136v–137r Expos. 70 (ob dieses Kap. in der vorausgehenden Expos. fehlt, kann hier nicht gesagt werden, weil der Film an dieser Stelle [f. 90v–91r] eine Lücke aufweist). – Vgl. unten S. 115*, 130, 164*, 174 u. 186.

120 *Athous Batoped. 281*

R 191: 60 u. Film (t). – Pap., ,,Mardarios Alleluias aus Berrhoia, jetzt im Kloster Vatopedi, schrieb die Hs 1511/12, als er noch Laie war.'' – JD-Hs, f. 13v–14r Pinax I; ff. 15r–16v Epist.; ff. 16v–62v Dial. brev. + ZKp.; ff. 63r–64v Pinax II; ff. 65r–223r Expos.; ff. 223v–230r Dial. fus. 2, 3, 5, 18–28. Von Expos. besitzen wir photographiert nur Anfang und Schluß.

Nach Pinax ist es die gewöhnliche Ordnung, nur cc. 93 und 94 vor c. 82. – Am Schluß handelt es sich offensichtlich um eine Ergänzung der Dial. brev. durch die zusätzlichen Kapitel der fus. Da in c. 5 der Text mitten in der Seite von 545, 15 (über c. 9 hinweg) auf c. 18 (584, 27) springt, hatte der Schreiber der Ergänzungskapitel diese wohl durch Blattausfall entstandene Lücke schon in der Vorlage; c. 10b wird durch Randbemerkungen zu einer fus. ergänzt. – Vgl. unten S. 112f*, 186* u. 215.

121 *Athous Batoped. 282*

R 191: 60 u. Film (t). – Pap., 14. Jh. – JD-Hs, ff. 2r–4r Epist.; ff. 4r–61v Dial. fus.; ff. 61v–63r ZKp. (von anderer Hand); ff. 64r–65r Pinax II; ff. 66r–232v Expos. inv. – Mit f. 90r = Expos. 13 (856, 33) beginnt eine andere Hand (= 121¹), mit f. 124r = c. 89 (1169, 29) wieder eine andere (= 121²). Wahrscheinlich aber ist letztere dieselbe Hand wie die erste; stemmatisch sind sie jedenfalls nicht verschieden. – Vgl. unten S. 132*, 176* u. 187.

122 *Athous Batoped. 283*

R 191: 60 u. Film (t). – Pap., 15. Jh. – JD-Hs, f. Ir–v Pinax I (fus.); f. 1r Pinax der Ergänzungskapitel; ff. 1v–8v Dial. fus. 1–5, 20, 19, 21–28, 47 (2. Teil). Diese „Ergänzungskapitel" wollen die brev. zur fus. auffüllen; sie sind hier sigliert mit 122a. f. 8v–9r Pinax I (brev.); ff. 11v–13r Epist.; ff. 13r–46v Dial. brev. + ZKp.; ff. 47v–49r Pinax II; ff. 50r–164v Expos. – Vgl. unten S. 105f* u. 169*.

125 *Athous Batoped. 343*

R 191: 68; R 189: 113 u. Film (t). – Pap., 1702 (?). – JD-Hs, ff. Ir–v, 1r Pinax II für cc. α′–μβ′ (= c. 39); ff. 1r–211v Expos.

126 *Athous Batoped. 543*

R 191: 111 u. Film (g). – Pap., 17. Jh. – Kanonist.-dogmat. Sammelhs, ff. 65v–88r Auszüge aus Expos. und Dial.; aus der Expos.: f. 65v c. 8 (832, 8–833, 2), c. 12b (849, 20–24), c. 17 (868, 7–16; 873, 18–22); f. 66r c. 18 (877, 24–27), c. 23 (901, 27–33; 904, 6–8), c. 24 (908, 25–29); f. 66v c. 28 u. c. 27 (928, 42–929, 2), c. 43 (964, 24–29); ff. 67r–68r c. 44 (973, 5–976, 7; 976, 21–977, 37); f. 68r–v c. 47 (996, 16–27); ff. 68v–69v c. 49 (1000, 37 bis 1001, 29); ff. 69v–73v c. 51; ff. 73v–74r c. 52a (1013, 30–1016, 4); f. 74r–v c. 53; ff. 74v–75v c. 55 (1025, 16–1028, 15); ff. 75v–76r c. 58 (1045, 5–16); f. 76r c. 62 (1072, 43–1073, 7), c. 64 (bis 1081, 20); ff. 76v–77r c. 65 (ab 1085, 16); ff. 77r–78r cc. 71 (ab 1097, 7), 73, 75; f. 78r c. 80 (1113, 38–42), c. 94; ff. 78v–80 cc. 92 u. 93 (1196, 34–39); f. 80v c. 82 (1121, 40–41), c. 84 (1129, 15–26; 1132, 25–30); f. 81r c. 86 (1148, 10–1152, 6; 1152, 31–1153, 9); ff. 82v–84r c. 87 (1156, 35–1157, 29; 1160, 20–25; 1161, 13–20); f. 84r c. 95 (1200, 39–1201, 2); ff. 84r–85r c. 100 (bis 1220, 37). Aus der Dial.: f. 85v

c. 5 (540, 22–29. 33–39), c. 8 (553, 37–40; 556, 5–11); f. 86r c. 15 (580, 14–17), c. 30 (ab 592, 25); f. 86v c. 41 (ab 609, 5); f. 87r c. 66 (668, 13–669, 10); f. 87v Lysis (673, 49–676, 4); f. 87v c. 5 (545, 13–16). – Vgl. unten S. 145*.

130 *Athous Xenoph. 8 (710)*

R 184: I 60. – Perg., 12. Jh. – Hs mit JD und Gregor von Nazianz, Nr. 1 Dial. fus. ab c. 61 (Anfang verstümmelt); Nr. 2 Expos. in 100 Kap.

131 *Athous Xenoph. 46 (748)*

R 184: I 66. – Pap., 18. Jh. – Briefkorpus, zumeist vulgärgriechisch, Nr. 8 Expos. in 103 Kap.

132 *Athous Xenoph. 80 (782)*

R 184: I 70. – Pap., 15. Jh. – Dogmat.-asket. Hs, Nr. 1 Epist., Dial. brev. ab c. 6 (beginnt mit 548, 37); Nr. 3 Expos. (schließt verstümmelt in c. 99), nach den Angaben des Katalogs in Unordnung. – Vgl. unten S. 121*.

135 *Athous Xeropot. 45 (Lampros 2378; Eudokimos 2607)*

R 184: I 202; R 198: 19. – Pap., 15. Jh. – Als Ganzes (207 fol.) ,,Θεολογικόν'' (Anfang und Ende verstümmelt) = Dial. ab c. 49 (u. Expos. ?). Nach Eudokimos ist die 1. Seite schwer zu lesen. Die als Inc. für die 2. Seite angegebene Textstelle findet sich 629, 39, das Expl. vermag ich nicht zu identifizieren.

136 *Athous Xeropot. 102 (Lampros 2435; Eudokimos 2664)*

R 184: I 206; R 198: 41. – Perg., 14. Jh. – JD-Hs, Index ab ,,c. 52''; Expos. Das Inc. μένεις φύσεως meint wohl die Überschrift zu c. 55 im Pinax II . . . θεωρουμένης φύσεως . . . (785, 47/48). Die Hs schließt mit ὦν ἡ διαγραφή ἐστιν αὕτη und Sonnen- und Mondzyklus (nicht Windrose ?), eine Stelle, die bei Migne nicht abgedruckt ist, aber in sehr vielen Hss auf c. 22 (900, 46) folgt. Da aber am Schluß offenbar kein Text verlorenging, die Expos. jedoch laut Index mehr als 22 Kapitel umfaßte, ist anzunehmen, daß in unserm Fall dieser Anhang zu c. 22 am Schluß der Expos. angefügt ist, wie es tatsächlich bei Hs 601 zutrifft.

139 *Berolin. 47 (Phill. 1451; Meerm. 95; Clar. 152)*

R 214: XI, I 15 u. Film (g). – Perg., 12. u. 13.–14. Jh. – JD-Hs, f. Ir–v Pinakes I u. II; f. 1r–v Epist.; ff. 1v–33v Dial. fus.; ff. 34r–115v Expos. inv. – ff. 1–9v = Epist. u. Dial. bis c. 14 (577, 24) und ff. 11r–12v Dial. 16 (Schluß)–28 (581, 19–589, 17) sind auf Papier von einer Hand des 13./14. Jh. ergänzt (= 139[1]). – ff. 69–76 sind wie folgt zu ordnen: 69, 71, 70, 72, 73, 75, 74, 76. – Vgl. unten S. 143*, 176, 183* u. 228.

140 *Berolin. 72 (Phill. 1476; Meerm. 141; Clar. 154; Pel. 7)*

R 214: XI, I 24 u. Film (g). – Pap., 16. Jh. – Philosoph. Mischhs, ff. 1r–2v Epist.; ff. 3r–58v Dial. fus.; ff. 59r–208v Expos. inv. An der Hs sind m. E.

4 Hände beteiligt, die einander ablösen: Hand 1 (= 140) schreibt ff. 1–20r = Anfang bis Dial. 13 (576, 25) u. (?) ff. 83v–208v = Expos. 17 (869, 20/21) bis Schluß der Expos.; Hand 2 (= 140[1]) ff. 20v–42v = Dial. 13–51 (576, 25 bis 633, 26); Hand 3 (= 140[2]) ff. 42v–82v = Dial. 51 bis Expos. 17 (868, 2/3); f. 82v und 83r stammen von einer 4. Hand. Das Stemma zeigt jedoch, daß alle Schreiber dieselbe Vorlage benutzen. – Vgl. unten S. 132* u. 176*.

141 *Berolin. 97 (Phill. 1501; Meerm. 181; Clar. 329ᶜ; Pel. 86ᶜ)*

R 214: XI, I 41 u. Film (g). – Pap., 15. Jh. – JD-Hs, f. 6r–v Pinax II; f. 7r–v Epist.; ff. 7v–53v Expos. Textlücke in cc. 82–85 (1121, 31–1136, 5) und in c. 86 (1137, 2–1149, 26) ohne Blattverlust. – Vgl. unten S. 121* u. 186f*.

142 *Berolin. 214 (Phill. 1617; Meerm. 365; Clar. 388)*

R 214: XI, I 92 u. Film (g). – Pap., 16. Jh. – Philos. Sammelhs, ff. 11r–13r Epist.; ff. 13r–70v Dial. fus. – Vgl. unten S. 135*.

146 *Bonon. Univ. 2700 (108)*

R 218: 3 (1895) 410f u. Film (g). – Pap., unser Stück 15.–16. Jh., Vorbesitzer: S. Salvatore in Bologna. – 2 zusammengebundene Mischhss, f. 206r–v Expos. 4.

147 *Bonon. Univ. 3637*

R 218: 3 (1895) 461 u. Film (g). – Pap., 14. Jh. – Philos. Mischhs, f. 82r Exzerpt aus Expos. 12b (848, 41–849, 8).

150 *Bremens. Bibl. munic. c. 44*

R 47: 372f u. Film (g). – Perg., 14. Jh., Vorbesitzer: Melchior Goldast von Heimingsfeld († 1635). – JD-Hs, ff. 39r–40v Epist.; ff. 41r–100r Dial. brev.; ff. 103r–138v Haeres. – Vgl. unten S. 113f*, 124 u. 204*.

Auf unserm Film ist die Foliierung nicht zu lesen; sie wurde erst von der Schlußseite aus, die im Katalog angegeben ist, rekonstruiert und kann Unstimmigkeiten gegenüber dem Kodex enthalten.

153 *Bruxell. 11386 (1366)*

R 225: II 300; R 54: Sdr. 15 u. Film (g). – Bombyz., 13. Jh., Vorbesitzer: 1. Hierodiakon Antonios; 2. Mönch Theodosios Rhadenos Hagianos; 3. Dominikanerkloster in Paris (S. Honoré). – JD-Hs, ff. 6v–47v Dial.: cc. *5, 18–28,* 4b, 10b, *9, 10f,* 11–17, 29, 30, 6b mit *6f,* 7, 8, 31 bis Schluß (die kursiv gedruckten Kapitel sind hier aus der Dial. fus. eingeschoben); ff. 47v–162v Expos. bis c. 90 (1176, 16; Ende verstümmelt). Die ersten Kapitel der Expos. befinden sich in ungewohnter Reihenfolge: 2, 4, 1, 5 usw.; c. 8 ist ausgelassen. – Vgl. unten S. 114f*, 121*, 124 u. 170*.

154 *Bruxell. gr. II 4836*

R 227 u. Film (t). – Bombyz., 1281. – Kanonist. Hs, ff. 1–34 v Haeres. –
Vgl. unten S. 205* u. 211.

157 *Bucarest. Acad. Scient. gr. 597 (249)*

R 229: 277. – Pap., 14.–15. Jh., Vorbesitzer: Zentralseminar. – Dogmat.
Hs, ff. 112r–141v Dial. brev.; ff. 142r–253 Expos.

158 *Bucarest. Acad. Scient. gr. 604 (262)*

R 229: 296 ff. – Pap., 16. Jh., Vorbesitzer: Archimandrit Philotheos und
Zentralseminar. – Philos.-dogmat. Hs, ff. 2 (f. 1 ist ausgefallen) bis 64 v
Epist. (ab 528, 8) u. Dial.; ff. 65r–66v Pinax II (?); ff. 67r–258v Expos.

159 *Bucarest. Acad. Scient. gr. 638 (304)*

R 229: 347f. – Pap., 1759 (1715), aus dem Zentralseminar. – Grammat.-
dogmat. Mischhs, ff. 183–329 Expos.

160 *Bucarest. Acad. Scient. gr. 707 (372)*

R 229: 448f. – Pap., 18. Jh., aus dem Zentralseminar, vorher Besitz des
Mönches Philotheos. – Grammat.-dogmat. Mischhs, ff. 161r–163 Pinax I;
ff. 163v–237v Dial.

163 *Cantabrig. Coll. S. Trinit. 1060 (O. I. 36; C 77; Nr. 209)*

R 260: III 41. – Pap., ohne Datierung. – Dogmat. Sammelhs, ff. 31r–33r
Expos. 84.

164 *Cantabrig. Coll. S. Trinit. 1220 (0. 3. 48; 5908; B 21; Nr. 87)*

R 260: III 230f u. Film (t). – Perg. (fol. ?– ?), 13. Jh.; Pap. (fol. ?– ?),
17. Jh. – Theolog. Sammelhs, ff. 150r–156r u. ff. 164v–168v Teile von
Dial. brev. Unser Film umfaßt nur ff. 150r–156r und ff. 164v–168v. Es
wurde festgestellt auf ff. 150r–156r Dial. brev. c. 13 (ab 576, 24) bis c. 17,
c. 29 (bis 589, 32), c. 6b (ab 549, 50) bis c. 8 (bis 552, 49), c. 42 (ab 612, 11),
c. 44 (bis 616, 17), c. 49 (624, 36–625, 12); ff. 164r–168v enthalten Dial. 68
(ab 672, 52), c. 66, ZKp. Blätter bzw. Lagen sind verloren vor f. 150, zwischen ff. 153 u. 154, 154 u. 155, 155 u. 156. – Vgl. unten S. 121*.

165 *Cantabrig. Coll. S. Trinit. 1299 (0. 5. 18; Bern. 5855; Th. Gale 21)*

R 260: III 319f; E. Bernard, Catalogi librorum mss. Angliae et Hiberniae,
Oxford, II 1 (1697) 185. – Pap., 16./17. Jh. – Väterhs, ff. 1r–46v Haeres. –
Vgl. unten S. 203*.

167 *Chalcens. τῆς μονῆς (Παναγ. Καμαριωτ.) 64*

R 407: 11 (1935) 167f. – Pap., ohne Datierung, Vorbesitzer: Patr. Konstantinos. – Profan-geistl. Mischhs („λαβύρινθος"), gegen Ende Expos.

168 *Chalcens. Schol. Theol. τῆς μονῆς 136*

R 414: 160; R 41: III 1025f u. Film (t). – Pap., 15. Jh. – Vornehmlich
Pege-Hs, f. 38r–v Pinax I (brev.); ff. 39r–41r Schemata zur Dial.; ff. 41v
bis 43r Pinax II. Vermutlich folgen unmittelbar Dial. und Expos.; unser
Film enthält sie nicht mehr. – Diese Hs wurde laut brieflicher Mitteilung
von M. Richard vom 6. 12. 1955 von der Sammlung getrennt, bevor diese
in das Ökumenische Patriarchat überführt wurde.

171 *Charcov. Univ. VI*

R 470: 560. – Pap., 16. Jh., wahrscheinlich von Matthaei gestohlen. –
S. 1–91 τῶν φιλοσοφικῶν libellus (= Dial. ?).

174 *Demetsan. τῆς σχολῆς 58*

R 324: 22 (1952) 221f. – Pap., 19. Jh. – Philos.-theol. Hs, ff. 9r–51v (?)
Epist. (u. Dial ?).

178 *Dublin. Coll. S. Trinit. 200 (B. 4. 18)*

R 330: 28; R 331: 48 (1933) 166ff u. Film (g). – Perg., 13. Jh., Vor-
besitzer: 1. Joakim von Naupaktos u. Arta; 2. EB Usher, der einige
Randnotizen anbrachte und etliche verlorene Blätter aus einem Barocc.
ergänzte. – Kanonist. Hs, ff. 129v–156r Haeres. Durch Ausfall eines
Quaternio entstand eine Lücke in den cc. 35–79 (bis 728, 17). Fol. 156
Περὶ ᾽Αποσχιστῶν ist offenbar eingefügt als Ersatz für ein ausgefallenes
(= 178[1]). – Die Schrift verrät große Sorgfalt und soll den Eindruck hohen
Alters erwecken, so daß sie im Katalog wirklich in das 10.–11. Jh. datiert
wurde. Einer Verweisung in das 10. Jh. steht aber die starke Durch-
setzung mit unzialen Buchstaben entgegen. γ kommt überwiegend in der
Unzialform vor, Minuskel-γ erscheint in dem analysierten Abschnitt nur
zweimal, und zwar beide Male in der Verbindung υγχ. 20 Minuskel-δ
entsprechen 6 unzialen, 20 Minuskel-ε 46 unzialen. η findet sich 36 mal
unzial, 6 mal minuskel, und zwar in der Ligatur ην, θ außer 2 Ligaturen σθ
nur unzial, κ 32 mal unzial, 10 mal in Minuskelform; unziales λ überwiegt
gegenüber dem Minuskelbuchstaben (21:4); bei μ ist das Verhältnis 20:7,
bei π 8:21. Auf 68 Minuskel-τ treffen 6 hohe unziale. Eine Datierung in
das 10. Jh. erscheint somit unmöglich. Daß der Schreiber selbst kaum im
11. Jh. arbeitete, wird durch die Verwendung späterer Formen nahegelegt:
häufiges Auftreten des offenen, ausgebauchten ρ in der Ligatur αρ und ερ,
durchwegs gebogene Querbalken bei ψ, das häufige Vorkommen des
unzialen ω (14 gegen 27 Minuskel-ω in der Form der liegenden 8), das
mehrmalige Haken-ε in der Ligatur mit ω und das durchgezogene in der
Verbindung mit ρ oder Brillen-β, vereinzelter Gebrauch des rechtsgewen-
deten ξ. Nach den angeführten Kriterien möchte ich diese Nachahmungsschrift in das 13. Jh. setzen. – Vgl. unten S. 205*.

180 *(Eskorial) Scorial. 35 (R–III–1)*

R 343: 20 (als Nr. 31); R 344: I 138 u. Film (g). – Perg. u. Pap., 12. Jh. (m. E. 15. Jh.), die vielfach ausgewischte Schrift ist nachgezogen; ff. 1–2 16. Jh.; ff. 3–8 (= 180¹) 1495. – JD-Hs, ff. I–II (nur nach Katalog) Epist. (ab 524D), Dial. brev. 4b u. 10b (Anfang); ff. 1r–2v Pinakes I u. II; ff. 3r–4r Epist.; ff. 7r–20v Dial. brev. + ZKp.; ff. 20v–105r Expos.; ff. 105r–118v Haeres.; f. 121r–v Expos. 93; ff. 123v–124v Expos. 89 u. 94. In der Dial. fielen Blätter aus zwischen ff. 8 und 9 mit cc. 10–15 (572, 24 bis 580, 6) und eine Tetrade zwischen ff. 11 und 12 mit den cc. 8–51 (553, 26 bis 636, 18). – Vgl. unten S. 107f*, 145, 160* u. 200f*.

181 *(Eskorial) Scorial. 73 (Σ–I–13; II. A. II; II. A. 19)*

R 343: 67 (als Nr. 69); R 344: I 256ff u. Film (g). – Pap., 15. Jh., Vorbesitzer: Antonio Agustin. – Bunte Miszellanhs, ff. 46r–58v Dial. fus. Nach arabischer Art von hinten nach vorne gelesen, ergibt der Kodex folgende Kapitelreihe: 3, 5, 4f, 6f, 7–10f, 15–40, 42, 41, 43–62. Die letzten Kapitel 64 bis Lysis sind von vorne nach hinten zu zählen. Es fehlen cc. 1, 2, 45, 46, 63. C. 3 schließt mutile mit 536, 22; ferner ist eine Lücke zwischen ff. 54 und 55 in cc. 15–10f (577, 37–561, 8). – Vgl. unten S. 134*.

182 *(Eskorial) Scorial. 116 (Σ–III–17; II Δ 7; III. K. 22)*

R 343: 102 (als Nr. 113); R 344: I 376f. – Pap., 15. Jh., aus dem Besitz von Matthaios Dandolo. – Medizin.-naturwissensch. Hs, ff. 125r–126v Expos. 21 (ab 893, 5).

183 *(Eskorial) Scorial. 269 (Y–III–2)*

R 343: 224 u. Film (g). – Bombyz., 14. Jh., aus der Bibliothek des Hortado de Mendoza. – Mystisch-asket. Sammelhs, ff. 148v–151r Expos. 86.

184 *(Eskorial) Scorial. 286 (Y–III–19)*

R 343: 257 u. Film (g). – Pap., 14. Jh. – Theol. Sammelhs, f. 168v–169r Expos. 57.

185 *(Eskorial) Scorial. 335 (Y–III–15)*

R 343: 288f u. Film (g). – Pap., 16. Jh. – Theol.-polem. Hs, enthaltend besonders JD, ff. 18r–21r Epist.; ff. 21r–78r Dial. brev. + ZKp.; ff. 83r bis 274v Expos. Über eine halbe Seite (f. 18v–19r), die den Text von 521, 24–524, 2 wiedergeben sollte, erscheint auf dem Film als leer. Manche Blätter sind in Unordnung; die richtige Folge ist: 83–88, 97–104, 89–96, 105 usw. Dann ergibt sich folgende Kapitelreihe: 1, 2, 8, 3–7, 9–20, 22–42, 45, 43, 44, 46–82, 85–87, 90–100. Demnach fehlen cc. 21 (ohne Blattausfall), 83, 84, 88, 89. – f. 273v setzt noch eine andere Hand ein. – Die Hs ist orthographisch auffallend schlecht. – Vgl. unten S. 121*, 167* u. 187.

186 *(Eskorial) Scorial. 400 (X–IV–7)*

R 343: 403 u. Film (g). – Pap., 14. Jh. – JD-Hs, Expos. u. Haeres. An der Hs schrieben 3 Hände, denen die Teile wie folgt zuzuordnen sind: Hand 1 (= 186) Expos. 1–44 = 972,6 (ff. 1–71); Hand 2 (= 186¹) Expos. 44 bis Haeres. 55 = 712,7 (ff. 72–120, 154–200, 146–153, 138–145); Hand 3 (= 186²) Haeres. 55–101 (ff. 129–137, 121–128, 201); die Blätter wären entsprechend zu ordnen. An Text ging durch Ausfall von je einem Blatt verloren in Expos. cc. 36–38 (949,3–953,3) zwischen ff. 65 und 66 und in c. 44 (972,6–977,14) zwischen ff. 71 und 72. – Vgl. unten S. 180f* u. 210*.

187 *(Eskorial) Scorial. 452 (Ψ–III–1)*

R 343: 431 u. Film (g). – Pap., 14. Jh. – JD-Hs, ff. 12r–26r Dial. fus. 49 (ab 624,25) bis Lysis; ff. 26r–114v Expos. mutil. (bis c. 97 = 1208,43); ff. 115r–116v Pinakes I u. II; ff. 117r–118r Epist.; ff. 118r–129v Dial. brev. 4b–41 (bis 612,3). In Dial. fus. 57/58 (ff. 17/18) ist eine Lücke von 644,21–645,38 durch Blattausfall. Es sind in der Hauptsache 2 Hände beteiligt: Hand 1 ff. 12r–114v; Hand 2 (= 187¹) ff. 117r–129v. Die Pinakes sind von einer weiteren Hand. – Vgl. unten S. 117*, 141*, 146, 154f*, 181* u. 184.

188 *(Eskorial) Scorial. 459 (Ψ–III–8)*

R 343: 434 u. Film (g). – Pap., 13. Jh. – JD-Hs, auf den später vorausgeschickten unnumerierten Blättern Pinax II; ff. 1–130r Expos.; ff. 205r bis 206v Epist.; ff. 206v–232r Dial. brev. (ohne c. 66). – Vgl. unten S. 121*, 127, 130, 176 u. 186f *.

189 *(Eskorial) Scorial. 564 (Ω–IV–16)*

R 343: 491; R 345: 392. – Pap., 16. Jh., geschrieben von Darmarios. – Mischhs, vornehmlich liturg. Inhalts, f. 205r–v theolog. Fragment (Pege ?).

190 *(Eskorial) Scorial. 577 (Ω–IV–29)*

R 343: 497 u. Film (g). – Pap., 16. Jh. – Naturwiss. Mischhs, ff. 66r–110v Expos. 21, 20, 24–26.

193 *(Florenz) Laurent. VI, 12*

R 349: I 117 u. Film (g). – Pap., 14. Jh. – Väterhs, ff. 205r–209r Expos. 1 (ab 792,7), 7, 8, 12b (ab 848,31), 13 (ab 856,21), 46 (985,15–25). – Vgl. unten S. 187*.

194 *(Florenz) Laurent. VII, 16*

R 349: I 255f u. Film (g). – Pap., 14. Jh. – JD-Hs, ff. 1r–3v Pinax II; ff. 4r–5v Epist.; ff. 5v–59r Dial. fus.; ff. 59r–230v Expos. – Vgl. unten S. 137, 140*, 164 u. 181*.

195 *(Florenz) Laurent. VII, 23*

R 349: I 273 ff u. Film (g). – Perg., 12. Jh. (nach Bandini, m. E. 14. Jh.). – JD-Hs, ff. 1 v–2 v Pinakes I u. II; ff. 3 r–5 r Epist.; ff. 5 r–77 r Dial. fus.; ff. 77 v–283 r Expos. inv. – Vgl. unten S. 134*, 146, 178* u. 184.

195 A *(Florenz) Laurent. IX, 8*

R 349: I 395 ff u. Film (g). – Perg., 11. Jh. – Kanonist. Hs, ff. 258 r–274 v Haeres. – Vgl. unten S. 202 f*.

196 *(Florenz) Laurent. IX, 19*

R 349: I 422 f; R. Devreesse, Les manuscrits grecs de l'Italie méridionale [Studi e Testi 183] S. 29 u. Film (g). – Perg., 11. Jh., vielleicht tyrrhenisch. – JD-Hs, ff. 1 r–96 v Expos. ab c. 16 (864, 36; Anfang verstümmelt); ff. 97 r bis 98 r Epist.; ff. 98 r–110 r Dial. brev. bis c. 49 (628, 2; Ende verstümmelt). f. 88 ist zwischen ff. 94 und 95 falsch am Platz. – Der Kodex ist von einer späteren Hand stark überarbeitet. – Vgl. unten S. 108*, 187* u. 216.

197 *(Florenz) Laurent. X, 26*

R 349: I 492 f; Ammonius in Porphyrii isagogen sive V voces, ed. A. Busse [Commentaria in Arist. gr. 4,3] Berlin 1891, S. XII u. Film (g). – Perg., 12. Jh. nach Bandini; 13. Jh. nach Busse. – Philos.-theol. Hs, f. 12 r–v (Zählung am unteren Rand) D 47 ab 620, 32; f. 13 r–v Epist.; ff. 14 r–35 r Dial. brev. + ZKp., c. 33 wird am Schluß nachgeholt (f. 35 r). – Vgl. unten S. 109 f*.

198 *(Florenz) Laurent. XXVIII, 27*

R 349: II 52 f; R 19: I 4 f; A. Ludwich, Maximi et Ammonis carminum reliquiae, Leipzig 1877, S. IV u. Film (g). – Perg., 11. Jh. – Astrolog. Sammelhs, f. 46 v Zitat aus Expos. 21 (889, 2–13).

199 *(Florenz) Laurent. XXXI, 37*

R 349: II 114 ff u. Film (g). – Pap., 14. Jh. – Philos.-theol. Hs, ff. 279 v bis 282 r Expos. 21 (ab 888, 3), 28, 29. – Vgl. unten S. 187*.

200 *(Florenz) Laurent. LXXI, 3*

R 349: III 2 f; Ammonius in Porphyrii isagogen XI; Ammonius in Aristot. categ. comment., ed. A. Busse [Commentaria in Arist. gr. 4,4] Berlin 1895, S. XV; Philoponi in Aristot. categ. comment. ed. A. Busse [ibid. 13,1] Berlin 1898, S. X u. Film (t). – Pap., 13.–14. Jh. – Philos. Hs, f. 92 r–v Dial. 31 (bis 596, 34)–35; ff. 128 r–140 r Dial. 51–62 (bis 653, 15; c. 56 ist nur teilweise wörtlich).

201 *(Florenz) Laurent. LXXI, 20*

R 349: III 11 ff u. Film (t). – Pap., 15. Jh., geschrieben in Cingoli bzw. Ancona. – JD-Hs, ff. 2 r–3 v Epist.; ff. 3 v–43 r Dial. brev. + ZKp.; ff. 43 v

bis 172 v Expos.; ff. 217 r–218 r Expos. 12 b (von anderer Hand = 201[1]).
Die obigen Folienangaben entsprechen der Numerierung am unteren
Rand, Bandini folgt der oberen, die um 1 voraus ist. – Die Lücke in D 10
(569, 20–572, 4) beruht auf einer fehlerhaften Vorlage; sie ist am Rand
von späterer Hand ergänzt. – f. 1 v Bild des JD; das Buch in seiner Hand
führt als Titel die ersten Worte des Epist.-Textes. – Vgl. unten S. 104 f*,
154* u. 216.

202 *(Florenz) Laurent. LXXII, 14*

R 349: III 33 f; Ammonius in Aristot. categ. comment. XIX u. Film (g). –
Perg., 13. Jh., Busse 14. Jh. – Philos. Hs, f. 68 v Exzerpt aus Expos. c. 5
(800, 34–801, 25).

203 *(Florenz) Laurent. LXXXVI, 8*

R 349: III 324 u. Film (g). – Pap., 15. Jh. – Miszellanhs, unter Väterzitaten
über den Heiligen Geist f. 306 v–307 r Exzerpte aus Expos. 12 b (848, 41–43;
849, 6–8), c. 8 (829, 7–10/11; 832, 5–11) u. 12 b (849, 15–24 auszugsweise).

204 *(Florenz) Laurent. LXXXVI, 30*

R 349: III 375 f u. Film (g). – Bombyz., 14. Jh. – JD-Hs, ff. 1 r–2 v Epist.;
ff. 3 r–57 r Dial. fus.; ff. 57 v–208 v Expos. inv. Eine spätere Hand (= 204[1])
ergänzte ff. 1–18 (bis 565,29) und ff. 200–208 ab Expos. 71 (1096, 15). –
Vgl. unten S. 134*, 140*, 178*.

205 *(Florenz) Laurent. LXXXVII, 14*

R 349: III 394 ff u. Film (g). – Pap., 13. Jh. – Philos.-theol. Hs, ff. 8 v–12 r
Expos. 21–23 a. – Vgl. unten S. 187*.

208 *(Florenz) Laurent. Convent. soppr. 157 (AF 3, ol. 55; Montfaucon,*
Iter Ital. 365, 3)

R 353: 162. – Pap., 15. Jh. – Theol. Mischhs, ff. 120 v–126 Epiphanios,
Die vier Prototypen der Ketzerei (= Haeres. ?).

209 *(Florenz) Laurent. S. Marc. 684*

R 353: 188 u. Film (g). – Pap., 1384/5, Vorbesitzer: Niccolò de Niccolis. –
Theol.-hagiograph. Sammelhs, f. 7 r–v Epist. (lückenhaft); ff. 5 r–7 r teilweise freie Exzerpte aus Expos. 20 (bis 884, 19), 17, 18 (gegen Schluß erweitert); ff. 9 v–10 v Expos. 25 (912, 5–916, 17). – Vgl. unten S. 116*.

210 *(Florenz) Laurent. S. Marc. 694*

R 353: 193; R 20: 63 u. Film (t). – Pap., 15. Jh. – JD-Hs, ff. 1 r–82 r
Expos. 1–55 (verstümmelt ab 1028, 4), ohne c. 16; ff. 89 r–128 v Dial. brev.;
ff. 129 r–130 v Epist. – Vgl. unten S. 121* u. 161*.

212 *(Florenz) Magliabecch. 48 (Magl. cl. XXXIV, n. 38)*

R 356: 411 u. Film (g). – Pap., 16.–17. Jh. – Eucharist. Hs, ff. 1 v–4 r
Expos. 86 (ab 1137, 42).

219 *(Grottaferrata) Cryptoferr. II (Patr.) 9 (B. a. 9)*

R 381: 76; R 382: 276 u. Film (t). – Perg., 12. Jh.. italogriechische Herkunft. – Pege-Hs, ff. 1 r–2 v Pinakes I u. II; ff. 3 r–4 r Epist.; ff. 4 r–31 v
Dial. brev.; ff. 32 r–148 v Expos. inv. – Vgl. unten S. 117*, 182f*, 191 u. 216.

220 *(Grottaferrata) Cryptoferr. II (Patr.) 11 (B. a. 11)*

R 381: 84f; R 382: 276 u. Film (g). – Perg., 10.–11. Jh., geschrieben in
Grottaferrata. – JD-Hs, ff. 1 r–192 v Expos.; ff. 193 r–194 sec. v Haeres. Da
die Kapitelzählung der Expos. mit να′ beginnt, muß in der Vorlage oder
ursprünglich in diesem Kodex eine Dial. brev. vorausgegangen sein. Textlücken sind in Expos. 82 (1121, 22–1124, 10; f. 154 wurde an Stelle eines
ausgefallenen Blattes eingefügt, aber nicht mehr beschrieben) und in
cc. 83/84 (1128, 14–48; f. 157 ist ebenfalls leer, entspricht vermutlich in der
Lage dem f. 154). Durch Blattverlust fielen aus cc. 84–86 (1132, 27–1152, 23;
zwischen ff. 159 und 160 Ausfall etwa einer Lage. Die Blattzählung springt
scheinbar von 160 auf 170, in Wirklichkeit aber ist 160 über Rasur korrigiert aus 169. Es fielen also aus ff. 160–168); cc. 87/88 (1161, 40–1165, 12;
Ausfall von 1 Blatt zwischen ff. 173 und 174; 174 ist zweimal gezählt); c. 91
(1184, 10–1185, 1; 1 Blatt ausgefallen zwischen ff. 182 und 183); cc. 92–97
(1193, 36–1209, 30; Blätterverlust zwischen ff. 187 und 188); c. 100 (ab
1220, 25; Ausfall von etwa 2 Lagen zwischen ff. 192 und 193). – Die Haeres.
schließen an Expos. an, beginnen jetzt f. 193 r mit c. 21. Auf f. 193 v bricht
c. 24 bei 692, 5 mit Ende der Seite ab. Nach der Lücke von einem Blatt
folgen auf f. 194 r–v cc. 28–32 (bis 697, 10) und nach Ausfall von einem
weiteren Blatt cc. 41–44 (701, 27–704, 26) auf f. 195 r–v. Hierauf dürften
2 Lagen fehlen; auf ff. 196 r bis 201 r und den 2 darauf folgenden und nochmals als 193 und 194 numerierten Fol. sind cc. 84 (ab 756, 8)–101 (bis
769, 13); c. 100 ist übergangen. Die Blätter sind stark geflickt und wohl
beim Wiederbinden neu zu Lagen geordnet, so daß der Versuch, die ursprünglichen Lagen herauszuarbeiten, ohne Erfolg blieb, zumal keine
Phylakes angebracht sind. – Vgl. unten S. 158*, 174, 187, 198*, 211 u. 216.

223 *Hierosol. Patr. 65*

R 444: I 148; R 446 u. Film (g). – Pap., 15.–16. Jh., Vorbesitzer: Kloster
τοῦ Χαρσιανίτου in Konstantinopel, später Georgskloster τῶν Μαγγάνων
auf Kypros. – Mischhs, ff. 93 r–115 v Haeres. (ohne cc. 90–92). – Vgl. unten
S. 203* u. 215.

224 *Hierosol. Patr. 98*

R 444: I 172; R 446. – Pap., 1742. – Notizenbuch eines Predigers, unter
den Schriftstellern, die ausgezogen werden, ist auch JD genannt. Pege ?

225 *Hierosol. Patr. 240*

R 444: I 315; R 446 u. Film (g). – Pap., 1785. – JD-Hs, ff. 1r–2v
Epist.; ff. 3r–4v Pinax I; ff. 5r–61r Dial. fus. Der Kodex war zuerst pagi-
niert. Diese Zählung wurde durchgestrichen und dafür eine nach Blättern
angebracht. – ff. 1–4 von 2. Hand (= 225[1]). – Vgl. unten S. 135*.

225A *Hierosol. Patr. 266*

R 444: I 327; R 446 u. Film (g). – Pap., 18. Jh. – JD-Hs, ff. 1r–2v Epist.;
ff. 3r–64v Dial. fus. – Vgl. unten S. 135f*.

226 *Hierosol. Patr. 350*

R 444: I 382; R 446 u. Film (g). – Pap., 18. Jh. – JD-Hs, S. 1–5 Epist.;
S. 6–149 Dial. fus.; S. 151–158 Pinax I (von anderer Hand). C. 65 hat denselben Umfang wie in Migne, auch steht c. 66 zwischen cc. 65 und 67 (wie
in Migne). – Vgl. unten S. 122 u. 135*.

227 *Hierosol. Patr. 412*

R 444: I 413f; R 446 u. Film (g). – Pap., 18. Jh. – Philos. Hs, ff. 1r–2r
Epist.; ff. 2v–56v Dial. fus. (ohne cc. 23 u. 24). Ab f. 44r (c. 51 = 636,37)
schreibt eine andere Hand (= 227[1]). – Vgl. unten S. 133*, 135f* u. 139.

229 *Hierosol. S. Sabae 157*

R 444: II 251; R 446 u. Film (g). – Das 1. Einbandblatt, Stück von einem
Pergamentkodex des 11.–12. Jh., enthält f. Ir–v Exzerpte aus Expos.:
cc. 74, 76, 77 (bis 1108,37) und 86 (ab 1141,2).

229A *Hierosol. S. Sabae 365*

R 444: II 480ff; R 446 u. Film (g). – Bombyz., 13. Jh. – Geistliche Hs;
in den Hermeneiai des Nikon ff. 22r–23r Auszüge aus Haeres.; es wurden
festgestellt: cc. 88, 96, 97, 100, 103 (776,1–777,4) und 98. – Vgl. unten
S. 209f.

230 *Hierosol. S. Sabae 366*

R 444: II 482 ff; R 446 u. Film (g). – Bombyz., 13. Jh. – Kanonist.-erbau-
liche Mischhs, f. 132v Expos. 44 (bis 976,1). – Vgl. unten S. 185*.

231 *Hierosol. S. Sabae 415*

R 444: II 531ff; R 446 u. Film (g). – Bombyz., 14. Jh. – Dogmat.-erbau-
liche Sammelhs, teilweise gegen die Lateiner, ff. 75r–98v Expos. 7, 8
(bis 828,8), 10 u. 53. – Vgl. unten S. 180*.

232 *Hierosol. S. Sabae 562*

R 444: II 589; R 446 u. Film (g). – Pap., 16. u. 18. Jh. – JD-Hs, ff. 2r–99v
Expos. (ohne c. 16). Die cc. 93 und 94 stehen vor c. 82. Außerdem sind
durch Blattausfall in einer Vorlage Lücken in cc. 55–58 (1025,21–1040,46),
in c. 60 (1068,15–1072,2) und in cc. 88–90 (1168,23–1176,27). Von einer

ergänzenden Hand (= 232¹) stammen ff. 1–3 v (c. 2 = 792,43; Hand 1 setzt aber schon mit 792,39 ein), ff. 79–81 (cc. 87, 88 = 1161,20–1165,18; der darauf folgende Text von Hand 1 beginnt mit 1165,16) und f. 87 v (cc. 96 = 1200,39) bis Schluß. – Vgl. unten S. 162* u. 190.

233 *Hierosol. S. Sabae 591*

R 444: II 603; R 446 u. Film (g). – Pap., 18. Jh. – JD-Hs, ff. 1 r–4 r Pinax II; ff. 5 r–145 v Expos. – Vgl. unten S. 174*.

234 *Hierosol. S. Sabae 614*

R 444: II 615; R 446 u. Film (g). – Pap., 15. Jh., Vorbesitzer: Panagia-Kloster in Jerusalem. – JD-Hs, ff. 1 r–114 v Expos. mutila cc. 7 (ab 805,28) bis 87 (1156,22); ff. 115 r–v Dial. fus. 30–33 (596,6–600,35). Textlücken sind in Expos. 36 (944,16–945,29; f. 43 ist später eingefügt und noch unbeschrieben, es sollte ein verlorenes Blatt ersetzen) und cc. 51–56 (1012,10 bis 1032,38) durch Ausfall einer Lage zwischen ff. 66 und 67. Nach Katalog (II 753) befinden sich 6 Blätter dieser Hs in Leningrad = Petropol. 423; doch enthält dieses Fragment nichts von damaskenischen Schriften (Otčet imp. publ. bibl. S. Peterburg 1883, erschienen 1885, S. 148 f). – Vgl. unten S. 164 u. 181*.

235 *Hierosol. S. Sabae 649*

R 444: II 633; R 446 u. Film (g). – Pap., 18. Jh. – JD-Hs, ff. 1 r–4 r Epist.; ff. 4 v–112 v Dial. fus. 1, 2, 17 bis Schluß, 3–16. Die Unordnung in der Kapitelfolge geht wohl auf Konto des Buchbinders. – Vgl. unten S. 136*.

236 *Hierosol. S. Sabae 672*

R 444: II 642 f; R 446 u. Film (g). – Pap., 16. Jh. – Kanonist.-theol. Hs ff. 96 r–140 v Dial. brev. 10 (ab 568,31; Anfang verstümmelt) bis Schluß; ff. 141 r–259 v Expos. mutila cc. 1–80 (bis 1113,39). Vom Schreiber übergangen ist Expos. 70; f. 257 gehört nach 258. 6 Blätter dieses Kodex (schätzungsweise ff. 90–95) bilden seit Uspenskij den Petropol. gr. 416. Nach der Angabe des einschlägigen Katalogs enthalten diese Blätter ein Fragment der Dial., worunter nach Berechnung des Raumes und Textes auch die Epist. mitzuverstehen ist. – Vgl. unten S. 115 f*, 164*, 174.

237 *Hierosol. S. Sabae 683*

R 444: II 646; R 446 u. Film (g). – Pap., 17. Jh. – JD-Hs, ff. 1 r–2 v Pinax I; ff. 3 r–4 v Epist.; ff. 5 r–64 r Dial. fus. Zwei Hände wechseln miteinander ab. – Vgl. unten S. 136*.

239 *Hierosol. S. Sabae 697 (505)*

R 444: II 651 ff (unser Stück ist jedoch nicht aufgeführt); R 20: 83; R 446 u. Film (g). – Bombyz., Ende 13. Jh. – Mischhs erbaulichen Inhalts, ff. 107 v–114 v Haeres. 101 (bis 773,5).

241 *Hierosol. S. Crucis 64 (113)*

R 444: III 122; R 446 u. Film (g). – Pap., 19. Jh. – Mischhs, ff. 93 r–94 v
Epist.; ff. 94 v–139 r Dial. fus. (c. 55 ist übergangen). – Vgl. unten S. 141*
u. 146.

242 *Hierosol. S. Crucis 83 (35)*

R 444: III 134; R 446 u. Film (g). – 7 Papierblätter, für uns einschlägig
wegen der Pinakes, um 14. Jh.; das Übrige Perg., Ende 13. Jh. – JD-Hs,
ff. 5 v–7 v Pinakes; ff. 8 r–9 r Epist.; ff. 9 r–39 v Dial. brev. + ZKp.; ff. 72 r
bis 79 r, 48 r–71 v, 40 r–47 v, 80 r–132 v (lagenweise verbunden) Expos.;
ff. 147 r–149 v Expos. 10 (nochmals) u. 12 b (= 242 a). – Die Hs trägt ff. 1–29
nur einfache Foliierung. Auf f. 30 steht über dieser Zahl noch 27; von da ab
laufen 2 Zählungen, von denen die darüberstehende, jetzt ausgestrichene
um 3 zurück ist gegenüber der von Anfang an durchlaufenden. Der Katalog folgt der niedrigeren, wir hier der höheren Zahl. – Vgl. unten S. 108*,
121, 166*, 174 u. 185*.

249 *Calabryt. Megaspil. 98*

R 452: 94 f. – Pap., geschrieben 1560 vom Priester Nikolaos Xenopulos
aus Uliba in der Eparchie Litza und Agrapha. – JD-Hs, ff. 1 r–4 v Pinax II;
ff. 5 r–187 r Expos.

252 *Constantinop. Metoch. S. Sepulcri 67 (527)*

R 444: IV 84. 480. Diese Hss befinden sich z. Zt. (1959) in Athen, sind aber
noch nicht zugänglich. – Pap., 19. Jh. – Liturg.-theol. Hs, unter den
Vätertraktaten auch JD genannt (aus der Pege ?).

254 *Constantinop. Metoch. S. Sepulcri 279 (438)*

R 444: IV 257. 455. – Perg., 12. Jh. – JD-Hs, ff. 3 r–5 r Epist.; ff. 5 r–52 v
Pinakes, Dial. brev.; ff. 53 r–223 v Expos. – Vgl. unten S. 121*.

255 *Constantinop. Metoch. S. Sepulcri 285 (334)*

R 444: IV 260. 379. – Pap., 1548 geschrieben von Demetrios, Notarios
von Thessalonike, in Adrianopel. – JD-Hs, ff. 4 r–53 Epist. u. (der Zahl der
Fol. nach) Dial.; ff. 53 v–221 Expos. – Vgl. unten S. 145*.

256 *Constantinop. Metoch. S. Sepulcri 303 (255)*

R 444: IV 271. 479; R 23: 326 (als Nr. 506). – Pap., 14.–16. Jh. – Theol.
Mischhs, ff. 137–151 Expos. 1– ?.

257 *Constantinop. Metoch. S. Sepulcri 321*

R 444: IV 294 ff. – Pap., 16. Jh. – Liturg.-dogmat. Hs, S. 42–49 Expos. 86;
S. 182–183 Expos. 19 u. 20 (?).

258 *Constantinop. Metoch. S. Sepulcri 354 (414)*

R 444: IV 328.480. – Pap., 17. Jh. – Vorwiegend philos. Hs, ff. 155–157 Pinax I; ff. 157–194r Dial.; ff. 194–204 Expos. (der Blätterzahl nach sicher nicht vollständig).

259 *Constantinop. Metoch. S. Sepulcri 391 (334 oder 477)*

R 444: IV 354.455.480. – Bombyz., 13. Jh. – JD-Hs, ff. 1–230 Dial. u. Expos.; ff. 230–270 Haeres. auct. (zu schließen aus dem charakteristischen Inc., das sich übrigens genau mit Sinait. 1795 deckt); f. 287v–288 Dial. Lysis. – Vgl. unten S. 209*.

260 *Constantinop. Metoch. S. Sepulcri 393 (334 oder 477)*

R 444: IV 354.455.480. – Pap., 18. Jh. – JD-Hs, ff. 1–82 ,,Πηγὴ γνώσεως" (= Dial. fus. ?).

261 *Constantinop. Metoch. S. Sepulcri 771*

R 444: V 262. – Pap., 1. Teil 17. Jh. – JD-Hs, ff. 1–6 Pinax II; ff. 7–8 Epist.; S. 9–93 Dial.

264 *Constantinop. Societ. Graec. Philol. 77 (34)*

R 429: 9 (1932) 131. – Pap., 18. Jh. – Theol. Sammelhs, ff. 7r–163v Expos.

266 *(Kypros) Nicos. vel Leucos. Archiep. 30*

R 637: 9 (1906) 94. – Pap., 1744. – Philos. Hs, f. 82v Epist.

266A *(Kypros) Kythrea, Bibl. A. Genae 1*

R 477, mitgeteilt von M. Richard. – Perg., 11. Jh. – Philos.-dogmat. Hs, ff. 51v–134 Expos. (inv. ?). Zwischen ff. 56 und 57 fielen 2 Quaternionen mit den cc. 5–26 (801,6–924,22) aus. Die Angabe des Katalogs, daß am Schluß c. 81 steht, legt nahe anzunehmen, daß es sich um eine Expos. inv. handelt. Schwierig aber bleibt, daß cc. 5–26 (bei der umgestellten Kapitel-reihe wären dies sogar cc. 5–18, 82–100, 19–26) auf zwei Tetraden Platz finden sollen. Oder soll das ,,κολοβός" dahin zu verstehen sein, daß bei der gewöhnlichen Kapitelordnung auch cc. 82–100 fehlen?

267 *Lugd. Batav. Voss. gr. Q 20 Pars I et II*

R 516: 396; R 522: 118ff u. Film (g). – Pap., P. I (ff. 1–232) 13.–15. Jh.; P. II (ff. 233–252) 13. Jh. – Grammat.-lexikal. Hs, f. 1r–v Expos. 21 (896,40–897,18); ff. 233r–234r Dial. 63–65 (bis 661,13). – s. S. 50, 122*, 230.

268 *Lugd. Batav. Voss. gr. Q 54*

R 516: 398; R 522: 163ff u. Film (g). – Pap., 15.–16. Jh. – Klassisch-theol. Mischhs, ff. 76v–78v Exzerpte aus Expos. 8: 809,9–26; 816,28 bis 817,3; 817,26–820,1; 821,18–20; 821,31–824,8; 832,5–833,11, als Aus-züge aus der Panoplia des Euthymios Zigabenos. – Vgl. unten S. 191.

269 *Lugd. Batav. Voss. gr. 0.1*

R 516: 399; R 522: 198 ff mit genauer Angabe unserer „excerpta" u. Film (t). – Pap., 14. Jh. – Vorwiegend theol. Hs, ff. 2 v–51 v Expos. 1–36.

270 *Lugd. Batav. Voss. Misc. 27*

R 516: 403; 522: 271 u. Film (g). – Pap., 16. Jh. – Philos. Hs, f. 1 r Dial. 67–68.

270 A *(Leros), Μονῆς τῆς Παναγίας τοῦ Κάστρου 11* nunc *Bibl. publ. 50*

R 505: 81 f (als Nr. 50); R 506: 8 (als Nr. 13); R 507: 188 (als Nr. 11). – Pap., ohne Datierung, geschrieben von Theodoros aus Feodosia-Kaffa. – „Περὶ ὀρθοδόξου πίστεως Νεστοριανῶν διαλεκτική", beginnt laut Inc. mit Expos. 24: 909, 14. – Als Expl. ist 1 Jo 4, 16 angegeben, das bei JD aber nicht vorkommt. – Die Signaturen und einen Katalogauszug teilte uns freundlicherweise M. Richard mit.

271 *Lesb. Leimon. 7*

R 508: 22 ff u. Film (t). – Pap., 1421. – Jurist. Sammelhs (ca. ff. 211 r)–225 Haeres. auct. Die Folienangaben des Katalogs (215 r–?, höchstens aber 222) können nicht stimmen. Unser Film, nach diesen Angaben bestellt, umfaßt die ff. 214 v–223 r und enthält den Text von c. 14 (692, 9) bis c. 101 (768, 8). Unsere Foliierung folgt dem Film. – Vgl. unten S. 209*.

273 *Lesb. Hagiasi Monast. Deiparae 4*

R 508: 163. – Pap., 18. Jh. – JD-Hs, Expos.

Leukosia siehe *Kypros*

275 *Londin. Harl. 5624*

R 526: III 282; R 19: IX 2, 17 ff u. Film (g). – Pap., 15. Jh. – Theol. Sammelhs, ff. 285 r–289 r (ff. 290 r–294 r 2. Zählung) Expos. 21.

276 *Londin. Harl. 5649*

R 526: III 284 u. Film (t). – Perg., 13. Jh. – JD-Hs, f. 1 r–v Epist. (ab 521, 24; Anfang verstümmelt); ff. 1 v–28 v Dial. brev.; ff. 29 r–30 v Pinax II; ff. 31 r–129 v Expos. ohne c. 16 u. c. 90. Laut Pinax stehen cc. 93 und 94 vor c. 82 und c. 89 nach c. 100. – Vgl. unten S. 111*, 130, 163 f* u. 177.

278 *Londin. Mus. Brit. Addit. 17472*

R 542: 20; R 528: 28 u. Film (g). – Perg., 16. Jh. – Theol. Sammelhs, ff. 73 v–76 v Expos. 100; f. 83 v–84 r Expos. 10. – Vgl. unten S. 185*.

279 *Londin. Mus. Brit. Addit. 27862*

R 543: II 366; R 528: 48 u. Film (g). – Perg., 11. Jh. – JD-Hs, ff. 1 r–2 v Pinakes I u. II; ff. 2 v–3 v Epist.; ff. 3 v–40 v Dial. fus. (die ff. 19 u. 20 sind umgestellt); ff. 40 v–137 r Expos. inv. (vollständig!). – s. S. 143 f*, 146, 183 f*.

280 *Londin. Mus. Brit. Addit. 32643*

R 545: 169; R 528: 55. – Perg., 12. u. 14. Jh. – Väterhs, unter den Väter exzerpten ist ganz allgemein auch JD genannt.

281 *Londin. Mus. Brit. Reg. 16 C XIV*

R 527: II 184 u. Film (g). – Pap., 1584. – Mischhs, hauptsächlich histor. Inhalts, ff. 273v–296r Expos. 21, 20, 24.

284 *Matrit. N 14 (4552)*

R 568: 33; R 57 u. Film (g). – Pap., 17. Jh., aus der Bibliothek des Klosters „Montis Libani". – Asket. Sammlung des Mönches Kallistos, S. 35r Exzerpt aus Expos. 86 (1148, 1–8, nicht ganz wörtlich).

285 *Matrit. N 82 (4614)*

R 568: 299 u. Film (g). – Pap., 15. Jh., geschrieben von Konstantinos Laskaris (Vogel-G. 242). – Philos.-theol. Sammelhs, ff. 28r–29r Pinax II (gewöhnliche Ordnung); ff. 29v–30r sind leer; ff. 30v–31v Pinax II (inv.); f. 32r–v Epist.; ff. 33r–114r Expos. inv. – Vgl. unten S. 145*, 176*, 190 u. 216.

286 *Matrit. N 115 (4636)*

R 568: 454 u. Film (g). – Pap., geschrieben im 15. Jh. von 4 genannten Schreibern, als deren erster Neilos, Metropolit von Rhodos, bezeichnet ist (Vogel-G. 329). – Mischhs, ff. 2r–36v u. 39r–41v Dial. brev. + ZKp. Unsere Aufnahmen reichen nur bis f. 41r, so daß wir über den Inhalt von ff. 42v–48 gegenüber dem Katalog nichts Neues sagen können. Vielleicht aber handelt es sich bei den von diesem genannten „philosophica" und „Definitionen" um die Lysis in irgendeiner Form. – Vgl. unten S. 107f* u. 215.

288 *Matrit. O 18 (4749)*

R 569: 70f; R 20: 120f; R 35: 360 u. Film (t). – Pap., geschrieben 1556 von Κορνήλιος ὁ Ναυπλιεὺς τῶν Μουρμουρέων ὁ υἱὸς Ἀνδρέου (Vogel-G. 233f). – Theol. Mischhs, ff. 49r–50v Epist.; ff. 50v–90r Dial. brev. + ZKp.; ff. 90r–92r Dial. fus. 18–28 (Ergänzungskapitel); ff. 93r–155v Expos.; ff. 156r–ca. 184 Haeres. (so nach anderen Hss geschätzt; unser Film reicht nur bis f. 162r). – Vgl. unten S. 113f*, 157*, 204*, 211[1] u. 216.

288A *Matrit. O 62 (4739) + N 140 (4740)*

R 569: 93. 27; R 23: 224; R 35: 367. – Perg., 12. Jh. – Mt-Katene, in der auch JD angeführt ist (Pege ?).

289 *Matrit. Palat. II 3189 (Bibl. Reg. VII–G–4)*
 nunc *Salamant. Univ.*

R 56: II 91f (als Nr. 23) u. Film (t). – Bombyz., 16. Jh. – JD-Hs, ff. 1r–2r Pinax I; ff. 3r–4r Epist.; ff. 4v–51v Dial. fus. – Vgl. unten S. 140*.

290 *Matrit. Arch. hist. 163–5 (22)*, nunc *Bibl. Nat. 4861*

R 56: II 23f; 57: 65.73. – Pap., 1562 von A. Darmarios geschrieben (Vogel-G. 24). – Väterhs, f. ? „Περὶ αἱρέσεως φρονήματα καὶ περὶ πίστεως τ. ἁ. 'I. Δ.''

291 *(Mailand) Ambros. 14 (A 66 sup.; V 422)*

R 601: 14 u. Film (g). – Pap., 15. Jh., gekauft im Salentinischen. – Mischhs in zwei Teilen, ff. 89r–190r Expos. 1–59 (bis 1048,27). Der Text bricht mitten in der Zeile ab. – Die Lücke von cc. 3–8 (797,7–821,15) war wohl schon in der Vorlage, weil der Textausfall nicht mit dem Blattwechsel zusammenfällt (es kommt freilich nur auf das Wort δῆλον auf f. 92 v unten an) und weil die Kapitelzählung die Lücke übergeht. – Vgl. unten S. 160* u. 216.

292 *(Mailand) Ambros. 89 (B 39 sup.)*

R 601: 103 u. Film (g). – Pap., 15. Jh., von diesem Kodex ist wenigstens ein Stück vom Mönch Nikolaos des Klosters „τῶν Κασούλων τῆς πόλεως 'Υδρούσης'' geschrieben (Vogel-G. 330). – Mischhs, ff. 48 v–49 r Expos. 11.

293 *(Mailand) Ambros. 108 (B 81 sup.; T 285)*

R 601: 121 u. Film (g). – Pap., unser Teil 15. Jh. – Mischhs, ff. 3 r–152 v Expos. – Vgl. unten S. 160*.

294 *(Mailand) Ambros. 141 (B 128; N 100)*

R 601: 162f u. Film (g). – Pap., 1431, gekauft auf Kerkyra. – JD-Hs, ff. 1 r–4 r Epist.; ff. 4 r–6 v Dial. fus. 1; ff. 17 r–85 r Dial. brev. + Teile der fus.: cc. 5, 18–28, 4b, 10b, 9, 10f (bis 561,5; diese beiden fus.-Kapitel standen in der Vorlage wohl am Rand, weil c. 9 keinen Titel trägt und c. 10 als Scholion bezeichnet ist), 11–17 usw. wie brev. + ZKp.; ff. 87 r bis 337 v Expos. (cc. 93 u. 94 stehen vor c. 82). Von den Quinionen ε', ς' und η' ging immer der äußere Bogen verloren; so entstanden Textlücken in cc. 37–39 = 604,32–621,17 (letzteres Stück von c. 47 hier verwendet als Anhang zu c. 39) durch Ausfall von 2 Blättern zwischen ff. 46 und 47 (Schluß der Lage ε' und Anfang der Lage ς'), in c. 49 = 625,7–40 durch Ausfall eines Blattes zwischen ff. 54 und 55 (Schluß von ς'), in c. 57 = 644,8 bis 44 durch Ausfall eines Blattes zwischen ff. 64 und 65 (Anfang von η') und in cc. 64–65 = 657,3–40 durch Verlust eines Blattes zwischen ff. 72 und 74. f. 73 stellt das vordere Blatt des äußeren Bogens von Lage ε' dar (der Phylax von 73 v rechts oben ging durch Beschädigung des Blattes verloren) und ist v–r zwischen ff. 38 und 39 einzusetzen. – Vgl. unten S. 110*, 114*, 163*, 192 u. 215.

295 *(Mailand) Ambros. 169 (C 11 sup.; T 203)*

R 601: 181. – Pap., 16. Jh. – Hs antiker Schriftsteller, ff. 104–105 Lysis der Dial.

296 *(Mailand) Ambros. 218 (D 15 sup.; V 478)*

R 601: 236 u. Film (g). – Pap., Ende 15. Jh., geschrieben von Michael Suliardos (Vogel-G. 318 ff). – Hs antiker Schriftsteller, f. 73 r Expos. 23 b.

297 *(Mailand) Ambros. 241 (D 62 sup.; V 437)*

R 601: 270. – f. I Pap., f. 169 Perg., 11. Jh., gekauft ,,Soliti‘‘ in Japygien 1606. – Kanonarion, f. I v u. f. 169 r–v Dial. brev. 30, 36–41 (?). C. 38 ist als ϰγ′ gezählt, was nur bei brev. möglich ist. – Die Schrift ist teilweise fast völlig ausgelöscht, lesbar sind einigermaßen nur c. 37 (ab 604, 21) bis 41 (608, 12). – Zu diesen beiden Blättern gehören die für uns einschlägigen von Ambros. 391.

298 *(Mailand) Ambros. 274 (E 18 sup.)*

R 601: 304 f u. Film (g). – Perg., 12. Jh. (m. E. 15. Jh.). – Theol. Mischhs, ff. 1 r–2 r Epist.; ff. 2 v–86 r Expos.; ff. 86 r–97 r Haeres.; ff. 114 r–115 r Exzerpt aus Expos. 82 (1124, 3–1125, 2; von anderer Hand). – Vgl. unten S. 158* u. 198 f*.

299 *(Mailand) Ambros. 282 (E 37 sup.)*

R 601: 313 u. Film (t). – Pap., 16. Jh. – Philos.-medizin. Sammelhs, f. 49 r–v Pinax I; ff. 50 r–51 r Epist.; ff. 51 v–56 v Dial. fus. 1–8 (von letzterem nur noch der Titel). – Vgl. unten S. 137*.

300 *(Mailand) Ambros. 324 (F 10 sup.; T 21)*

R 601: 369 u. Film (g). – Perg., 14. Jh., 1606 ,,Chitrophiani‘‘ im Salentinischen gekauft. – Vorwiegend theol. Sammelhs, f. 52 v u. f. 58 r–v Exzerpte aus Expos. 85 (1136, 12–13. 10–11; 1136, 7–18).

301 *(Mailand) Ambros. 336 (F 37 sup.)*

R 601: 388 u. Film (g). – Pap., im 16. Jh. von A. Darmarios geschrieben (Vogel-G. 24), 1603 in Venedig gekauft. – Philos. Sammelhs, ff. 55 r–88 r (!) Expos. 21, 20, 24, 25, 26.

302 *(Mailand) Ambros. 381 (G 9 sup.)*

R 601: 452 u. Film (g). – Perg., 13. Jh. – JD-Hs, ff. 6 v–9 r Epist.; ff. 9 r–59 v Dial. brev. + ZKp. (ohne 10 b; c. 6 f statt 6 b); ff. 60 v–178 r Expos. (cc. 93 u. 94 vor c. 82); ff. 178 r–186 v Dial. fus. (als Ergänzung zur brev.) 1–3, 5, 9, 18–28, Lysis. – Vgl. unten S. 112 f*, 130, 162 f, 167, 169, 171 u. 187*.

303 *(Mailand) Ambros. 386 (G 17 sup.)*

R 601: 459 u. Film (g). – Pap., 14. Jh., ff. 1–33 15. Jh. – JD-Hs, ff. 1 r–3 v Pinakes I u. II; ff. 4 r–5 r Epist.; ff. 5 r–44 r Dial.; ff. 44 r–158 r Expos. (cc. 93 und 94 stehen vor c. 82); f. 159 r Expos. 22 b (901, 1–10). – Der ältere Teil der Dial. (ab c. 51 = 633, 4) gehört nach verschiedenen Kriterien einer brev. an; ergänzt (= 303[1]) ist aber eine fus. – Vgl. unten S. 118*, 123, 134*, 162, 171, 187* u. 192.

3*

304 *(Mailand) Ambros. 391 (G 36 sup.; T 135)*

R 601: 467 u. Film (g). – Perg. (?), unser Teil 11. Jh., 1606 in Galatia im Salentinischen gekauft. – Auf den Vorsatzblättern am Anfang und Ende f. II r–v (= von den vorne eingefügten Blättern das 2.) Dial. brev. 8, 31–33; f. 189 r–v Dial. 34–37; f. 190 r–v Dial. 49 (feststellbar 624, 34 bis 628, 17). Auf f. II r–v handelt es sich um eine brev., wie der Übergang von c. 8 auf c. 31 zeigt. Von f. II v und von f. 189 sind nur kurze Stücke lesbar. – Die einschlägigen Blätter von dieser Hs und von Ambr. 241 sind demnach in folgender Weise zusammenzusetzen: I v–r von Ambr. 241 (cc. 30, 6 b), die obigen f. II (cc. 8, 31–33) und f. 189 (cc. 34–37), 169 von Ambr. 241 (cc. 37–41) und nach einer Lücke das obige f. 190 r–v (c. 49).

305 *(Mailand) Ambros. 534 (M 88 sup.)*

R 601: 645 u. Film (g). – Pap., 13. Jh. – Kirchengeschichtl.-dogmat. Hs, ff. 98 v–105 r nach Katalog Dial.; es ist aber nicht unser JD-Text.

306 *(Mailand) Ambros. 658 (Q 2 sup.; V 318)*

R 601: 737 u. Film (g). – Perg., 12. Jh., Vorbesitzer: ,,Fred. Metius, eps Thermulorum'' († 1612). – JD-Hs, f. 2 r Pinax II (beginnend im Titel für c. 85); ff. 3 r–196 v Expos. (Kapitelfolge: 1–88, 90, 89, 91, 92, 95, 96, 94, 93, 97–100); ff. 197 r–231 v Haeres. – Vgl. unten S. 156, 159*, 161, 174 u. 199*.

307 *(Mailand) Ambros. 663 (Q 7 sup.; T 317)*

R 601: 743 u. Film (g). – Pap., 14. Jh., ff. 7–40 15. Jh. – JD-Hs, ff. 7 r–40 r Dial. brev. + ZKp.; ff. 3 r–4 v u. 41 r–245 r Expos.; f. 246 v Exzerpt aus Expos. 36 (945, 38–40). Die Hs weist besonders am Anfang starke Brand-schäden auf. Außer den oben bereits ersichtlichen sind noch weitere Blätter in Unordnung geraten; es wäre zu ordnen (z. T. über die Angaben im Katalog hinaus): 3, 4, 240, 241, 41–43, 242, 238, 239, 243, 135, 132–134, 136, 45–131, 137–237, 244–245. Dadurch kämen die besonders von Expos. 8 zerrissenen Teile wieder zusammen; verloren jedoch bleiben von diesem Kapitel 813, 4–37 und 825, 8–828, 25. Ein Blatt ist außerdem ausgefallen nach f. 13 mit Dial. brev. 30–6 b (592, 15–549, 23; f. 14 r beginnt mit 620, 17/18, einem Stück aus c. 47, das sich als Zusatz häufig bei c. 11 findet, in diesem Fall aber in c. 6 b eingeschoben ist) und schätzungsweise 2 nach f. 4 (oder vor f. 240) mit Expos. 2–3 (792, 46–796, 20), an deren Stelle 2 unbeschriftete Blätter eingefügt wurden. – Die Blätter 7–40 und 244–248 sind von späterer Hand (= 307[1]). – Vgl. unten S. 121 f*, 155*, 166, 169, 172 f*, 182 u. 187.

308 *(Mailand) Ambros. 667 (Q 13 sup.)*

R 601: 748 u. Film (g). – Pap., 15.–16. Jh. – Profane Mischhs, ff. 161 r–195 r philosophische Texte, die Dial. sein sollen. Eine Prüfung dieser Texte ergab bei den ff. 161 r–168 v Anklang an die cc. 4 b, 6 b, 7, 8, 10–15, 32, 33,

37, 40, 41, 44–47, 49–52, 67. Vermutlich handelt es sich überhaupt nicht um JD.

309 *(Mailand) Ambros. 672 (Q 39 sup.; T 363)*
R 601: 756 u. Film (g). – Perg., 14. Jh. – JD-Hs, f. 2r–v Pinax I; ff. 3r–5r Epist.; ff. 5r–51r Dial. fus.; ff. 51r–52v Pinax II; ff. 53r–168r Expos. inv. – Vgl. unten S. 143* u. 183f*.

310 *(Mailand) Ambros. 681 (Q 74 sup.)*
R 601: 767 u. Film (g). – Perg., 10. Jh. – Katenen-Hs, ff. 150v–151r Exzerpte aus Dial.; ff. 91r, 177r–196v und 232r–246v zahlreiche Exzerpte aus Expos. Die genaueren Angaben macht ziemlich verlässig der Katalog. Darüber hinaus ist zu nennen f. 91r Expos. 20 (884, 25–35). – Vgl. unten S. 187* u. 189f*.

311 *(Mailand) Ambros. 695 (Q 96 sup.)*
R 601: 803; R 20: 131 u. Film (g). – Pap., 15. Jh., stammt aus Thessalien. – Homilet.-exeget. Sammelhs; unter Väterstellen f. 263r–v Exzerpte aus Expos. 8 (813, 3–14) und 14 (860, 5–17).

312 *(Mailand) Ambros. 735 (S 61 sup.; olim O 48?)*
R 601: 849 u. Film (g). – Perg., 12. Jh.; Ergänzung d. 15. Jh. auf Papier. – JD-Hs, ff. 4r–5r Epist.; ff. 5r–34v Dial. brev. + ZKp.; ff. 36r–148r Expos. (c. 90 vor 89; cc. 94 und 93 stehen zwischen 96 und 97); ff. 148v–166v Haeres. Die im 15. Jh. ergänzten Papierfolien (= 312¹) enthalten folgende Teile: ff. 4–43 (Epist., Dial., Expos. bis c. 8 = 821, 1), ff. 60–69 (Expos. 21 = 896, 14 bis c. 27 = 929, 38) u. f. 166 (Haeres. 101 = ab 772, 37). – Vgl. unten S. 106ff*, 118, 120, 141, 155f*, 159* u. 199*.

313 *(Mailand) Ambros. 803 (A 82 inf.)*
R 601: 897ff u. Film (g). – Pap., angeblich 1600 von einem vatikanischen Kodex abgeschrieben. – Dogmat. Mischhs, f. 85r–v Expos. 57, anschließend dasselbe armenisch und arabisch. – Vgl. S. 218⁹.

314 *(Mailand) Ambros. 1022 (G 27 inf.)*
R 601: 1090 u. Film (g). – Pap., 14. Jh., Ergänzung 16. Jh. – Im wesentlichen JD-Hs, ff. 1r–2r Epist.; ff. 2r–22v Dial. brev.; f. 22v–S. 131 Expos.; S. 137–159 Haeres., am Schluß verstümmelt (ab 769, 51). Ab f. 88 sind Seiten gezählt statt Blätter. Mehrere Hände lösen einander ab. Außerdem sind ausgefallene Blätter später ergänzt und von verschiedenen Schreibern ausgefüllt (f. 46v–47r, f. 88–S. 111, S. 114–116). In der Expos. ist die Reihenfolge der Kapitel: 1–12a, 13–23a, 24, 23b, 25–56, 60–81, 52b, 82–89, 91–100. Die Blätter sind zu ordnen: 22–86, 88–127, 87, 128–131. – Vgl. unten S. 115*, 122*, 170* u. 210*.

315 *(Mailand) Ambros. 1041 (H 257 inf.; A 28)*

R 601: 1110 u. Film (t). – Perg., 13. Jh., aus Thessalien. – Dogmat. Sammelhs, ff. 15 v–26 r Haeres.; ff. 43 r–107 v Expos., nach c. 53 auf ff. 76 v–77 r Dial. 66 u. nach c. 54 auf ff. 77 v–79 r Trisag. = MG 95, 25, 52–29, 43; 32, 35–50; 33, 1–6; 37, 41–40, 31; ff. 238 v–254 r (nach Katalog) Auszüge aus Dial brev. Der Schreiber geht im großen wie im kleinen mit dem Text sehr frei um. Die Haeres. sind fast ganz der Mignetext, nicht mehr aber von c. 98 ab. – In der Expos. sind übergangen die cc. 4, 16, 89–92; im übrigen ist die Reihenfolge diese: 1–81, 83, 82, 84–87, 97, 88, 94, 95, 93, 96, 98–100. – Von der Dial. ist die sehr verworrene Kapitel- und Blattordnung im Katalog beschrieben. Nach diesem wären die Blätter ab f. 234 zu ordnen: 234, 240, 241, 249–252, 242, 243, 255, 253, 245–248, 254, 256, 244, 239, 235–238, 257–259, II (membr.) und I (chart.); es sind angeblich mehr oder weniger vollständig und wörtlich enthalten die Kapitel 42, 43, 12–14, 58, 59, 49, 51, 50, 57, 15, 16, 31, 37 und 44. Unsere Aufnahmen geben von diesem Abschnitt nur wieder ff. 238 v–255 r (in der nicht korrigierten Ordnung); darauf wurden festgestellt auf f. 238 v der Schluß von c. 4 b, c. 40 (wörtlich nur 605, 41–43) und c. 30 (bis 596, 2), auf f. 239 r c. 42 (nur inhaltlich) und c. 43 (bis 613, 20), auf f. 239 v c. 10 b (wörtlich bis 568, 23). – Vgl. unten S. 44, 122*, 144, 172*, 192, 210* u. 215.

318 *(Mailand) Brerae A G IX. 37*

R 75: I 36 u. Film (g). – Pap., 15. Jh. – Theol. Sammelhs, ff. 340 r–341 r Epist.; ff. 341 r–382 r Dial. fus. + ZKp. – Vgl. unten S. 138.

320 *(Manchester) Mancun. J. Ryland. gr. 5*

R 576: 213 f u. Film (t). – Perg., 12.–13. Jh. – JD-Hs, f. ?–4 v Pinakes I (?) und II; ff. 5 r–7 r Epist.; ff. 7 r–68 r Dial. fus.; ff. 69 r–132 v Expos. 1–47; (ff. 132 v–ca. 149 r de duab. Volunt. 1–29?); ff. ca. 149 r–227 r Expos. 48 bis 100; (ff. 227 v–235 v Volunt. 30–44); ff. 110 r–115 v = Expos. 26–34 (920, 6–937, 42) sind von anderer Hand (= 320[1]). – Vgl. unten S. 133* u. 170*.

Megaspilaion siehe *Kalabryta*

323 *Messan. gr. 116 (olim S. Salvatoris; πε′)*

R 588: 182 u. Film (g). Über Erwähnungen unseres Kodex in alten hsl. Katalogen vgl. Studi e Testi 68 (1935) 245, 276, 288, 289 ff (Konkordanz). – Perg., 10. Jh. – JD-Hs, ff. 1 r–124 v Expos. 27 (ab 929, 38; Anfang verstümmelt) bis 100; ff. 125 r–134 v Haeres. 1–6, 54–80, schließen verstümmelt 737, 29; Ausfall von cc. 6–54 (684, 7–712, 4) durch Verlust von ca. 4 Fol. zwischen ff. 126 und 127. – Vgl. S. 158*, 174, 187, 198[1], 201*, 211 f u. 216.

326 *Meteor. S. Steph. 76 (21)*

R 599: Sdr. 29. – Pap., 16. Jh. – Asket. Hs, S. 7–10 Haeres. 88. Das kurze Kap. 88 kann aber nicht 4 Seiten einer Hs ausfüllen.

327 *Meteor. Metamorph. (Nr.?)*

R 595: 530. – Perg., 13. Jh., 1707 dem Kloster geschenkt. – JD-Hs, als
Nr. 1 Dial. brev.

330–331 *(Modena) Mutin. 36 (III A 22)*

R 604: 403 f u. Film (g). – Cod. II (= 330) Perg., 12. Jh. – JD-Hs, ff. 1 r–25 v
Expos. 1–21 (schließt verstümmelt mit 896, 3). – Vgl. unten S. 173*.
Cod. III (= 331) Perg., 12. Jh. – JD-Hs, ff. 1 r–10 r Expos. 21 (ab 897, 31)
bis 25 (mit Augment); dazwischen auf f. 6 v–7 r Expos. c. 90 (ab 1177, 26). –
Vgl. unten S. 158, 185 u. 187*.

332 *(Modena) Mutin. 79 (II C 12)*

R 604: 437 f u. Film (g). – Pap., 14.–15. Jh. – Dogmat. Sammelhs, ff. 1 r
bis 74 v ausgewählte Kapitel aus der Expos. inv., nämlich cc. 1–7, 83–96,
98, 97, 99, 100, 19, 20, 22, 23 a, 24–27, 30, 32, 43–47, 51 (ab 1009, 26), 54,
56, 57, 61, 62, 64, 66–75, 78, 76, 80, 77, 79, 81, 82 (ab 1124, 3); f. 160 r
Pinax II. – Vgl. unten S. 183*.

335 *Montecassin. LL 231 (446)*

R 607: Sdr. 3 ff; R 80: 736 u. Film (t). – Unser Stück Pap., 15. Jh., okzi-
dent. Nachahmungsschrift. – Unser (2.) Teil fast als Ganzes (ff. 160 r–269 r
= S. 319–535) Expos. Es fehlen ganz cc. 21 und 22; nur teilweise vorhanden
sind c. 13 (bis 853, 10), c. 20 (bis 881, 36), c. 23 a (erst ab 904, 6), c. 24 (bis
909, 41). Die Lücken bestanden schon in der Vorlage. – Vgl. unten S. 188 f*
u. 216.

337 *Mosqu. Mus. Rumianc. (Sevastianov) 61 (514)*

R 618: 20 f. – Bombyz., 14.–15. Jh. – Joh. Klimax- u. Niketas Stethatos-
Hs, ff. 251–264 Zitate von Vätern, darunter auch JD.

339 *Mosqu. Synod. gr. 39 + 40 (Savvas 342 u. 412; Matthaei*
CCCXXIX u. CCCXXXV)

Die Hss der ehemaligen Synodalbibliothek befinden sich jetzt unter der
Signatur von Savvas im Historischen Museum. – Da die meisten Filme
der Moskauer Hss erst nach Fertigstellung des Satzes eintrafen, konnte
ihre stemmatische Einordnung nur noch behelfsmäßig vorgenommen
werden.
R 613: 41 f; R 34: 324. – Perg., 9.–10. Jh., Vorbesitzer: Laura des Athos. –
Jobkatene mit JD-Zitaten (Pege?).

340 *Mosqu. Synod. gr. 45 (S. 213; M.CCXIV)*

R 613: 44 f. – Perg., 10. Jh. – Psalmenkommentar, worin auch JD angeführt wird (Pege?).

341 *Mosqu. Synod. gr.47 (S.358; M.CCCXLV)*

R 613: 45f; R 34: 52ff (die Angaben von R 34 lassen weder bei dieser noch bei den 2 folgenden Hss das Vorhandensein eines JD-Lemmas vermuten). – Perg., 11. Jh. – ff. 45–377 Psalmenkatene, in der auch JD zitiert wird (Pege ?).

342 *Mosqu. Synod. gr.48 (S.194; M.CXCV)*

R 613: 48f; R 34: 41. – Perg., 10.–11. Jh. – Psalmenkatene mit JD-Zitaten (Pege ?).

343 *Mosqu. Synod. gr.51 (S.197; M.CXCVIII)*

R 613: 50; R 34: 34. – Bombyz., 1274/5, Vorbesitzer: Iberon-Kloster des Athos. – Psalmenkatene des Niketas, neben anderen Vätern wird auch JD zitiert (Pege ?).

345 *Mosqu. Synod. gr.90 (S.93; M.XCIV)*

R 613: 81; R 34: 588; R 23: 172 (als Nr.249). – Perg., 12. Jh., Vorbesitzer: Pantokratorkloster des Athos. – Johannes-Katene des Niketas, wo JD an 7. Stelle genannt ist.

346 *Mosqu. Synod. gr.112 (S.215; M.CCXVI)*

R 613: 106 u. Film (t). – Pap., 16. Jh., Vorbesitzer: 1. Bischof Maximos von Kythera; 2. Iberon-Kloster des Athos. – Dionys. Areop. mit Erklärungen, ff. 34–35 Expos. c.63; ff. 52v–53v Expos. 1; ff. 53 sec. r–54r Expos. 28–30 als Scholion, nach Kap.-Nrr. u. Varr. wie Hs 679.

347 *Mosqu. Synod. gr.201 (S.413; M.CCCLXXXVI)*

R 613: 233 u. Film (g). – Perg., 9. Jh., Herkunft nicht angegeben. – JD-Hs, Anfang und Ende verstümmelt, ff. 1r–124r Expos. ab c.21 (897,34). Gegen Ende von c.43 (f. 41r Mitte) löst eine andere Hand ab, die jedoch gleichzeitig und nach derselben Vorlage schreibt, weshalb dieser Wechsel nicht weiter beachtet wird. – Die Ränder sind streckenweise mit der Übersetzung einzelner griechischer Wörter ins Slavische beschriftet. – Vgl. unten S. 162*, 174 u. 194.

348 *Mosqu. Synod. gr.202 (S.402; M.CCCLXXVI)*

R 613: 234 u. Film (t). – Perg., 11. Jh., Vorbesitzer: Laura des Athos. – JD-Hs, ff. 1r–4r Pinakes I u. II; ff. 5r–7r Epist.; ff. 7r–70v Dial. fus.; ff. 71r–261r Expos.; die E-cc. 59 u. 60 sind lt. Katalog von c.30 umschlossen, was der Pinax jedoch nicht zu erkennen gibt; cc. 11, 12 und 12b sind zu einem Kapitel vereinigt. – Vgl. unten S. 188*.

349 *Mosqu. Synod. gr.203 (S.141; M.CXLII)*

R 613: 234 u. Film (t). – Perg., 12. Jh., Vorbesitzer: Athoskloster Vatopedi. – Vorwiegend JD-Hs, ff. 4r–6v Pinakes I u. II; ff. 7r–9v Epist.; ff. 9v–93r Dial. fus.; ff. 93r–319r Expos. inv. Nach Schluß der Expos.

folgt auf f. 319 dasselbe Kapitel wie im Vat. gr. 490, jedoch von anderer Hand. – Vgl. unten S. 41 u. 188*.

350 *Mosqu. Synod. gr. 204 (S. 433; M. t. II, XV. qu.)*

R 613: 235 u. Film (t). – Pap., ff.?–100v (= 350) 12./13. Jh., ff. 1–? u. 101r–105v (= 350¹) 1607; Herkunft: Athoskloster Iberon. – Als Hauptinhalt ff. 4r–105v Expos. – Vgl. unten S. 188*.

351 *Mosqu. Synod. gr. 220 (S. 441; M. t. II, IV. qu.)*

R 613: 275. – Pap., 17. Jh., aus dem Athoskloster Vatopedi. – Homiliar, ff. 100–102 Expos. 8 (der Umfang des Exzerptes kann mangels genügender Angaben nicht genau bestimmt werden. Die im Katalog aus f. 100v herausgegriffene Stelle ist jedenfalls 821, 18–20).

351A *Mosqu. Synod. gr. 232 (S. 443; M. t. II, X qu.)*

R 613: 301; Beneševič in Studi bizantini 2, 167f. – Perg., 12. Jh., aus dem Athoskloster Iberon. – Theol. Mischhs, ff. 1–20 Haeres. (Am Schluß c. 101, als 98. gezählt; Anschlußstück über die Jakobiten und Chazinzarier. Von den bisher bekannt gewordenen Hss treffen diese Angaben in keiner anderen mehr zu). – Vgl. unten S. 201*.

351B *Mosqu. Synod. gr. 315 (S. 398; M. CCCLXXII)*

R 613: 429; Beneševič a. a. O. u. Film (g). – Perg., 9.–10. Jh., vom Athoskloster Iberon. – Nomokanon, ff. 216r–239v Haeres. (stemmatisch sehr nahe bei m; s. S. 202* u. 211).

351C *Mosqu. Synod. gr. 317 (S. 432; M. t. II, XIV qu.)*

R 613: 444; Beneševič a. a. O. – Perg., 11.–12. Jh. – Nomokanon, ff. 160–172 Haeres. (Epiphanios zugeschrieben). Vgl. unten S. 210*.

352 *Mosqu. Synod. gr. 413 (S. 142; M. CXLIII)*

R 613: 616 u. Film (t). – Unser Teil Bombyz., 15. Jh., Herkunft: Athoskloster Iberon. – JD-Hs, ff. 2r–3r Pinakes I u. II; ff. 4r–5r Epist.; ff. 5r–40v Dial. fus.; ff. 41r–149v Expos. inv. (Anschlußstück wie in Mosqu. Synod. 203, aber von anderer Hand). – Vgl. unten S. 188*.

353 *Mosqu. Synod. gr. 443 (S. 261; M. CCXLVIII)*

R 613: 678; R 19: XII 70 ff u. Film (t). – Pap., 1634/5, Vorbesitzer: Athoskloster Iberon. – Theol. Sammelhs, ff. 119r–157(?) Dial. fus., den Varr. nach unmittelbar von 1575 kopiert. – Vgl. unten S. 133.

354 *Mosqu. Synod. gr. 460 (S. 203; M. CCIV)*

R 613: 679ff; R 19: XII 73 u. Film (t). – Pap., 17. Jh., Herkunft: Athoskloster Iberon. – Bunte Sammelhs, f. 174r Dial. fus. 1, textlich verwandt mit 510 u. 498 + 620¹ (s. S. 106).

356 *Mon. gr. 37*

R 622: I 197f; R 34: 589; J. Sickenberger, Die Lukaskatene des Niketas von Herakleia [Texte u. Untersuchungen zur Geschichte d. altchristl. Literatur 22,4] Leipzig 1902, S. 22 u. Film (g). – Pap., 15.-16. Jh. – Johanneskatene des Niketas, JD-Scholien zu Jo 1,3 auf f. 12v Expos. 8 (820,24–821,5), zu 1,31 auf f. 39r–v Expos. 82 (1124,3–1125,2), zu 3,5 auf f. 82r Expos. 82 (1117,23–1120,23), zu 3,36 auf f. 112r–v Expos. 11 ganz, zu 4,6ff auf f. 116v Expos. 64 (1084,3–10), zu 6,53 auf f. 208r Expos. 86 (1153,26–29), zu 8,42ff auf f. 265v Expos. 18 (877,24–27), zu 9,13ff auf f. 286r–v ein angebliches JD-Scholion, das noch nicht festgestellt werden konnte, zu 11,33f auf f. 348r–v Expos. 64 ganz, zu 11,41f auf f. 357v–358r Expos. 68 (bis 1092,32), zu 13,18 auf f. 409r–v Expos. 94 ganz, zu 14,11 auf f. 432r–v Expos. 8 (829,1–3; 828,7–829,16 mit kleinen Abweichungen), zu 14,16 auf f. 438v Expos. 8 (821,29–30) u. zu 20,17 auf f. 557r (in Blei 556r) ein noch nicht verifiziertes Scholion, angeblich aus JD.

358 *Mon. gr. 277*

R 622: III 161ff u. Film (g). – Pap., 15. Jh. – Theol. Mischhs, ff. 334r–335r Auszüge aus Expos. 56 (1032,17–25), 50 (1116,11–14), 74 (1104,16–20), 46 (985,15–29) u. 51 (1008,41–1009,7).

359 *Mon. gr. 308*

R 622: III 245ff u. Film (g). – Perg., 12. Jh. – Unter verschiedenartigen, hauptsächlich theologischen Anhängseln an ein Lexikon ff. 233v–234v Expos. 21 (896,9–897,24).

360 *Mon. gr. 310*

R 622: III 257ff; H. Beck, Vorsehung und Vorherbestimmung in der theologischen Literatur der Byzantiner [Orientalia Christiana Analecta 114] Rom 1937, S. 162 u. Film (g). – Perg., 10. Jh., Hardt 9. Jh. – Grammat. Hs; eingebunden ist ein Bruchstück aus einem anderen Kodex ff. 61v–65v Expos. 43–46 (968,20–988,6). – Vgl. unten S. 158* u. 174.

361 *Mon. gr. 315*

R 622: III 268ff u. Film (g). – Bombyz., 13. Jh. – Asket.-philos. Sammelhs, ff. 8r–30v Fragment einer Dial. fus. ab c. 38 (605,4). Durch Blätterverlust fehlen außerdem cc. 41–50 (608,9–629,7) und der Schluß (ab 676,15). – f. 8 gehört nach f. 9. – Drei Hände lösen in kurzen Abschnitten einander ab. – Vgl. unten S. 140* u. 146.

362 *Mon. gr. 317*

R 622: III 276f u. Film (g). – Perg., 13. Jh. – JD-Hs, ff. 1r–4r Pinakes I u. II; ff. 4v–12v Schemata; ff. 13r–14v Epist.; ff. 14v–91r Dial. fus.

(ff. 13r–15r = Epist. u. Dial. 1 [bis 529,33] von einer ergänzenden Hand = 362¹); ff. 91v–288v Expos. inv. – Vgl. unten S. 133f*, 146, 178* u. 184.

363 *Mon. gr. 412*

R 622: IV 269f; R 23: 297.1187; R 34: 601 u. Film (g). – Perg., 12.–13. Jh. – Katene zum Römerbrief, darin Exzerpte aus Expos.: f. 99v–100r c. 81 (bis 1117,7); f. 108r–v c. 44 (bis 976,4); ff. 133v–136v c. 17 (bis 868,16), c. 18 (877,24–27), c. 17 (868,17–872,30 u. 873,13–27), c. 18 (877,8–11); ff. 191v–192v c. 94; f. 326v–327r c. 15 (861,9–864,13; 864,17–27.29–31). – Vgl. unten S. 75 u. 185*.

365 *Mon. gr. 438*

R 622: IV 356ff u. Film (g). – Bombyz., 13.–14. Jh., 1489 durch Georgios Birgotes vom Primikerios Romanos gekauft. – Väterhs, ff. 232r bis 233v Epist.; ff. 233v–261r Dial. brev., aber voraus c. 1 der fus. (c. 29 ist zweimal geschrieben); ff. 261v–262v Pinax II; ff. 262v–270v Expos. 1–13 (bis 852,11; verstümmelt). – Vgl. unten S. 110*, 138*, 172* u 174.

366 *Mon. gr. 444*

R 622: IV 385ff u. Film (g). – Bombyz., 13. Jh. – Hermeneiai des Nikon von Rhoïdiu (über die irrtümliche Bildung von Raithu statt Rhoïdiu vgl. Graf II 64 A.1), ff. 281r–291v Haeres. 1–83 (bis 745,5). Das Kapitel 83 schließt an der bezeichneten Stelle mit dem Ende von f. 291v. Darauf folgte noch ein Titel, der aber jetzt ausradiert ist; es gingen offenbar Blätter verloren. – Die übrigen Nikon-Hss (hier 229A, 506A u. 731) enthalten nur Auszüge aus dem letzten Teil der Haeres. – Vgl. unten S. 206*.

367 *Mon. gr. 467*

R 622: IV 446ff; R 42: 133 u. Film (g). – Perg., 11. Jh. – Theol. Mischhs, ff. 127v–149r Haeres. – Vgl. unten S. 205*, 212 u. 229f.

367A *Mon. gr. 473*

R 622: IV 461f; R 34: 580; J. Sickenberger, Titus von Bostra. Studien zu dessen Lukashomilien [Texte u. Untersuchungen zur Geschichte der altchristlichen Literatur 21,1] Leipzig 1901, S. 43f; Sickenberger, Lukaskatene 56ff u. Film (g). – Bombyz., 13. Jh., Lietzmann 14. Jh. – Lukaskatene des Niketas, 2. Buch = zu Lukas 6,17–11,26; auf S. 34 Scholion zu 6,22f aus Dial. 49 (628,1–6).

368 *Mon. gr. 487*

R 622: V 61ff u. Film (g). – Bombyz., 12.–13. Jh. – Sammelhs, f. 1r–v Epist. mutil. (bis 524,37). – Vgl. unten S. 122* u. 124.

369 *Mon. gr. 490*

R 622: V 71 (hier 134f) u. Film (g). – Pap., 15. Jh. – Mischhs, vornehmlich philos. Inhalts, ff. 299r–300r Expos. 23b, 24 (909,40–41, dann unbekannter Zusatz), c. 22 (901,1–10). – Vgl. unten S. 190.

370 *Mon. gr. 503*

R 622: V 212ff u. Film (g). – Bombyz., 13. Jh. – Theol. Mischhs, ff. 1r–28r Haeres. (Reihenfolge am Schluß: 99, 102, 103, 101, 100). – Vgl. unten S. 203f*, 206* u. 209.

371 *Mon. gr. 549*

R 622: V 370ff u. Film (g). – Bombyz., 1490 von Georgios Birgotes geschrieben (Vogel-G. 72) – JD-Hs, ff. 1r–2v Epist.; ff. 2v–44v Dial. fus.; ff. 49r–50r Pinax II; ff. 50v–160v Expos. (cc. 93 u. 94 sind vor c. 82 eingereiht). – Vgl. unten S. 136* u. 180*.

372 *Mon. gr. 551*

R 622: V 378ff; R 42: 140 u. Film (g). – Bombyz., 15. Jh. – Theol.-naturwiss. Sammelhs, f. 24v Expos. 44 (bis 976,4); ff. 32v–35r Expos. 86. – Vgl. unten S. 188*.

373 *Mon. gr. 591*

Hsl. Ergänzung z. Hardtschen Katalog in der Hss-Abt. der Staatsbibliothek; Χάλικες [Festgabe d. XI. Intern. Byz. Kongr., München 1958] 57 u. Film (g). – Pap., 14. Jh. – Hs-Fragment bestehend aus 1 Fol.: f. 100r–v Expos. 26 (928,33–37; 929,15–21), 27–31 (bis 933,22).

375 *Neapol. II A 27*

R 623: I 86ff; R 624: 383 u. Film (g). – Pap., Ende 16. Jh. – Mischhs, vor allem theol. Inhalts, ff. 262v–277v Exzerpte aus Dial. brev. 4b, 40, 42, 43, 10b, 12–14, 58, 49, 51, 50, 57, 15, 16, 48, 44, 45; f. 300r–v Exzerpt aus Expos. 90 (1177,26–1180,39). Soweit die photographierten Partien einen Vergleich zulassen, handelt es sich anscheinend um eine Auswahl bzw. Paraphrase ähnlich der in Ambr. 1041. – Vgl. unten S. 185*.

376 *Neapol. II B 15*

R 623: I 163ff u. Film (g). – Perg., 13. Jh. – Vorwiegend JD-Hs, ff. 96v bis 121v Dial. brev.; ff. 122r–123r Epist. (gezählt als Kapitel der Dial.); ff. 123r–124r Dial. 66; ff. 124r–255v Expos.; ff. 255v–273v Haeres. (enden verstümmelt mit 772,42). Die E-Kapitel 79–81 (1113,12–1116,27) fehlen durch Blattverlust zwischen ff. 221 und 222. – Auf weiten Strecken laufen 2 Blattzählungen nebeneinander; hier ist nach der durchlaufenden gezählt (wie im Katalog), diese aber geht von f. 151 nochmals zurück auf 142, überspringt außerdem 164. – Mit Lagenbeginn bei f. 130 (Expos. 8 = 809,16) setzt eine andere Schrift ein (= 376[1]), mit f. 231 (Expos. 86 = 1140,17) eine weitere (= 376[2]). – Vgl. unten S. 118*, 123, 130, 167*, 174, 186 u. 203f*.

377 *Neapol. II B 17*

R 623: I 169 u. Film (g). – Pap., 15.–16. Jh. – JD-Hs, ff. 15r–120r (die Foliierung springt von 69 auf 80) Expos. 1–77 (bricht hier ab; c. 8 ist übergangen). – Vgl. unten S. 154*.

378 *Neapol. II B 18*

R 623: I 169ff u. Film (g). – Perg., 13. Jh. – Philos. Hs, im 1. Teil JD,
ff. 1r–73v Expos. inv. bis c. 100; ff. 117r–155v Dial. brev. mit c. 1 der fus.
voraus; ff. 155v–157r Epist. ohne Titel. Ausfall von Blättern zwischen
ff. 1 und 2 mit Teilen von E 2–3 (792, 26–793, 30) und zwischen ff. 39 und 40
mit E 84–85 (1132, 33–1133, 32). Vom Schreiber sind ausgelassen cc. 96
(ab 1205, 21), 97 und 98. – Vgl. unten S. 118, 120, 122*, 141* u. 183*.

379 *Neapol. II C 33 (Delehaye II C 32)*

R 623: II 5f; R 624: 395ff u. Film (g). – Pap., 15. Jh. – Auszüge aus
Vätern, ff. 122r–124r Zitate aus Expos. c. 15 (861, 10–14); c. 17 (865, 18–21;
869, 13–16; 872, 24–27); c. 21 (888, 42–43; 889, 21–25, dann gekürzt bis
892, 10); c. 18 (877, 8–14, nur anfangs wörtlich); c. 22 (900, 5–10. 22); c. 23
(905, 2–6); (f. 122v) c. 24 (909, 4–6); c. 25 (913, 10–15; 916, 18–20 zwischen
fremden Textstellen); c. 26 (924, 17–24; 925, 29–39); c. 33 (937, 28–33.
36–38); (f. 123r) c. 34 (940, 15–18); c. 31 (933, 23–28); c. 44 (969, 22–972, 8);
c. 42 (961, 20–22); c. 43 (964, 2–5; 965, 1–2. 6; weitere 4 Zeilen nur auszugsweise c. 43); c. 72 (einige Zeilen dem Sinn nach); c. 74 (1101, 17–1104, 3/4);
c. 75 (1104, 27–28); (f. 123v) c. 46 (988, 1–4); c. 48 (997, 47–1000, 10); c. 57
(1033, 22–25 u. ähnlich 1036, 34 ff); c. 63 (1080, 30–38); c. 64 (1084, 3–6);
c. 13 (852, 33–853, 23). – Vgl. unten S. 188*.

380 *Neapol. III B 22*

R 623: II 322f u. Film (g). – Pap., ca. 1430 (Cyrillus); nach Kolophon
zwischen 1332 u. 1341. – Sammelhs, ff. 124r–167r Auszug aus Expos.,
und zwar cc. 21 (ab 888, 48; voraus Blattausfall) bis 31, 35, 46, 54, 72–74,
78, 79, 83–86, 89, 92, 94, 95, 99 u. 100. Der Anfang (ff. 124r–126r = c. 21
bis 896, 29) ist von anderer Hand (= 380[1]) als das Folgende. – Vgl. unten
S. 188*.

382 *(New York) Neo-Eborac. Univers. Columb. Smith Coll.,*
      West.ms, Add. 10 (ol. Phill. 5535)[1])

Erwähnt im Katalog von Middle Hill als Nr. 327 (Guilford Mss); Film (t) –
Pap., 1371. – Pege-Hs, ff. 1v–3r Briefe des Georgios Chioniades; ff. 4r bis
6r Epist.; ff. 6r–69v Dial. fus.; (ff. 70r–72r Text wie Vat. gr. 495 f.
18r–v;) ff. 72v–74v Pinax II; ff. 75r–271v Expos. Zahlreiche Kapitel
der D sind von den Scholien und Schemata des Georgios Chioniades
umrahmt, wie sie auch in Vat. gr. 495 ff. 3v bis 8r wiederkehren, dort
freilich ohne den D-Text. Diese beiden Überlieferungszeugen scheinen
nicht unmittelbar voneinander abzuhängen, sondern auf eine gemeinsame Vorlage zurückzugehen. Bei der D sind am Anfang über seltenere
Wörter später geläufigere Synonyma geschrieben. – s. S. 140* u. 188*.

---

[1]) Die Kenntnis dieser Hs verdanke ich einem freundlichen Schreiben des Antiquars
H. P. Kraus, New York, vom Januar 1957; den jetzigen Standort machte auf Vermittlung
von Prof. M. Richard Prof. I. Sevčenko ausfindig.

383 *Oxon. Bodl. Barocc. 5*

R 651: I 7 ff u. Film (g). – Pap., Ende 14. Jh. – Asket. Sammelhs, f. 37 v
bis 38 r Expos. 29.

384 *Oxon. Bodl. Barocc. 49*

R 651: I 69 u. Film (t). – Pap., Anfang 16. Jh. – Theol. Mischhs, ff. 6 r–8 v
Epist.; ff. 8 v–63 r Dial. brev.; ff. 64 r–251 v Expos. inv. – Vgl. unten S. 108*,
115*, 177* u. 190.

385 *Oxon. Bodl. Barocc. 76*

R 651: I 128 ff; R 20: 169; R 42: 297 u. Film (t). – Pap., 15. Jh. – Philos.-
dogmat. Mischhs, ff. 142 r–145 r Exzerpte aus Dial. c. 67 (669, 42–672, 22);
c. 68 (672, 25–40; diese und die folgenden Stellen nicht ganz wörtlich);
c. 64 (656, 7–34; 657, 1–13); c. 65 (657, 16–19); ff. 153 r–159 r Haeres. 1–9,
14–21, 25, 27–29, 31, 42, 47–50, 52, 54, 55, 59, 62, 65–68 u. 73. Die H-
Kapitel 9 und 55 haben Zusätze; cc. 27, 65 und 73 sind verkürzt; cc. 66
und 68 sind nicht unser JD-Text wie auch nicht die auf f. 159 r folgenden
weiteren Haeresien (unser Film reicht nur bis f. 161 r). – Vgl. unten S. 202
u. 203*.

386 *Oxon. Bodl. Barocc. 85*

R 651: I 144 f. – Pap. 15. Jh. (nach 1439). – Mischhs, ff. 13–49 Väterzitate; an 1. Stelle Exzerpt aus Expos. 3 (796, 12– ?).

387 *Oxon. Bodl. Barocc. 114*

R 651: I 186 f. – Pap., 15. Jh. – Mischhs mit antiken Klassikern, f. 146 v
bis 147 Expos. 8.

388 *Oxon. Bodl. Barocc. 131*

R 651: I 211; R 42: 298. – Bombyz., 14. Jh. – Geistl.-profane Mischhs,
f. 339 r– ? JD über die Eucharistie (= Expos. 86 oder de corpore et sanguine
Domini ?).

390 *Oxon. Bodl. Barocc. 173*

R 651: I 288 ff; R 42: 303 f u. Film (g). – Perg., 12. u. 13. Jh. (Coxe);
12. Jh. (R 42). – Kanonist. Sammelhs, ff. 133 r–150 r Haeres. – Vgl. unten
S. 204, 206* u. 211.

391 *Oxon. Bodl. Barocc. 185*

R 651: I 307 f (die dort angegebenen Foll. sind zu berichtigen); R 42: 309 f.
– Perg., 11. Jh. – Vorwiegend dogmat. Sammelhs, ff. 288–304 Haeres.

392 *Oxon. Bodl. Barocc. 196*

R 651: I 336 f; R 42: 311 u. Film (t). – Perg., unser Teil 1042. – Kanonist.
Sammelhs mit verwandten Zitaten, ff. 264 r–282 v Haeres. – Vgl. unten
S. 203*.

393 *Oxon. Bodl. Barocc. 197*

R 651: I 342ff; R 42: 311ff u. Film (g). – Pap., 14. Jh. (ca. 1343); Vor-besitzer: Hieromonachos Galaktion von Madara. – Theol. Mischhs, ff. 258r–263r Expos. 70–81. Unser Film bricht mit f. 263r (c. 81 = 1116, 26) ab. Es muß daher offen bleiben, ob der Text noch weitergeht. – Vgl. unten S. 188*.

394 *Oxon. Bodl. Barocc. 206*

R 651: I 365ff; R 42: 315. – Perg., 13. Jh. – Palimpsest, jüngere Schrift theol. Werke von Vätern, ff. 115v–116r Expos. 90 (ab 1177, 26 = Bibel-kanon).

395 *Oxon. Bodl. Canonic. gr. 1*

R 651: III 2f; R 19: IX 1, 24ff u. Film (t). – Pap., 16. Jh. – Hauptsächlich naturwiss.-astronom. Mischhs, ff. 85r–90v Dial. fus. ab c. 58; ff. 136r bis 141r Dial. fus. 18 (ab 584, 27) bis 48. Der Schreiber unseres 2. Stückes (wieder der von ff. 85–88v) bricht hier ab. Ab Mitte f. 88v (c. 65 = 661, 22) schreibt eine andere Hand (= 395¹). – Vgl. unten S. 134*.

396 *Oxon. Bodl. Canonic. gr. 16*

R 651: III 17ff u. Film (t). – 4 Blätter Perg., das Übrige Papier, unser Teil 13. Jh. – Theol.-asket. Mischhs, deren 1. Teil besonders gegen die Lateiner gerichtet ist, ff. 16v–24 JD de Spiritu Sancto (Pege?); ff. 25r–30v Expos. 1–4, 8. C. 1 ist verstümmelt (vorausgeht eine neue Schrift auf Papier); lesbar ist der Text ab 789, 9. C. 8 schließt verstümmelt mit 813, 4.

397 *Oxon. Bodl. Canonic. gr. 56*

R 651: III 63f u. Film (t). – Pap., 16. Jh. – Theol. Mischhs, laut Katalog ff. 165v–215 Definitionen aus Kirchenvätern, darunter auch JD. Das Zitat auf ff. 197v–199r (nur so viel umfaßt unser Film) ist nicht von JD, sondern von Leon von Damaskos.

398 *Oxon. Bodl. Canonic. gr. 89*

R 651: III 85 u. Film (g). – Pap., 16. Jh. – Asket.-philos. Mischhs, ff. 354r bis 355r Epist.; ff. 355r–390r Dial. fus. Der Schreiber konnte offenbar in seiner Vorlage manche Wörter nicht lesen, für die er dann eine Lücke läßt. – Vgl. unten S. 140f*.

399 *Oxon. Bodl. Canonic. gr. 128*

R 651: III 108 u. Film (g). – ff. 1–43 sind Fragmente aus c. Marc. II 62 (unsere Hs 722) und schließen in der Pege genau die dort angegebenen Lücken. Die richtige Reihenfolge der Blätter wäre diese: 12–17, 26–31, 18–25, 32–39, 8–11, 1–7 u. 40–43. – Vgl. unten S. 133* u. 174*.

401 *Oxon. Bodl. Cromwell. 13 (298)*

R 651: I 439f u. Film (g). – Perg., Anfang 11. Jh. – JD-Hs, S. 2–4 Epist.;
S. 5–119 Dial. fus. (zwischen S. 62 und 63 ist ein Blatt ausgefallen mit
D 41–43 [609, 10–613, 14]); S. 119–439 Expos. inv. – Vgl. unten S. 143*,
146, 167, 184* u. 188.

403 *Oxon. Bodl. Laud. 6 (506)*

R 651: I 494 u. Film (g). – Pap., 16. Jh. – Eucharist. Hs, S. 1–27 Expos. 86
(bis 1152, 30).

404 *Oxon. Bodl. Laud. 33 (889)*

R 651: I 515f; R 23: 140.1095 (als Nr. 50); R 42: 331 u. Film (g). – Perg.,
Ende 11. Jh. – Mk-Katene, f. 82v–83r Exzerpt aus Expos. 87 (1156, 4 bis
1160, 8).

405 *Oxon. Bodl. Laud. 65 (702)*

R 651: I 547 u. Film (t). – Pap., 1511. – Im wesentlichen JD-Hs, ff. 6r–7v
Epist.; ff. 7v–47v Dial. fus.; ff. 48r–153r Expos. – Vgl. unten S. 122, 124,
140* u. 181*.

407 *Oxon. Bodl. Auct. E. 5.4 (Misc. 69; Bern. Th. Bodl. F 11.29)*

R 651: I 655; R 42: 365 u. Film (g). – Perg., 11. Jh. – Philos.-dogmat. Hs,
ff. 95r–96r Epist.; ff. 96r–127v Dial. brev.; ff. 127v–236v Expos. (bis c. 99
1217, 33; Ende verstümmelt). – s. S. 117f*, 125, 130, 156*, 171*, 174, 187.

409 *Oxon. Bodl. Auct. E. 1.16 (Misc. 134)*

R 651: I 689ff u. Film (g). – Pap., 16. Jh. – Theol. Mischhs, ff. 223r–226r
Expos. 86; ff. 282r–283r Expos. 89; ff. 301r–302v Expos. 84; ff. 303v bis
305r Expos. 88.

410 *Oxon. Bodl. Rawl. Auct. G. 158 (Misc. 170)*

R 651: I 717ff u. Film (g). – Perg., 14.–15. Jh. – Kanonist. Sammelhs,
ff. 292v–308r Haeres. 1–38 (bis 701, 5); 88 (ab 733, 35/36) bis 99, 101, 100,
102. Die Lücke zwischen ff. 297 und 298 beruht auf dem Ausfall etwa
eines Quaternio. Da f. 297r den Phylax λη' trägt, f. 298 aber λϑ', ist offenbar von der verlorengegangenen Lage das 1. Blatt erhalten (f. 297). Als
nächste Lagenummer findet sich μ' auf f. 305r. – Vgl. unten S. 201* u. 211.

411 *Oxon. Bodl. Auct. T. 1.1. (Misc. 179)*

R 651: I 724ff; R 42: 366f u. Film (g). – Pap., 17. Jh. – Auszüge aus
Vätern, S. 385–393 Haeres. – Vgl. unten S. 205.

412 *Oxon. Bodl. Auct. T. 1.6 (Misc. 184)*

R 651: I 738; F. Diekamp, Doctrina Patrum de Incarnatione Verbi,
Münster i.W. 1907, S. XVff; Fr. Loofs, Leontios von Byzanz [Texte u.

Untersuchungen zur Geschichte der altchristlichen Literatur 3] Leipzig
1888, S.101ff u. Film (t). – Perg., 13. Jh. (Diekamp 12. Jh.) – Väterzeugnisse, ff.1r–17r Exzerpte aus Dial. fus.; ff.18v–31v Exzerpte aus
Expos.; f.32r–v Dial. 68.

Die Feststellung Diekamps, daß die Ausführungen nach D5 manches enthalten, was gar
nicht oder nur dem Gedanken nach beim Damaskener steht, so daß die auf der Einband-
decke angegebene Autorschaft des letzteren sehr unsicher sei, ist genauer dahin zu fassen,
daß von der Dial. fus. wörtlich und ganz nur vorkommen c.68 (f.32r–v), teilweise die
Kapitel 5, 36, 47, 65; von einigen anderen finden sich nur kurze wörtliche Stellen. Richtig
ist, daß die Schrift inhaltlich auf große Strecken die gleichen Gegenstände behandelt wie
die Dial.; ich möchte aber bezweifeln, ob es JD sein soll und nicht eher ein Kommentar zu
Aristoteles. – Von der Expos. stimmen mit unserm JD überein ganz nur c.39, teilweise die
Kapitel 17, 22, 26, 27, 36, 38–41, 43. Bei all diesen (ausgenommen cc.17–22) handelt es sich
jedoch um Stellen aus Nemesios, den auch JD ausschreibt, so daß wiederum Diekamp
recht hat, wenn er vermutet, daß „hier eine der vielen älteren Arbeiten vorliegt, die Johannes
als Quelle benutzt hat.“ – Vgl. unten S. 145*.

413 *Oxon. Bodl. Auct. T. 2.12 (Misc. 212)*

R 651: I 770. – Pap., 16. Jh. – Dogmat. Mischhs, ff.103r u. 108r Expos. 39
(u.a. ?).

414 *Oxon. Bodl. Auct. T. 4.4 (Misc. 242)*

R 651: I 790ff u. Film (t). – Pap., 16. Jh. – Theol. Sammelhs, ff.67r–73v
(andere Zählung ff.82r–88v) Expos. 87, 89, 80, 81; ff.288r–295r u. ff.345r
bis 368v (= 303r–310v; 363r–386v) Dial. brev. (schließt verstümmelt in
c.51 = 633,30). Die Folien 296–344 (= Lagen μβ′–μη′) enthalten einen nicht
zur Dial. gehörigen Text; desgleichen gibt f.369r (= Tetrade νβ′) einen
fremden Text von anderer Hand wieder. Offenbar sind Lagen verbunden.
– Expos und Dial. sind von verschiedenen Schreibern. – Vgl. unten S. 122*.

415 *Oxon. Bodl. Auct. T. 5.1 (Misc. 263)*

R 651: I 809; R 42: 368 u. Film (t). – Bombyz., 14. Jh. – Theol. Mischhs,
ff.26r–27r Epist.; ff.27r–63v Dial. brev.; ff.64r–92r Expos. 1–21. Die
Lage mit den ff.50–57 ist zwischen ff.41 und 42 einzureihen, das f.90
zwischen ff.81 und 82. – Vgl. unten S. 106, 118, 123*, 141, 187 u. 189*.

416 *Oxon. d'Orvill. 113 (Auct. X. 1.4.11; 16991; d'Orville 10)*

R 652: IV 64f u. Film (t). – Pap., ca. 1500. – Mischhs, ff.22v–155r Expos.
(c.12b + Zusatz ἢ ξύλον . . . πρόξενον, gewöhnlich bei c.25, steht nach
c.100); f.155v Pinax II (bis c.18). – Vgl. unten S. 188ff*.

417 *Oxon. Coll. Lincoln. gr.7*

R 659: I 8, 6f u. Film (g). – Pap., 16. Jh. – Homiliar, ff.91r–102v Expos. 8.

418 *Paris. Archiv. nat. M.829*

R 58: III 357 u. Film (g). – Pap., 17. Jh. – Aufzeichnungen von F. Combefis, 1[7] S.1–3 Epist.; S.3–4 Pinax I; S.4–66, 73–78 Dial. fus.; 1[8] (= 418[1])

S. 1–20 Expos. 1–11 (schließt 841,13). S. 66–73 philosoph. Texte (nicht JD); S. 73–78 ZKp. an der Stelle von D 67, welches fehlt. Außerdem fehlt die Lysis. – Es handelt sich um einen Kollationstext von Combefis, bei dem am Rand zahlreiche Varianten aus anderen Hss mit ihren Signaturen angebracht sind. Genannt werden dabei folgende Pariser Kodizes (hier mit moderner Signatur): 901, 902, 1116, 1119, 1120, 1122, 1123 und Suppl. gr. 8. Den auf S. 62 erwähnten Medic. Reg. 1604 vermag ich nicht zu identifizieren (= Voss. gr. Q 20 ?). – Vgl. unten S. 145*, 190, 221 u. 230.

419 *Paris. S. Genov. 3395*

R 687: II 675. – Pap., 18. Jh. – Vätersammlung, ff. 1 u. 51 JD (Exzerpte u. Fragmente).

422 *Paris. gr. 11*

R 58: I 2f; R 20: 194 u. Film (g). – Perg., 1186 von Leon geschrieben (Vogel-G. 261), gekauft in Konstantinopel. – Bibl.-theol. Hs, S. 312–316 Dial. 66, 44, 45, 48. Dieselbe Kapitelauswahl hat auch Vat. gr. 197 auf ff. 151–154. – Vgl. unten S. 123*.

422 A *Paris. gr. 160 (Colbert. 4006)*

R 58: I 19 u. Film (t). – Pap., 16. Jh. – Expos. unter dem Namen des Michael Glykas, ff. 1r–5r Pinax II; ff. 5v–7v leer; ff. 8r–217r Expos. 10–100. – Vgl. unten S. 144*, 172* u. 190.

423 *Paris. gr. 208 (Reg.-Maz. 2440)*

R 58: I 24; R 34: 581; Sickenberger, Lukaskatene 44–46. – Pap., 14. Jh. – Lukaskatene des Niketas mit JD-Zitaten (aus der Pege ?). Zwei Lemmata zu Lc 3,13, die in den damaskenischen Schriften sonst nicht nachgewiesen werden können, sind abgedruckt MG 95, 233,28–237,2.

425 *Paris. gr. 854 (Medic. Reg. 2431)*

R 58: I 159f u. Film (g). – Bombyz., 13. Jh. – Profan-kirchl. Mischhs, ff. 20v–22v Expos. 21.

426 *Paris. gr. 898 (Colbert. 1539)*

R 58: I 170 u. Film (g). – Perg., 12. Jh. – Dogmat. Sammelhs, ff. 1r–75r Expos. ab c. 32 (936,1). Die Hs beginnt verstümmelt mit der bezeichneten Stelle; ursprünglich war der Zählung nach (c. 35 = πβ′) Expos. ganz vorhanden mit Dial. brev. voraus. – Die Kapitel 93 und 94 sind zweimal aufgenommen: einmal an ihrem Platz und einmal vor c. 82. Durch Ausfall von 2 Blättern zwischen ff. 27 und 28 fehlt von c. 58 der Text von 1036,38 bis 1044,21. – Vgl. unten S. 189*.

427 *Paris. gr. 899 (Colbert. 2765)*

R 58: I 170 u. Film (g). – Pap., 15. Jh. – JD-Hs, ff. 1r–208v Expos. (mit latein. Übersetzung des Burgundio) c. 20 (ab 880, 24) bis c. 100 (bis 1225, 35;

Anfang und Ende verstümmelt). Am Anfang fielen die Lagen α'–ε' aus, am Schluß 1 Blatt (die Hs wäre in der Liste von Buytaert, Ausgabe 1955, nachzutragen). – Vgl. unten S. 188f*.

428 *Paris. gr.900 (Medic. Reg. 2428)*
R 58: I 170 u. Film (g). – Pap., 15. Jh. – Dogmat. Mischhs, ff. 1 v–79 v Expos.; f. 141 v–142 r Exzerpt aus Expos. 50 (1004, 8–1005, 9). Die Lücke von cc. 47–55 (992, 13–1025, 18) fand sich schon in der Vorlage. Als Anhang zu c. 86 ist eingefügt die Schrift des Damaskeners de corpore et sanguine Dni. – Die Angabe des Katalogs, daß die Expos. 113 Kapitel zähle, trifft nicht zu; c. 99 (c. 100 fehlt) ist richtig als ϛγ' gezählt, wobei der Sprung in cc. 47–55 schon berücksichtigt ist. Ein Verlesen von ϛγ' als ριγ' ist bei der Deutlichkeit der Schrift kaum möglich. – Vgl. unten S. 157*.

429 *Paris. gr.901 (Mazar. Reg. 1986)*
R 58: I 170f u. Film (g). – Perg., 14. Jh. – Theol. Mischhs, f. 1 r–v Epist.; ff. 1 v–21 v Dial. fus. (ohne die Kapitel 2, 3, 18–28); ff. 21 v–95 r Expos. Nach cc. 3, 5, 6, 7, 10, 56, 77, 86 sind Texte von Theodor Abū Kurra eingeschoben. – Vgl. S. 50, 142f*, 186 u. 189f*.

430 *Paris. gr.902 (Fontebl. Reg. 2427)*
R 58: I 171 u. Film (g). – Bombyz., 14. Jh. – Theol. Sammelhs, f. 1 r–v Epist.; ff. 1 v–16 r Dial. brev.; f. 16 v Pinax II (bis c. 71); ff. 17 r–83 v Expos. Entweder wechselt derselbe Schreiber in der Sorgfalt, oder es lösen sich mehrere gleichzeitige Hände ab. Da aber trotzdem ein Vorlagenwechsel nicht anzunehmen ist, sind hier die Hände nicht unterschieden. – Die Titelnummern des Pinax stimmen mit der Zählung der Kapitel nicht überein. – Vgl. S. 50, 123*, 168f* u. 177.

431 *Paris. gr.963 (Medic. Reg. 3362)*
R 58: I 185f; Ammonius in Porphyrii isagogen sive V voces ed. A. Busse [Commentaria in Arist. gr. 4,3] Berlin 1891, S. XXX u. Film (g). – Pap., 15. Jh., Busse 16. Jh. – Mischhs vorwiegend klassisch-pädagog. Inhalts, ff. 118 r–174 v Dial.; ff. 174 v–239 r Expos. 5–44. Die Dial. ist eine brev. mit Teilen der fus.: cc. 2, 3, 5; c. 5 schließt in der Mitte von f. 120 r mit 540, 26; ff. 120 v–122 v sind unbeschrieben, auf ff. 123 r–124 v folgen cc. 22–28. Auf f. 124 v beginnt eine brev., jedoch kommen auf c. 8 die cc. 40 und 41 (letzteres in verkürzter Form auf f. 139 v). Diesen schließen sich bis f. 143 v philosophische Texte an, die nicht von JD stammen. Mit c. 31 nimmt dann die Kapitelreihe ihren Fortgang, wobei c. 40 und c. 41 an ihrer Stelle wiederkehren und die Lysis den Schluß bildet. – Die Lücken entstanden durch Blattausfall schon in der Vorlage in cc. 46/47 (bis 620, 32) und c. 67 (bis 672, 16). Auf den Schluß der Dial. folgt unmittelbar

4*

der Titel zu Expos. 5. Nach c. 44 beendet der Schreiber mit einem Kolophon diesen Teil des Kodex. – Ebenfalls auf Blattausfall in der Vorlage dürfte der Sprung im Text von c. 42 (961,22) auf c. 43 (964,7) beruhen. – Vgl. unten S. 123*, 155* u. 173*.

432 *Paris. gr. 970 (Medic. Reg. 2986)*

R 58: I 188f; R 672: 56f; R 41: III 703 u. Film (g). – Pap., 15. Jh. – Dogmat. Hs, ff. 82 v–91 r Exzerpte aus Expos. inv.: ff. 82 v–90 r c. 8, ff. 90 r bis 91 v cc. 57, 58 (bis 1036,13) u. 55 (ab 1025,24).

434 *Paris. gr. 1044 (Fontebl. Reg. 3109)*

R 58: I 210 u. Film (g). – Bombyz., 14. Jh. – Nemesios-JD-Hs, ff. 62 v–63 v Epist.; ff. 64 r–93 v Dial. brev.; ff. 93 v–193 v Expos. Kapitelordnung der E: 1–81, 12b, 94, 92, 93, 82–91, 94(!)–100. – Eine andere Hand zieht die stellenweise sehr verblaßte Schrift nach. – f. 189 r–v (cc. 97/98 = 1208,18 bis 1213,5) ist anscheinend überklebt und deshalb unlesbar. – Vgl. unten S. 119*, 161, 189* u. 230.

435 *Paris. gr. 1105 (Medic. Reg. 3379)*

R 58: I 221 u. Film (g). – Perg., 11. Jh. – JD-Hs, ff. 3 r–178 v Expos. (die Kapitel 89 und 90 [bis 1176,27] fehlen schon in der Vorlage; übergangen sind auch cc. 93 und 94); ff. 179 r–181 r Epist.; ff. 181 v–226 v Dial. brev. (schließt verstümmelt bei c. 67 = 672,20); ff. 227 r–230 v Pinakes II, I u. von Haeres. – Vgl. unten S. 108*, 130, 160*, 174 u. 230.

436 *Paris. gr. 1106 (Colbert. 4780)*

R 58: I 221 u. Film (g). – Perg. u. Pap., 11. Jh. – JD-Hs, ff. 1 r–3 r Epist.; ff. 3 r–39 v Dial. brev.; ff. 40 r–152 r Expos. Die Blätter 1–16 (bis Dial. 8 = 553,18) sind von einer späteren Hand ergänzt (= 436[1]). Zwischen ff. 124 u. 125 fiel ein Blatt aus mit Teilen von Expos. 83–84 (1128,8–1129,28). – Vgl. unten S. 116f*, 169* u. 230.

437 *Paris. gr. 1107 (Medic. Reg. 3451)*

R 58: I 221 u. Film (g). – Bombyz., 13. Jh. – Im wesentlichen JD-Hs, ff. 1 r–129 v Expos. C. 12b steht nach c. 16, c. 82 nach c. 83. Dazwischen sind vom Schreiber eingefügt nach c. 53 auf ff. 66 r–67 r Dial. 66 und nach c. 54 auf f. 68 r–70 r auszugsweise de hymno trisagio (MG 95,25,52ff). – Vgl. unten S. 144*, 171f* u. 174.

438 *Paris. gr. 1108 (Teller. Rem. Reg. 2924,2)*

R 58: I 221 u. Film (g). – Perg., 12. Jh. – Hauptsächlich JD-Hs, ff. 1 r–101 v Expos. inv. Übergangen sind die Kapitel 47, 63 und 77; eine weitere Lücke (ohne Blattverlust) findet sich in cc. 71 (1097,1) bis 73 (1101,5). Eine spätere Hand schreibt interlinear über viele Wörter eine lateinische

Übersetzung. – Der Schreiber macht viele Fehler, die entweder auf eine undeutliche Vorlage oder mangelnde Kenntnis besonders der Abkürzungen zurückzuführen sind. – Vgl. unten S. 167 u. 178*.

439 *Paris. gr. 1109 (Fontebl. Reg. 2924)*

R 58: I 221 u. Film (g). – Pap., 14. Jh. – Vorwiegend Expos.-Hs, ff. 1 r bis 152 v Expos. (Mehrere Hände. – Einige Blätter, besonders am Anfang, sind von Mäusen angefressen). – Vgl. unten S. 166 f* u. 174.

440 *Paris. gr. 1110 (Colbert. 4618)*

R 58: I 221 u. Film (g). – Pap., geschrieben 1465 in Rhethymnon vom Notarios Nikolaos Kladios. – Theol.-grammat. Hs, ff. 1 r–147 r Expos. ab c. 2 (= 792,42; Anfang verstümmelt). Die Kapitel 93 und 94 stehen vor c. 82, c. 89 nach c. 100; c. 77 fehlt, war aber vorgesehen, wie der leere Raum auf f. 104 v–105 r zeigt. Auf c. 88, das mit 1168,23 endet, folgt unmittelbar c. 90 ab 1176,27; die Lücke findet sich also schon in einer Vorlage. Durch Blattverlust aber in unserm Kodex (zwischen ff. 141 u. 142) fiel von cc. 99–100 aus 1217,9–1220,18. – Vgl. unten S. 182, 187, 189 f* u. 215.

441 *Paris. gr. 1111*

R 58: I 222 f u. Film (g). – Perg., 11. Jh. – Hs mit JD u. Theodor Abū Kurra, ff. 66 v–167 v Expos.; ff. 189 v–191 r Epist.; ff. 191 r–217 v Dial. brev.; ff. 218 r–219 v Pinakes I u. II. – Vgl. unten S. 116*, 130, 169*, 174 u. 182.

442 *Paris. gr. 1114 (Mazar. Reg. 2931)*

R 58: I 223 u. Film (g). – Pap., 16. Jh. – JD-Hs, ff. 1 r–2 v Epist.; ff. 2 v bis 67 r Dial. fus. + ZKp. Die Blätter 40–46 sind zwischen ff. 31 und 32 einzureihen. – Vgl. unten S. 138*.

443 *Paris. gr. 1116 (Medic. Reg. 2930)*

R 58: I 223 u. Film (g). – Perg., 1124 kopiert vom Notarios Basileios (Vogel-G. 55). – JD-Hs, f. 2 v–3 r Epist.; ff. 3 r–28 r Dial. brev.; ff. 28 v bis 114 r Expos.; ff. 140 r–165 r Haeres. Die Blätter 5, 12 und 15 stammen aus einem anderen Kodex und stören an den jetzigen Stellen den fortlaufenden Text; sie enthalten aber auch Teile der Dial., nämlich cc. 45 und 47. Später eingefügt (= 443 c²) sind 1. in E 22 (900,16) f. 48 mit der Windrose zu c. 22 und dem darauffolgenden Text 901,1–10; 2. in c. 23 (904,12/13) f. 50 mit c. 23 b auf der Rückseite (die Vorderseite trägt nur einen Besitzervermerk). – f. 68 gehört vor f. 67; c. 47 hat bei 993,5 auf f. 66 v und 68 r ein längeres Einschiebsel, das in MG 95, 412–413 unter Hinweis auf unseren Kodex abgedruckt ist. – Haeres. sind von anderer Hand (= 443¹). – Vgl. S. 50, 123*, 162*, 200 f*, 211 u. 230.

444 *Paris. gr. 1117 (Baluz. Reg. 2930,2)*

R 58: I 223 u. Film (g). – Bombyz., 13. Jh. – JD-Hs, ff. 1r–2r Epist.;
ff. 2r–38r Dial. fus.; ff. 39r–40r Pinax II; ff. 40v–151v Expos. (schließt
verstümmelt mit 1225,18; cc. 31 und 32 sind gegeneinander vertauscht). –
Vgl. unten S. 139*, 146, 181* u. 184.

445 *Paris. gr. 1118 (Reg. 3447)*

R 58: I 223 u. Film (g). – Bombyz., 14. Jh. – JD-Hs, ff. 1r–2v Epist.;
ff. 2v–30r Dial. fus. (bis c. 64); ff. 30r–31r Pinax II; ff. 31v–110v Expos.
Die Blätter 1–13 (bis D 10 = 564,16) sind von anderer Hand ergänzt
(= 445[1]). – In der Expos. sind übergangen cc. 16 und 90; cc. 93 und 94
stehen vor c. 82, c. 89 nach c. 100. – Vgl. unten S. 132*, 142*, 146, 163* u.
174.

446 *Paris. gr. 1119 (Fontebl. Reg. 2928)*

R 58: I 224 u. Film (g). – Bombyz., 14. Jh. – Philos.-dogmat. Mischhs,
ff. 1r–3v Pinakes I u. II; ff. 4r–5v Epist.; ff. 5v–41v Dial. brev. + ZKp.;
ff. 42r–156v Expos. Zwischen ff. 41 und 42 ist ein Blatt mit dem Ende des
ZKp. und dem Anfang der Expos. (bis 792,7) ausgefallen. – Vgl. S. 50,
112*, 130, 166*, 174 u. 191.

447 *Paris. gr. 1120 (Fontebl. Reg. 2925)*

R 58: I 224 u. Film (g). – Bombyz., 14. Jh. – JD-Hs, ff. 1r–4v Pinakes
I u. II; ff. 5r–8r Epist.; ff. 8r–36v, 53r–68v, 37r–50v Dial. brev. + ZKp.;
ff. 51r–52v, 69r–243v, 252r–259v, 244r–251v, 260r–274v Expos. (Richtigstellung auf Grund der Lagenzählung). – Vgl. S. 50, 104*, 130, 154*, 174.

448 *Paris. gr. 1121 (Fontebl. Reg. 2927)*

R 58: I 224 u. Film (g). – Bombyz., 14. Jh. – JD-Hs, ff. 1r–3v Epist.;
ff. 3v–73r Dial. fus. (ohne c. 67); ff. 74r–252v Expos. inv. – Vgl. unten
S. 132f*, 146, 176*, 184 u. 230.

449 *Paris. gr. 1122 (Fontebl. Reg. 2926)*

R 58: I 224 u. Film (g). – Pap., 14. Jh. – JD-Hs, ff. 1r–3v Epist.; ff. 3v
bis 59r Dial. brev. + ZKp. (durch Ausfall eines Blattes zwischen ff. 5 und
6 ging verloren 569,20–572,4); ff. 60r–220v Expos. – Vgl. S. 50, 104*,
130, 154f* u. 174.

450 *Paris. gr. 1123 (Maz. Reg. 2929)*

R 58: I 224 u. Film (g). – Pap., 15. Jh. – Theol. Hs, vornehmlich JD,
ff. 2r–3r Pinax I; ff. 3r–4v Epist.; ff. 5r–40v Dial. brev.; ff. 41r–42v
Pinax II; ff. 43r–163v Expos. Unser Film reicht nur bis f. 104r (c. 51);
laut Index stehen die Kapitel 93 und 94 vor 82. – Vgl. S. 50, 110f*, 139
u. 160*.

451 *Paris. gr. 1123 A (Reg. 2929)*

R 58: I 224f u. Film (g). – Pap., 15. Jh. – Dogmat. Sammelhs, f. 2r
Pinax I (bis c. 34); ff. 7 r–8 v Epist.; ff. 8 v–55 v Dial. fus. (auf D 4f folgt
auf ff. 12 r–14 v ein philosoph. Text unbestimmter Herkunft); ff. 56 r bis
192 v Expos. inv. – Vgl. unten S. 132*, 146, 177* u. 184.

452 *Paris. gr. 1124 (Colbert. 4672)*

R 58: I 225 u. Film (g). – Pap., 15. Jh. – JD-Hs, ff. 1 r–5 v Pinakes I u. II;
ff. 6 r–8 v Epist.; ff. 8 v–68 v Dial. brev.; ff. 69 r–276 v Expos. Wie in Coisl.
375 findet sich auch hier in E 30 bei 929,8 das Einschiebsel bzw. die
Wiederholung 928,27–929,21 (= 452³⁰). – Vgl. unten S. 60, 116f* u. 167*.

453 *Paris. gr. 1124 A*

R 58: I 225 u. Film (g). – Pap., 15. Jh. – Vornehmlich JD-Hs, ff. 1 r–54ʳ
Dial. fus. (beginnt verstümmelt in c. 5 mit 541,36); ff. 54 r–56 r Pinax II;
ff. 56 r–220 v Expos. Die Lagen (Quaternionen) sind ab f. 12 (= Lage γ')
numeriert. Von da nach vorne gerechnet, müßte der Quaternio β' mit
f. 4 beginnen. Demnach wären am Anfang 5 Blätter ausgefallen, die vermutlich die Epist. (oder Pinax I) und den Anfang der Dial. enthielten.
Auffällig ist, daß in Dial. 9 bei 557,35 sich ein Stück aus c. 6f (548,24–32)
findet. Der genaue Sachverhalt ist dieser: f. 7 r schließt mit der vorhin
bezeichneten Stelle von c. 9, f. 7 v ist unbeschrieben, f. 8 r beginnt mit dem
Einschiebsel aus c. 6f, das gegen Ende von Zeile 9 abbricht. Die ersten
Buchstaben dieses Einschiebsels sind expungiert, sein Ende mit einem
Doppelkreuz angemerkt; diese beiden Tilgungszeichen sind sehr dezent
angebracht und können gut vom Schreiber selber stammen. Noch auf
Zeile 9 fährt dann der Text fort, der auf das Ende von f. 7 r paßt. Ich
nehme an, daß der Schreiber ursprünglich die 2. Lage umgekehrt vor sich
hatte, so daß die jetzige Seite 8 die 1. Seite der Lage wurde. Auf dieser
begann er zunächst den Text von c. 6 weiterzuschreiben, wie er auf das
Ende von f. 3 v paßte, eben unser Einschiebsel. Nach etlichen Zeilen
wandte er die Lage zur heutigen Form, begann auf dem jetzigen Folium 4 r
wieder mit dieser Stelle von c. 6 (f. 4 und f. 8 haben am Anfang also den
gleichen Text), tilgte aber, als er in der Fortführung des Textes in c. 9
auf die irrtümlich aufgenommenen Zeilen stieß, unauffällig diesen Fehler
und fuhr ebenso unauffällig mit c. 9 weiter. Ungeklärt freilich bleibt auf
diese Weise, warum f. 7 v leer ist. – Die E-Kapitel 93 und 94 setzt der
Schreiber zwischen cc. 89 und 90. – Zwischen ff. 105 und 106 fehlt 1 Blatt
mit einem Teil von c. 26 (921,16–925,19). Durch einen weiteren Blattverlust zwischen f. 219 und f. 220 ergab sich eine Lücke in c. 100 (1221,21
bis 1224,16); dieses Kapitel ist außerdem vom Schreiber nur bis 1224,30
geführt. – Die Kapitel 54–100 (1020,24–1220,12) sind von einer 2. Hand
(= 453¹). – Vgl. unten S. 136*, 182*, 187 u. 190.

454 *Paris. gr. 1163*

R 58: I 231f u. Film (g). – Bombyz., 1348 – Dogmat.-erbauliche Hs, f. 5 r–v Expos. 10. – Vgl. unten S. 185*.

455 *Paris. gr. 1165 (Medic. Reg. 3445)*

R 58: I 233. – Pap., 15. Jh. – JD-Hs, ff. 1 r–101 r Expos. (der Textsprung von c. 65 (1085, 13) auf c. 67 (1089, 10) beruht nicht auf Blattverlust); ff. 101 v–103 r Pinax II. – Vgl. unten S. 161 u. 189*.

481 *Paris. gr. 1233*

R 58: I 273 u. Film (g). – Bombyz., 14. Jh. – Dogmat. Hs, nach Richtigstellung der Blattordnung: S. 221–298 Expos. 1–81; (S. 298–300 nichtdamaskenische Zusätze, wie auch in Paris. gr. 1302 an dieser Stelle, auf f. 113); S. 300–301 Epist.; S. 301–306 u. 173–211 Dial. fus. 1 (bis 532, 5), 6 (ab 548, 41) bis Lysis. Mit der Epist. beginnt in der Mitte von S. 300 eine andere Hand (= 481¹). – Die Lücke D 1–6 entstand durch Ausfall von etwa 4 Blättern. Der Übergang von S. 306 auf S. 173 ist gesichert durch die Lagennummern (als Schluß) auf S. 306 und (als Anfang) auf S. 173. – Vgl. unten S. 145*, 157*, 174 u. 191.

482 *Paris. gr. 1267 (Medic. Reg. 2953)*

R 58: I 281 f u. Film (g). – Pap., 15. Jh. – Dogmat. Hs, ff. 18 r–24 r Expos. 8.

483 *Paris. gr. 1302 (Medic. Reg. 2979)*

R 58: I 293 u. Film (g). – Bombyz., 13. Jh. – Dogmat. Hs, ff. 25 r–26 r Epist.; ff. 26 r–49 r Dial. brev.; ff. 49 r–135 r Expos. (nach c. 81 Zusatz wie Paris. gr. 1233); ff. 135 r–136 r Lysis v. Dial. – Vgl. unten S. 119*, 124, 157*, 172 u. 174.

484 *Paris. gr. 1320 (Mazar. Reg. 2508)*

R 58: II 2f u. Film (g). – Perg., 11. Jh. – Kanonist. Hs, ff. 247 r–264 r Haeres. – Vgl. unten S. 202f*, 211, 221 u. 229.

485 *Paris. gr. 1603 (Fontebl. Reg. 3363)*

R 58: II 102f u. Film (g). – Pap., 16. Jh. – Erbaulich-naturwiss.-medizin. Hs, ff. 300 r–305 v Auszüge aus Expos.: cc. 39–44 (bis 976, 25), 82 (1124, 3 bis 1125, 16). – Vgl. unten S. 190*.

486 *Paris. gr. 1739 (Medic. Reg. 3049)*

R 58: II 132f u. Film (g). – Pap., 15. Jh. – Klass. Mischhs, f. 376 r–v Expos. 23 b. – Vgl. unten S. 190*.

487 *Paris. gr. 1973 (Medic. Reg. 2641)*

R 58: II 173; Porphyrii isagoge et in Aristotelis categorias commentarium ed. A. Busse [Commentaria in Aristotelem graeca 4, 1] Berlin 1887,

S. XXII; Ammonius in Porphyrii isagogen XVIII; Ammonius in Aristotelis categorias commentarius XV u. Film (g). – Bombyz., 14. Jh. –
Philos. Hs, f. 54r–v Dial. 31–35; ff. 75r–76r Dial. 49; ff. 83v–84v Dial. 50;
ff. 91r–94r Dial. 51–55; ff. 99v–103v Dial. 57–61.

488 *Paris. gr.1999 (Baluz. Reg. 3124,2)*

R 58: II 176 u. Film (g). – Pap., 16. Jh. – Philos. Hs, ff. 311r–371r Dial.
brev. + ZKp. Es fehlen durch Blattausfall zwischen ff. 326 und 327 c. 16
(ab 580, 33) bis c. 49 (bis 625, 45). f. 340 gehört vor 339. – Auffallend viele
Schreibfehler! – Vgl. unten S. 107* u. 124.

489 *Paris. gr.2100 (Baluz. Reg. 3120,2)*

R 58: II 194 u. Film (g). – Pap., 16. Jh. – Philos. Hs, ff. 207r–246r Dial.
brev. + ZKp. (ff. 246v–252r sind unbeschrieben). – Vgl. unten S. 107*,
115, 120, 123f u. 130.

489A *Paris gr. 2500 (Trichet-Dufresne-Reg. 3210)*

R 58: II 271f; R 672: 287 u. Film (g). – Pap., 15. Jh. – Theol.-hagiogr.
Hs, f. 344v–345r Expos. 97.

490 *Paris. gr.2546 (Fontebl. Reg. 3228)*

R 58: III 2 u. Film (g). – Pap. (?), 14. Jh. – Vorwiegend grammat. Hs,
f. 190r–v Expos. 81 (bis 1117, 9).

491 *Paris. gr.2577A*

R 58: III 7f u. Film (g). – Pap., geschrieben um 1600 von Nikolaos
Eleiabulkos v. Chios (Vogel-G. 347). – Hs vor allem mit Werken von
Manuel Moschopulos und Libanios, f. 262v–263r Exzerpt aus Expos. 13
(bis 852, 34).

492 *Paris. gr.2600 (Fontebl. Reg. 3244)*

R 58: III 11f u. Film (g). – Pap., geschrieben um 1500 von Michael
Suliardos von Argos (Vogel-G. 318ff). – Klass. Mischhs, ff. 219r–220r
(eine 2. Zählung ist dieser um 1 voraus) Pinax zu Haeres.; ff. 220v–245v
Haeres. – Vgl. unten S. 199f*, 216 u. 230.

493 *Paris. gr.2847 (Teller. Reg. 3399)*

R 58: III 49 u. Film (g). – Pap., 16. Jh. – Klass. Mischhs, f. 39v Expos. 23b.
– Vgl. unten S. 190*.

494 *Paris. gr.3031 (Teller. Rem. Reg. 2837)*

R 58: III 96 u. Film (g). – Bombyz., 14. Jh. – Vorwiegend naturwiss.
Sammelhs, ff. 156r–164r Exzerpte aus Expos. 1 (789, 11–792, 5), 2 (ab
793, 20) bis 8, 9 (ab 836, 6), 11 (bis 844, 24); ff. 168v–172r Exzerpte aus
Expos. 91 (bis 1192, 2), 48 (ab 997, 8) u. 77 (ab 1108, 9 bzw. 27).

495 *Paris. Suppl. gr. 8 (S. Hilar.)*

R 58: III 202 u. Film (g). – Perg., 12. Jh. – Dogmat. Hs, vornehmlich JD,
ff. 136r–137r Epist.; ff. 137r–169v Dial. brev. + ZKp.; (f. 169v–170r
Fragm. MG 95, 229, 49ff); ff. 170r–280v Expos. (c. 23b ist zwischen cc. 16
und 17 eingereiht); ff. 280v–294r Haeres.; (f. 316r–317r Fragmente MG
95, 228, 28–229, 48); ff. 320, 319, 135, 322 u. 321 (in dieser Reihenfolge!)
Exzerpte aus Expos.: c. 48 (ab 997, 47), c. 49 (ganz), c. 50 (ganz), c. 51
(bis 1008, 42 auf f. 135r; f. 135v ist nicht auf unserm Film), c. 55 (ab
1025, 12), c. 56 (ganz), c. 57 (bis 1033, 12). – Vgl. S. 50, 123*, 125, 158*,
174, 198f*, 205*, 211f, 226 u. 230.

497 *Paris. Suppl. gr. 143 (Sorb.)*

R 58: III 222f u. Film (g). – Pap., geschrieben 1550 von Konstantinos
Palaiokappa für Kard. de Lorraine (Vogel-G. 247ff). – Dogmat. Hs, ff. 77v
bis 85v Expos. 86; ff. 193v–196r Expos. 89; ff. 204v–208v Expos. 84;
ff. 211r–215r Expos. 88.

498 *Paris. Suppl. gr. 207 (frat. Praed.)*

R 58: III 231 u. Film (g). – Pap., 16. Jh. – Philos. Hs, ff. 2r–6v Dial. fus.
1, 2 (bis 533, 7) u. 5. Was darauf folgt (ff. 6v–28v), ist (entgegen dem Katalog) de duabus in Christo volunt. MG 95, 127–186. – Vgl. unten S. 106*.

499 *Paris. Suppl. gr. 488*

R 58: III 269 u. Film (g). – Pap., 17. Jh. – Philos. Hs, ff. 127r–128v
Expos. 38; f. 129r kurze Zitate aus Expos. 4 (800, 22–25), 5 (800, 33–34)
u. 6 (801, 34–804, 6 mit Lücken).

500 *Paris. Suppl. gr. 635*

R 58: III 287f u. Film (g). – Pap., 13. Jh. – Bunte Mischhs, f. 49v Dial. 67
u. 68 (bis 672, 31).

500A *Paris. Suppl. gr. 690*

R 58: III 300ff; G. Rochefort, Une anthologie grecque du XIᵉ siècle le
Parisinus Suppl. gr. 690, in Scriptorium 4 (1950) 3–17 u. Film (t). –
Perg., nach Rochefort 11. Jh. (zw. 1075 u. 1085). – Mischhs, f. 76r–v (nach
Rochefort) Expos. 33, 31 u. 32; ff. 244r–245r Expos. 21 (bis 897, 39).

501 *Paris. Suppl. gr. 773 (S. Germ.)*

R 58: III 310; R 672: 335f; R 20: 215 u. Film (g). – Pap., 16. Jh. –
Miszellanhs, ff. 240r–241r Dial. 67 u. 68.

502 *Paris. Suppl. gr. 1174*

R 58: III 403 u. Film (g). – Pap., 14. Jh. – JD-Hs, f. 4v Pinax für die folgenden Dial.-Kapitel; ff. 5r–11r Dial. fus. (von anderer Hand = 502¹):
cc. 1–5, 20, 19, 21–28, 47 (2. Teil, wohl gedacht als Zusatz zu c. 39); f. 11v

bis 12r Pinax I brev.; ff. 15r–16v Epist.; ff. 16v–57v Dial. brev. + ZKp.; ff. 59r–60v Pinax II; ff. 61r–153r (= 502²) Expos. – Vgl. unten S. 104ff*, 130, 139*, 168f* u. 187.

506 *Paris. Coisl. 34 (Seguer. 43)*

R 58: III 114ff; R 667: 28ff; R 668: 85ff u. Film (g). – Perg., 1042. – Kanonist. Hs, ff. 190v–201r Haeres. 1–54, 80 (ab 732, 25) bis 99, 101, 100, 102 (zwischen ff. 194 und 195 sind 2 Blätter mit den hier fehlenden Kapiteln ausgefallen). – Vgl. unten S. 201* u. 211.

506A *Paris. Coisl. 37 (236)*

R 58: III 117; R 667: 33f; R 668: 111f u. Film (g). – Perg., 14. Jh. (Devreesse), aus der Laura des Athos. – Pandektes des Mönches Nikon mit Haeres. cc. 88, 96, 97, 100, 103 (bis 777, 4), 98 auf ff. 15v–16r u. c. 80 (732, 29–30) auf f. 235r u. (733, 17–52) auf ff. 302v–303r. – Vgl. unten S. 209f*.

510 *Paris. Coisl. 92 (212; Seguer. 111)*

R 58: III 130f; R 667: 80; R 668: 143 u. Film (g). – Pap., ff. 3–137 14. Jh.; ff. 138–151 (= 510¹) 15. Jh.; ff. 1–2 17. Jh. – Vorwiegend JD-Hs, ff. 1r–2v Pinakes I u. II; ff. 24r–25r Epist.; ff. 25r–59r Dial. fus. 1–5, Dial. brev. (ab c. 10b) + ZKp.; ff. 60r–136v Expos. (fast alle Kapitel haben kurze Zusätze); ff. 138r–151v Haeres. – Die Blätter 27–29 = Dial. 3 (ab 536, 2), 4, 5, 10 (bis 568, 21) sind von anderer, wohl gleichzeitiger Hand. Auch sonst lösen die Hände einander zuweilen ab. – Vgl. unten S. 106*, 123, 130, 155f*, 191, 199*, 207 u. 230.

511 *Paris. Coisl. 120 (209)*

R 58: III 137f; R 667: 109ff; R 668: 192ff u. Film (g). – Perg., 10. Jh., aus dem Athoskloster Laura. – Mischhs, vorwiegend theol.-philos. Inhalts, ff. 215v–216v Expos. 90 (ab 1177, 26 = Bibelkanon). – Vgl. unten S. 185*.

512 *Paris. Coisl. 258 (99)*

R 58: III 163; R 667: 236; R 668: 304; R 672: 306 u. Film (g). – Perg., 12. Jh. – Theol.-bibl. Hs, f. 198r–v Expos. 90 (wie Coisl. 120!). – Vgl. unten S. 185*.

513 *Paris. Coisl. 290 (332)*

R 58: III 171f; R 667: 273; R 668: 406 u. Film (g). – Pap., 17. Jh. – Eucharist. Hs, ff. 30r–38v Expos. 86 (bis 1152, 30).

514 *Paris. Coisl. 374 (226)*

R 58: III 192f; R 667: 358f; R 668: 581; A. Diller, The Tradition of the Minor Greek Geographers [Philol. Monographs publ. by the Americ. Philol. Assoc. 14] Americ. Phil. Assoc. 1952, S. 34f (die Blätter 307v bis

310 v mit ihren geographischen Texten stammen aber nicht aus dem 10., sondern aus dem 12. Jh.) u. Film (t). – Perg.; ff. 17–243 11. Jh.; ff. 251–315 (= 514¹) 12. Jh.; ff. 15 v–16 v 13. Jh. (?); f. 243 v Schreibernotiz: Leon; Vorbesitzer: Laura auf dem Athos. – Hauptsächlich JD-Hs, ff. 15 v–19 v Pinakes I u. II; ff. 20 r–22 r Epist.; ff. 22 r–82 v Dial. fus.; ff. 83 r–243 v Expos.; ff. 251 r–252 r Dial. 17; ff. 252 r–256 v Dial. 10 b; ff. 304 v–307 r Expos. 12 b; ff. 307 v–308 r Expos. 23 b; ff. 308 r–310 v über die Eparchien oder Satrapien (nicht bei Migne). – Von f. 251 ab sind die Angaben nur nach Devreesse. – Vgl. unten S. 140 f*, 146, 182* u. 184.

515 *Paris. Coisl. 375 (28; Seguer. 51)*

R 58: III 193; R 667: 360; R 668: 584 u. Film (g). – Perg., 10.–11. Jh. – JD-Hs, ff. 281 r–v, 283–286, 282 r–v (nach f. 282 fehlen 2 Blätter mit Dial. 32 und 33 [596, 27–600, 40]), 1 r–52 r Dial. brev. ab c. 6 (549, 17; der Anfang ist verloren); ff. 52 v–290 v Expos. – Die Blätter der E gehören laut Katalog in folgender Weise zusammen: ff. 52 v–63 v, 280 r–v, 64 r–69 v, 217 r–v, 77 r–v, 71 r–76 v, 70 r–v, 78 r–216 v, 218 r–230 v, 279 r–v, 231 r–278 v, 287 r–290 v. Ausgefallen ist je 1 Blatt nach f. 85 mit c. 15 (861, 17–864, 28), nach f. 91 mit c. 20 (880, 28–881, 25), nach f. 115 mit c. 26 (928, 13–929, 12) und nach f. 226 mit c. 84 (1128, 29 bis 1129, 10). Im c. 30 ist mitten in der Seite das Einschiebsel wie in Paris. 1124, wohl durch Verirrung eines Blattes in der Vorlage. – Vgl. S. 55, 116 f*, 120, 122, 130, 154, 167 f*, 186.

519 *Patmiac. 125*

R 691: 71 f u. Film (g). – Perg., 11. Jh. – JD-Hs: ff. 1 r–2 r Epist., ff. 2 v–41 v Dial. 1 u. 5, Dial. brev.; (ff. 41 v–60 r Anastasios ὅροι διάφοροι); ff. 60 r–182 v Expos., schließt in c. 96 = 1204, 8 (Lagenausfall). Gegen Ende, z. B. ff. 162 v, 163 r, 172 v usw., schreibt seitenweise eine andere Hand, m. E. aber gleichzeitig und nach derselben Vorlage. – Vgl. unten S. 121, 123 f*, 161* u. 174.

520 *Patmiac. 126*

R 691: 72 f u. Film (g). – Perg., 13. Jh. (Katalog 10. Jh. Die Schrift ist geradezu krampfhaft kalligraphisch und ließe nach den üblichen Kriterien eine Datierung in das 10. Jh. zu. Zweifellos aber handelt es sich um eine Nachahmung. M. Richard, dem ich die Photographien verdanke, möchte sie in das 13. Jh. setzen). – JD-Hs, ff. 1 r (mit Phylax δ′) bis 49 v Dial. fus. ab c. 12 (576, 1); ff. 49 v–240 v Expos. inv. bis c. 59 (1052, 13); die letzte erhaltene Lage ist λγ′). – Vgl. unten S. 144* u. 183 f*.

520 A *Patmiac. 205*

R 691: 114; Beneševič in Studi bizant. 2 (1927) 167 u. Film (g). – Perg., 12.–13. Jh. – Nomokanon, ff. 235 r–259 r Haeres. – Vgl. unten S. 202* u. 210 f*.

521 *Patmiac. 263*

R 691: 127ff; R 23: 291. – Perg., 10. Jh. – ff. 1–119 Erklärung zu den Schriften des NT, worin auch JD zitiert wird (Pege ?).

522 *Patmiac. 405*

R 691: 181. – Pap., 1701. – Philos. Lehrbuch, als Nr. 2 Dial. 42, 44, 45.

523 *Patmiac. 574*

R 691: 240. – Pap., 18. Jh., Vorbesitzer: Hierodiakonos Parthenios aus Smyrna. – Als Ganzes (81 Fol.) JD τὰ φιλοσοφούμενα (= Dial. ?).

526 *Papien. 363*

R 75: I 213ff; L. de Marchi – G. Bertolani, Inventario dei manoscritti della R. Biblioteca Universitaria di Pavia. Mailand, I (1894) 204ff u. Film (g). – Perg., 14.–15. Jh., Vorbesitzer: Caspar Zacchi v. Volterra. – Miszellanhs, ff. 245r–246r Expos. 15.

527 *Perusin. I 31 (rescript.)*

R 695: 475; H. Rabe, Der Palimpsest cod. I 31 in der Biblioteca Comunale in Perugia, in Centralbl. f. Bibliotheksw. 16 (1899) 215–217. – Es gelang weder den Nachlaß von H. Rabe mit den gemachten Notizen aufzufinden noch einer Palimpsestphotographie von der Hs habhaft zu werden. – Perg., alte Schrift 9.–10. Jh. (nur diese ist für uns einschlägig). – Palimpsest, alte Schrift kanonist. Stücke, u. a. Haeres. Die Blätter des ursprünglichen Kodex wurden zweimal durchgeschnitten, ihr Inhalt ist als Ganzes noch nicht untersucht. Kurze Stellen wurden festgestellt von folgenden Kapiteln: c. 3 auf f. 86r u. 93v (nach heutiger Zählung), c. 17 auf f. 40v, c. 22 auf f. 43v, c. 23 auf f. 43v, c. 25 auf f. 40r u. f. 65r, c. 27 auf f. 66v, c. 41 auf f. 42r, c. 45 auf f. 41r (Anfang) u. f. 8r, c. 48 auf f. 15v u. c. 49 auf f. 15r. Ein Rekonstruktionsversuch auf Grund der allzu knappen Angaben steht auf unsicherem Fundament; doch scheinen zusammenzugehören ff. 40r, 65r, 43v u. 66v, ferner ff. 41r, 8r, 15v und schließlich ff. 86r–93v.

528 *Petropol. gr.73 (= Coisl. 91, ol. 378)*

R 486: 44; R 667: 80 u. Film (g). – Perg., 1069. – JD-Hs, f. 1r–v Pinakes I u. II; ff. 2r–4v Epist.; ff. 4v–9v, 18r–25v (diese Tetrade ist vom Buchbinder mit der folgenden vertauscht), 10r–17v, 26r–66r Dial. brev.; ff. 66r–282r Expos. – Vgl. unten S. 114f*, 122, 130, 164, 170* u. 174.

530 *Petropol. gr.416*

R 487: 1883, 148. – Pap., 16. Jh. – 6 Blätter aus Hierosol. S. Sabae 672 mit einem Stück aus Dial. brev. (vermutlich Epist., 4b u. Anfang von 10b).

539 *Remens. 375 (E. 291)*

R 58: III 377f; R 61: 83 I 483f; R 20: 232. – Pap., geschrieben im 16. Jh. von Konstantinos Palaiokappa. – Theol.-philos. Hs, ff. 141 v–142 v Expos. 92; ff. 156 v–158 Expos. 94.

542 *Rom. Angelic. 28 (B. 5.6)*

R 743: 55 ff u. Film (g). – Pap., 14.–15. Jh. – Dogmat. Sammelhs, ff. 58 v bis 59 v Expos. 89 u. f. 60r Exzerpt aus Expos. 70 (1093, 35–1096, 8).

543 *Rom. Angelic. 69 (B. 3.3)*

R 743: 120f u. Film (g). – Pap., 13. Jh. – Exeget.-dogmat. Hs, ff. 116r bis 201r Expos.; ff. 201r–202r Epist.; ff. 202r–225 v Dial. brev. (die Kapitel 51–65 stehen nach cc. 68 und 66 [keine Lagenverwechslung!]). – Vgl. unten S. 108, 113, 124*, 180*, 185 u. 192.

545 *Rom. Casanat. 39 (G. IV. 13; A. R. II. 30; G. V. 89)*

R 745: 164; R 20: 234 u. Film (g). – Pap., 16. Jh. – Predigtsammlung, ff. 276r–326r philosoph. Texte, darin teilweise frei wiedergegebene Stücke aus Dial. fus. c. 5 (bis 544, 31, auf f. 276r), cc. 6f u. 67 (ff. 285r–287r) u. c. 68 (f. 325r–v).

546 *Rom. Casanat. 346 (G. V. 8; A. R. IV. 9. I)*

R 745: 176 u. Film (g). – Perg., 12. u. 16. Jh. – JD-Hs, ff. 1r–109 v Expos.; ff. 118r–119 v Epist.; ff. 119 v–145 v Dial. brev. (bis c. 63; Schluß der Hs). Ab f. 144r = c. 61 (652, 22/23) Hand des 16. Jh. – Vgl. unten S. 124* u. 168*.

548 *Rom. Vallicell. 12 (E 53)*

R 75: II 21 u. Film (g). – Bombyz., 13. Jh. – Dogmat. Sammelhs, f. 31 v (am äußeren Rand) Zitat aus Expos. 38 (953, 4–18/19) u. f. 185 v Expos. 58 (1041, 10–11).

549 *Rom. Vallicell. 30 (C 4)*

R 75: II 48 ff u. Film (g). – Bombyz., unser Teil 14. Jh. – Theol. Sammelhs, ff. 214–248 (= 549[1]) Väterzitate über den Heiligen Geist, darin aus Expos. f. 232r c. 1 (ab 792, 7), c. 7 u. c. 12b (ab 848, 31); f. 232 v c. 13 (ab 856, 21) u. c. 46 (985, 15–25); ff. 292r–320 v u. 328r–v Auswahl aus Expos. inv.: (ff. 292r–299 v) cc. 2, 4, 8–15, 17; (f. 299 v) cc. 82 (1120, 9–25; 1124, 3 bis 1125, 2; 1125, 11–16; 19–20), 83 (1128, 4–7), 86 (1141, 6–1149, 27; 1152, 31 bis 1153, 29), 87 (1160, 40–1161, 20/21), 88 (1165, 33–36), 89 (1169, 6 bis 1173, 12), 91, 92, 95, 100 (1221, 11–15); (f. 303 v) c. 26 (920, 24–26; 925, 29 bis 928, 37; 929, 15–21), 36, 37, 47 (mit Einschiebsel MG 95, 412), 48, 38–46, 49–52a (c. 51 mit Einschiebsel MG 95, 413 ff), 53, 55, 57–72 (f. 328 v–r gehört zwischen ff. 315 und 316), 77 (ab 1109, 26), 78, 79 (ab 1112, 15), 80, 81, 52b (f. 320 v); f. 320 v Stücke aus Expos. 82 (1117, 14–19; 1124, 23 bis 25; 1121, 8–14; 1125, 11–14). – Vgl. unten S. 179*.

550 *Rom. Vallicell. 47 (C 97²)*

R 75: II 80 ff u. Film (g). – Perg., 1424 (oder 1425) geschrieben von Papas Stephanos von Corigliano. – Homilet.-patrist. Hs, ff. 20–53 unter Väterzitaten auch JD: Expos. 20 (bis 881,24 auf f. 20r–v), c. 21 (bis 888,7 auf f. 27v; 888,8–15 auf f. 28v; 888,23–889,14 auf ff. 29v–30r; 889,19–892,22 auszugsweise auf f. 30v; 892,22–25 auf f. 32v; 897,41–900,1 u. 892,43–48 auf f. 33v; 892,48–893,7 u. 27/28, 893,33–896,2 u. 893,7–9 auf f. 34v; 896,24–897,24 auswahlweise auf f. 35r–v), c. 22 (auszugsweise: 900,5–17. 29–34. 22. 25–29; 900,35–901,10) auf f. 35v–36r, cc. 23a u. 23b auf ff. 37r bis 39r, cc. 24, 26–37 u. c. 41 (960,34–43) auf ff. 40r–53r. – Vgl. unten S. 157*, 162 u. 216.

551 *Rom. Vallicell. 56 (D 32)*

R 75: II 88f u. Film (g). – Pap., (14. ?) 16. Jh. – Philos.-dogmat. Hs, f. 1r–v Epist.; ff. 1v–34v Dial. fus. + ZKp. – Vgl. unten S. 138* u. 146.

552 *Rom. Vallicell. 67 (E 21)*

R 75: II 98ff u. Film (g). – Bombyz., 14. Jh. – Theol. Sammelhs, ff. 350r bis 353r Expos. 86.

553 *Rom. Vallicell. 68 (E 22)*

R 75: II 108ff; R 20: 236 u. Film (g). – Bombyz., 13. Jh. – Sammelhs vornehmlich geistlichen Inhalts, ff. 218v–220r Expos. 86 (bricht mit 1153,12 ab).

554 *Rom. Vallicell. 72 (E 40)*

R 75: II 116ff; R 23: 186.1105 (als Nr. 397) u. Film (t). – Perg., 11. Jh., Vorbesitzer: Retzos Konomos S. d. Steilos. – Joh.-Katene, worin auch JD zitiert ist, z. B. f. 199v Expos. 68 (1089,43–1092,1 auszugsweise).

555 *Rom. Vallicell. 82 (F 16)*

R 75: II 139ff u. Film (g). – Pap., 15. Jh. – Mischhs profanen und geistlichen Inhalts, ff. 15r–27v Auswahl aus Expos.: cc. 4–7 (bis 805,6), 8 (813,34–821,12), 9 (ab 837,20) bis 13 (bis 856,14), 8 (821,13–824,2), 24 (ab 909,35) bis 26. Die Lücke von cc. 13–24 beruht auf Blattverlust in unserm Kodex, die übrigen aber und besonders die Zerreißung von c. 8 auf einer fehlerhaften Vorlage. – Vgl. unten S. 180*.

556 *Rom. Vallicell. 90 (F 30)*

R 75: II 156f u. Film (g). – Pap., 15. Jh. – ff. 2–297 Väterzeugnisse gegen Palamas; zwischen ff. 1 und 45 wurden folgende Zitate aus der Expos. festgestellt: f. 8v c. 17 (873,26–29) u. c. 3 (796,12 u. 30–34); f. 15r c. 88 (1164,13–24); f. 21v c. 13 (856,18–20; dieselbe Stelle nochmals auf f. 35r); f. 24v Anklang an c. 8 (824,7ff); f. 34r c. 59 (1048,5–20; nochmals auszugsweise auf f. 35v); f. 35r c. 11 (841,11–16); f. 35v c. 8 (812,30–34);

f. 36 v c. 12 b (845, 18–20); f. 37 v c. 48 (997, 8–10) u. c. 4 (800, 26–30); f. 38 v am Rand c. 80 (1113, 18–38) u. f. 44 v c. 9 (837, 9–21). Die Stücke auf ff. 33 r–34 r, 35 r Mitte, 37 v und 317–322 sind in der Überschrift ebenfalls JD zugeeignet; wörtlicher Gleichlaut ließ sich aber nirgends finden.

557　*Rom. Vallicell. 103 (F 68)*

R 75: II 183 ff; F. Diekamp, Hippolytus von Theben, Münster i. W. 1898, S. XLII f u. Film (g). – Pap., unser Stück 15. Jh. – Geistl. Mischhs, ff. 50 r–138 v Expos. ab c. 5 (801, 7; c. 12 b steht nach c. 16, c. 82 nach c. 83); auf ff. 88 v–89 v findet sich als Anhang zu c. 53 Dial. 66. Die schon im Katalog angegebenen Lücken beruhen auf Ausfall von Blättern: zwischen ff. 70 und 71 fehlt cc. 25/26 (916, 16–925, 33), zwischen ff. 76 und 77 cc. 38/39 (953, 30–957, 38), zwischen ff. 79 und 80 cc. 44/45 (976, 22–981, 21), zwischen ff. 100 und 101 1 Blatt mit cc. 59/60 (1061, 17–1065, 16). Das Blatt 57 ist zwischen ff. 55 und 56 einzureihen. – Auf c. 54 folgt ein Stück aus Trisag.; die Kapitel 80, 82, 87, 100 haben Einschiebsel bzw. Zusätze aus anderen Vätern. – f. 138 (c. 100 ab 1225, 39) ist später ergänzt (= 557[1]). – Vgl. unten S. 144* u. 171 f*.

558　*Rom. Vallicell. 106 (F 83)*

R 75: II 186 ff u. Film (g). – Pap., geschrieben 15.–16. Jh. von Johannes Strategos (v. Kythera). – Grammat.-philos. Mischhs, ff. 53 r–54 r Epist.; ff. 54 r–88 v Dial. brev. + ZKp. – Vgl. unten S. 104* u. 215.

559　*Rom. Vallicell. 108 (F 86)*

R 75: II 189 ff u. Film (g). – Pap., 14. Jh. – Astrolog.-philos. Mischhs, f. 169 r–v Dial. 67 u. 68.

562　*Rom. Vat. gr. 12 (17)*

R 719: 7 ff u. Film (g). – Pap., 14.–15. Jh. – Profan-geistl. Mischhs, ff. 180 r–185 r Auszüge aus ausgewählten Kapiteln von Dial. brev.: 10 b–14, 16, 29, 30, 6 b, 7, 8, 33–35, 38, 39, 43, 48–51, 62, 64, 65; ff. 210 r–211 v Auszüge mit gekürztem, teilweise abgeändertem Text aus Haeres. 1–9, 20, 42, 64, 66, 84. – Vgl. unten S. 124* u. 211*.

563　*Rom. Vat. gr. 197 (1088)*

R 719: 234 ff. – Pap., 16. Jh. – Mathemat.-theol. Mischhs, ff. 69 r–109 r theol. Glossar, in dem auch JD angeführt wird. Dieses Glossar (wie alles Folgende) ist laut Katalog eine Abschrift von Ottob. gr. 43. – Nach Aufzeichnungen von P. Hoeck ist JD am Rand von ff. 69 r, 74 r, 90 r, 96 r und 99 r genannt. Auf Grund der knappen Inc. lassen sich mit einiger Wahrscheinlichkeit nur feststellen die Zitate auf f. 74 r (= Dial. 10: 568, 11 ff), auf f. 90 r (= Expos. 47: 989, 13 ?) und auf f. 99 r (= Dial. 32). ff. 151 r–154 r Dial. 66, 44, 45, 48.

564 *Rom. Vat. gr. 246 (649)*

R 719: 319ff. – Pap., 13.–14. Jh. – Philos.-theol. Mischhs, Auszüge aus der Expos.: f. 133r c. 90 (ab 1177, 26) u. c. 99 (ab 1217, 3); f. 133v c. 21 (ab 896, 19); f. 134v c. 23a (901, 40–905, 7) u. c. 23b; f. 135r c. 25 (ab 916, 20), c. 26 (920, 24–26; 924, 4–16; 925, 12–39), c. 32 (936, 29–36), c. 36 (944, 33 bis 945, 3) u. c. 39 (957, 1–9); f. 135v c. 47 (ab 992, 18) u. c. 52b. – Vgl. unten S. 190*.

565 *Rom. Vat. gr. 269 (187)*

R 719: 353ff. – Pap., 13. Jh. – Philos. Hs, f. 105r Dial. 3 (,,parum distant a JD Dial. 3 = MG 94, 533‘‘, das angegebene Inc. ist jedoch genau c. 67 [672, 3–5]).

566 *Rom. Vat. gr. 321 (664)*

R 719: 482ff u. Film (g). – Pap., 14. Jh. – Naturwiss.-theol. Hs, ff. 244–259 sind unter Väterzeugnissen folgende Expos.-Zitate (geprüft sind nur ff. 244–248 u. f. 254): f. 244v c. 59 (1048, 5–11 u. 1057, 7–11 ein wenig gekürzt), c. 57 (1033, 8–17) u. c. 59 (1056, 13–24); f. 245r c. 58 (1033, 30–44); f. 246ar c. 59 (1056, 25–30).

567 *Rom. Vat. gr. 410 (277)*

R 720: 115f u. Film (g). – Pap., 13. Jh. – Väterhs, f. 258r Expos. 29 u. f. 270r Expos. 28, beide als Randnoten zur Scala Paradisi des Johannes Klimax. – Vgl. unten S. 157*.

568 *Rom. Vat. gr. 423 (292)*

R 720: 138ff u. Film (g). – Perg., 10. Jh. – Dogmat.-bibl. Väterhs, ff. 413r bis 414r Bibelkanon aus Expos. 90. – Vgl. unten S. 185*.

569 *Rom. Vat. gr. 432 (931)*

R 720: 157ff; R 20: 251 u. Film (g). – Pap., 14. Jh. – Mischhs vorwiegend asket.-theol. Inhalts, f. 141r Exzerpte aus Expos. 20 (880, 14–26 u. 881, 21 bis 884, 4).

570 *Rom. Vat. gr. 490 (332)*

R 720: 305f u. Film (g). – Pap., 12.–13. Jh. – Dogmat. Hs, ff. 1r–3r Pinakes I u. II; ff. 3v–5r Epist.; ff. 5r–60v Dial. fus.; ff. 60v–213r Expos. inv. – Vgl. S. 40, 135f*, 146, 178* u. 184.

571 *Rom. Vat. gr. 491 (330)*

R 720: 307f u. Film (g). – Pap., 13. Jh. – JD-Hs u. patrist. Florileg, ff. I–IIIv Pinakes I u. II (?); f. 1r–v Epist.; ff. 1v–27r Dial. fus.; ff. 27v bis 104v Expos.; ff. 109r–110r Expos. 17. Dial. ist ohne Lysis; cc. 29 und 30 stehen zwischen cc. 17 und 18. – In Expos. ist nach f. 88v eine Lücke mit den Kapiteln 77–89 (1105, 35–1140, 11); cc. 93 und 94 sind übergangen, c. 89 steht nach c. 91. – Vgl. unten S. 138*, 177 u. 190*.

572 *Rom. Vat. gr. 492 (599)*

R 720: 311f u. Film (g). – Pap., 13.–14. Jh. – Philos.-theol. Hs, f. 1r–v
(= 572[1]) Dial. fus. 1; ff. 2r–5v (= 572[3]) Dial. fus. 5, 2 u. 3; ff. 5v–6v
(= 572[2]) Dial. 46, 47 (bis 620, 31); f. 7r (= 572[4]) Epist. (ab 525, 3); f. 8r
(= 572[5]) Epist. (bloß Titel); ff. 8v–10r Epist.; ff. 10r–46r Dial. brev. (bis
669, 12); ff. 46v–183r Expos. Mir scheint, daß die fehlenden Zeilen von D
ursprünglich auf f. 46v standen, aber ausradiert wurden; darüber ist jetzt
ein anderer Text geschrieben. – In der Expos. ergaben sich Lücken durch
Ausfall von je 1 Blatt in cc. 47 (988, 24–993, 1), 51/52 (1009, 38–1013, 15),
von 4 Blättern in 87–89 (1161, 24–1173, 9). – Auf f. 81v folgte ursprünglich
f. 86r. Später wurden auf f. 81v das letzte Wort und auf f. 86r der Rest
von c. 24 ausradiert, 4 neue Blätter eingefügt (ff. 82–85) und diese mit dem
ausradierten Text beschriftet (= 572[3]), dazu (ff. 82r–83r) ein Verzeichnis
der Weltprovinzen und c. 12b (ff. 83r–84v) gefügt; f. 85v und der ab-
radierte Teil von f. 86r sind leer. – Vgl. unten S. 117*, 130, 145f*, 171*
u. 174.

573 *Rom. Vat. gr. 494 (776)*

R 720: 315f u. Film (g). – Pap., 14. Jh. – Pege-Hs, f. V Pinax I; f. 1r–v
Epist.; ff. 1v–25r Dial. fus.; ff. 26r–86r Expos. inv. (c. 12b steht nach c. 13);
ff. 86v–99r Haeres. auct. – Zwei gleichzeitige Hände lösen sich m. E. in
folgender Weise ab: die eine (= 573) schreibt f. 1v Mitte bis 9r = Dial.
1–10f (bis 561, 7) und f. 33r Zeile 7 bis f. 99r = Expos. 13 (852, 10) bis
Haeres., die andere (= 573[1]) f. 1r–v Mitte = Epist. und f. 9r Mitte bis
f. 33r Zeile 6 = Dial. 10f (561, 8) bis Expos. 13 (852, 10). Spräche nicht die
Lageneinteilung dagegen, so ließe sich denken, daß Hand 573[1] zunächst
einer D. brev. folgte und nach der Epist. auf f. 1v mit c. 4b und auf dem
heutigen f. 9r (ursprünglich als f. 2r zu betrachten) mit c. 10b fortfuhr,
ersteres später von 573 überdeckt wurde mit c. 1, letzteres mit dem ersten
Abschnitt von c. 10f, und die Blätter 2–8 im Rahmen dieser Umbildung
zur fus. von 573 eingeschoben wurden. Jedenfalls gehört nach dem
heutigen Zustand der Anfang von c. 10 bis 561, 7 einer fus. an (noch von
Hand 573), das Weitere dieses Kapitels aber einer brev. Doch wechselt
auch Hand 573[1] alsbald (sicher schon zu Beginn von c. 12) zur fus. über. –
Vgl. unten S. 124*, 132*, 137, 176f*, 181, 203, 208* u. 211.

574 *Rom. Vat. gr. 495 (767)*

R 720: 316f u. Film (g). – Perg., 11. Jh.; Ergänzungsteil (= 574[1]) 14 Jh.
(ff. 2–14, 19–27, 36, 76–92, 139, 217–238). – Philos.-theol. Hs, ff. 3r–7v
(Palimpsest) Scholien u. Schemata zu Dial. sowie Briefe von Georgios
Chioniades (vgl. unsere Hs 382), f. 14v (gezählt ist nach der gedruckten
Nummer am unteren Rand, die alte Zählung rechts oben ist um 1 zurück)
Dial. 46, 47 (bis 620, 31); ff. 15r–17v Pinakes I u. II; ff. 20r–27r Ergän-
zungskapitel zur brev. aus Dial. fus., nämlich 1–3, Lysis, 5, 18–28, 6f, 8

(ab 556,20), 9 u. 10f; ff. 28r–30r Epist.; ff. 30r–73r Dial. brev.; ff. 73v bis 216v Expos. Der 2. Hand gehören folgende Textteile an: Dial. 15, 16 (577,48–581,13 = f.36), Expos. 3–21 (796,10–893,16 = ff.76–92) u. 52–54 (1013,37–1020,8 = f.139). Expos. 22b steht nach c.23b. – Vgl. unten S. 117*, 130, 132*, 170f*, 174, 179* u. 186.

575 *Rom. Vat. gr. 496 (773)*

R 720: 322f u. Film (g). – Pap., 13.–14. Jh., der Schrift nach wahrscheinlich italo-griechischer Herkunft. – Überwiegend JD-Hs, ff. 1r–2r Epist.; ff. 2r–49r Dial. fus. (die Blätter 18 und 23 sind gegeneinander auszutauschen); ff. 49r–50v Pinax II; ff. 51r–226r Expos. (c. 32 steht vor c. 31). – Vgl. unten S. 138f*, 177, 181* u. 216.

576 *Rom. Vat. gr. 497 (768)*

R 720: 323ff u. Film (g). – Pap., 13. Jh. – Theol. Mischhs, ff. 1r–3r Pinakes I u. II; ff. 3v–4v Epist.; ff. 5r–44v Dial. fus.; ff. 44v–154v Expos. inv. – Vgl. unten S. 134*, 136, 146, 178f* u. 184.

577 *Rom. Vat. gr. 498 (772)*

R 720: 330; R 725: 5 u. Film (g). – Pap., 14. Jh. – Philos.-theol. Miszellanhs, ff. 1r–2v Epist.; ff. 2v–49v Dial. brev. + ZKp. Die Fol. 1–3 sind von späterer Hand (= 577¹) ergänzt (bis c.10 = 568,26); f.2 steht vor f.1; durch Ausfall eines Blattes nach f.7 fehlt Dial. 12–14 (573,37–577,1). – Vgl. unten S. 112*, 119* u. 217³.

578 *Rom. Vat. gr. 500 (331)*

R 720: 332ff u. Film (g). – Pap., 14. Jh. – Philos.-theol. Hs, ff. 76r–77r Epist.; ff. 77r–83v Dial. fus. 1–8 (bis 553,37; Lagenausfall); ff. 84r–168r Expos. Die Blätter 81–83 (Dial. 5–8 = 541,12–553,37) stammen von einer ergänzenden Hand. ff. 96 und 97 sind zwischen ff. 160 und 161 einzureihen. – Die philosophischen Texte auf ff. 1–36 sind, wie der Katalog schon feststellt, nicht unsere Dial. – Vgl. unten S. 140* u. 182*.

579 *Rom. Vat. gr. 501 (333)*

R 720: 334ff u. Film (g). – Pap., 14. Jh. – Überwiegend JD-Hs, ff. 5r–8r Pinakes I u. II; ff. 9r–10v Epist.; ff. 10v–46v Dial. brev. + ZKp.; ff. 46v–170v Expos. – Vgl. unten S. 112*, 166*, 191 u. 217³.

580 *Rom. Vat. gr. 502 (600)*

R 720: 336f u. Film (g). – Perg., 12. Jh., m. E. 14. Jh. – JD-Hs, ff. 1r–2av Pinakes I u. II; ff. 2a v–4r Epist.; ff. 4v–59r Dial. fus.; ff. 59r–223v Expos. inv. – Vgl. unten S. 146* u. 178f*.

5*

581 *Rom. Vat. gr.509 (338)*

R 720: 359 ff; R 20: 251 u. Film (g). – Pap., 1313. – Der 2. (unser) Teil wie Vat. gr. 432: f.313v–314r Exzerpte aus Expos. 20 (880,14–26; 881,21–884,4).

582 *Rom. Vat. gr.572 (391)*

R 720: 462 ff u. Film (g). – Pap., 14.–15. Jh. – Bunte Mischhs, hauptsächlich theol. Art, f.278v Zitat ähnlich Expos. 26 (925,40/41). Auf ff.267 bis 270 ist entgegen dem Katalog von JD nichts zu finden.

583 *Rom. Vat. gr.573 (607)*

R 720: 469 ff; R 725: 9 u. Film (g). – Pap., 14.–15. Jh. – Sehr gemischte Hs hauptsächlich theolog. Inhalts, unser Stück: Philotheos gegen Akindynos und Barlaam, ff.5v u. 7v Zitate aus Expos. 59 (1056,25–34 u. 1048,5–11).

584 *Rom. Vat. gr.578 (610)*

R 720: 486 ff u. Film (g). – Pap., 14. Jh. – Mischhs vornehmlich theol. Art, f.174r unter anderen Väterzeugnissen gegen die Lateiner über den Ausgang des Heiligen Geistes ist auch JD zitiert = Expos. 8 (809,15–20; 824,1–2; 817,30–820,1; 824,5–6; 833,10/11).

585 *Rom. Vat. gr.579 (609)*

R 720: 490 ff; R 725: 10 u. Film (g). – Pap., 14.–15. Jh. – Theol. Mischhs, in einer Abhandlung gegen die Lateiner über den Ausgang des Heiligen Geistes Zitate aus Expos. 8: f.163v: 832,8–833,5; f.181r: 821,18–20 u. 31–33 u. f.181v: 832,5–833,14 u. aus c.13: f.181r–v: 856,39–857,2.

586 *Rom. Vat. gr.604 (614)*

R 721: 1ff; G. Mercati, Notizie di Procoro e Demetrio Cidone [Studi e Testi 56] 1931, S.263f u. Film (t). – Pap., 14. Jh. – Miszellanhs, in Florilegien wird JD zitiert ff.3v, 4v, 27v–29v (die bisherigen aus der Pege?), f.44v Einschiebsel vor Expos. 51 = MG 95,413,18–26 von anderer Hand; f.45r–v MG 95,413,18–416,21; f.45v u. f.42r (über Folienfolge vgl. Katalog!) Expos. 51 (1012,29–38).

587 *Rom. Vat. gr.606 (396)*

R 721: 10ff. – Pap., 14. Jh. – Theol. Sammelhs für die Lateiner, ff.304v bis 312r patrist. Florileg, in dem ff.306v und 312r–v JD zitiert wird (Pege?).

588 *Rom. Vat. gr.609 (414)*

R 721: 16ff; 725: 11 u. Film (g). – Pap., 14. Jh. – Schriften und Übersetzungen von Demetrios und Prochoros Kydones, zwischen ff.211r und 217v (Sammlung aus Vätern gegen die Palamiten) wurden folgende JD-Zitate verifiziert: f.212v aus Dial. 1 (529,3–6 u. 42–44), 4f (536,38 bis

537, 3 u. 537, 23–25), 42 (bis 612, 13), 46, 49 (625, 51–628, 6), 61 (bis 649, 34) u. 66 (669, 8–**10**); aus Expos. 5 (800, 3–4), 6 (bis 804, 5), 8 (808, 27–28. 31–35, 821, 38–40); f. 213r aus Expos. 9 (836, 3–10), 12a (bis 844, 36), **13** (856, 10–20), 14 (860, 29–47), 18 (876, 9–16), 43 (964, 15–18), 47 (989, 22–26), 59 (1048, 11–13. 15–20), 60 (1065, 25–1068, 8), 70 (1096, 12–19), 91 (1192, 6 bis 9) u. 100 (1221, 44–52); f. 214r Dial. 4b (537, 31–32; 540, 13–17); f. 215r Expos. 13 (856, 18–20) u. 11 (841, 11–16).

589 *Rom. Vat. gr. 633 (429)*

R 721: 43ff u. Film (t). – Perg. u. **Pap.**, 13.–14. Jh. – Sammelband, unser Teil theol. Miszellanhs, Exzerpte aus Expos. (Blattordnung in unserm Teil: 143, 144, 135, 134, 138–140, 142, 141, 146, 145, 147ff): f. 143v–144r Expos. 31; f. 144r–v c. 25 (ab 916, 42); f. 144v u. f. 135r–v Anhängsel zu c. 25 (nicht Migne); f. 135v, 134r–v cc. 27–30, daran angehängt auf f. 134v u. f. 138r c. 26 (928, 38–929, 14); f. 138r c. 18 (877, 24–27); f. 138r–140v c. 20; ff. 140**v**, 142r, 141r, 146r, 145r, 147r c. 21 u. ff. 147r–148v c. 22 u. c. 23a (bis 904, 35). – Vgl. unten S. 190*.

590 *Rom. Vat. gr. 662 (475)*

R 721: 98ff. – Pap., 13. Jh. – Hauptsächlich homilet.-bibl. Hs, unter dogmat. Begriffsbestimmungen f. 216v–217r Expos. 64 (bis 1081, 32).

592 *Rom. Vat. gr. 678 (618)*

R 721: 132ff. – Pap., 14. Jh. – Schriften von Demetrios und Prochoros Kydones; in der Abhandlung über das Taborlicht wird ff. 31r, 37v, 45v, 48r, 56v–57r JD zitiert (Pege?).

593 *Rom. Vat. gr. 698 (630)*

R 721: 174f; R 725: 23 u. Film (g). – Pap., 14.–15. Jh. – Theol. Mischhs, ff. 94r–100v Haeres. 1–80, 101. Lücke in cc. 80–101 (737, 2–768, 38) durch Ausfall von Blättern zwischen ff. 99 und 100. – Vgl. unten S. 200*.

594 *Rom. Vat. gr. 720 (464)*

R 721: 217ff; B. Beneševič in Studi bizant. 2 (1927), S. 165f u. Film (g). – Perg., Devreesse 10. Jh., Beneš. 11., Pitra 11.–12., m. E. 13.–14. Jh. – Kanonist.-dogmat. Hs, ff. 48v–62v Auszüge (= 594a) aus Expos.: c. 13 (849, 28–852, 14. 26–27; 852, 33–853, 4; 853, 12–15. 16–20. 23–27; 856, 14 bis 17), c. 14 (860, 5–11. 18–21), c. 15 (861, 9–18), c. 17 (865, 18–868, 3; 868, 6 bis 9. 14; 868, 23–869, 2. 8–18), (f. 50r) c. 18 (877, 8–15. 24–27), c. 21 (anfangs ähnlich 889, 2ff; dann 885, 34–37; 885, 38–888, 1), c. 25 (nicht Migne-Text), c. 26 (925, 12–26; weiteres nur dem Inhalt nach aus diesem Kapitel), c. 35 (940, 22–24. 26–27. 29–32), c. 38 (953, 28–33), (f. 51r) c. 46 (innerhalb des Kapitels stellenweise gekürzt), c. 47 (988, 16–989, 16; 989, 18–20. 23–26; 992, 4–6; 993, 42–996, 5; 996, 16–27), c. 48 (bis 1000, 14), c. 50 (1001, 31 bis 1005, 9; 1008, 3–11. 19–26), c. 52 (1013, 2–28/29), c. 53 (bis 1017, 21), c. 55 (1021, 37–1024, 32; 1025, 28–1028, 9), (f. 55v) c. 56 (1029, 32–36; 1032, 3–6.

9–11.12–13), c.57 (1033,14–17), c.58 (1033,20–44; 1036,7–9.11–24; 1037,
17–22; 1040,1–9.23–32.38–43; 1041,10–11/12.13.16–18; 1044,17–18. 26
bis 27; 1045,17–27), c.59 (bis 1048,12), (f.57r) c.60 (1064,2–22 + 3 Zeilen
nicht JD-Text; 1064,29–1068,21 mit kurzen Lücken), c.61 (bis 1069,35
mit kurzen Lücken), c.62 (1073,19–1076,6 mit kurzen Lücken; 1076,38
bis 46), c.63 (ab 1080,1), c.64 (bis 1081,29 u. ab 1084,3), (f.60r) c.65
(bis 1085,15; anschließend 4 Zeilen nicht von JD), c.66 (bis 1088,3), c.67
(1088,32–34; 1089,10–15), c.68 (bis 1089,47), c.69 (bis 1093,16), c.70
(1093,23–35 mit kleinen Sprüngen und Textänderungen; 1093,35 bis
1096,11), (f.61r) c.71 (ab 1097,8), c.72 (1097,25–1100,17; 1100,26–35/36),
c.74 (1101,17–1104,20), c.75, c.76, c.77 (bis 1108,6) u. c.80 (nur ähnlich
1116,1–14). – ff.78v–119r Haeres.; ff.119v–120v Epist.; ff.120v–158r
Dial. brev. + ZKp.; ff.158r–271r Expos. (es fehlen c.16 u. c.89; c.93 steht
an seinem Platz und nochmals zusammen mit c.94 vor c.82). – Vgl. unten
S. 124*, 161*, 174, 188, 201f* u. 210f.

595 *Rom. Vat. gr. 730 (496)*

R 721: 232f u. Film (g). – Pap., 14. Jh. – Asket. Hs, f. 212r–v vermeintlich
Exzerpt aus Expos. 8, konnte aber nicht nachgewiesen werden.

596 *Rom. Vat. gr. 759 (493)*

R 721: 276f; R 23: 227 (als Nr. 859); Sickenberger, Lukaskatene 63
u. Film (g). – Pap., 14. Jh., Gregory 16. Jh.; Sickenberger 15. Jh. – Auszug
aus der 2. Hälfte der Lukaskatene des Niketas, darin aus Expos. 96 (bis
1205 in Auswahl auf f.17v–18r), 11 (841,11–844,24 auszugsweise auf
f.35r), 62 (1073,19–1076,12 u. 1076,42–1077,4 auf f.209r–v), 63 (ab
1081,20 mit Lücken auf f.209v) u. 67 (1088,27–1089,28 auf f.209v–210v).

597 *Rom. Vat. gr. 828 (544)*

R 721: 369ff. – Pap., 13.–14. Jh. – Kanonist.-dogmat. Hs, f. 339v–340r
Exzerpt aus Expos. 8 (der Katalog gibt MG 94,833 an, was den Schluß
dieses Kapitels besagt).

598 *Rom. Vat. gr. 840*

R 721: 388ff u. Film (g). – Pap., 14. Jh. – Mischhs vorwiegend mit kanonist.-dogmat. Stücken, f. 241 Epist. (bricht 524,42 ab). – Vgl. unten S. 146*.

599 *Rom. Vat. gr. 1074[1])*

Film (g). – Pap., 14. Jh. – Pege-Hs, ff.1r–3r Pinakes I u. II; ff.4r–5v
Epist.; ff.6r–46r Dial. brev.; ff.46r–174v Expos. Die Kapitelzählung in

---

[1]) Für die codd. Vat. gr. 867–1484 und 1689ff sowie für die Barberin. sind die Kataloge
noch nicht erschienen. Unsere Angaben beruhen daher, wenn nicht anders vermerkt ist,
auf Notizen aus dem hsl. Katalog der Bibl. Vaticana und auf den Filmaufnahmen, soweit
uns solche vorlagen. Eine Charakterisierung der Hss kann nicht gegeben werden. Mit dem
Erscheinen der noch ausstehenden Kataloge werden voraussichtlich noch manche Hss in
unserer Liste nachzutragen sein. Die codd. Barb. 1–163 enthalten nichts von JD.

der Expos. führt die der Dial. weiter; c. 92, für das ρμβ′ träfe, ist als ϛβ′ bezeichnet und so die folgenden Kapitel, c. 100 jedoch wieder als ρν′. – Gegen Ende der Expos. laufen 2 Blattzählungen nebeneinander, die durchlaufende (schwächere) und die stärkere Numerierung nur für die Expos. – In der Expos. wechseln mehrfach die Schreiber. Es beginnt m. E. auf f. 72 v in c. 21 (888, 22) eine 2. Hand (= 599[1]), auf f. 76 v mit Schluß von c. 21 (900, 1/2) eine 3. (= 599[2]), mit f. 159 r oben in c. 90 (1177, 15) eine 4. (= 599[3]), auf f. 160 v in c. 91 (1184, 3) eine 5. (= 599[4]) und mit f. 174 r in c. 100 (1224, 21) eine 6. (= 599[5]). – Vgl. unten S. 115* u. 170*.

600 *Rom. Vat. gr. 1075*

Film (g). – Perg., 13. Jh. (?) – In der Hauptsache Pege-Hs, ff. 1 r–2 r Epist.; ff. 2 r–36 r Dial. brev. + ZKp.; ff. 36 r–145 r Expos. Lücke bei Dial. 61/62 (652, 32–653, 21) durch Blattausfall schon in der Vorlage. Expos. 16 fehlt ganz, cc. 93 und 94 stehen vor c. 82; ff. 71 und 72 gehören zwischen ff. 66 und 67. – Vgl. unten S. 125*, 161*, 174 u. 187.

601 *Rom. Vat. gr. 1076*

R 725: 94; R 41: III 1024 f u. Film (t). – Pap., 15. Jh. – JD-Hs, ff. 2 r–3 r Epist.; ff. 26 v–27 v Pinax I; ff. 31 r–32 v Epist.; ff. 32 v–81 v Dial. fus.; ff. 82 r–204 r Expos. (mit cc. 22 b u. 23 b am Schluß); ff. 204 r–205 v Pinax II; ff. 206 r–229 r Haeres. auct. In dem uns im Film vorliegenden Stück der Hs (ff. 31–229) schreiben wenigstens 2 Hände, die aber als gleichzeitig anzunehmen sind. Die Zählung der Quaternionen ist in unserem Abschnitt regelmäßig. – Vgl. unten S. 139*, 143*, 162, 181*, 187, 209* u. 211[1].

602 *Rom. Vat. gr. 1077 (770)*

R 19: V 4, 14 u. Film (g). – Pap., 14. Jh. – Mischhs, ff. 1 r–6 v (= 602) Dial. brev. 49–53 (625, 43–641, 11); ff. 7 r (mit Phylax ε′) bis 14 v (= 602[1]) Dial. 57 (ab 644, 15) bis Schluß (+ ZKp.); von anderer Hand folgen darauf ff. 15 r (Lage ϛ′) bis 17 v philosophische Texte von Eustathios; ff. 18 r–33 v (= 602[2]; Phylax ζ′ auf f. 26 r) Expos. 1–8 (bis 828, 5/6); ff. 34 r (Lage η′) bis 39 v (=602[3]) Expos. 8–13 (828, 6–853, 14/15); ff. 40 r (Lage ϑ′) bis 42 v (= 602[4]) Expos. 13–25 (853, 16–917, 29); ff. 43 r (Lage ι′) bis 82 v (= 602[5]) Expos. 26–63 (917, 32–1080, 20); die letzten Wörter auf f. 39 v und die Ergänzung von 917, 29–32 auf f. 43 r oben rühren wieder von einem anderen Schreiber her. – Vgl. unten S. 105* u. 154 f*.

603 *Rom. Vat. gr. 1078*

Film (g). – Pap., 15. Jh. – Hauptsächlich Pege-Hs, ff. 1 r–236 v Expos. (Reihenfolge der Kapitel: 1–15, 17, 16, 18–88, 90, 89, 91, 92, 95, 96, 94, 93, 97; diese Ordnung beruht nicht auf mechanischen Fehlern in unserm Kodex. Der Anfang von c. 90 [bis 1176, 27] fehlt durch Blattverlust schon in der Vorlage); ff. 237 r–272 v Haeres.; ff. 273 r–275 v Epist.; ff. 275 v–340 r

Dial. brev. + ZKp. Die auf Dial. folgenden philosophischen Texte sind nach Proben nicht von JD. – Vgl. unten S. 106f*, 123, 130, 159*, 161 u. 199*.

604 *Rom. Vat. gr. 1098*

Film (g). – Bombyz., 14. Jh. – f. 185 v–186 r Expos. 10. – Vgl. unten S. 185*.

605 *Rom. Vat. gr. 1102*

R 725: 97 f; Diekamp, Doctrina Patrum XVIII–XX u. Film (g). – Pap., 14.–15. Jh. – Theol. Mischhs, ff. 306 r–345 v Expos. 3–51. – Vgl. unten S. 187 u. 190*.

606 *Rom. Vat. gr. 1151*

R 20: 257; G. Mercati, Opere minori 4 [Studi e Testi 79] Rom 1937, S. 117. – Pap., 14. Jh. – Dogmat. Väterhs ,,Joannis monachi ad Cosmum Episcopum Maiumensem philosophica, dialectica et theologica." Vermutlich handelt es sich bloß um Zitate daraus. ff. 1–16 – nur diese besitzen wir auf Film – enthalten jedenfalls nichts Damaskenisches.

607 *Rom. Vat. gr. 1152*

R 725: 100 u. Film (g). – Pap., 1408 (nach hsl. Beschreibung von Allatius). – Mischhs, S. 51–89 Haeres. auctae. – Vgl. unten S. 208*.

608 *Rom. Vat. gr. 1182*

Film (t). – Pap., 15. Jh. – ff. 261 v–280 v Haeres. Unser Film reicht nur bis c. 83 = f. 272 r; die weiteren Angaben beruhen auf Notizen von P. Hoeck nach Autopsie. – Vgl. unten S. 202f*.

612 *Rom. Vat. gr. 1447 (86)*

G. Mercati, Codici latini Pico Grimani Pio [Studi e Testi 75] Rom 1938, S. 119 u. Film (g). – Pap., 1534. – Polem. Hs gegen Häretiker, ff. 13 v–20 v Auszüge aus Dial. fus. u. Expos. inv.; aus Dial. cc. 3 (bis 536,17), 4 f–6 f, 8 (ab 557,5), 10 f (560,47–561,7; 561,18–22.31–41.48–50; 564,28–42; 564,45–565,6; 565,20–23.31–34), 16 (bis 580,36), 18, 36, 38, 40, 41 (608,8 bis 10), 42 (bis 612,16), 43 (bis 613,14), 46, 47 (bis 620,24), 49 (624,15–32 u. 625,15–628,6), 51 (bis 636,36), 64, 65 (bis 660,35), 68 u. Lysis; aus Expos. (ff. 19 r–20 v) cc. 91 (,,ϰϑ′ ") u. 94 (,,λϑ′ "). Die Auszüge übernehmen die Kapitelnummern der Vorlage. – Vgl. unten S. 135*.

615 *Rom. Vat. gr. 1569 (1499)*

R 723: 163 ff u. Film (t). – Pap., 14.–15. Jh. – JD-Hs, ff. 3 r–4 v Epist.; ff. 5 r–57 v Dial. brev. mit Teilen der fus. (es sind folgende Kapitel vorhanden: 1–3, 5, 4 b, 10 b–17, 29, 18–23, 25–27 [statt unserer cc. 24 u. 28 finden sich nur ähnliche Texte], 30, 6 b–8, 31–48, (?) 52–65, 68, 66. – Der Katalog ist dahin zu berichtigen, daß auf c. 4 b unmittelbar 10 b folgt und

daß die Lücke nach c.48 nicht bis c.54 reichen kann, weil unser Film
schon bei c.52 wieder einsetzt); ff. 58r–59v Pinax II; ff. 60r–217r Expos.
(die sehr wirre Kapitelordnung siehe im Katalog!). – Vgl. unten S. 125*,
138* u. 163*.

617 *Rom. Vat. gr. 1672*

R 723: 426ff; G. Mercati, Di alcuni codici del Patire e di Messina venuti
direttamente alla Vaticana [Studi e Testi 68, p.85ss.] Rom 1935, S.91;
F. Diekamp, Eine ungedruckte Abhandlung des hl. Johannes von Damaskus gegen die Nestorianer, in Theol. Quartalschrift 83 (1901) 555–595,
hier 556f u. Film (g). – Perg., 13. Jh., italo-griech. Schrift, kam von S.
Maria del Patir in die Vaticana. – JD-Hs, ff. 1r–64v Expos. inv. 24 (ab
908,42; Anfang verstümmelt) bis 81 (Ende verstümmelt). Der Schluß
von c.22 ist hier (wie in Athen. Bules 32) an c.24 angehängt. Mit f.25r
und neuer Lage (c.44 = 976,6) beginnt eine 2. Hand (= 617[1]). Zwischen
ff.39 und 40 sind 2 Lagen ausgefallen (c.51 = 1009,30 + Zusatz von 8 Zeilen, der mit Seitenende abbricht, bis c.59 = 1052,22/23). Den Kapitelzahlen und dem Schluß (mit c.81) nach haben wir eine Expos. inv. vor
uns. – Vgl. unten S. 162, 183* u. 216.

620 *Rom. Vat. gr. 2109 (Basil. 148)*

G. Mercati, Per la storia dei manoscritti greci di Genova, di varie badie
basiliane d'Italia e di Patmo [Studi e Testi 68] Rom 1935, S.308 A. u.
Film (g). – Pap., 14. Jh. – JD-Hs, ff. 1r–3v (= 620[1]) Dial. fus. 1, 2 (bis
533,7) u. 5; ff. 19v–20v Epist.; ff. 20v–30v Dial. brev. bis c.47 (620,31).
Die nächsten Blätter (wieder 620[1]?) sind nach folgender Ordnung um-
zustellen: 58–79, 56–57, 49–55 u. 31–48; sie enthalten Expos. ab c.21,
beginnend bei 888,22/23 mit f.58r; mehrere Kapitel sind am Anfang oder
Ende etwas erweitert, z.B. c.46 am Schluß durch einen Abschnitt aus
c.87 (1160,47–1161,18) u. c.51 durch das Fragment MG 95,413,7ff.
Zwischen ff.79 und 56 fehlt ein Blatt mit cc.48–50 (997,40–1001,46);
zwischen ff.40 und 41 gingen mehrere Blätter verloren mit cc.81–91
(1116,28–1181,30). C.100 schließt mit f.48v bei 1225,16. – Vgl. unten
S. 106*, 130, 155f* u. 216.

621 *Rom. Vat. gr. 2120 (Basil. 159)*

Film (g). – Perg., 13. Jh. – JD-Hs, ff. 1r–56v Expos. 1–38 (schließt verstümmelt mit 956,3) mit lateinischer Übersetzung des Burgundio. Die
Ränder sind stark beschädigt. – Buytaert nennt diese Hs in seiner Ausgabe
von 1955 nicht. – Vgl. unten S. 171*, 179 u. 216.

626 *Rom. Vat. Barb. gr. 289 (323; III 8)*

R 728: 102f; R 20: 236; Gordillo 84 A. u. Film (g). – Pap., 15.–16. Jh. –
Miszellanhs mit theol. Stücken, ff. 52r–66r Expos. 8.

627　*Rom. Vat. Barb. gr.291 (259; III 10)*

R 728: 103f u. Film (g). – Pap., 16. Jh. – Antipalamitische Hs, ff. 271r bis 296r Haeres. C. 63 ist übergangen. Das letzte Blatt (f. 296) ist sehr von Motten zerfressen. f. 295 mit seinem fremden Text scheint falsch am Platz zu sein. In der Textgestaltung erlaubte sich der Schreiber zahlreiche Freiheiten. – Vgl. unten S. 200*.

628　*Rom. Vat. Barb. gr.330 (256; III 49)*

R 728: 106 u. Film (g). – Perg., Nachahmungsschrift des 13. (?) Jh., Ergänzung 16. Jh. – JD-Hs, ff. 1r–3r Epist.; ff. 3r–73r Dial. brev. + ZKp. Ausgefallene Blätter sind später ergänzt (= 628[1]): f. 1 mit Epist. (bis 524,7), f. 3 mit Epist. (ab 525, 2) u. c. 4b (bis 540, 15), f. 6 mit c. 10b (569, 36 bis 572, 26) u. f. 8 mit c. 11 (ab 573, 14 + Zusatz aus c. 47 bis 620, 24). – Vgl. unten S. 123f u. 125*.

629　*Rom. Vat. Barb. gr.347 (45; III 66)*

R 728: 107f u. Film (g). – Perg., 15. Jh. – JD-Hs, ff. 3r–5v Pinakes I u. II; ff. 6r–7r Epist.; ff. 7r–28r Dial. brev. (f. 28v Bild des Heiligen); ff. 29r–124v Expos. – Vgl. unten S. 106* u. 161f*.

630　*Rom. Vat. Barb. gr.353 (239; III 72)*

R 728: 108 u. Film (g). – Pap., unser Teil modern ergänzt. – Theol. Mischhs, f. 1r–v Exzerpt aus Expos. 82 (1124, 3–1125, 2).

631　*Rom. Vat. Barb. gr.360 (253; III 79)*

R 728: 108f u. Film (t). – Pap., 15. Jh. – Theol. Miszellanhs, ff. 39r–40r Expos. 72 u. 74, nach Text und Anschlußstücken aus der Panoplia des Euthymios Zigabenos; ff. 158r–160v ,,Excerpta ex JD de virginitate Deiparae'' (= Expos. 97 ?). – Vgl. unten S. 191.

632　*Rom. Vat. Barb. gr.396 (49; III 115)*

R 728: 111 u. Film (g). – Pap., 1278. – JD-Hs, ff. 3r–5r Pinakes I u. II; ff. 6r–7v Epist.; ff. 7v–32v Dial. fus. (ohne Lysis); ff. 33r–113r Expos. Lücken durch Blattausfall: in Dial. zwischen ff. 11 u. 12 in cc. 5/6 (544, 32 bis 548, 2), zwischen ff. 17 u. 18 in cc. 14/22 (577, 12–585, 36), zwischen ff. 27 u. 28 in cc. 52/58 (640, 26–645, 52); in Expos. zwischen ff. 47 u. 48 in cc. 17/18 (869, 18–876, 18), zwischen ff. 70 u. 71 in cc. 48/51 (1000, 11 bis 1009,7) und zwischen ff. 106 u. 107 in cc. 93/95 (1196, 23–1200, 40). Der Schluß von Dial. 65 (ab 657, 33) ist vom Schreiber ausgelassen. ff. 3r–6v (= Epist. bis 524, 10) ist ergänzt (= 632[1]). – Vgl. unten S. 139*, 162 u. 180*.

633　*Rom. Vat. Barb. gr.397 (III 116)*

R 728: 111 u. Film (g). – Pap., 15. Jh. – JD-Hs, ff. 1r–2v Pinax I; ff. 3r–5r Epist.; ff. 5r–70r Dial. fus. – Vgl. unten S. 106, 118 u. 141*.

634 *Rom. Vat. Barb. gr. 434 (47; IV 16)*

R 728: 113 u. Film (g). – Perg., 13. Jh. – Pege-Hs, ff. 1r–82r Expos. (die Kapitel 93 und 94 sind übergangen; cc. 89 und 90 [bis 1176,27] fehlen durch Blätterverlust in einer Vorlage); ff. 82r–83r Epist.; ff. 83r–106r Dial. brev. + ZKp.; ff. 106v–118v Haeres. – Vgl. unten S. 108*, 130, 160*, 199, 200f* u. 211f.

635 *Rom. Vat. Barb. gr. 473 (46; IV 55)*

R 728: 115 u. Film (g). – Perg. (ff. 1–73) u. Pap., 13.–15. Jh. – Pege-Hs, ff. 1r–2v Epist.; ff. 2v–35r Dial. brev. + ZKp.; ff. 37r–126r Expos.; ff. 126r–138v Haeres. bis c. 92 (757,29; Ende verstümmelt). Lücken durch Blattausfall in Expos. zwischen ff. 48 u. 49 in cc. 10/11 (840,12–844,32), zwischen ff. 72 u. 73 in cc. 38/48 (953,44–996,7), zwischen ff. 103 u. 104 in cc. 83/84 (1128,5/6–1132,1), zwischen ff. 110 u. 111 in c. 88 (1164,27 bis 1168,17) und zwischen ff. 118 u. 119 in cc. 95/96 (1200,1–1201,33). – M.E. verteilt sich der Text auf folgende Hände: ff. 1r–4r (= 635²) Epist. bis Dial. 10 (572,3), ff. 4v–52r (= 635¹) Dial. 10 bis Expos. 15 (864,19). Der Rest, zweispaltig geschrieben, ist von einer weiteren Hand (= 635). – Interlinearglossen sind zahlreich angebracht, ersetzen seltene Wörter durch bekannte. – Vgl. unten S. 107f*, 121, 125, 158*, 198* u. 211.

636 *Rom. Vat. Barb. gr. 508 (41; V 4)*

R 728: 118; Gordillo 84ff u. Film (g). – Perg., 14. Jh. – Asket.-dogmat. Sammelhs, ff. 252r–267v Expos. 82–87, 97, 99, 100, 12b. – Vgl. unten S. 190*.

637 *Rom. Vat. Barb. gr. 546 (308; V 42)*

R 728: 121; R 34: 601 u. Film (t). – Pap., 1629. – Katene zum Römerbrief, darin Expos.-Zitate: ff. 30r–31r c. 95, ff. 73v–74r c. 81 (bis 1117,7), f. 123r bis v c. 92 (1192,21–1193,2), nach Karo-Lietzmann Abschrift von Mon. 412. Die angeblichen JD-Zitate auf f. 40r–v und f. 52r vermochten wir nicht zu identifizieren, ebensowenig mangels Photographie die auf ff. 78v und 261r–262r.

640 *Rom. Vat. Borg. gr. 20*

R 730: 133ff u. Film (g). – Pap., 15. Jh. – Kirchl. Sammelhs, f. 71r–v (= 640¹) Dial. 42 u. 43; ff. 72r–78v (,,ex alio cod. desumpta sunt paullo vetustiore") Dial. 51 (ab 633,2) bis 65 (bis 660,20).

642 *Rom. Vat. Chis. gr. 11 (R IV 11; 46)*

R 730: 12f; R 731: 321 (unter Nr. 5) u. Film (g). – Perg. (Palimps., scr. rec.), 13. Jh. – Jüngere Schrift Mischkodex hauptsächlich naturwiss.-

philos. Inhalts, ff. 1 r–3 r Epist.; ff. 3 r–44 r Dial. brev. Die Schrift von f. 1 r ist nicht mehr lesbar; der Text von f. 1 v beginnt mit 521, 24. – Vgl. unten S. 125*.

643　*Rom. Vat. Chis. gr. 12 (R IV 12)*

R 730: 15 ff; R 732: 298. – Pap., 14. Jh. – Mischhs vornehmlich mit theol. Stücken, f. 2 v Exzerpt aus Expos. 38 (956, 5–15).

644　*Rom. Vat. Chis. gr. 18 (R IV 18; 38)*

R 730: 26 f; R 731: 323 (unter Nr. 8) u. Film (g). – Perg., 1029/30, gräko-lombard. Schrift (Devreesse 31). – JD-Hs, f. 1 r–v Epist. (bis 521, 26); ff. 2 r–48 r Dial. brev. ab c. 11 (573, 10); ff. 48 r–209 r Expos.; ff. 235 r–238 v Haeres. 101 (ab 765, 35). Zwischen ff. 1 und 2 ist eine Textlücke mit einem Umfang von 6 Blättern (= ff. 2–7 des 1. Quaternio, wie der Verfasser des Katalogs annimmt). – ff. 235–238 sind vermutlich ein Rest von ursprünglich ganz vorhandenen Haeres. – Mit Lage δ'= f. 43 (Dial. 65: 657, 16) setzt eine andere Hand ein (bis dahin = 644[1]). – Nach Expos. 51 findet sich das Einschiebsel MG 95, 413–416. – Vgl. unten S. 116*, 126*, 133, 169*, 174, 211* u. 216.

646　*Rom. Vat. Ottob. gr. 43*

R 733: 31 f u. Film (t). – Perg., 11.–12. Jh. – ff. 1–48 Glossar, darin f. 7 r Dial. 10 b (568, 11–17/18) u. f. 39 v Dial. 32 (600, 17–25). Auf Film konnten nur ff. 1, 7, 28, 36 und 39 geprüft werden. – Vgl. Vat. gr. 197 und S. 64 u. 126*.

648　*Rom. Vat. Ottob. gr. 99*

R 733: 60 u. Film (g). – Pap., 17. Jh. – Theol. Mischhs; in einer kirchen-rechtl. Sammlung ff. 95 v–96 v Exzerpte aus Haeres. 80 (733, 17–52; 732, 41 bis 733, 6; 733, 13–17; 732, 29–30). Vgl. Ottob. gr. 249! Die von Johannes Kyparissiotes foll. 111 ff aus der Pege zitierten Stellen sind diese: f. 131 v Exzerpt aus Dial. 50 (632, 23–27); Exzerpte aus Expos.: f. 133 v c. 59 (1048, 11–20 mit kleinen Abweichungen); f. 135 r c. 8 (ähnlich 813, 11–12); f. 136 r c. 43 (964, 3–4); f. 140 v c. 12 b (845, 18–20); f. 143 v c. 55 (1028, 5–6); f. 163 r c. 56 (1032, 18–22); f. 186 v c. 13 (852, 33–36); f. 202 v ähnlich c. 19 (880, 5–6) oder c. 84 (1128, 43–44); f. 210 r c. 13 (853, 7–11); f. 218 r–v (ähn-lich 796, 12 ff) u. c. 80 (1113, 18–20. 22–23); f. 220 v c. 17 (ähnlich 873, 27 ff); f. 225 r c. 50 (1001, 34–1004, 2) u. c. 8 (828, 5–44); f. 238 r c. 8 (828, 19–42); f. 242 v c. 13 (856, 10–13); f. 244 r c. 9 (833, 14–836, 5).

649　*Rom. Vat. Ottob. gr. 133*

R 733: 76 f; R 34: 582 u. Film (t). – Pap., 17. Jh. – Evangelienerklärung des Makarios Chrysokephalos, in der auch JD zitiert wird, z. B. f. 34 v–35 r Expos. 6 (804, 7–25).

650 *Rom. Vat. Ottob. gr. 201 (R. 5.60)*

R 733: 117 u. Film (g). – Pap., 16. Jh. – JD-Hs, ff. 1r–35r Dial. fus. ab c. 8 (553, 4; Anfang verstümmelt) + ZKp. (nach Lysis); ff. 35v–36v Pinax II; ff. 37r–137r Expos. Durch Ausfall von etwa 3 Blättern zwischen ff. 49 und 50 springt der Text von E 11 (841, 39) auf c. 13 (852, 16) und durch Verlust einer Lage zwischen ff. 89 und 90 von c. 52a (1013, 30) auf c. 58 (1045, 12). – Vgl. unten S. 138*, 180*, 184 u. 192.

651 *Rom. Vat. Ottob. gr. 213*

R 733: 125f u. Film (g). – Pap., 15. Jh. – Theol. Mischhs, deren ersten Teil JD füllt, f. 1r–v Epist. (ab 524, 21/22); ff. 1v–5v Dial. fus. 1–5 (von letzterem nur der Titel); ff. 6r–43v Dial. brev. ab c. 10 (569, 43) + ZKp.; ff. 44r–150r Expos. (ab c. 4). C. 6 in Dial. brev. ist jedoch fus.; Textlücken durch Blattausfall entstanden zwischen ff. 40 und 41 in D 66 (665, 13 bis 669, 16) und zwischen ff. 43 und 44 vom Schluß des ZKp. bis Expos. 4 (797, 16). – Der Kodex ist von verschiedenen Händen geschrieben, die ich zwar als gleichzeitig annehmen, zur Vorsicht aber im groben zunächst unterscheiden möchte: Hand 1 ff. 1–72v (bis Expos. 23), Hand 2 (= 651[1]) ff. 72v–74v (Expos. 24–26 = 917, 10), Hand 3 (= 651[2]) ff. 75r–79v (bis Expos. 33 = 937, 29) und Hand 4 (= 651[3]) ab f. 80r. – Vgl. unten S. 105*, 111*, 146*, 165f*, 174 u. 183.

652 *Rom. Vat. Ottob. gr. 249*

R 733: 140f u. Film (g). – Pap., 15. Jh. – Kanonist. Hs, S. 248–249 Exzerpte aus Haeres. 80, genau wie Ottob. gr. 99.

653 *Rom. Vat. Ottob. gr. 292 (S. 6.55; Q. 16.4)*

R 733: 157 u. Film (g). – Pap., 15. Jh. – Naturwiss.-theol. Mischhs, ff. 98r bis 101r Expos. 26 (bis 925, 22); f. 101v Expos. 23a (905, 1–14). Der Katalog gibt die 2. Stelle für f. 146v an.

654 *Rom. Vat. Ottob. gr. 314*

R 733: 167f u. Film (g). – Pap., 14.–15. Jh. – JD-Hs, ff. 1r–2v Epist.; ff. 2v–68v Dial. fus. (Lysis stark erweitert); ff. 69r–70v Pinax II; ff. 71r bis 335v Expos. Die Zählung der Blätter springt von 133 auf 234. – Die E-Kapp. 93 und 94 stehen vor c. 82. – Beim Übergang von f. 82r auf v fehlt in c. 8 der Text von 820, 23–824, 4 und beim Wechsel von f. 83r auf v 828, 13–829, 10; diese Lücken würden zwei Seiten ausmachen und sind vielleicht entstanden durch Zusammenkleben von Blättern vor der jetzigen Foliierung. – Nach c. 20 sind astronomische Texte und Figuren eingefügt. – Am Kodex sind mehrere Hände beteiligt; da ihr Wechsel gewöhnlich nicht mit dem der Blätter zusammenfällt, darf angenommen werden, daß die sich ablösenden Schreiber nach derselben Vorlage arbeiten und deshalb für die Zwecke dieser Arbeit kaum unterschieden werden müssen. – Vgl. unten S. 136f*, 180f* u. 191.

655 *Rom. Vat. Ottob. gr. 322 (D. 4. 13)*

R 733: 170 u. Film (g). – Pap., 16. Jh. – Im Anschluß an Boëthius-Übersetzung f. 72 r–v Expos. 12 b (bis 848, 39). – Vgl. unten S. 190*.

656 *Rom. Vat. Ottob. gr. 339 (Q. 3. 26)*

R 733: 177 ff u. Film (g). – Pap., 16.–17. Jh. – Bunte Mischhs, f. 255 r–v Fragment von Dial. fus.: cc. 6–8 (548, 33–553, 4); f. 327 r Exzerpt ähnlich Expos. 14 (860, 4–9), ist aber nicht JD zugeschrieben.

657 *Rom. Vat. Ottob. gr. 362*

R 733: 186 ff; R 725: 272 u. Film (g). – Pap., 16. Jh. – Theol.-kanonist. Mischhs, ff. 121 r–122 v Exzerpte aus Expos. 86: 1141, 2–1145, 3; 1145, 8 bis 17; 1148, 10–1149, 7; 1152, 3–6; 1153, 26–29.

660 *Rom. Vat. Palat. gr. 106*

R 734: 51 f u. Film (g). – Pap., geschrieben 14.–15. Jh. von Konstantinos Tzamanturos (Vogel-G. 251). – JD-Hs, ff. 1 r–2 v Epist.; ff. 2 v–43 v Dial. brev.; ff. 44 r–201 v Expos. – Expos. 93 und 94 sind vor c. 82 eingereiht. In Expos. 57 (1033, 14) sind Teile aus Trisag. (MG 95, 21 ff) eingeschoben. Auf Blätterausfall in der Vorlage beruhen folgende Textlücken: Dial. 6/8 (549, 27 bis 553, 10), cc. 32 (ab 600, 24) bis 37, Expos. 13 (ab 852, 28) bis 24 und 88/90 (1168, 24–1176, 27). – In diesem Kodex sind Blätter ausgefallen zwischen ff. 43 und 44 mit dem Anfang der Expos. bis c. 2 (793, 23). – Vgl. unten S. 121, 126 f*, 141, 160 f*, 189 f* u. 216.

662 *Rom. Vat. Palat. gr. 242*

R 734: 130 f u. Film (g). – Bombyz., 13.–14. Jh. – Hauptsächlich JD-Hs, f. 1 v (damit beginnt unser Film) bis 2 r Dial. 1 (ab 532, 37) und 2, Pinax I; f. 2 v–3 r Lysis; (f. 3 v Bild); f. 4 r–v Epist.; ff. 4 v–29 v Dial. fus. 3–65 (cc. 42, 44, 45 und 66 stehen auf ff. 103 r–104 v; c. 1 bis 529, 47 auf f. 105 r); f. 29 v Lysis (bis 673, 10); ff. 30 r–31 r Pinax II; ff. 31 r–103 r Expos. Vermutlich sind die Blätter 1, 2 und 3 nach f. 105 einzureihen, wobei auf f. 1 r dem Raum nach der Text treffen würde, der zwischen f. 105 v und f. 1 v abgeht. Auf alle Fälle bleibt bei den nachgeholten Kapiteln eine nicht zu klärende Unordnung. Der Pinax I gibt die Kapitel der geschlossenen Dial. wieder (ohne die ausgefallenen Kapitel), nicht mehr aber die nachgetragenen. – Die Expos. zeigt folgende Unregelmäßigkeiten: die Kapitel 16 und 90 fehlen; c. 4 steht nach c. 5, cc. 93 und 94 sind vor c. 82, c. 89 ist erst nach c. 100 angefügt. In c. 47 ist bei 993, 5 eingeschoben MG 95, 412, 14–413, 6 und in c. 51 bei 1009, 30 MG 95, 413, 9–416, 21. – Vgl. unten S. 142*, 146, 163* u. 191.

663 *Rom. Vat. Palat. gr. 295*

R 734: 165 u. Film (g). – Pap., 15.–16. Jh. – Mischhs besonders mit physikal.-astronomischen Stücken, ff. 211 r–222 r Expos. 20–24.

664 *Rom. Vat. Palat. gr. 334*

R 734: 194 u. Film (g). – Pap., 15. Jh. – JD-Hs, ff. 1–118r (!) Expos. inv.
(lückenhaft). Die Reihenfolge der Kapitel ist die der inv., eine spätere
Hand jedoch korrigiert diese nach der gewöhnlichen Ordnung und nimmt
auch die Foliierung am unteren Rand entsprechend vor. Auf f. 19r mit
dem Übergang von c. 18 auf c. 82 ist von der unteren Numerierung die
laufende Zahl 28 eingerahmt und daneben 119 gesetzt. Diese Zählung wird
durchgeführt bis f. 156v (= 55v ob. Zahl), wo sie mit dem Wechsel von
c. 100 auf c. 19 wieder auf f. 29 zurückgeht. Gezählt ist hier nach der
oberen fortlaufenden Blattnumerierung; die untere ursprüngliche läßt
deutlich die Blattausfälle erkennen. Solche sind vorhanden zwischen ff. 12
und 13 (untere Zählung 12 u. 14) mit c. 8 (824, 23–828, 33), zwischen ff. 14
und 15 (untere Zählung zwischen 15 u. 22) mit cc. 9–13 (837, 5–853, 46),
zwischen ff. 16 und 17 (untere Zählung 23 u. 26) mit cc. 15–17 (861, 10 bis
869, 17), zwischen ff. 26 und 27 (untere Zählung 126 u. 128) mit c. 86
(1140, 33–1145, 15), zwischen ff. 86 und 87 (untere Zählung 59 u. 61) mit
cc. 39–41 (957, 39/40–960, 42), zwischen ff. 96 und 97 (untere Zählung
70 u. 72) mit c. 47 (ab 993, 29), zwischen ff. 97 und 98 (untere Zählung
72 u. 83) mit cc. 48–55 (1000, 5–1028, 6), zwischen ff. 109 und 110 (untere
Zählung 95 u. 108) laut späterer Notiz auf f. 109v eine Sexadie mit cc. 59
bis 68 (1060, 23–1092, 12) und zwischen ff. 114 und 115 (untere Zählung
112 u. 115) mit cc. 76–78 (1105, 23–1109, 40). – Vgl. unten S. 176*.

665 *Rom. Vat. Palat. gr. 367*

R 734: 229f; R 725: 226f u. Film (g). – Bombyz., geschrieben im 13. Jh.
auf Kypros während der Frankenherrschaft. – Mischhs sehr bunten Inhalts, ff. 40r–45v Expos. 21 und 100.

667 *Rom. Vat. Pii II. gr. 9*

R 735: 137f u. Film (g). – Pap., 15. Jh. – Philos.-theol. Hs, ff. 95r–96r
Epist.; ff. 96r–137r Dial. fus. + ZKp. – Vgl. unten S. 138*.

669 *Rom. Vat. Reg. gr. 46*

R 735: 38ff u. Film (g). – Pap., 15.–16. Jh. – Kanonist.-theol. Hs, ff. 1r
bis 23v Haeres. Da die verschiedenen Hände, die an unserm Stück
arbeiteten, offenbar gleichzeitig sind, wird auf ihren Wechsel hier nicht
geachtet. – Vgl. unten S. 203f*, 206* u. 209.

670 *Rom. Vat. Reg. gr. 57*

R 735: 48ff; R 725: 237 u. Film (g). – Pap., unser Teil 1359. – Kanonist.
Hs, f. 457r Exzerpte aus Haeres. 101 (nur dem Sinn nach) und Expos. 80
(1096, 1–5). – Vgl. unten S. 211*.

672 *Salamant. Univ. 130 (1-2-27)*

R 56: 206; R 57: 68.73. – Pap., 14. Jh. – JD-Hs, Pinakes I u. II, Dial. (wohl brev.) + ZKp., Expos. (nicht inv.).

673 *Samiens. S. Cruc. 2*

R 758: 314. – Bombyz., 13. Jh. – Philos. Hs, an erster Stelle Dial. (ohne nähere Angaben).

676 *Sinait. 324*

R 767: 64; R 773 (auch für die folg. Sinai-Hss). – Pap., 1543. – Väterhs, am Schluß der Hs Pinax II (c. 101 über die Auferstehung, c. 102 über die göttl. Namen = 12 b; über die Meere = 23 b; wie cod. 388). – Vgl. unten S. 190*.

677 *Sinait. 327*

R 767: 65 u. Film (g). – Pap., 15. Jh. – Theol.-bibl. Väterhs, ff. 123 r–124 r Epist.; ff. 124 r–151 r Dial. brev. + ZKp. Von der 2. Hälfte haben mehrere Kapitel am Schluß kurze Lücken. – Vgl. unten S. 82, 107 ff*, 121 f, 127 u. 215.

678 *Sinait. 383*

R 767: 89f; R 769: 347 ff (als Nr. 513) u. Film (g). – Perg., 9.–10. Jh. nach Gardth.; m. E. richtiger Beneš.: 11. Jh. – In der Hauptsache JD-Hs, ff. 3 r–4 v Pinakes I u. II; ff. 5 r–6 r Epist.; ff. 6 r–30 v Dial. brev.; ff. 30 v bis 109 v Expos. – Vgl. unten S. 117 f*, 120, 130, 170* u. 174.

679 *Sinait. 384*

R 767: 90f; R 769: 308f (als Nr. 497) u. Film (g). – Perg., 11. Jh. – Hagiograph.-dogmat. Sammelhs, ff. 35 r–36 v Pinax II; ff. 48 v–166 v Expos. (cc. 12 b und 23 b stehen nach c. 100). Der Schluß ab Ende c. 100 (1224, 11) ist von einer Hand des 15.–16. Jh. (= 679[1]). – Vgl. S. 40, 167 f*, 174 u. 215.

680 *Sinait. 385*

R 767: 91 u. Film (g). – Bombyz., 13. Jh. – Dogmat. Sammelhs, ff. 2 r–22 r Dial. brev. (beginnt verstümmelt mit c. 30 = 592, 17); ff. 22 r–24 v Dial. fus. 1–4 (bis 537, 17); ff. 25 r–126 r Expos. Nach Expos. 53 ist Dial. 66 (680a) eingeschoben, nach c. 54 Teile von Trisag. (95, 25, 52–29, 43; 32, 35 bis 50; 33, 1–6; 37, 41–40, 31); c. 23 b steht nicht bloß an seinem Platz, sondern nochmals nach c. 100; vgl. Vallicell. 103! – Vgl. unten S. 117 f*, 144*, 171* u. 174.

681 *Sinait. 386*

R 767: 92; R 769: 309 (als Nr. 498) u. Film (g). – Pap., 14.–15. Jh., gekauft 1542 auf Kreta. – Dogmat. Sammelhs, ff. 1 r–115 v Expos. inv. ab c. 4

(797, 32). Der Kodex beginnt jetzt mit der 7. Lage; voraus ging vermutlich die Dial. – Mehrere wohl gleichzeitige Hände lösen einander ab. – Vgl. unten S. 179*, 191 u. 215.

682 *Sinait. 387*

R 767: 92 u. Film (g). – Pap., 14.–15. Jh. – JD-Hs, f. I r–v u. ff. 1 r–2 r Epist.; ff. 2 r–53 r Dial. brev. + ZKp.; ff. 53 r–186 r Expos. (cc. 93 und 94 befinden sich vor c. 82). Eine ergänzende Hand (= 682¹) trägt meist die beim Wiederbinden überklebten Stellen nach und ergänzt voraus das Blatt I (= Epist. bis 524, 12) und am Schluß die Blätter ab f. 178 r (= Expos. 97: 1209, 15). – Nach c. 100 folgt auf einen kurzen Abschnitt von 6 Zeilen aus Justinos ein Teil von Expos. 22 (900, 35–901, 10). – Vgl. unten S. 126*, 167, 179 f, 182 u. 190 f*.

683 *Sinait. 388*

R 767: 92 u. Film (g). – Pap., 1545. – JD-Hs, ff. 1 r–3 v Pinax II + Titel von Expos. 12 b; ff. 5 r–160 r Expos. (cc. 12 b und 23 b nach c. 100; vgl. cod. 384!). – Vgl. unten S. 168*, 190 f u. 215.

684 *Sinait. 389*

R 767: 93 u. Film (g). – Pap., 18. Jh. – JD-Hs, ff. c r–e v Pinax II; ff. 1 r bis 125 v Expos. – Vgl. unten S. 174*.

686 *Sinait.? (Beneš. 415)*

R 769: 228. – Pap., ? – Als Ganzes (?) „'Iω. Δαμ. θεολογία" (Expos.? Identisch mit einer schon genannten Hs?).

686 A *Sinait. 441*

R 767: 107; R 769: 237 ff u. R 561 (als Nr. 436). – Pap., 14. Jh. – Nikon-Hs mit zahlreichen Zitaten aus den Haeres., f. 98 r c. 86; f. 105 v c. 80 (733, 39 bis 41); f. 140 r c. 80 (736, 5–6); f. 279 v c. 83 (bis 744, 9); f. 325 r cc. 47, 59 u. 60; f. 325 v c. 75 (ab 724, 13); f. 333 r–335 r cc. 80 (733, 25–736, 7; 732, 29–30. 24 bis 28. 1–3. 15–16. 4–6. 14; 736, 17–21; 732, 30–40), 88, 91, 94, 96–98, 100 (als ρα´!) und 103 (bis 777, 4). Den Hinweis auf die Hs und den Text der JD-Stellen verdanken wir P. Irénée Doens-Chevetogne, der uns die einschlägigen Teile seines druckfertigen Manuskripts vom Taktikon und Μικρὸν βιβλίον zur Einsicht überließ. – Vgl. unten S. 210*.

687 *Sinait. 1722*

R 768: III 168 f u. Film (g). – Pap., 15. Jh. – JD-Hs, ff. 1 r–3 r Epist.; ff. 3 r–52 r Dial. brev. + ZKp.; (ff. 52 r–62 r Distinktionen und philos. Texte, nicht JD); ff. 63 r–237 v Expos. Die Lücke in Dial. 7/8 (552, 21–553, 3) beruht schon auf der Vorlage. – Vgl. unten S. 104*, 123, 154*, 174, 186, 188.

688 *Sinait. 1795*

R 769: 369 (als Nr. 520) u. Film (g). – Pap., 14., 15. u. 16. Jh. – Dogmat.-kanonist. Hs, ff. 30 r–65 v Haeres. auct. – Vgl. S. 31, 83 u. 209*.

689 *Sinait. 1807*

R 768: 212 ff u. Film (g). – Pap., 15.–16. Jh. – Chronolog. Hs, ff. 72 v–118 v verstreut Exzerpte aus Expos.; festgestellt wurden: ff. 72 v–73 v c. 99 (1217, 3–40); f. 74 r–v c. 86 (1153, 5–23); ff. 80 r–81 v c. 87 (1156, 4–1160, 8); ff. 93 r–94 v c. 8 (832, 5–833, 11; 820, 11–24; 812, 8–15; 821, 38–824, 23); f. 96 v–97 r c. 14 (bis 860, 25); f. 97 r–v c. 50 (1004, 8–1005, 9); ff. 97 v–98 v c. 54 (bis 1020, 29 u. 1020, 40–1021, 7); ff. 101 r–102 r c. 46; f. 102 v–103 r c. 87 (1160, 47–1161, 18); f. 104 r–v c. 79 (bis 1112, 14) und c. 56 (1029, 5–13); ff. 104 v–106 r cc. 78 und 80; f. 106 r–v c. 53; f. 106 v–107 r c. 52 b; f. 110 r–v c. 76; f. 111 v–112 r c. 64 (bis 1081, 31); ff. 113 r–114 v c. 21 (893, 28–897, 21); f. 114 v–115 r (als Greg. Naz.) c. 26 (920, 19–924, 19); f. 117 r c. 41 (960, 25 bis 29; 960, 46–961, 6); f. 117 r–v c. 26 (925, 29–41); f. 117 v c. 26 (925, 12–23) und c. 27 (929, 24–31); f. 117 v–118 r c. 26 (928, 10–22) und f. 118 r c. 44 (969, 21–976, 1). – Vgl. unten S. 185*.

690 *Sinait. 1944*

R 768: 279 u. Film (g). – Pap., 17. Jh. – Vorwiegend JD-Hs, ff. 1 r–2 r Pinax I; ff. 9 r–10 r Epist.; ff. 10 v–39 r Dial. brev. + ZKp. (wie cod. Sinait. 327; siehe dort!); ff. 106 r–108 v Pinax II; ff. 109 r–236 v Expos. (cc. 12 b u. 23 b nach c. 100). – Vgl. unten S. 109*, 168*, 190 f u. 215.

691 *Sinait. 1960*

R 768: 283 u. Film (g). – Pap., 17.–18. Jh. – Paschalion, ff. 25 r–27 r Expos. 20 (880, 14–885, 29).

693 *Skiathos, Mon. Annunt. BMV 11*

R 65: 389 f. – Pap., 14. Jh. – Väterhs, ff. 30–33 περὶ τῶν ἀχράντων μυστηρίων (wohl = E 86); ff. 41–54 Δαμασκηνοῦ· περὶ παραδείσου αἰσθητοῦ καὶ νοητοῦ (E 25 u. a. ?).

695 *(Straßburg) Argentorat. gr. 7 (1901)*

R 794: 19 ff u. Film (g). – Pap., 15. Jh. – Theol. Mischhs, ff. 1–56 ausgewählte Kapitel aus Expos.: 15, 17(!), 20, 21, 23 a, 26–28, 30, 32, 57, 66, 51, 56, 62, 64, 65, 68(!), 70–72, 74–77, 79–81, 52 b, 82, 85–89, 96–100. Zwischen ff. 55 und 56 fehlt ein Blatt mit c. 100 (1220, 15–1224, 26); dieses Kapitel schließt auch verstümmelt auf f. 56 v mit 1225, 38. Auf c. 64 folgt unmittelbar c. 65 (gegen Katalog).

696 *(Straßburg) Argentorat. gr. 12*

R 794: 28 ff u. Film (g). – Perg., 12. Jh., Pinax und Kolophon auf f. 212 r geschrieben 1286 auf Rhodos vom Schreiber des cod. Athous Iber. 38

(mitgeteilt von M. Richard). – Patrist. Florileg, darin Exzerpte aus JD[1]): ff. 140 v–144 r Expos. 20 (880, 14–20; 880, 24–881, 33; 884, 3–17. 25–35) und 44 (bis 976, 4). – Vgl. unten S. 188*.

697 *Stuttgart. theol. philos. 2º 108 (ol. Comburg.)*
R 41: III 1028; F. D. Gräter, Über die Merkwürdigkeiten der Comburger Bibliothek, Hall 1806, S. 27; eine genaue Beschreibung erstellte uns P. Raphael Oberkobler; Film (g). – Pap., 14. Jh. – JD-Hs, ff. 41 r–45 v Dial. Lysis, cc. 5, 18–28, 1–3, 4 b (!), 10 b (!); f. 52 r–v Epist.; ff. 52 v–71 v Dial. brev. + ZKp.; ff. 79 r–153 r Expos.; ff. 215 v–225 v Haeres. auct. – Der Kodex ist von verschiedenen Händen geschrieben; von unseren Stücken treffen ff. 37 r–45 v und 79 r–162 r auf Hand 2 (= 697²), ff. 47 r–78 v auf Hand 3 (= 697³), ff. 215 v–228 r auf Hand 1 (= 697¹). f. 100 mit Expos. 26–31 (928, 33–933, 22) ging verloren. Die letzte Lage (ff. 222–228) ist lückenhaft und in Unordnung; es folgen aufeinander ff. 227, 222–226, 228, wobei je 1 Blatt herausgeschnitten zu sein scheint vor f. 227, nach f. 225 und nach f. 226, wie die noch übriggebliebenen Streifen vermuten lassen könnten. Diese sind jedoch nur die Falze von den zugehörigen Lagenblättern; ein Vergleich mit den verwandten Hss z. B. Sinait. gr. 1795 zeigt nämlich, daß dabei keine Texte verlorengingen, die scheinbar entfernten Blätter also wohl nie vorhanden waren. – Vgl. unten S. 110*, 146*, 179*, 208* u. 211.

701 *Trapezunt. Φροντιστ. 70*
R 809: 253 f. – Pap., unser Teil 19. Jh. – Kommentar zu Aristoteles, S. 593 bis 645 Auswahl aus Dial.

702 *Trikkala Schol. Doroth. 1 (ol. 734)*
R 817: 3 f. – Pap., 18. Jh., Vorbesitzer: Dorotheos, Metropolit von Sozagathupolis (vgl. Anm. zu R 817). – Als Ganzes Pinax II (S. 2 Anfang) und Expos. (S. 8–321), vermutlich von einem Druck (Jaši 1715 ?) abgeschrieben.

703 *Taurin. gr. 54 (B III 13; b. V. 34)*
R 825: I 156 f; R 827: 401; R 76: XXVIII (als Nr. 140) u. Film (g). – Pap., 15. Jh. – Theol. Sammelhs, ff. 47 r–55 r Expos. 8, 12 b, 13.

704 *Taurin. gr. 78 (B I 21; c. III. 21)*
R 825: I 172; R 827: 403 u. Film (g). – Pap., 16. Jh. – Hagiograph.-homilet. Hs, f. 134 r–v Pinax von Haeres.; ff. 134 v–150 r Haeres. – Vgl. unten S. 200*.

---

[1]) Abschriften der JD-Exzerpte verdanken wir Dr. P. Utto Riedinger-Metten, wie auch den Hinweis auf P. Lehmann, Eine Geschichte der alten Fuggerbibliotheken I [Schwäbische Forschungsgemeinschaft bei der Kommission für bayerische Landesgeschichte IV, 3 = Studien zur Fuggergeschichte 12], Tübingen 1956, S. 36 ff.

705 *Taurin. gr. 105 (B II 26; c. IV. 21)*

R 825: I 194 ff; R 827: 395 u. Film (g). – Perg., 12. Jh. – Kirchenrechtl. Hs, ff. 398 v–413 v Haeres. – Vgl. unten S. 202*, 205 u. 210 ff.

706 *Taurin. gr. 200 (B IV 22; b. III. 11)*

R 825: I 297 f; R 827: 410 u. Film (g). – Bombyz., 14. Jh. – Häreseolog. Hs, ff. 55 v–68 r Haeres. 1–99, 101, 100, 103. In c. 103 sind vor dem Epilog (777, 17 ff) 5 Seiten über weitere Irrlehren eingeschoben. – Die Hs ist durch Feuer und Wasser stark beschädigt. – Vgl. unten S. 202*, 205*, 212.

707 *Taurin. gr. 204 (B IV 15; b. III. 15)*

R 825: I 302 f; R 827: 395. – Perg., 12. Jh. – Asket. Hs mit Vätertexten, darin auch JD (Pege ?).

708 *Taurin. gr. 215 (B IV 7; b. III. 26)*

R 825: I 307 f; R 827: 411; R 76: XXVIII (Nr. 170) u. Film (g). – Bombyz., 15. Jh., Vorbesitzer: Kardinal Bessarion. – JD-Hs, ff. 1 r–2 r Epist.; ff. 2 r–34 v Dial. brev.; ff. 35 r–36 v Dial. fus. 18–28; ff. 37 r–154 (?) Expos. Die Blätter der Dial. sind zu ordnen: 1–16, 22, 17–20, 23–26, 21, 27–36. – Die Hs weist starke Brand- und Wasserschäden auf. – Vgl. unten S. 117 f*, 171* u. 174.

709 *Taurin. gr. 287 (C VI 3; c. I. 42)*

R 825: I 384 f; R 827: 423; R 76: XXVIII (Nr. 351) u. Film (t). – Pap., 15. Jh. – Philos.-theol. Sammelhs, ff. 1–35 Dial. brev. in 55 Kapiteln; ff. 35–130 Expos. Diese Angaben sind dem Katalog entnommen; die Foliierung ist nirgends mehr zu lesen. Von der Hs sind die meisten Blätter überhaupt verloren, die geretteten in argem Zustand. Von Dial. konnten als erhalten identifiziert werden Epist., cc. 4 b–16, 48–50, von Expos. wenigstens Teile von cc. 5–8, 12 b–20, 39–56, 59, 60, 98–100. – Vgl. S. 111*.

710 *Taurin. gr. 359 (B VII 8; b. I. 30)*

R 825: I 484 f; R 827: 426 u. Film (t). – Bombyz., 15. Jh. – JD-Hs, Epist., Dial. fus. und Expos. Erhalten sind nur etwa 100 Blätter, diese aber in schlechtem Zustand. Von der Foliierung ist nichts mehr zu lesen. Unsere Stücke sind fast ganz gerettet; es fehlen: Epist. (bis 524, 20), von Dial. nur kurze Stellen durch Verlust an den Rändern, von Expos. außer Randbeschädigungen cc. 86 (ab 1140, 39) bis 100. – Vgl. unten S. 140* u. 182*.

712 *Upsal. gr. 38*

R 86: 349 u. Film (g). – Pap., 16. Jh. – Mischhs, ff. 1 r–32 v Dial. brev. (c. 40 nach c. 46). – Vgl. unten S. 126 f*.

713 *Venet. Marc. gr. 75 (coll. 548)*

R 844: 52; R 845: 70 u. Film (g). – Pap., 13. Jh. – Hs mit theol. Traktaten, ff. 213 r–232 r Expos. 3–20. – Vgl. unten S. 191*.

714 *Venet. Marc. gr.139 (coll. 591 oder 551?)*

R 844: 79f u. Film (g). – Perg., Palimpsest; die untere Schrift enthält in schöner alter Minuskel nach beiläufigen Beobachtungen Theologisches (neutestamentliche Apokryphen oder häretische Schriften?), die obere Schrift aus dem 13. Jh. die Pege des JD: ff. 55 r–56 v Epist.; ff. 56 v–102 v Dial. brev. + ZKp.; ff. 103 r–105 r Dial. fus. 18–28; ff. 106 r–245 v Expos. (cc. 30 u. 46 mit langen Zusätzen); ff. 246 r–271 r Haeres. Der Schreiber gebrauchte in sehr hohem Maß Abkürzungen, hatte seinerseits offenbar eine Vorlage mit vielen Abkürzungen, die er nicht alle richtig zu lesen wußte; er bringt außerdem bei mehreren Kapiteln sonst nicht bekannte Zusätze an. – Vgl. unten S. 113f*, 119, 135*, 156f*, 162, 174, 204*, 206 u. 211[1].

715 *Venet. Marc. gr.140 (coll. 507)*

R 844: 80; R 845: 85ff u. Film (g). – Pap., 14. Jh. – JD und vorwiegend philos. Lexikon, ff. 2 r–3 v Epist.; ff. 3 v–48 r Dial. fus.; ff. 50 v–51 v Pinax II; ff. 52 r–169 r Expos. inv. – Vgl. unten S. 137*, 164 u. 177*.

716 *Venet. Marc. gr.152*

R 844: 84f u. Film (g). – Pap., 15.–16. Jh. – Theol. Hs gegen die Lateiner, f. 435 v–436 r Exzerpt aus Expos. 8 (832, 5–833, 11).

717 *Venet. Marc. gr.494*

R 844: 258f; J. W. Burgon, The last twelve verses of the gospel according to S. Mark, London 1871 (zitiert nach R 23: 21 u. 206) u. Film (g). – Pap., 13. Jh., Burgon 15. Jh. – Theol. Mischhs, ff. 124 r–155 v Expos. 1–26, 36–86. Kapitel 27–35 sind übergangen, c. 86 schließt mit 1152, 30 und einem Kolophon. – Der Bogen mit den Fol. 125 und 130 ist seitenverkehrt hineingebunden; es muß folgen ff. 124, 130 r–v, 126–129, 125 r–v, 131. – Vgl. unten S. 191*.

718 *Venet. Marc. gr.499 (coll. 802)*

R 844: 265; Gordillo 84 u. Film (g). – Pap., 14. Jh. – Theol. Hs, f. 1 r–v Pinax II; ff. 2 r–154 v Expos. – Vgl. unten S. 169* u. 177.

719 *Venet. Marc. gr.500 (coll. 803)*

R 844: 265 u. Film (g). – Perg., 13. Jh. – Überwiegend JD-Hs, ff. 2 r–5 r Pinakes I u. II; ff. 6 r–7 v Epist.; ff. 7 v–47 v Dial. fus.; ff. 48 r–146 r Expos. (inv. ?; Reihenfolge der Kapitel, ohne daß Blätter falsch gebunden sind: 1–18, 82–86, 10, 19–81, 52 b, 87–100). – Vgl. unten S. 140*, 146, 167, 171, 179 u. 182*.

720 *Venet. Marc. gr.503*

R 844: 265 u. Film (g). – Pap., 14. Jh. – Theol. Mischhs, ff. 117 v–120 v Expos. 86 (1137, 48–1153, 29).

721 *Venet. Marc. gr. 587*

R 844: 308 u. Film (g). – Pap., ca.15.Jh. – JD-Hs, f.3r–v Pinax I;
ff.4r–6r Epist.; ff.6r–52v Dial. brev. – Vgl. unten S. 106, 118*, 123, 141.

722 *Venet. Marc. gr. II,62 (Nan. 83; coll. 1150)*

R 850: 169f; R 854: 211f u. Film (g). – Pap., Kopie des griechischen
Textes der Ausgabe 1575, geschrieben 1600 auf Zakynthos von Anastasios Burderios (Vogel-G. 15). – JD-Hs, ff.1r–2v Pinax II; ff.4r–49r
Expos.; f.96v–97r Epist.; f.97r–v Pinax I; ff.97v–117r Dial. fus. Blätter
fielen aus zwischen ff.36 und 37 mit Expos. 53–59 (1017,19–1056,30),
zwischen ff.46 und 47 mit Expos. 82–88 (1124,20–1165,25), zwischen
ff.47 und 48 mit Expos. 89–100 (1172,34–1221,7) und zwischen ff.97 und
98 mit Dial. 1–8 (529,13–553,1). Die hier fehlenden Stücke bilden den
cod. Bodl. Can. 182 (unsere Hs 399). – Vgl. unten S. 133*, 174* u. 215.

723 *Venet. Marc. gr. II,105 (Nan. 127; coll. 563)*

R 850: 279f u. Film (g). – Pap., 16. Jh. – Theol. Mischhs, ff.43r–50v Fragment aus Expos.: cc.26 (ab 925,4) bis 36 (bis 945,42). – Vgl. unten S. 174*.

723A *Venet. Marc. gr. II,186 (M. 139; coll. 1180)*

Hsl. Katalog der Bibliothek u. Film (g). – Pap., 16.Jh. – Kontrovershs,
ff.81r–82v Exzerpte aus Expos. 21 (oft abweichend von Migne).

724 *Venet. Marc. gr. II,196 (coll. 1403)*

Hsl. Katalog der Bibl.; R 5: 206, A.6 u. Film (g). – Perg., 11.Jh., geschrieben von Johannes Presbyteros (Vogel-G. 206); befand sich im Legat
des Kard. Bessarion an die Republik Venedig, 1843 von Girolamo Contarini wieder der Marciana vermacht. – Pege-Hs, ff.1r–3r Epist.; ff.3r–48r
Dial. brev. + ZKp.; (ff.48r–50v ähnliche philos. Texte, nicht von JD);
ff.51r–77r Haeres.; ff.77v–211v Expos. (c.16 nach c.17). Im Bereich der
Dial. sind an mehreren Stellen Blätter ausgefallen und (wohl in der Zeit
Bessarions) durch Papierblätter mit dem dazugehörigen Text ersetzt
(= 724[1]): ff.9 + 10 = 576,29–580,28; ff.15–17 = 552,13–600,36; ff.19–22
= 601,38–613,23; ff.24–37 = 620,4–656,3, nachgeschrieben bloß bis
f.24v = 621,11. – Vgl. unten S. 96[1], 109*, 130, 159*, 200* u. 211.

725 *Venet. Marc. gr. IX,23 (Nan. 291; coll. 1041)*

R 850: 487 u. Film (g). – Pap., 16.Jh. – Hauptsächlich profane Mischhs,
ff.167r–170v Pinakes I u. II; ff.172r–174r Epist.; ff.174r–221v Dial.
brev.; ff.222r–225v Expos. 1–3. E 3 schließt in der Mitte von f.225v.
Laut Pinax hatte die Vorlage cc.93 und 94 vor c.82; c.100 ist als ϛϑ′
gezählt, als ρ′ ein Kapitel περὶ ἀγαθῶν angehängt; c.70 ist nicht genannt. –
Vgl. unten S. 115*, 130 u. 164*.

726 *Venet. Marc. gr. XI, 2 (Joh. et Paul. 10; coll. 1306)*

Hsl. Katalog der Bibliothek u. Film (g). – Perg., 14. Jh. – Mischhs, unter
Väterzeugnissen über den Ausgang des Heiligen Geistes f. 173 r Exzerpte
aus Expos. 12 b (849, 20–24) u. 8 (832, 8–11).

729 *Vindob. theol. gr. 9*

R 859: I 21 f; R 863: IV 356 (als Nr. 161); R 860[1]) u. Film (g). – Pap.,
14. Jh. – Dogmat. Hs, f. 198 v Expos. 8 (832, 6–833, 5).

730 *Vindob. theol. gr. 71*

R 859: I 153 f; R 863: III 163 ff (als Nr. 42); R 23: 189 (als Nr. 434) u.
Film (g). – Perg., 11. Jh., jedoch ff. 1–79 archaisierende Schrift des 12. bis
13. Jh. – Lukaskatene des Niketas, in der u. a. auch Expos. zitiert wird
f. 4 v c. 17 (869, 13–16; 872, 24–27); f. 67 r–v c. 45 (984, 22–33 mit kleinen
Lücken); ff. 67 v–68 r c. 46 (985, 16–988, 13); f. 68 r c. 47 (988, 15–23; 988, 30
bis 989, 17; 993, 42–996, 14); f. 76 r–v c. 81 (1116, 18–23); f. 80 r–v c. 51
(bis 1009, 21 mit gekürztem Text); ff. 80 v–81 r c. 56 (1028, 19–1029, 1;
1029, 21–26); f. 81 r c. 46 (1032, 28–34); f. 81 r–v c. 87 (1160, 36–1161, 36
mit Lücken); f. 84 v c. 47 (993, 11–35 mit Lücken) und c. 50 (1005, 28–32);
ff. 166 v–167 r c. 66 (ganz); f. 205 r c. 82 (1125, 8–10; 1124, 25–1125, 2 mit
Lücken); f. 235 r–v c. 82 (1117, 14–19; 1124, 23–25; 1121, 8–14; 1125, 11
bis 14); f. 297 r–v c. 64 (1081, 14–34; 1084, 3–10) und f. 302 r c. 64 (1081, 35
bis 1084, 2). Da die Foliierung auf unserm Film nicht sichtbar war, sondern
aus anderen Angaben erschlossen werden mußte, sind Fehler in den Blatt-
bezeichnungen nicht ausgeschlossen.

731 *Vindob. theol. gr. 84*

R 859: I 164 ff; R 863: V 324 ff (als Nr. 251) u. Film (g). – Perg., 11. Jh. –
Asket. Sammelhs, ff. 11 v–12 r Auszüge aus Haeres. wie bei Hierosol. S.
Sabae 365. – Vgl. unten S. 209 f*.

732 *Vindob. theol. gr. 95*

R 859: I 174 ff; R 863: IV 265 ff (als Nr. 147); R 42: 8 f u. Film (g). –
Pap., 15. Jh. – Theol. Sammelhs, ff. 66 r–95 v, 99 r–127 v Expos. (c. 16 steht
nach c. 17, cc. 89–90 [bis 1176, 27] und cc. 93–94 sind übergangen. Auf
f. 95 v Zeile 11 bricht c. 54 mit 1020, 22 ab. Es schließen an von weiteren
Händen [bis f. 98 v] Texte von Anastasios und anderen, auf f. 99 r beginnt

---

[1]) Eine Konkordanz für die Wiener Hss gibt H. Hunger, Codices Vindobonenses graeci.
Signaturenkonkordanz der griechischen Handschriften der österreichischen National-
bibliothek [Biblos-Schriften 4], Wien 1953. H. Hunger, der Verfasser dieses nützlichen
Büchleins, datierte für uns in sehr entgegenkommender Weise auch die nachfolgend aufgeführten Hss. – Von den hier einschlägigen Wiener Hss sind folgende von A. Busbeck in
Konstantinopel gekauft: Theol. gr. 9, 71, 84, 95, 144, 166, 168, 169, 217, 264, 306, 316, 324,
334; hist. gr. 56, 128; phil. gr. 149, 217.

c. 54 wieder von vorne); ff. 127 v–128 v Epist.; ff. 128 v–131 v Dial. brev. bis c. 30 (schließt verstümmelt mit 592, 17). – Vgl. unten S. 107*, 159*, 174 u. 215.

733 *Vindob. theol. gr. 133*

R 859: I 217; R 863: V 534 ff (als Nr. 293) u. Film (g). – Pap., Ende 13. Jh. – In der Hauptsache JD-Hs, ff. 1 r–2 r Epist.; ff. 2 r–31 v Dial. fus. (ff. 1–2 [bis D 1 = 529, 51] sind von einer Hand der 1. Hälfte des 16. Jh. ergänzt = 733[1]); ff. 32 r–33 r Pinax II; ff. 33 v–111 v Expos. – Vgl. unten S. 139 f*, 146 u. 181*.

734 *Vindob. theol. gr. 144*

R 859: I 223 f; R 863: V 9 ff (als Nr. 204); R 42: 13 f u. Film (g). – Pap., 14. Jh. – Theol. Mischhs, f. 7 r–v Pinax I; ff. 8 r–9 v Epist.; ff. 9 v–49 v Dial. brev. + ZKp.; ff. 49 v–51 v Pinax II; ff. 52 r–169 r Expos. (c. 12 b nach c. 16). In unserm Teil arbeiten verschiedene Hände: 1. (= 734) ff. 1 bis 56 v (Anfang bis Expos. 6 = 801, 18); 2. (= 734[1]) ff. 57 r–93 v (Expos. 6–44 = 976, 15); 3. (= 734[2]) f. 94 r–v (Expos. 44 = 976, 15–980, 6); 4. (= 734[3]) ff. 95 r–103 r (Expos. 44–51 = 1009, 18); 5. (= 734[5]) f. 103 v (Expos. 51 – bis 1012, 23) u. 6. (= 734[4]) ff. 104 r–169 r (Rest der Expos.). – Vgl. unten S. 111*, 120, 138, 155*, 166, 171 ff*, 187 u. 215.

735 *Vindob. theol. gr. 164*

R 859: I 238; R 863: V 6 ff (als Nr. 203) u. Film (g). – Perg., 13. Jh. – JD-Hs ff. 1 r–8 v, 17 r–32 r Dial. brev. ab c. 30 (Anfang verstümmelt) + ZKp.; ff. 33 r–96 v, 9 r–16 v, 97 r–107 v, 105 r–v Expos. Die Blätter wären in der bezeichneten Weise zu ordnen. f. 1 ist nach der alten, jetzt durchgestrichenen Zählung f. 29; demnach sind am Anfang 28 Fol. ausgefallen. Auf Expos. 88 folgt unmittelbar c. 90 ab 1176, 27. Die Kapitelordnung gegen Ende der Expos. ist diese: 88, 90, 89, 91, 92, 95, 96, 98, 99, 94, 93, ₹ (schließt mit 1209, 37). C. 100 fehlt, wohl durch Blätterverlust am Schluß des Kodex; außerdem steht c. 16 nach c. 17. – Die Expos. ist im wesentlichen von einer anderen Hand geschrieben als die Dial. (E = 735[1]), f. 33 (Expos. 1–2 bis 793, 6) aber ist von einer weiteren Hand ergänzt (= 735[2]). Wieder andere Schriften zeigen die letzten Blätter: f. 104 v (= 735[3]) c. 96 (ab 1205, 18) u. c. 98 (bis 1213, 23); ff. 106 r–107 v (= 735[4]) cc. 98 (ab 1213, 23), 99, 94, 93 (bis 1196, 34); f. 105 r–v (= 735[5]) c. 93 (ab 1196, 34) u. c. 97 (bis 1209, 36/37). – Vgl. unten S. 108*, 130 u. 159*.

736 *Vindob. theol. gr. 166*

R 859: I 241 f; R 863: III 174 ff (als Nr. 46); R 23: 304 (als Nr. 214). 1188 u. Film (g). – Pap., 14. Jh. – ff. 1–69 Katene zum Römerbrief; darin Zitate aus Expos.: f. 9 v c. 79; f. 11 v c. 44 (bis 972, 8) u. ff. 15 v–16 r c. 77 (bis 1108, 7).

737 *Vindob. theol. gr. 168*

R 859: I 245 ff; R 863: III 294 ff (als Nr. 64) u. Film (g). – Pap., unser Teil 14. Jh., 2. Hälfte. – Kapitel über die Trinität und Christologie in einem Mischkodex, ff. 343 v–352 v Expos. 8, 57, 58 (bis 1036, 13) u. 55 (ab 1025, 24).

738 *Vindob. theol. gr. 169*

R 859: I 250 f; R 863: III 179 ff (als Nr. 47) u. Film (t). – Pap., 14. Jh. – Bibelkommentar, in dem auch JD zur Sprache kommt (photographiert besitzen wir nur ff. 1 v–3 r, die jedoch nichts von JD enthalten).

739 *Vindob. theol. gr. 178*

R 859: I 262 ff; R 863: IV 370 ff (als Nr. 165); R 20: 322; R 42: 16 f u. Film (g). – Pap., 15. Jh. – Theol.-asket. Väterhs, ff. 289 v–292 v Expos. 97.

740 *Vindob. theol. gr. 190*

R 859: I 278 ff; R 863: V 306 ff (als Nr. 250) u. Film (g). – Pap., 15. Jh. – Dogmat. Hs, f. 333 r–v angeblich Exzerpt aus Dial. (gemeint ist wohl c. 65), berührt sich aber nur inhaltlich mit diesem Stück.

741 *Vindob. theol. gr. 198*

R 859: I 291; R 863: IV 478 f (als Nr. 199) u. Film (g). – Pap., 14. Jh. – JD-Hs, ff. 1 r–2 v Pinax II; ff. 3 r–166 r Expos. Zwischen ff. 151 und 152 ist eine Lage ausgefallen mit cc. 90–92 (bis 1192, 30). Ab f. 165 r (c. 99 = 1216, 17) schreibt eine andere Hand, die mit Schluß des Kapitels 99 auf f. 166 r abbricht. – Vgl. unten S. 165 f* u. 174.

742 *Vindob. theol. gr. 217*

R 859: I 317; R 863: V 1 ff (als Nr. 201) u. Film (g). – Pap., um 1300. – JD-Hs, ff. 1 r–83 r Expos. ab c. 13 (ab 852, 4; Anfang verstümmelt); f. 85 a r–v Expos. 8–10. Bei dem nur in der oberen Hälfte erhaltenen Folium 85 a handelt es sich offenbar um einen Teil der vor f. 1 ausgefallenen Blätter; es enthält recto cc. 8 (ab 832, 5) und 9 (bis 836, 1), verso c. 9 (ab 837, 9) und c. 10 (bis 840, 1). – Vgl. unten S. 166*, 174 u. 215.

743 *Vindob. theol. gr. 222*

R 859: I 320 f; R 863: V 538 ff (als Nr. 294) u. Film (g). – Pap., 14. Jh. – Theol. Mischhs, ff. 1 r–2 v Epist.; ff. 2 v–44 v Dial. brev. + ZKp. – Vgl. unten S. 105* u. 139.

744 *Vindob. theol. gr. 252*

R 859: I 354 ff; R 863: IV 448 ff (als Nr. 188); R 20: 322 u. Film (g). – Pap., 16. Jh. – Vorwiegend theol. Mischhs, ff. 27 r–28 r Dial. fus. 1. – Vgl. unten S. 120*.

745 *Vindob. theol. gr. 264*

R 859: I 372f; R 863: V 9ff (als Nr. 204) u. Film (g). – Pap., 14. Jh. –
JD-Hs, ff. 1r–3r Pinakes I u. II; ff. 3v–4r Schemata; ff. 4v–6r Epist.;
ff. 6r–48r Dial. fus.; ff. 49r–160v Expos. inv. In der Vorlage waren die
Blätter mit dem Text, der hier auf den Blättern 104r Z. 9 bis 111r Z. 7
steht (= E 100 Schluß bis c. 21 Anfang), an falscher Stelle eingereiht;
dadurch entsteht die jetzige Unordnung der Kapitel: 1–18, 82–100 (Anfang), 21–25 (Anfang), 100 (Schlußteil) bis 21 (Anfang), 25 Rest usw. –
Vgl. unten S. 133*, 178* u. 215.

746 *Vindob. theol. gr. 281*

R 859: I 388; R 863: IV 479f (als Nr. 200) u. Film (g). – Pap., 15. Jh.,
Vorbesitzer: Andreas Tarmarios von Epidauros. – JD-Hs, ff. 1r–175r
Expos. (der Quaternio mit den ff. 129–136 gehört nach f. 168v); ff. 175r
bis 176v Pinax II; ff. 177r–178v Expos. 12b. – Vgl. unten S. 180*.

747 *Vindob. theol. gr. 306*

R 859: I 413ff; R 863: V 250ff (als Nr. 247) u. Film (g). – Perg., 13. Jh. –
Häreseolog. Hs, ff. 87r–100r Haeres. in 103 Kapiteln (c. 100 steht nach
c. 101). C. 103 bricht mit 777, 16 auf f. 97r Z. 8 ab und wird nach weiteren
Häresientexten auf f. 99v Z. 3 wieder fortgesetzt. – Häresie 63 ist übersehen. – Vgl. unten S. 201f*, 205*, 212 u. 229.

748 *Vindob. theol. gr. 316*

R 859: I 430; R 863: V 3ff (als Nr. 202) u. Film (t). – Pap., 14. Jh. –
Pege-Hs, ff. 1r–180v Expos.; ff. 180v–181v Pinax I; ff. 182r–184v Epist.;
ff. 184v–245v Dial. brev.; ff. 246r–269v Haeres. Unser Film gibt den
Kodex erst von f. 74v (Expos. 45) ab und nur bis f. 269v wieder; deshalb
kann über das Vorhergehende und Nachfolgende (Haeres. 102?) über den
Katalog hinaus nichts gesagt werden. – Blätter sind ausgefallen nach
f. 127v mit Expos. 67–68 (bis 1092, 15) und nach f. 129v mit Expos. 71–72
(1096, 23–1100, 2). – Unser Teil ist von verschiedenen Händen angefertigt;
wenn diese auch wenigstens z. T. gleichzeitig und nach derselben Vorlage
arbeiteten, sei hier doch versucht, sie zu unterscheiden (nach den Untersuchungen von Hoeck): 1. (= 748) ff. 1r(?)–131r (Expos. 1–74 = 1104, 8);
2. (= 748[1]) ff. 131v–139r (Expos. 75–82 = 1121, 13); 3. (= 748[2]) ff. 139r
bis 181v (Expos. 82 bis Schluß) u. ff. 243r–269r (Dial. 67 = 669, 38 bis
Schluß; Haeres.); 4. (= 748[3]) ff. 182r–242v (Epist. bis Dial. 67 = 669, 37). –
Vgl. unten S. 111*, 126f*, 167*, 174, 203f*, 215 u. 229.

749 *Vindob. theol. gr. 324*

R 859: I 433ff; R 863: IV 334ff (als Nr. 157) u. Film (g). – Pap., 15. Jh. –
Theol. Mischhs, ff. 275v–296r Auswahl aus Expos. inv. (f. 275v) c. 17

(868,11–16), c.18 (873,32–876,1; 876,5–7. 16–21; 877,24–27), c.100 (1221,17–19; 1225,6–8), c.26 (921,1–3; 924,7–22; 925,12–32; 928,19–22; 929,16–21); (f.277r) c.28, c.26 (928,42–929,2), c.34 (940,4–9), c.35, c.36 (945,23–30), c.37 (952,23–24), c.38 (953,28–42; 956,5–15), c.41 (960,44 bis 961,5), c.43 (964,23–29), c.44 (976,5–7), c.46 (ab 985,15); (f.280v) c.47 (996,16–27), c.48 (bis 997,8), c.50 (1004,8–1005,32), c.51 (ab 1012,22), c.52 (ab 1013,30), c.53 (ab 1017,11), c.55 (ab 1025,24), c.56 (1029,14–36; 1032,18–25); (f.284v) c.57 (bis 1033,7), c.58 (1033,22–26; 1040,23–1041,18), c.62 (1072,43–1073,7); (f.287r) c.63 (1080,2–6), c.65 (ab 1085,16), c.66, c.68 (ab 1092,21), cc.71, 72, 75, 76, 78, 80 (gegen Ende Lücken) u. c.81 (schließt f.296r); f.296v Dial. 45 u. ZKp. (ohne Anfang). Unser Film beginnt erst mit f.275v. Möglicherweise setzt unsere Auswahl schon früher ein. – Vgl. unten S. 179*.

750 *Vindob. theol. gr.325*
R 859: I 435ff; R 863: V 239ff (als Nr.246); R 42: 32 u. Film (g). – Pap., 1. Hälfte des 16. Jh. – Theol. Mischhs, f.120r–v Expos. 10. – Vgl. unten S. 185*.

751 *Vindob. theol. gr.326*
R 859: I 439ff; R 863: III 259ff (als Nr.59); R 42: 32 u. Film (g). – Pap., 16. Jh. – Theol. Mischhs, ff.3v–56r Expos. 1–8 (bis 817,24), 13 (bis 853,12), 14 (ab 860,19) bis 24, 26–31 (bis 933,21), 33 (ab 937,31). Unser Film übergeht f.23v–24r = cc.15–17, so daß über den Inhalt dieser beiden Seiten und über Blattausfälle an dieser Stelle keine Aussagen gemacht werden können. – Die übrigen Lücken sind nicht auf Blattausfälle in unserm Kodex zurückzuführen. f.3 (= c.1 bis 789,26) ist von späterer Hand (= 751[1]). – Vgl. unten S. 191*.

752 *Vindob. theol. gr.334*
R 859: I 446f; R 863: IV 478ff (als Nr.198) u. Film (g). – Perg., 13.–14. Jh. – JD-Hs, ff.1r–131v Expos. Nach c.46 sind eingefügt ein Teil der Schrift gegen die Nestorianer (MG 95, 224,17–40) und ein Abschnitt aus Expos. 87 (1160,47–1161,18). – Vgl. unten S. 156*, 174 u. 215.

754 *Vindob. hist. gr.56*
R 859: V 100ff; R 863: VIII 846 (als Nr.44); R 42: 63 u. Film (g). – Perg., 10.–12. Jh., R 42: 12.–13. Jh. – Kanonist. Hs, ff.186r–200v Haeres. – Vgl. unten S. 206* u. 211.

755 *Vindob. hist. gr.128*
R 859: V 178f; R 863: VIII 39f (als Nr.39); R 42: 82 u. Film (t). – Pap., 15. Jh. – Dogmat.-homilet. Mischhs, zwischen ff.93v–120v u.a. Exzerpte

aus Expos.: f. 93 v c. 49; f. 94 v c. 60; f. 96 r–v cc. 76 u. 78; f. 96 v c. 81; ff. 97 r–103 v cc. 91–95; ff. 103 v–104 r cc. 5 (ab 801,5) u. 6; f. 104 v c. 59 (1048, 29–36); f. 105 r c. 34; ff. 105 v–106 r c. 37; f. 106 v c. 32 (936, 41–937, 8; 937, 20–24; 936, 30–36); ff. 118 r–120 v c. 36. Laut Katalog steht auf ff. 71 r bis 72 r noch Expos. 58.

756 *Vindob. phil. gr. 99*

R 859: IV 56 ff; R 863: VII 378 ff (als Nr. 95) u. Film (g). – Pap., 14. Jh. – Philos. Sammelhs, ff. 174 r–175 r Epist.; ff. 175 r–197 v Dial. brev. – Vgl. unten S. 115 f* u. 130.

756 A *Vindob. phil. gr. 149*

R 859: IV 83 ff; Gordillo 84 Anm. (theol. ist in phil. zu berichtigen!) u. Film (g). – Pap., 14. Jh. – Vornehmlich theol. Mischhs, zwischen ff. 248 r und 259 v wurden an Expos.-Zitaten festgestellt: f. 248 r c. 64 (bis 1081, 31); f. 248 v c. 62 (1073, 19–1076,7); f. 249 r–v c. 67 (bis 1089, 25 mit Lücken); f. 249 v c. 68 (bis 1092, 1; die folgenden 8 Zeilen sind nicht JD-Text); f. 250 r c. 70 (1093, 35–1096, 8); ff. 250 r–251 v cc. 72–75; ff. 251 v–252 r c. 17 (865, 18–869, 18); f. 252 r–v c. 13 (852, 33–853, 11); f. 252 v c. 17 (872, 28 bis 873, 12); ff. 252 v–253 r c. 20 (880, 14–20; 881, 34–884, 18; 884, 25–36; 885, 9 bis 10); ff. 253 v–257 r c. 21 (bis 897, 21); f. 257 r c. 26 (924, 7–19); f. 258 r–v c. 41 (960, 25–29; 960, 46–961, 6); f. 258 v c. 26 (925, 29–41. 12–23); ff. 258 v bis 259 r c. 27 (929, 24–31); f. 259 r c. 26 (928, 10–22) u. f. 259 r–v c. 44 (bis 976, 1). Auf f. 249 r steht ein angebliches JD-Zitat (wie in Athous Cutl. 178 f. 23 r); es läßt sich jedoch bei Migne nicht nachweisen. – Vgl. unten S. 181* u. 215.

757 *Vindob. phil. gr. 217*

R 859: IV 117; R 863: VII 227 ff (als Nr. 64) u. Film (g). – Pap., 15.–16. Jh., geschrieben vom Mönch Methusala v. Sinai. – Philos. Mischhs, f. 157 v Expos. 10 (bis 841, 2). – Vgl. unten S. 185* u. 215.

758 *Vindob. phil. gr. 316*

R 859: IV 154 u. Film (g). – Pap., 15.–16. Jh. – Philos.-theol. Mischhs, ff. 56 r–98 v Dial. brev. + ZKp. – Vgl. unten S. 112* u. 141.

759 *Vindob. phil. gr. 330*

R 859: IV 157 u. Film (g). – Pap., 14. Jh. – JD-Hs, f. 106 r Epist. (ab 524, 38 erhalten); ff. 106 r–107 v Dial. fus. 1; ff. 107 v–128 v Dial. brev. – f. 112 mit cc. 15–30 (580, 15–593,7) ging verloren; ferner fielen Blätter aus zwischen ff. 121 und 122 mit cc. 48/49 (621, 51–625, 19) und nach f. 128 (c. 57 bricht mit 645, 17 ab; damit schließt die Dial.). – Vgl. S. 117* u. 145.

III.

AUFGLIEDERUNGEN DER HANDSCHRIFTEN

1. Aufgliederung nach dem Inhalt

Die Pege enthalten ganz oder teilweise:

	a) ausschl. 150 Hss	b) neben and. Autoren 153 Hss	c) als JD-Korpora 25 Hss
Im einzelnen:			
α. nur einen Teil der Pege	52 :	100 :	4 :
Dial. brev.	4	13	—
Dial. fus.	10	16	—
Dial. unbest.	3	5	2
Expos. ord.	28	22	1
Expos. inv.	3	3	1
Expos. unbest.	4	6	—
Haeres.	—	29	—
Haeres. auctae	—	4	—
Haeres. unbest.	—	2	—
β. zwei Teile der Pege			
(Reihenfolge unbeachtet)	84 :	50 :	16 :
Db + Eo	35	25	8
Df + Eo	21	7	5
Df + Ei	19	10	—
Db + Ei	4	—	—
D + E unbest.	2	6	1
Db + H	—	—	1
Eo + H	3	2	1
γ. drei Teile der Pege	14 :	3 :	5 :
Db + Eo + H	9	3	4
Db + Eo + Ha	—	—	1
Df + Ei + Ha	4	—	—
Df + Eo + Ha	1	—	—

2. Aufgliederung nach Alter und Komposition der Pege-Teile

Komposition	9. u. 10. Jh.	11. Jh.	12. Jh.	13. Jh.	14. Jh.	15. Jh.	16. Jh.	17. Jh.	18./19. Jh.
Dial. brev.	arm.	297 +304	197	164 200? 327 628 642 673?	187[1] 487 562 577 743 756 759	286 558 640 677 721 732 758	414 488 489 712 lat Hi.	261?	23 160? 174?
Dial. fus.			361			181 318 633 667	142 289 299 395 398 442 551 latBil.	5 33 237 353	58 85 93 225 225A 226 227 235 241 260?
Expos.	347 alt-bulg.	35 679	330 426 lat-Burg.	109? 350 437 621 713 717 742 752	136 256? 269 282 393 439 605 636 718 741	48 49 141 291 293 335 377 380 427 428 440 455 555 557 695 746 latPan.	17 18 232 249 301 416 422A 683 723 751 latFa. lat-Bil.	8 14 16 97 114	96 108 125 131 159 233 264 273 684 702
Expos. inv.		266A	438 Zigab.	617	332 681	285 664 749		94	
Haer.		367 391		351A 366 370 747	593 706	208? 223 385 492 608 lat-Per.	165 627 704	411 lat-Cot.	
H(kan.)	351B 527	89A 195A 351C 392 484 506	390 520A 705 754	111 154 178	410	669			
Haer. auct.				(259)	697[1]	271 607 688	3		

Kompo-sition	9. u. 10. Jh.	11. Jh.	12. Jh.	13. Jh.	14. Jh.	15. Jh.	16. Jh.	17. Jh.	18./19. Jh.
Dial. br. + Expos.	515 syr. arab.	407 436 519 528 574 678 georg.	13 119 254	37 153 242 276 302 365 ? 483 572 600 680 735 armen.	80 90 157 303 307 415 430 434 446 447 449 502 ? 579 599 602 615 620 660 672 682 697 734	60 122 132 135 ? 168 ? 201 294 431 450 452 629 651 687 708 709	12 120 158 ? 185 236 255 ? 530 725	258 ? 690	
Dial. fus. + Exp.		348 514	130 ? 320	84 444 571 575 632 662 733	11 64 89 116 ? 187 194 382 429 445 578 654	42 371 453 710	405 650	126 418 lat-Comb.	
Dial. br. + Exp. inv.			219			24	384		
Dial. fus. + Exp. inv.		279 401	10 139 349 570	9 19 362 520 576 719	63 71 ? 121 195 204 309 448 580 715 745	46 352 451	66 140 612	15	
Db + H					150				
H + Db + E				594					
Db + E + H	220	644	312 (443) 495	376 714	314 510 635	180 (312)	288		
E + H	323		306		186	298			
E + Db + H				634	748				
E + H + Db				315 (H + E + Db)		603			
E + Db		196 435 441	546	188 378 (Ei + Db) 543	481 (E + Df)	210 234 (E + Df ?) 732		399 + 722 (E + Df)	105 ?
Df + Ei + Ha				259 ?	64 (Df + E + Ha) 573	101 ? 601 (Df + E Ha)			
D + H + E		724							
Db + H + E				lat-Grosset.					
Df + H + E									latLequ.

Zur Aufgliederung 2:

Erfaßt sind hier nur Hss, die wenigstens einen der drei Bestandteile der Pege oder ein größeres Stück davon enthalten, also nicht Zitate und kurze Fragmente. Nicht berücksichtigt ist sodann die Epistola, weil sie sich ziemlich regelmäßig zusammen mit der Db und Df findet. Mit Fragezeichen versehen sind die Hss-Nummern, deren Einreihung in die betreffende Spalte nicht gesichert ist. H(kan.) besagt die Überlieferung der Haeres. in kanonistischen Texten.

Aus der Liste ist zu ersehen, daß
1. der älteste griech. Überlieferungszeuge aus dem 9. Jh. datiert,
2. die Mehrzahl der Hss aus dem 13.–15. Jh. stammt,
3. Haeres. auct. in Hss erst seit dem 14. Jh. bezeugt sind,
4. Dial. fus. und Expos. inv. in Hss nachweisbar sind seit dem 11. Jh.,
5. keine Hs die von JD geplante Ordnung enthält[1]),
6. am stärksten belegt ist die Zusammenstellung Dial. brev. + Expos. ord.,
7. Dial. fus. mit Vorliebe mit Expos. inv. zusammengeht,
8. Haeres. auct., wo sie mit anderen Teilen der Pege auftreten, mit Dial. fus. und Expos. inv. gekoppelt sind.

3. Aufgliederung nach den Teilen der Pege

(in Klammern dahinter die Zahl der Hss, die wenigstens teilweise auf Film vorliegen)

Dial. brev. 107 (100)	Expos. ord. 174 (156)	Haeres. 52 (42)
Dial. fus. 92 (82)	Expos. inv. 44 (38)	Haeres. auct. 10 (7)
Dial. unbest. 19 (—)	Expos. unbest. 19 (—)	Haeres. unbest. 2 (—)

4. Aufgliederung der Sammelhss

Von den 227 Sammelhss, die nur kurze Stücke aus der Pege enthalten oder enthalten sollen, sind etwa

11 kanonistisch,	13 philosophisch,
5 liturgisch,	12 naturwissenschaftlich,
21 Katenen,	2 astrologisch,
6 sonstwie biblisch-exegetisch,	9 grammatisch oder klassisch,
12 pneumatisch,	3 Nikon-Hss,
5 (anti-)palamitisch,	99 allgemein oder sonstwie patr.,
9 homiletisch,	20 nicht bestimmbar.

---

[1]) Erst während des Druckes wurde die Hs 724 bekannt, die als einzige D + H + E enthält und gegen die sonstige Beobachtung zu sprechen scheint. Aber auch in dieser sind H als c. 34 (der Doctrina Patrum) bezeichnet, was m. E. zeigt, daß diese Zusammenstellung auf Rechnung des Kopisten zu setzen ist.

4. Sonstige Zusammenstellungen

Von den Hss der obigen Nummern 1–3 sind

in 7 Hss Stücke fälschlich als Teile der Pege bezeichnet,
in 1 Hs ein echtes Stück einem anderen Autor zugeschrieben,
31 buchbinderisch in Unordnung,
 6 Palimpseste,
 2 verschollen,
35 von mehreren Schreibern kopiert,
32 mit einem Schreibervermerk (vgl. Register),
23 mit einem namentl. Vorbesitzervermerk versehen (vgl. Register).

IV.

STEMMATA

Zur Prüfung des Abhängigkeitsverhältnisses der Hss wurde neben der Beachtung des äußeren Aufbaus, wie großer Textlücken oder -zusätze oder Ordnung und Umfang der Kapitel, vom Text eine Auswahl getroffen, die nach gemachten Proben einigen Ertrag an Textverschiedenheiten erwarten ließ. Diese Kollationsauswahl umfaßt: Epistola ganz, Dial. 1, 4 (brev. bzw. fus.), 10 (brev. bzw. fus.), 45–47, den Übergang von cc. 64 auf 65, von c. 65 die zweite Hälfte (ab 660, 17), von cc. 67 und 68 je Anfang und Schluß, c. 66 ganz; von Haeres. die ersten 5 Kapitel und die cc. 85 bis 100, von den noch folgenden Stücken je Anfang und Schluß; von Expos. Titel und Anfang von c. 1 (bis 789, 19), Ende von c. 4 und Anfang von c. 5 (800, 20–36), Ende von c. 9, c. 10 ganz und Anfang von c. 11 (837, 19–841, 10), c. 12 und den Anfang des folgenden Stückes (c. 12 b bzw. c. 13), c. 22, von c. 23 a den Schluß und c. 23 b ganz (905, 7–908, 5), den Schlußteil von c. 26 (ab 928, 36), cc. 29, 30, 43, 44, von c. 45 Anfang und Schluß, von c. 46 den Titel, von c. 90 den Anfang und die 2. Hälfte (Bibelkanon), c. 98 und von c. 100 den Schluß (ab 1228, 1). Trotz des relativ großen Umfangs dieser Kollationsauswahl (etwa $^1/_9$ des Gesamttextes) und trotz des Bemühens, möglichst viele Abschnitte der einzelnen Schriften zu erfassen, blieb ein Rest von Exzerpten und Fragmenten, der die oben bezeichnete Kollationsauswahl nicht traf und der deshalb bei der stemmatischen Untersuchung zunächst nicht berücksichtigt werden konnte; die Gesamtkollation wird auch ihnen den rechten Platz anweisen. Diese wird aber auch das bisher erarbeitete Stemma vielleicht da und dort noch mehr differenzieren, so daß z. B. zwei Hss nicht nacheinander, sondern nebeneinander zu stehen kommen, unter Umständen sogar ganz neue Erkenntnisse bringen.

Um übertriebenen Hoffnungen auf ein sauberes Stemma zu begegnen – ein Erfahrener dürfte kaum solche hegen –, sei von vornherein eine kurze Überlegung angestellt, die durch das Ergebnis in geradezu erschreckendem Maße bestätigt wird. Einmal ist anzunehmen, daß der Verlust an Hss in direktem Verhältnis zur zeitlichen Entfernung, zur Länge der Überlieferung und zu ihrer Breite steht, d. h. daß vermutlich desto mehr Hss verlorengingen, je weiter eine Überlieferungsperiode zurückliegt, je länger die Zeit ist, in der Hss den Fährnissen der Geschichte ausgesetzt waren, und je umfangreicher der ursprüngliche Bestand an Hss war. Was wir darum noch besitzen, ist sicher nur mehr ein Rest des einmal Vorhandenen, und die Zahl der verlorenen Textzeugen ist wohl nicht minder groß, wenn nicht größer als die der erhaltenen. Unsere Stemmata, wenn sie überhaupt so genannt werden dürfen, weisen darum klaffende Lücken auf, besonders in den älteren Zeiten, und lassen viele Verbindungsstücke vermissen und schweigen sich darum oft aus über Ort, Zeit und Herkunft von Textveränderungen, bestehen häufig nur noch aus Gruppen von Hss, die untereinander kaum noch in Verbindung zu bringen sind. Die Bindefehler[1]) nehmen dabei an Stärke um so mehr ab, als die stemmatische Größe wächst, so daß bei der Zusammenordnung zu den umfassenden Einheiten nur mehr von der Feststellung einer extremen Möglichkeit von Verwandtschaft auf Grund einiger beweisschwacher Varianten die Rede sein kann, die nicht mehr in jedem Fall Anspruch auf allgemeine Anerkennung erheben will. – Das andere Moment, das in unserer Überlieferungsgeschichte eine besondere Beachtung verdient, ist die doppelte Gestalt, in der die Pege ihren Weg durch die Jahrhunderte antrat. Diese Tatsache führte ganz natürlich zu Kontaminationen und Korrekturen und damit zu verschiedenartigen Mischformen, deren Zahl wieder der Länge und Breite des Überlieferungsstromes entspricht; besonders war dabei der kürzere Text immer der Gefahr ausgesetzt, nach dem längeren ergänzt oder von diesem überhaupt verdrängt zu werden. – So mag der Versuch, aus den noch bestehenden Überlieferungszeugen die beiden originalen Textformen zu eruieren, dem wenig aussichtsreichen Bemühen gleichen, aus einem Rest von abgefallenen Zweigen und Astteilen zwei lebendige, ineinanderwachsende Bäume mit all ihren sowohl natürlichen wie künstlich aufgepfropften und einokulierten oder sonstwie gezüchteten Trieben rekonstruieren zu wollen.

In der nun folgenden Untersuchung wurde in der Variantenwiedergabe bei den einzelnen Hss keine Vollständigkeit angestrebt, besonders nicht bei den letzten Gliedern eines Überlieferungszweiges. Die Lesearten aber, die verzeichnet wurden, sollen nicht bloß den nächstliegenden stemmatischen Zweck erfüllen, sondern auch einigermaßen einen Begriff vom textkritischen Wert eines Zeugen vermitteln. – Die hier gebrauchte Art der Variantenbezeichnung dürfte klar sein; eigens ist vielleicht zu bemerken, daß eine eckige Schlußklammer den vor ihr stehenden Text durch den auf sie folgenden ersetzt. – Zur Vereinfachung der Darstellung werden für häufiger und verstreut auftretende Varianten Buchstabensiglen verwendet; ihre Liste geht der stemmatischen Behandlung jeder einzelnen Schrift voraus.

---

[1]) Über „Bindefehler", „Trennfehler" und ähnliche Begriffe der Stemmatik vgl. P. Maas, Textkritik, Leipzig 1950², S. 27 ff.

7*

Die Tatsache, daß Haeres. in den Hss gewöhnlich nicht mit Dial. und Expos. überliefert sind, erfordert eine gesonderte Behandlung des Stemmas dieser Schrift. Aber auch für Dial. und Expos. empfiehlt sich eine solche wegen der häufigen Fälle, in denen nur eines der beiden Werke in einer Hs enthalten ist oder in denen die Hände und damit oft auch die Vorlagen wechseln; außerdem gewinnt ein Resultat an Sicherheit, wenn es auf getrennten Wegen erarbeitet wurde. – Die Reihenfolge, in der die einzelnen Gruppen behandelt werden, soll nichts über ihren überlieferungsgeschichtlichen Wert besagen. – Stemmatische Verbindungsglieder, deren Vorhandensein nur aus der Übereinstimmung anderer Textzeugen zu erschließen ist, werden mit Kleinbuchstaben sigliert, nötigenfalls mit Zusätzen, und zwar mit lateinischen Buchstaben in der Dial. brev. und Expos. ord., wobei nach Möglichkeit derselbe Buchstabe für die einander entsprechenden Gruppen in beiden Schriften verwendet wurde, Frakturbuchstaben in der Dial. fus und Expos. inv. – Da die textliche Darstellung des Stemmas immer auf das Schema Bezug nimmt, sei dieses, obschon es erst das Ergebnis der Arbeit ist, als Wegweiser den einzelnen Abschnitten vorausgesetzt.

1.

DIE STEMMATA DER DIALEKTIK
EINSCHLIESSLICH DER EPISTOLA

In der folgenden Darstellung des Stemmas der Dial. werden für verschiedene Varianten Siglen verwendet; es bedeutet:

a	521,1	ὁσιωτ.] ἁγιωτάτῳ;
b		πατρί om, Regel für fus.;
c	521,2	ἁγιωτάτῳ om;
	521,3	der Titel der Epist. schließt mit:
d		Ἰωάννης μοναχός, Regel für fus.;
e		Ἰωάννης ἐλάχιστος, Regel für brev.;
f		Ἰωάννης ἐλάχιστος ἐν κυρίῳ χαίρειν;
g	521,6/7	ἀδύτων statt des häufigeren ἀδυνάτων;
h	9/10	ἐκεῖνος ὁ θεῖος St.;
i	21	ὑπὲρ οὐσίαν] ὑπερούσιον;
k	24	ἑαυτὸν ἐκάλει St.;
	27/28	der richtige Text lautet ὁ ῥύπῳ μὲν πάσης ἁμαρτίας;
l		ὁ ἐρρυπωμένος πάσῃ ἁμαρτίᾳ καί;
m		ὁ ῥερυπωμένος πάσῃ ἁ. καί;
n		ὁ ῥερυπωμένος καὶ πάσῃ ἁ.;
o	524,1	μήτε an Stelle des häufigeren καί;
p	4/5	κτίσεως] φύσεως, Regel für fus.;
q	15	μιμητής] μαθητής, Regel für fus.;

r	16	+ μέχρι τέλους, fehlt in der Mehrzahl der Hss;
s	19	φωτίζεται] σοφίζεται;
t	27	σοφίζ.] φωτίζοντος;
u	29	πρῶτον statt des häufigeren πρότερον;
v	36	ἔφη om;
w	38/39	καί . . . καρπώσομαι] om;
x	525,2	περικεκοσμημένην om;
y	8/9	δύναμις + ἑκάστῳ;
z	11	παρακαλῶ θεοτίμητοι St.;
A	529,14	οὐδὲν ἕτερον St.;
B	532,25	τέλειον δίδοται St.;
C	26	τοῖς] τούτοις;
D	537,4	+ τῶν πραγμάτων, Einfluß der brev.;
E	4/5	τὸ . . . θεωρούμενον statt der fus.-Lesart ἡ -μένη;
F	35/37	συμβεβηκός . . . ὕπαρξιν] om (Homoiot.);
G	540,10	συναναιρεῖται statt des häufigeren ἀναιρεῖται;
H	10/11	μή . . . φρόνησις] om (Homoiot.);
I	12/13	γὰρ εἶναι ψυχήν St.;
K	540,14	καὶ μὴ ἐν ἑτέρῳ ἔχον τὸ εἶναι St.;
L	560,48/561,1	ἑκάτερον] ἕτερον;
M	561,34	φαμεν statt des häufigeren φασιν;
N	45/46	+ διὰ τὸ μή . . . διαιρούμενα, aus der brev. übernommen (= 569,12–13);
O	564,13/14	οὐκ ἔστιν τὸ ὄν St.;
P	30/31	ἄψυχον καὶ ἔμψυχον St.;
Q	34	ζῷον τό] om;
R	40	βοῦν ἵππον St.;
S	565,27	εἰσὶν εἰδικώτατα] μόνον εἰσὶν καὶ οὐ γένη · διό(τι) εἰδικώτατά εἰσιν, Einschiebsel aus der brev. (= 572,32);
T	29	καὶ εἴδη ὑπάλληλα St.;
U	43	διαιροῦσι τὸ ζῷον St., Einfluß der brev. = 572,48;
V	568,12	ἀπό pr ὡς;
W	33	μνημονεύομεν] ἐμνημονεύσαμεν;
X	569,13	ῥηθῆναι] εὑρεθῆναι;
Y	45	καὶ ἀψύχου] om;
Z	572,10	δέχ.] ἐπιδέχονται;
α	27/28	οὔτε ὁ] ὅ τε;
β	30	εἶδος[2]] γένος;
γ	45/47	λίθον . . . ποιῶ] om (Homoiot.);
δ	620,4	ζωόφυτον καὶ φυτόν] om;
ε	4	καὶ φυτόν] om;
ζ	10	ἵππον om;
η	10	κύνα om;
ϑ	14	πρόσωπον + καὶ χαρακτῆρες;

ι	c. 47	ein längerer Abschnitt: ἡ οὐσία γενικώτατον γένος ἐστὶν ὡς μὴ ἔχουσα . . . ὑποκάτω;
κ	620,32	vor Τί μὲν οὖν ein neuer Titel: περὶ τοῦ τί ὑπάρχει ἴδιον τῆς οὐσίας;
λ	36	καί . . . συμβεβηκότων] om (Homoiot.);
μ	41	καὶ τοιάδε + καὶ τοιάδε, Regel für brev.;
ν	41	καὶ τοιάδε + καὶ τοῖα;
ξ	621,8/9	παροῦσαι u. ἀποῦσαι statt des zu korrigierenden παρόντα u. ἀπόντα;
π	20	λέγω + οὐ;
ρ	21	ἐπεὶ οὐσιωδῶν] ἐπουσιωδῶν;
σ	21	οὐδαμῶς om;
τ	660,18	οἷον om;
υ	22	ποικίλον] πολυποίκιλον;
φ	23	φαινόμενος] ὤν;
χ	34	διαμορφουμένη] διατυπουμένη;
ψ	661,14	γίνεται] λέγεται;
ω	20/21	μεταλλικῶν . . . τοιούτων] om (Homoiot.);
Γ	22	οἴνου τυχόν] οἷον οἴνου φημί;
Δ	23/26	+ κατά . . . ἀποκαθισταμένης, sonst zu streichen;
Θ	664,11/12	προστρ.] συντρέχουσα;
Λ	14/16	κρᾶσίς ἐστι . . . ποιότητας post ἀντεμβολή (17/18);
Ξ	23	λόγους ποιεῖται St.;
Π	24/25	ἐπενόει statt des gewöhnlichen ἐπινοεῖ;
Σ	25	φημὶ καί + ὁμοβουλίαν καί;
Φ	665,10	ἀμετάτρεπτα statt des häufigeren ἄτρεπτα;
Ψ	20	τούτων + φυσικά;
Ω	668,21	ἀποτελεσθῆναι μίαν φύσιν St.;
ς	21	ἀποτελεσθῆναι σύνθετον φύσιν St.;
ҁ	669,2	ἀδύνατον[2]] ἀμήχανον;
ⳉ	4	ἔργον om.

Anmerkung zu den Schemata

Bei den schematischen Darstellungen der Stammbäume ist zu beachten, daß

1. sie nur Hss enthalten, die in eine Gruppe eingereiht werden konnten,
2. im Interesse der Übersichtlichkeit auf die Angabe der Nebeneinflüsse verzichtet wurde,
3. Siglen von Hss, die sich nur im allgemeinen einer Gruppe zuordnen ließen, im Raum dieser Gruppe angeführt sind, ohne mit dem Stamm durch eine Linie verbunden zu sein,
4. zuweilen mehrere Hss einer Sippe auch unverbunden unter ein „Dach" gesetzt wurden,
5. eine gestrichelte Linie eine nur lose Verbindung ausdrückt,
6. Siglen von Exzerpten oder kurzen Fragmenten schräg geschrieben sind,
7. die Hss-Siglen von JD-Korpora unterstrichen sind.

103

Schematische Darstellung
der Handschriftengruppen
der Dialectica brevior = Db

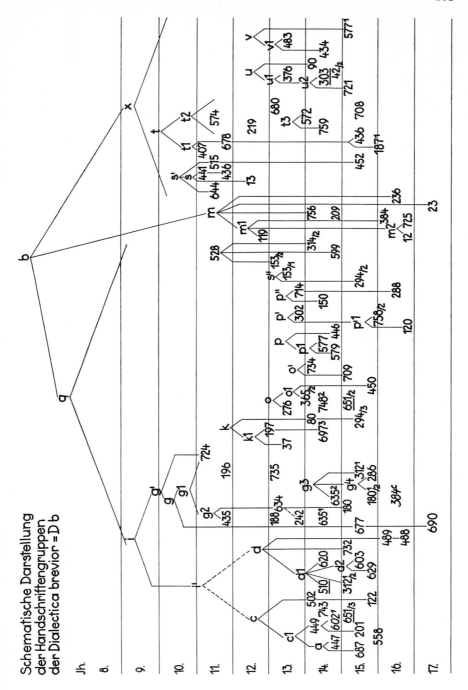

a) Dialectica brevior

In der Überlieferung der D fällt ohne weiteres die Scheidung in die D.brev. und D.fus. in die Augen. Was im groben Aufbau den beiden eigentümlich ist, wurde oben S. 2–3 gesagt.

Im einzelnen lassen sich die Textzeugen der D. brev. in folgender Weise zusammenordnen:

a=447+687[1]):

Bindefehler: Var. ω; 537,33 αὐθύπαρκτον + τὸ ἀφ' ἑαυτοῦ ἔχον τὴν ὕπαρξιν καί; 572,2 οὐκ ἔτι] οὐ; 572,24 φασί post διό; 660,29 τραγελάφων + μυθολογία ἤτοι; 664,24 φίλου] φίλος; 669,14 τεσσάρων om.
Trennfehler 447: 537,36 δυνάμενον ausradiert; 665,22/24 ψυχῶν . . . λοιπῶν] om (Homoiotel.). Kontamination: 665,10 ἄτρεπτα gg. Var. Φ bei c.
Trennfehler 687: 521,26 θεοῦ καί] om; 573,1 κύνα + ἢ βοῦν; 668,19 ὑποστάσει om; 668,21 φύσιν μίαν Stellung (in 447 ist φύσιν ganz ausgefallen, so daß anzunehmen ist, daß dieses Wort auch in a fehlte und an unklarer Stelle ergänzt wurde); 669,2 ἐναντίας om. Kontamination: mit fus. 573,1 τυχόν om = 568,3 und Var. p.

Mit a sehr nahe verwandt ist **558**:

Bindefehler wie bei a; durch Kontamination wurden davon aber beseitigt die Varr. ϑ und φ und die von 525,7; 537,35; 568,17, sämtliche bei c genannt, und die von 521,20 bei c1.
Trennfehler: Varr. k, F (ist jedoch ergänzt unter Übergehung von δυνάμενον in 537,36; s. 447!); 620,10 καί bis 620,24] om; 668,21/669,1 φύσιν . . . μίαν] om (Hom.). Kontamination: mit 201 Var. λ und 525,5 καί . . . ἀποθέσεως] om; mit fus. 521,3 Ἰω. ἐλάχιστος μοναχὸς ὁ ἀπὸ Δαμασκοῦ χαίρειν; 568,40 und 46 ἄνθρωπος + ἤγουν ὁ Ἀδάμ und πατέρα + τὸν Ἀδάμ = 561,23 und 29; Var. p; mit 502 die Stellung μηδαμῶς μηδαμῇ in 617,6.

c1=a+449:

Bindefehler: 521,20 αὐτήν] αὐτοῦ; 524,26 τῆς ἐμῆς καρπόν St.; 620,37 ἐχόντων] ἔχουσα.
Trennfehler a = Bindefehler a.
Trennfehler 449: 521,1 ist dem Titel vorausgesetzt ἀρχὴ σὺν θεῷ τοῦ φιλοσοφωτάτου Ἰω. τ. Δ.; 525,3 ἔσωθεν] ἔξωθεν; 569,20/572,4 ἀλλήλων . . . Παῦλον καί] om, in 201 am Rand später ergänzt; 617,6 σημαίνει + ὡς τὸ ψεῦδος, τὸ σκότος καὶ τὰ τοιαῦτα; 665,23 τὰ τοῦ σώματος] om, vermutlich schon in einer Vorlage übersehen, am Rand ergänzt (wie auch in 201) und von einem Kopisten an unrichtiger Stelle eingefügt, wodurch sich die Textänderung in Z. 22 ergibt: τὰ χωρίζοντα] καὶ τοῦ σώματος ἅτινα χωρίζουσιν; 201 läßt unter dem Einfluß dieser Umgestaltung in Z. 21 τά τε aus.

---

[1]) Diese auch im folgenden gebrauchte verkürzte Ausdrucksweise besagt: Die Hss 447 und 687 gehen zurück auf die zu erschließende Hs a. Über Binde- und Trennfehler s. S. 99, A. 1.

Auf 449 gehen zurück **201** und **602¹**:

Trennfehler **201**: 525,5 καί ... ἀποθέσεως] om; 572,33/34 εἰδικωτάτων] γενικωτάτων; 669,2 ἐναντίας om; Varr. h und λ, später ergänzt wie auch andere Lücken.

Trennfehler **602¹**: begrenzter Umfang (diese Hand erst ab c.57).

c=c1+502:

Bindefehler: Varr. α, ϑ, ξ, φ, Γ, θ, Φ; 525,7 μέν om; 537,35 τήν + σύστασιν ἤτοι τήν; 568,17 ὁριζ.] διοριζόμενοι; 620,40 τοῖον (so zu lesen)] ποῖον; 621,18 δεκτικήν (Endung); 660,19 ἐστι om.
Trennfehler c1 = Bindefehler c1.
Trennfehler **502**: Varr. h, m, o, W; 524,2 χρηματίσαι ante θεοῦ und θείων + αὐτοῦ; 524,3 τοῖς νοηθεῖσιν] om; 524,4 φθέγξομαι] -ξασθαι; 524,22 τοῦ + θείου; 569,6 αὐτῶν¹ om; 569,12 + ὡς εἶπον; 569,20 γενικωτάτου + γένους; 664,2/3 σύγκρασιν] καὶ σύγχυσιν. Kontamination: mit fus. 521,3 in der Briefüberschrift ἐλάχιστος + μοναχός.

Von 502 ist **122** abgeschrieben:

Trennfehler: 521,15 λόγου om; 572,5/6 τὰ γὰρ εἴδη] om; 664,30 καὶ ἐνού-μενα] om. Kontamination: von den c-Bindefehlern sind beseitigt die von 537,35 und 660,19.
Die in 502 aus der fus. ergänzten (= **502¹**) und von 122a mit abgeschriebenen Kapitel stammen allem Anschein nach aus ȝ; selbst zur Epist. dürfte dieser fus.-Stamm noch beigesteuert haben, wie Lesarten vermuten lassen (siehe dort bei r). Einige Varianten dieser Ergänzungskapitel sind folgende: 529,28 εἰλικρινῶς καὶ ἐπιμελῶς (Stellung, nur noch in der bereits genannten Untergruppe; von den vielen Varianten dieser Gruppe wird aber sonst keine mehr übernommen); 529,33 ὅλη + οὖν (auch in ƕ und ƿ); 532,19 ψευδωνύμων + αὐτῶν (Sonderlesart) und 532,26 τοῖς + τούτοις (erinnert wieder an ȝ). Für c.4f sind keine Varianten zu verzeichnen, wie in ȝ. Die Aufnahme des zweiten Teiles von c.47 in die Ergänzungskapitel ist offenbar als Anhang zu c.39 gedacht und damit eine Entlehnung aus x. **122a** verändert die Vorlage nur ganz geringfügig.

651 ist wenigstens im Schlußabschnitt mit 502 eng verwandt:

Bindefehler: alle von 502, ausgenommen der von 664,2/3, wohl auf Grund von Kontamination.
Trennfehler: 664,8/9 διαφόρων ... ἐκ] om (Hom.) und 664,26 καί¹ + ὁμο-βουλίαν καί. In c.10 – der Teil dieser Hand beginnt erst in der Mitte dieses Kapitels – steht 651 näher bei o und in c.47 nur teilweise bei unserer Gruppe: es fehlen die Varr. von 620,40 und 621,18 (beide bei c).

743 schließt sich in Epist. und c.4 ebenfalls großenteils 502 bzw. 122 an; doch sind (meist mit fus.) wieder die Varr. d, g, k, q, r, t, w und H zu lesen, außerdem mit r 524,44 die Stellung τοῦ ψεύδους ἐλάτ. καὶ τ. πλ. ὀλ.

C. 10 deckt sich, abgesehen von der Umstellung in 572,24, ganz mit a; Sonderfehler: 569,49 ἔχειν om. Cc. 45–47 folgen aber wieder 502; doch ist ausgeblieben die Erweiterung von 664,2 und, wie bei 122, καὶ ἐνούμενα in 664,30.

d 2 = 603 + 629:

Bindefehler: Var. h; 521,26 τοὔμφ.] τὸ ἐμφανές; 572,36 διαφοραὶ καὶ φυσικαί St.; 620,34 τε + ἅμα.
Trennfehler **603**: 521,1 Κοσμᾷ om; 572,51 θνητόν + νοῦ καὶ ἐπιστήμης δεκτικόν.
Trennfehler **629**: 569,32 μόνον om. In den letzten Kapiteln ist keine unserer Gruppenvarianten mehr zu finden, auch das ZKp. fehlt, weshalb ein Wechsel der Vorlage angenommen werden muß; welcher Art die neue ist, ist jedoch nicht festzustellen.

d 1 = d 2 + 312¹ + 510 + 620:

Bindefehler: 524,16 πρός] εἰς; 569,28 εἶναι δυνάμενον St. Kontamination: 620,32 der Titel wie in x; Rückbildung der Var. W und Wiedereinführung von ὡς εἶπον in 569,12 (i′).
Trennfehler d 2 = Bindefehler d 2.
Trennfehler **312¹** (hier nur die Schlußkapitel): Var. τ; 661,23–26 an Stelle des nur schwach belegten Satzes ab κατά der Ausdruck ἢ κατὰ παράθεσιν ὡς ἐπὶ τῶν ψηφίδων, der sich sonst nur noch in den nicht näher verwandten Hss 415, 633 (u) und 721 (u) findet. Die übrigen Teile stehen bei g 3.
Trennfehler **510** (ohne cc. 1–5): 568,13 τρόπον (einzufügen nach ἕτερον) + ὡς. Kontamination: 620,37 ist τῶν συμβεβηκότων wieder eingeführt (d).
Trennfehler **620** (bis c. 47): 568,26/28 γένος ... εἰπόντες] om (Hom.), später am Rand ergänzt.

510 + 620 schicken der Epist. Teile der fus. voraus, 510 die Kapp. 1–5, 620 von fremder Hand (= 620¹) die Kapp. 1, 2 und 5. Diese Stücke sind ebenfalls miteinander verwandt:
Bindefehler: 529,11/12 γνῶσιν²... γνώσεις] διάγνωσιν, ἡ δὲ τῶν παρόντων ἐπίγνωσιν; 529,24 οἱ ἀπόκρυφοι] καὶ ἐπιστήμης etc.
Trennfehler der fus.-Kapp. 510: 529,29 ὄμμα] ἔαρ; 529,35 περιαγόμενον] περιβλεπόμενον (beide später berichtigt); 532,22/23 ἁρμοζόντων] μείζω τόν. C. 4 ist von anderer Hand, die offenbar kontaminiert: 536,38 τοῦτο + οὖν τὸ ὄν mit q bzw. υ 1; 537,7/8 συμβεβηκός bis zum selben in 8 einzufügenden Wort om (Hom.), wieder mit υ 1.
Trennfehler 620¹: c. 2 schließt bei 533,7; 529,13 μᾶλλον ἄγνοια; 529,30 πάθεσιν + ἀλλὰ καθαρῶς.

Mit 620¹ deckt sich nach Umfang und Wortlaut genau das Exzerpt **498**.

d=d1+732+489:

Bindefehler: Varr. ζ, ν, υ, Σ; 524,44 ὀλέτειραν] ὀλετῆρα und ἐλάτ.] ἐλατῆρα; 540,10 ψυχῆς + οὔτε ἡ φρόνησις δύναται εἶναι; 569,13 ῥηθῆναι] κληθῆναι; 572,20 ἐπί] μέχρι; 572,32 εἴδικ. + εἴδη (in d wohl als Ergänzung eingefügt, weil es bei 489 ganz fehlt, bei 732 nach εἰσιν, in d 1 aber nach der angegebenen Stelle eingereiht ist); 620,34 τε] ἅμα; 620,37 τῶν συμβεβ.] om; 621,12 μεταδίδειν (Endung); 660,25 τυγχάνει ante ἀνάπλασμα; 665,1 ἀσύγχυτα μένει St.

Trennfehler d 1 = Bindefehler d 1.

Trennfehler **732** (bis c. 30): 524,30 τι + ἐστι; 568,38/40 οὐκ ... εἴδη] om; 569,26 πρᾶγμα + λέγεται.

Trennfehler **489**: Epist. fehlt; Varr. X, ρ, ω, ϟ; im Zusatz zu 540,10 δύναται] δυνατόν; 568,9/10 = Titel zu c. 10: περὶ γένους καὶ εἴδους (gewöhnlich ist er erweitert um: τοῦ γενικωτάτου καὶ εἰδικωτάτου καὶ τῶν ὑπαλλήλων); 569,32 μόνον om; 572,24 φασὶν οὐδέ St.; 660,25 δέ + ἄλλη; 665,9/10 τὰ τούτων φυσικὰ ἰδιώματα] τάττυων φυσικαὶ διώματα. Kontamination: 664,10 + γνωριζόμενον mit 603; Rückbildung der Var. I (i).

Wohl unmittelbare Abschrift von 489 ist 488, soweit erhalten:

Trennfehler: 572,13/14 ὑποκάτω (in 489 etwas undeutlich geschrieben)] ὑπὸ μετ᾽; 572,51/52 λαμβάνω ... θνητὸν καί] om (Hom.; in 489 kommt θνητὸν καί von 572,52 fast unmittelbar unter das von Z.51 zu stehen); der mittlere Teil der D ging verloren.

i'=c+d:

Bindefehler (schwach, nur für die erste Hälfte): Varr. V und Z.

Trennfehler c = Bindefehler c.

Trennfehler d = Bindefehler d.

g4=180¹+286:

Bindefehler: Titel zu c. 10: περὶ (286 + τοῦ γενικωτάτου) τοῦ γένους καὶ εἴδους εἰδικωτάτου κ. τ. ὅ.; 569,13–14/15 ἀδύνατον ... διαιρούμενα] om (Hom.); sichere Übereinstimmung dieser Hss mit dieser Sippe besteht erst wieder in den Schlußkapiteln; im mittleren Teil dagegen wurde ausgiebig kontaminiert.

Trennfehler **180¹** (diese Hand bis in c. 10): eigene Textform von Epist. und c. 4. Die Lücke von 569,13–14/15 ist ergänzt, wobei die Form ἐνθῆναι (von g') auftaucht. Kontamination: Epist. und c. 4 schließen sich weder dieser Gruppe an noch eindeutig einer anderen. 180 s. unten bei g 2.

Trennfehler **286**: 661,19 καί (statt μετάλλων ist zu setzen καὶ τῶν μεταλλικῶν) ... τηκτῶν] om (Hom.). Kontamination: Var. G; 540,14 ἐν ἑαυτῷ ὄν + Var. K mit 677.

g3=g4+312¹+635²:

Bindefehler (in Epist. nur 312¹ + 635²): Varr. q und u; 524,3 ἔχων om;

524,17 χάριν post φωταγωγόν; 524,26 τῆς ἐμῆς καρπόν St.; 568,14 λέγονται
om; 568,30 λέγοντες (so zu berichtigen)] διαλεγόμενοι; 568,38 ἐκ] ἐξ αὐτοῦ;
568,47 ἐπί] περί; 569,12/13 ὡς εἶπον post εἴδη Z.13; 572,10 δέχονται post
ἀνθρώπου; 572,16 μεταδίδ. + τοῖς ὑποκάτω αὐτοῦ; für die kommenden Lesarten stehen nur noch 286 + 312^1 zur Verfügung: 572,26 ὅθεν δῆλον] om;
572,49 οὖν + πάλιν. Kontamination: 569,45 ist wieder καὶ ἀψύχου eingefügt
(gegen Var. Y).
Trennfehler g 4 = Bindefehler g 4.
Trennfehler 312^1 (hier ohne die Schlußkapitel): statt des Widmungstitels:
τοῦ σοφοῦ καὶ θείου ἀνδρὸς Ἰ. τ. Δ. λογική. Kontamination: 540,14 wie 286
mit 677; der Schlußteil folgt d 1; Anschlußstück nach ZKp. mit 635^1.
Trennfehler 635^2 (bis in c. 10): Var. t; 568,30 διαλέγοντες; 569,14 εἴδη om.
Kontamination: 525,11 die Stellung θεοτίμητοι παρακαλῶ mit fus.; 569,12
αὐτῶν + ὡς εἶπον (gegen i); folgt ab 572,3 der Gruppe g 2. – 635^1 (ab c.10)
könnte mit g 2 verwandt sein auf Grund der Varr. Z und α und μεταδίδειν
in 621,12.

g 2 = 435 + 634:

Bindefehler: Varr. V, Z, α; 621,12 μεταδίδειν.
Trennfehler 435: 572,22 εἴδη om.
Trennfehler 634: 524,1 ist καί erhalten; 524,19 καθαίρεται ... φωτίζεται]
καθαιρίζεται; 525,9 συντετμημένον] συντετηγμένον; 525,11 παρακαλῶ om;
661,16 κόλλησιν] κόλασιν. Kontamination: die Varr. h und μ sind beseitigt.

Die gleichen Lesarten wie 634 weist **180** auf, möglicherweise auf
Grund einer unmittelbaren Abhängigkeit.

g 1 = g 2 + g 3 + 196 + 242 + 735:

Bindefehler: Varr. Π und ς; 620,35/36 ἀνυπόστατον ... οὐσία] om; 664,24
πρὸς φίλους (Numerus).
Trennfehler g 2 und g 3 = ihre Bindefehler.
Trennfehler **196**: 524,46 προφητῶν] γραφῶν; 525,10 προστάγματι] κελεύ-
σματι; 540,16 εἶναι] νοηθῆναι. Kontamination: Rückbildung der Varr. h
und r und der von 524,44; 521,12 ἔμφασιν ἀποσμηξάμενος St. mit 543;
540,13 ἐκτός] χωρίς mit k; 572,2 οὐκ ἔτι] οὐ besonders mit k; 572,36 διαφοραὶ καὶ φυσικαί St. mit d 2; 620,33 οὐσία + καὶ τί συμβεβηκός mit g 3;
Var. p mit fus.
Trennfehler **242**: 664,10 προσώπῳ + ὄν; 665,22 αὐτήν post λοιπῶν. Kontamination: die Varr. g und h sind beseitigt; Var. Z mit g 2; die Lücke
569,13/15 mit g 4. Auch zu 196 und 635^1 scheinen Beziehungen zu bestehen.
Trennfehler **735** (ab c.30): 661,23 οἴνου καὶ μέλιτος] om. Kontamination:
verschiedene Unstimmigkeiten in den cc. 45–47; 620,14 von anderer Hand
Var. ϑ mit c.

384^c schöpfte seine Lesarten offenbar aus g 3 wegen der Übereinstimmung in ἐκ] ἐξ αὐτοῦ bei 568,38 und εἴδη + καί bei 569,12.

g=g1+677:

Bindefehler: Varr. h, Y und 540,14 ἑαυτῷ + ὄν.

Trennfehler g 1 = Bindefehler g 1.

Trennfehler **677:** Varr. f, q, w, G, K, ω; 521,12 ἔμφασιν] αἴσθησιν; 521,15/16 καί . . . σάρκωσιν] om; 524,5 δή] γοῦν; 524,44 καί . . . ἐλάτειραν] om; 540,2 und 8 ἔστιν + μέν; 568,20 σημαινόμενα ἔχει] σημαίνει; 568,24 παρά om; 568,38 διαιρ.] θεωρούμενα; 568,40 πρῶτος ἄνθρωπος] Ἀδάμ; 569,13 ῥηθῆναι st. ἐνθεῖναι, wohl als Entlehnung; 660,34 διαμορφουμένη] διαφερουμένη; der Zusatz bei c.11 aus c.47 schließt mit διαφοραί (620,28), c.47 selber mit 620,24; c.45 fehlt; außerdem zahlreiche Lücken und weitere Absonderlichkeiten.

Wohl unmittelbar von 677 hängt **690** ab:

Trennfehler: 521,8/9 τοῖς . . . ὑφορώμενος] om, macht in 677 eine volle Zeile aus; 524,18 πληροῦται] πληροῦν, in 677 abgekürzt mit hochgestelltem τ und nach unten gezogenem Querstrich; 540,16 ἔχον + τὸ εἶναι ἤτοι; 665,19 ἀσύμφυρτον] ἀσύγχητον (!). Einer geradlinigen Abhängigkeit könnte widersprechen, daß 677 als letztes Wort von c.67 οἰκονομικόν setzt, 690 dagegen richtig πολιτικόν; eine Rückbildung durch den Schreiber aus dem Sinnzusammenhang ist aber gut denkbar. Will man diese Möglichkeit nicht annehmen, so sind die beiden Hss als sehr artreine Abkömmlinge eines gemeinsamen Ahnen zu verstehen.

g′=g+724:

Bindefehler: Varr. g, ϛ, ⅄; 524,44 ὀλετῆρα und ἐλατῆρα; 569,13 ῥηθῆναι] ἐνθεῖναι; 664,24/25 ὑπενόει, wird in g 1 zur Var. II.

Trennfehler g = Bindefehler g.

Trennfehler **724:** 524,2 τῶν om; 664,17/18 ἀντεμβ.] μετεμβολή; 669,5 τά om. Kontamination vor allem mit x bzw. s′: Varr. i, β und die von 540,5; 568,42 (bei 524,7 am Rand dieselbe Glosse wie in den Vertretern von s!); mit fus. Var. q und das Fehlen von z. – Die ergänzende Hand **724**[1] trifft unsere Kollationsauswahl nur auf einer verhältnismäßig kurzen Strecke und bietet hier keine Handhabe für eine stemmatische Einreihung.

i=g′+i′:

Bindefehler: Varr. r, I, W, ζ; 521,10 ἀποχωρ.] ὑποχωρήσας; 569,12 ὡς εἶπον (in anderen Gruppen nach αὐτῶν einzufügen)] om.

Trennfehler g′ und i′ = ihre Bindefehler.

k1=37+197:

Bindefehler: 669,3 φύσει] ὑποστάσει.

Trennfehler **37:** der Zusatz zu c.39 fehlt; eine spätere Hand bringt aber hier einen Verweis auf den Anfang des Buches und den dort befindlichen Zusatz an.

Trennfehler **197:** 569,16 ὥσπερ (Anfangswort in dem hier einzufügenden

Satz)] ὡς; 660, 27 μηδαμῶς] μή; 665, 1 καὶ ἀναλλοίωτα] om; bei c. 47 fehlt der Abschnitt, der schon bei c. 39 steht.

Abkömmling von 197 ist höchstwahrscheinlich **697**[3]:

Trennfehler: 524, 41 εἶτα + τά; c. 33 steht an seinem Platz, in 197 dagegen am Schluß mit Verweis an seiner Stelle. Kontamination: die Briefwidmung, die in 197 ganz zu fehlen scheint, ist aus einer fus. entlehnt mit den Varr. b und d.

k=k1+80:

Bindefehler: Varr. s, w, F, α, ζ, η, ξ, θ; 521, 9 ὁ θεῖος] om; 524, 5 τὴν κατάληψιν ὑπερβαίνοντα St.; 525, 1 ποιμένων] πατέρων; 537, 32 οὖν om, 37 und 80 setzen dafür δέ ein; 540, 13 ἐκτός] χωρίς; 569, 13 ῥηθ.] κληθῆναι; 569, 27 σύστασιν] ὕπαρξιν; 664, 7 σύνθεσιν] ἕνωσιν; 665, 11 ἔχει ὑποστατικήν St. usf. Kontamination: der letzte Teil von c. 47 wird an c. 39 angefügt mit x; Var. μ fehlt gg. b; 521, 12 ἔμφασιν] αἴσθησιν mit 677; 521, 23 παρὰ θεοῦ] om mit m und teilweise m; 524, 27 φωτίζοντος καὶ σοφίζοντος = Addition von Lesarten. Trennfehler k 1 = Bindefehler k 1.
Trennfehler **80**: 568, 14 λέγονται] ἐλέγοντο; 572, 7/8 τοῦ . . . ὁρισμόν] om (Hom.), aber ergänzt (von gleicher Hand ?); 621, 6 ὁρισμῷ] διορ.; 621, 13/14 τῷ . . . ἐναντίον] om (Hom.), aber wieder ergänzt.

80 nahm der Kopist von **294** als Vorlage, aber erst etwa vom 30. Kapitel ab:

Beweise: a) in 80 ist bei 617, 13 mit der ganzen Gruppe zu lesen εἰς statt ἢ ὡς, letztere Lesart aber über εἰς zusätzlich geschrieben; 294 setzt beides nebeneinander: ἢ ὡς εἰς. b) der Text von 668, 15/16 ist in 80 folgendermaßen verteilt: προσληφθῆναι beschließt im laufenden Schriftbild eine Zeile; dahinter ist als Berichtigung der Gruppenvariante von späterer Hand an den Rand geschrieben ὑπό, möglicherweise noch ein kurzes Wort, das auf unserm Film in der Randbiegung nicht mehr deutlich zu sehen ist. Die nächste Zeile beginnt mit ὑποστάσει; davor setzt die korrigierende Hand an den Rand θεοῦ λόγου (wahrscheinlich stand vor θεοῦ noch etwas, was durch den Buchbeschnitt weggefallen ist). Die Fortsetzung des Textes καὶ ἐν αὐτῇ ist expungiert, erhalten ist wieder ὑποστῆναι. Der Kopist macht aus all dem folgerichtig diesen Text: προσληφθῆναι ὑπὸ τῆς τοῦ θεοῦ λόγου ὑποστάσει ὑποστῆναι. – Epist. und c. 1 von 294, von der übrigen D durch Porphyrios-Kapitel getrennt, gehören in der Überlieferung einer fus. an, ein eindeutiger Anschluß an eine Stemmagruppe ist aber nicht möglich. Daß sich mehrere Varianten mit o 1 treffen, könnte bei der reichlichen Ansammlung von Lesarten in dieser Gruppe auch bloßer Zufall sein.

o1=365+450:

Bindefehler: 569, 36 τέλειον om; 572, 20 ἐπί] καὶ μέχρι.
Trennfehler **365** (ab c. 4): 569, 1 μόνον] μέν; 572, 36 διαφοραὶ καὶ φυσικαί

St., auch in d 2; 572,49/50 καὶ τὸ λογικόν verdoppelt. Epist. und c. 1 folgen am ehesten p.

Trennfehler **450**: Var. t; 572,36/38 καί . . . ὑποκάτω] om (Hom.); 669,11 γένηται σύνθετος St.

Von **651** könnte c. 10 aus o 1 stammen wegen der Übereinstimmung in der Var. von 572,20.

Mit o 1 decken sich ziemlich genau und erschöpfend die Korrekturen, die in 748 im Bereich der 4. Hand (= **748³**) angebracht sind.

o=o1+276:

Bindefehler: Varr. m, G, α, θ, ς; dem Brieftitel ist ἐπιστολή vorausgesetzt; 524,36/37 Γρηγόριος + παρ' οὐδὲν τοῦτο θέμενος; 537,38 τῷ πράγματι st. gen. pl.; 569,1 γένος¹ + ἔτερον; 569,11/12 ἄλλα . . . αὐτῶν] om (Hom.); 569,13 διαιρ. + οὐ λέγονται . . . διαιρούμενα = Z. 11–13, in einer Vorlage war offenbar der vorher übersehene Text am Rand ergänzt, von Abschreibern dann an falscher Stelle eingefügt worden; 569,49 ἔχειν + αὐτό; 620,3 ἔμψυχον + σῶμα; 664,24/25 ἐπινοεῖται; 665,21 ἑκατέρου (Endung). Kontamination: Varr. f, q, Fehlen des ZKp. mit fus.
Trennfehler o 1 = Bindefehler o 1.
Trennfehler **276**: 524,7 τἀληθές] τὸ ἀληθές.

Aus der Übereinstimmung in den Varr. von 665,21 und ς und dem Fehlen des ZKp. darf vielleicht auch für 748² eine Herkunft von o gefolgert werden.

o'=709+734:

Bindefehler: Varr. g, t, u, v; im Titel wird Hagiopolis als Bischofssitz des Kosmas genannt; 525,11 γένοισθε] φάνητε; 569,8 τῶν¹ + τε γενομένων; 569,36 τέλειον θέλ. δέχ.] om; 572,5 εἴδη + ἀλλ' ὑποστάσεις; 572,17/18 οὔτε . . . ἀλλά] Πέτρος γάρ ἐστι; 572,45/47 τὸν λίθον / τὸ φυτόν trp, u.a.m. Für die übrigen Kollationsabschnitte verläßt uns die schwer angeschlagene 709. Kontamination mit fus.: Varr. d und q; 568,46 + τὸν Ἀδάμ (sonst zu streichen).
Trennfehler **709** (soweit erhalten): 521,2 ἁγιωτάτῳ . . . Μαιουμᾶ] ἐπισκόπῳ τῷ Ἁγιοπολίτῃ; 572,26 ὅθεν δῆλον ὅτι] διότι.
Trennfehler **734**: Varr. ζ, ω, ς; 521,2 ἁγιωτάτῳ . . . Μαιουμᾶ] τῷ Ἁγιοπόλεως; 521,28 φέρων] ἀνιστῶν; 524,6 τὸν λόγον] εἰς τὸν τοῦ λόγου ἀγῶνα; 525,8/9 ὅση δύναμις] ὡς ἂν οἷός τε ὤν; für die folgenden Kollationsabschnitte, die in 709 fehlen, sind die Varr. vollzählig angegeben: 620,4 Unterzeile τὸ αἰσθητικὸν εἰς ζῶον καὶ ζωόφυτον; 620,28 οὐσιώδεις διαφοραὶ φυσικαί St.; 620,31/32 + ἤ . . . τάττεται, darin εἰδικ. + εἴδους, ebd. Titel wie in p'' und x; 621,12 μεταδίδ. + τῷ εἴδει; 660,25 συγκείμενος + λέγεται ἐπίνοια . . . ἱστάμενος καθίσαι (3 Zeilen); 660,34 ὕλαις + διαζωγραφήσασα καί; 661,16 ἀναφυρ. καὶ μιγν.] ἀναμιγνυμένων καὶ ἀναφυρομένων; 661,23 οἴνου om; 664,22 πρόσωπον ὑποδυόμενος St.; 665,16 ἀποτελεῖται om. Kontamination: 665,20 τούτων + φυσικαί (!) mit fus.

p1=577+579:

Bindefehler: 617,8/9 ἤγουν τὸ συμβεβηκός] om; 669,19 ἑτέρων] ἑκατέρων.
Trennfehler 577: 569,11/12 ἄλλα . . . αὐτῶν] om (Hom.); diese Lücke ist
zwar mit einem Asteriskus versehen, doch fehlt der zugehörige Text,
vielleicht infolge Blattbeschnittes. – Die Ergänzung am Anfang (= 577¹)
stammt offenbar aus v.
Trennfehler 579: 521,20 ἐξιστῶντι] ἐξιστῶν; vielleicht hatte die erste Hand
von 577 auch so geschrieben.

p=p1+446:

Bindefehler: Varr. a, c, f, o, s, t, F, ϛ, ϙ; 569,13 ῥηθῆναι] εἶναι, vielleicht
abgeleitet von ἐνθεῖναι; 569,25/26 ὁρίζεται] λέγεται; 572,2 τέμνεται; 572,16
ὁρισμοῦ; 617,15–620,32 om, weil dieser Abschnitt schon bei c.11 steht;
620,35/36 ἀνυπόστατον . . . οὐσία] παρά; 660,18 ἐπέννοια] ἔννοια; 661,23
οἴνου καὶ μέλιτος] om; 668,13/14 ἀλλήλαις om; 669,9 ἄναρχος] ἄρρητος.
Die Varr. ϛ und ϙ und die von 569,13 und die Lücke von 620,35/36 machen
eine gewisse Verwandtschaft mit g bzw. g1 wenigstens im 2. Teil wahrscheinlich.
Trennfehler p1 = Bindefehler p1.
Trennfehler 446: 569,12 ὡς εἶπον] om.
    Die arabische Übersetzung des Antonios (s. S. 217) scheint nach
Aufbau, Kapiteleinteilung und Textvarianten, soweit die Übersetzung
solche erkennen läßt, aus diesem Überlieferungszweig geflossen zu sein.

p'1=120+758:

Bindefehler: 661,21/22 ἤ . . . ὑγρῶν] om.
Trennfehler 120: 524,33 τῶν φώτων πατρός St.; 572,33/34 εἰδῶν εἰδικ.
St.; 668,21–669,1 ἐκ . . . ὑπόστασιν] om (Hom.), ist aber ergänzt, von
gleicher Hand?; 669,16 γέγονε] γίνεσθαι; 545,15–584,27 συμβεβηκὸς λέγεται . . . ἐν τῷ τί ἐστιν] om, vermutlich auf Grund des Ausfalles oder der
Überschlagung eines Blattes in einer Vorlage, füllt in 302 fast das f.183
aus; da dieses aber den Text 545,15–584,33 συμβεβη]κός . . . δια[φορά
umfaßt, ist eine geradlinige Abhängigkeit 302 → 120 unwahrscheinlich.
Trennfehler 758 (Epist. fehlt): die zahlreichen Lesarten im Anfang und
Mittelstück der D, die sicher nicht unserem Überlieferungszweig folgen
und eine starke Kontamination mit der fus. verraten. In den Schlußkapiteln finden sich keine neuen Varianten.

p'=p'1+302:

Bindefehler: Varr. ξ und υ; 521,3 Ἰω. Δ. μοναχὸς καὶ πρεσβύτερος ἐν κυρίῳ
πλεῖστα χαίρειν; 524,3 ἔχων post νοηθεῖσι; 524,17 χάριν post φωταγ.;
537,38 τῶν πραγμάτων] om; 540,14 ἑαυτῷ + ὄν + Var. K; 568,9 γενικώτ.
+ καὶ διαιρούμενα εἰς εἴδη; 568,40/41 ἤγουν ὁ Ἀδάμ post ἄνθρωπος; 568,47
ἐπί] περί; 621,2 τοῖς συμβεβηκόσιν, sonst Singular; 621,18 δεκτικήν; 661,23

οἴνου] ἐλαίου; 665,22 χωρίζ.] χαρακτηρίζοντα. Kontamination: mit fus. 537,39 οὐσία + ὡς ἐν ὑποκειμένῳ; ebd. οἷον + χαλκός . . . συμβεβηκός = 537,5–8; 540,5 ψυχῇ + οὐδέ . . . χαλκῷ = 537,10–12; Beseitigung von Var. μ.

Trennfehler p'1 = Bindefehler p'1.

Trennfehler **302** sind nicht zu nennen. Da aber die ersten 12 Blätter auf unserer Aufnahme sehr unscharf erscheinen und von 120 vom Mittelstück keine Aufnahmen vorliegen, wurde wegen der sich daraus ergebenden Unsicherheit das Vorhandensein von Trennfehlern als wahrscheinlich angenommen.

p''=150+714:

Bindefehler: Varr. a, g, o, u, ς; 524,26 καρπόν] καρπούς; 569,22 οὐσία + καὶ τὸ συμβεβηκός; 620,31 φύσεως + οὐδὲ γὰρ ὅλη . . . κερματίσματα ἀνθρώπου (7 Zeilen); c.39 mit den letzten 4 Zeilen, die sonst gewöhnlich fehlen. Kontamination: Titel Ἰω. ἐλάχιστος μοναχὸς καὶ πρεσβύτερος ἐν κυρίῳ χαίρειν mit 441 oder selbständig gebildet aus b + ꜰ; 524,41 τά post εἶτα mit x; 524,44 ἐλατῆρα mit i; 524,46 ἁλιέων] ἀληθῶς mit s'; 620,14 πρόσωπα + Text der Var. ι (mit t), darauf nochmals 617,16–620,14 und τί μὲν οὖν . . . (620,32); Var. n mit ᴣ oder s'; Var. r mit i; Var. s mit x; Var. Δ mit s'; Var. ς mit g.

Trennfehler **150**, zugleich Kontamination: 568,10 Titel zu c.10 wie Migne u.a. mit 543; 664,10 γνωριζόμενον] συνερχομένων mit 543.

Trennfehler **714**: 521,11 τὰ τρικύμια (Endung); 521,21/22 καί . . . ὄντος] om (Hom.); 521,28 πάσης ἁμαρτίας (in Var. n)] om; 537,31 ὄνομα] ὄν; 568,13 ἕτερον] δεύτερον; 620,10 ἄνθρωπον + ἄγγελον. Kontamination mit x: 524,44 ἐλάτ. + τήν; 620,32–36/37 τί . . . συμβεβηκότων] τί μὲν οὖν ἐστιν οὐσία εἴρηται καὶ τίς διαφορὰ οὐσίας πρὸς τὰ συμβεβηκότα (so beginnt dieser Abschnitt in x, wenn er als Anhang zu c.39 auftritt); mit fus.: Aufnahme der typischen fus.-Kapitel 18–28.

Unmittelbare Abschrift von 714 ist **288**; dies ergibt sich außer der völligen Übereinstimmung in Aufbau und Lesarten aus folgendem:

1. Abkürzungen, von denen 714 ausgiebigen und mitunter ungewohnten Gebrauch macht, werden oft ebenso absonderlich abgeschrieben oder falsch aufgelöst, z. B. 521,15 θεοῦ λόγου = θο λόγου : θεολόγου; 521,25 τῷ θείῳ = beidemal die Endung ausgedrückt durch eine zirkumflexförmig geschwungene Linie über τ bzw. ει: τῶν θείων; 525,6 τοῖς ἀμαρύγμασιν = τ mit undeutlich und verschmiert geschriebener Endungskürzung + ἀμαρύγμασιν mit Wellenlinie über γμ und mit der dachförmigen Endungskürzung über σ: τὴν ἀμαρύγωσιν; das letzte Wort vom Scholion zu 540,14 σύνθετα = συν mit darübergestelltem ϑ und rechts danebengesetztem waagrechtem Strich als Abkürzung für α: συν ϑῷ; 620,28 φυσικαὶ διαφοραί = die Endung beidemal abgekürzt mit Gravis als Akzent darüber: φυσικὸν διάφορον.

2. Lautfehler werden ganz genau übernommen, z. B. 521, 6 τοῖς geschrieben
als τ mit ης-Kürzung darüber, 521,7 τις ebenfalls als abgekürztes της geschrieben, 524,15/16 μημητής. 3. Scholien werden in den Text gesetzt.
So schließt in 714 der Text auf f. 58 v mit ἀψύχου von 569,45; darunter
steht am Rand ein Text, der sich noch auf den unteren Rand der nächsten
und den oberen der übernächsten Seite erstreckt. Die Kopie fügt diesen
fremden Text mitten in der Seite nach dem Wort ein, das als letztes Text-
wort vor diesem Einschub steht, führt aber dieses ganze Scholion ver-
nünftigerweise zu Ende und kehrt dann von f. 59 v oben zurück auf den
Kapiteltext auf f. 59 r oben, wie überhaupt festzustellen ist, daß der Abschreiber die Glossen aus seiner Vorlage im allgemeinen nicht sinnlos und
ohne Rücksicht auf den Satzbau in seinen Text hereinnimmt. Diese Um-
sicht verläßt den Schreiber von 288 aber in folgendem Fall: das Scholion
des Theodoros von Rhaithu zu c. 4 – sein voller und zusammenhängender
Wortlaut ist in Hs 150 richtig als Anhang zu c. 4 zu lesen – ist in 714
nachgeholt, und zwar verteilt auf den unteren Rand von f. 57 r und den
oberen Rand von 57 v und 58 r. Was auf f. 57 r unten steht – der Anfang
des Scholions und darunter als eigene Zeile die Autorangabe –, ist in 288
etwas nach dem Beginn des c. 10 am Rand angebracht, offenbar nachgetragen beim Nachprüfen der Hs nach ihrer Fertigstellung, aber jetzt
ohne jede Unterscheidung der inhaltlich fremdartigen Teile und darum
in der Reihenfolge unverständlich. Die 2 Zeilen des Scholions aber, die in 714
auf f. 57 v oben stehen, werden von 288 ohne Kennzeichnung in den Text
aufgenommen, und zwar genau an der Textstelle, wo sich in der Vorlage das
Blatt vom recto zum verso wendet, d. i. in c. 10 nach Παλαιστιναῖοι von
568, 15. Derselbe Irrtum wiederholt sich mit dem Rest des Scholions von
f. 58 r, der auf diese Weise in 288 nach αὐτόν von 568,43 zu stehen kommt.

s″=153+294:

Bindefehler: 537, 39 οὐσία + ὡς ἐν ὑποκειμένῳ; 540, 11 ἔσται ἡ] οὐδέ; 540, 16
συμβεβηκός ἐστι + οὐσία τοίνυν ἐστὶν ὁ θεός κτλ.; 569, 28/32 ἡ . . . μόνον]
om. Kontamination mit fus.: 569, 34/35 ἀλλ'. . . ἄλλο] ὥστε . . . ἀλλὰ τό
= 564,13 bis 18, in der Vorlage vermutlich am Rand, weil 294 diese
Entlehnung schon nach ὄντος in Z. 33 anbringt; 572, 17/18 + οὔτε . . .
συναμφότερον = 565,5/6; 572,30 ἐπάνω + ὡς ὑπ' αὐτοῦ περιεχόμενον =
565, 19; 572, 49 λογικόν + τὸ χερσαῖον καὶ τὸ ἔνυδρον διαιροῦσι τὸ ἄλογον
ζῶον = 565, 44 (hier einzufügen); 572, 52 θνητόν + καὶ τὸ χερσαῖον = 568, 2.
Trennfehler 153 (keine Epist.): Var. β; 569, 33 s. Bindefehler Kontamination unmittelbar voraus. Die Schlußkapitel stehen bei 528.
Trennfehler 294 (hier nur cc. 4 und 10): 569, 25 τόν . . . δέχονται] om (Hom.);
569, 39/40 ἀλλ'. . . γένος] om (Hom.).

528:

Sonderfehler: Brieftitel schließt ἐλάχιστος· Χριστὲ ἡγοῦ; 521,11 καταλ.]
ἀπολιπών; 569, 42 εἴδη + ἐστι τῆς οὐσίας, εἴδη δὲ ταῦτα. Kontamination:

Fehlen des ZKp. mit x; Varr. ϑ, ξ, Φ und die von 620,40 mit c; 524,19 φωτίζεται + καὶ σοφίζεται = Addition von Varr.; 569,47 ἔχον post ζωήν besonders mit s′; 572,24 φασιν οὐδέ St. mit 489 (d) und λέγεσθαι] ἔσεσθαι mit v; 620,37 ἐχόντων] ἔχουσα u.a. mit c1; 661,22 τυχόν] φημί ähnlich Var. Γ von c.

Kopie von 528 ist **599**:
Trennfehler: 568,26/28 γένος ... εἰπόντες] om; 569,6 ἄλλα ... αὐτῶν] om (Hom.).

Auf 528 gehen ferner der Schemateil bei c.47 und die Schlußkapitel von **314** zurück.

Auch **153** beruht in den Schlußkapiteln auf 528:
Trennfehler: 669,18 ἵππος + ἐστί und ἐστὶν ἤ] om; Var. τ mit v′, wie schon ein Teil der Varr. von Epist. und c.1.

q=i+k+o+o′+p+p′+p″+s″+528:
Bindefehler: c.11 ist um den Text 617,17–620,31 erweitert; am Schluß ist das ZKp. angefügt.
Trennfehler = die Binde- bzw. Trennfehler der jeweiligen Hyparchetypen.

m2=12+725:
Bindefehler: der Text von 617,17–18 (in den Parallelzeugen rot geschrieben) fehlt, vermutlich wegen Vergessens bei der Rubrizierung.
Trennfehler 12 (ab c.14): wohl durch Kontamination fehlen die Varr. κ und μ; c.39 steht nach c.40.
Trennfehler 725: 524,31 δεδώρηται ante τοῖς; 537,35/37 συμβεβηκός ... ὕπαρξιν] om (Hom.).

m1=m2+119+384:
Bindefehler: Var. ρ; 572,2 ἄλλα om; 664,30 συνεφθαρμένα + οἷον ὕδωρ καὶ οἶνος, παρακείμενα δὲ λέγονται τὰ κατὰ συναρμογήν; 665,17 σύνθετος om.
Trennfehler m2 = Bindefehler m2.
Trennfehler **119** (ab c.17) sind nicht nachweisbar, so daß möglicherweise 119 mit m1 gleichzusetzen ist. Wegen der starken Verstümmelung am Anfang besteht jedoch eine große Unsicherheit.
Trennfehler **384**: 569,10 ἔχοντα + ὡς εἶπον; 620,18/19 καὶ γένος τοῦ λογικοῦ] om; 669,17/19 καὶ ὡς ... λέγεται] om (Hom.).

m=m1+23+236+756:
Bindefehler: Varr. u, G, K, X, γ, ε, ζ, η, υ, Σ; 521,3 Ἰω. ὁ ταπεινός; 521,23 παρὰ θεοῦ] om; 521,28 κατεστ.] ἐστιγμένος; 524,6 ἐδεδίειν] ἐδεδοίκειν; 524,17 παρά om; 568,47 ἐπί] περί; 620,5 ζῷον] αἰσθητικόν; 620,28 καὶ φυσικαί] om; 620,35/36 συμβεβηκότος Sing.; 621,18 δεκτικήν; 660,20 διασαφ.] σαφοῦσα. Kontamination: Varr. p, q und das Fehlen von Var. z mit fus.; Var. κ, Fehlen des Anhängsels zu c.11 und des ZKp. mit x; Fehlen des Anhängsels zu c.39 mit q. – Wie schon die Darstellung als Konta-

mination zeigt, bin ich geneigt, in dieser Sippe keinen genuinen Überlieferungszweig zu erblicken, sondern eine Mischung der beiden Hauptstämme der Db.

Trennfehler m 1 = Bindefehler m 1.

Trennfehler **23** (nur Anfang und Ende auf Film): 521,9 ὁ θεῖος] om; 569,39/40 ἀλλ'. . . γένος] om (Hom.).

Trennfehler **236** (ab c. 10): 569,14 αὐτοῦ + ἄλλα; 569,44 ὄν] ἐστίν.

Trennfehler **756**: 568,46 ἔσχε . . . λέγεται] om (Hom.).

Aus m ist wohl auch das Epist.-Exzerpt **209** mit seiner schlechten Orthographie und seinem krausen Text genommen, und zwar wegen der Übereinstimmung in den Bindefehlern von 521,28 und 524,6 (hier aber itazistisch ἐδεδίκειν).

s = 13+441:

Bindefehler: Varr. g, k, n; im Brieftitel ist nach ἐλάχιστος eingeschoben μοναχὸς καὶ πρεσβύτερος; 524,41 εἶτα + τά; 524,42 τά om; 524,46 ἁλιέων] ἀληθῶς; 525,6/7 ἐρῶ μὲν ἐμόν, ohne δέ; 537,32 (statt διαιρεῖται ist zu setzen τὸ ὂν τέμνεται) τὸ ὄν] om; 569,22/23 εἰ γάρ . . . οὐσία] om (Hom.); 569,36 τέλειον δέχεσθαι θέλουσιν St.; 620,30 εἰδοποιοί] εἰδοποιητικαί; 664,16 οὐσιῶν] οὐσιωδῶν.

Trennfehler **13**: Varr. ε, ρ; 524,7 εἰρήσεται γὰρ τὰληθές] om; 660,25 συγκείμενος om. Kontamination: Var. q mit fus.

Trennfehler **441**: 521,6/7 τῶν ἀδύτων] ταδύτων; 521,26 μεσίτην st. Nom.

Geradliniger Abkömmling von 441 ist **436** (diese Hand ab c. 8): Trennfehler: Var. μ ist zu ν verkürzt; 664,11/13 ὑποστάσει . . . σωμάτων] om infolge Abgleitens des Auges in der Vorlage beim Zeilenwechsel.

s′ = s+644+515:

Bindefehler: Varr. Y, β, ζ, Δ; 569,47 ἔχον post ζωήν; 621,9/10 διό . . . λαμβάνονται] om; 621,13 μή om.

Trennfehler s = Bindefehler s.

Trennfehler **644**: der begrenzte Anteil dieser Hand = erst ab c.65. Die schmale Vergleichsbasis schafft eine große Unsicherheit innerhalb dieser Sippe.

Trennfehler **515** (für den Anfang, der infolge Verstümmelung bis in c.6 fehlt, vgl. die Varr. der ziemlich getreuen Abschrift 452): 664,26 καί[1]. . . ὁμωνυμίαν] om (Hom.); 664,30 συνεφθαρμένα] συναφθαρτούμενα (452 -τόμενα); 668,2 μίαν] οὐσιώδην.

Abschrift von 515 ist 452:

Trennfehler: 521,1 Κοσμᾶ post ὁσιωτάτῳ; 521,3 Ἰω. ὁ ἐλάχιστος μοναχός; die übrigen Titelvarr. von x entfallen, ebenso die geringfügige Var. G und die von 524,4; 521,29 ἐν ἐμαυτῷ τὸν πολυτάραχον] τὸν πόλυτα ἐν ἐμαυτῷ ράχον (vielleicht war in 515 eine Korrektur angebracht und vom Kopisten von 452 falsch hereingelesen); 524,29 τὰ κάλλιστα] ταῖς ἄλλιστα; 568,43 πατέρα τόν] πρῶτον; 569, 35 δὲ εἴδη] δέει; 572,7/8 τοῦ... ὁρισμόν] om (Hom.); 572, 12 ἀλλ' ἄτομα] ἀλλὰ σῶμα; 572, 45/47 λίθον ... ποιῶ] om (Hom.); 620, 12/13 κατὰ μέρος ἀνθρώπους] om; 620, 40 τοιόνδε] τὸ ὄν; 664, 3 συμφυίαν] συμφωνίαν; 669, 4 ἀλλήλων om. Einen paläographischen Anlaß zu diesen Versehen gibt 515 nicht; möglicherweise sind manche Verschreibungen unter den Trennfehlern 515 bzw. 452 dem Kopisten von 452 zur Last zu legen.

t1=407+678:

Bindefehler: Varr. i, u, ν; 521, 28 eine Unstimmigkeit, vgl. Abschriften! 524, 44 ἐλάτειραν] ἐλάτρειαν; 525, 6/7 δὲ ἐμὸν μέν] μὲν ἐμόν; 568, 16 γένος om; 621, 21 ἐπεὶ οὐσ.] ἐπουσιωδῶν (= Var. ρ), in 678 von korrigierender Hand aber wieder ἐπεὶ οὐσ.

Trennfehler **407**: 521, 28 ἁμαρτίας] κηλῖδος; 569, 12 ὑποκάτω αὐτῶν] αὐτῷ; 569, 22/23 εἰ ... οὐσία] om (Hom.); 664, 8/9 διαφόρων ... ἐκ] om (Hom.); 668, 4 ἅπαξ post φύσεις.

Trennfehler **678**: 521, 26 μεσίτην (Endung); 521, 28 πάσης ἁμαρτίας] παντί; 524, 9 ἀμαθίας] ἀληθείας; 537, 34/35 σύστασιν ... τήν] om; 537, 38 ὥσπερ] ὡς; 569, 31/32 ἀλλ'. . . μόνον] om.

Auf 678 scheinen (wohl nur mittelbar) zurückzugehen **187¹** und **436¹**:

Trennfehler **187¹**: begrenzter Umfang (bis c. 41); 553, 4 τὸ ἐλ.] τοὐλαχίστου.
Trennfehler **436¹** (diese Hand bis in c. 8): 553, 4 τὸ ἐλάχιστον] τῶν ἐλαχίστων; 553, 9 ζῴου] ἀνθρώπου. Kontamination: die Lücke 552, 44/46 (t) ist geschlossen, ebenso die von 569, 31/32, wobei st. μόνον: ἡ δὲ οὐσία πρᾶγμα αὐθύπαρκτον gesetzt wird.

t3=572+759:

Bindefehler: 540, 2 μὲν σῶμα] σῶμα μέν; 569, 48/49 οὐ ... φυτόν] om (Hom.).
Trennfehler **572**: 569, 42 τὸ οὖν ... ἀσώματον] om (Hom.), später ergänzt unter Entfernung des darauffolgenden εἴδη durch Rasur.
Trennfehler **759** (bis c. 57): 569, 38/39 οὐκ ἔστιν ἡ οὐσία; Var. Y. – C. 1 zeigt einige Ähnlichkeit mit ʋ 1.

t2=t3+219+574+680+708:

Bindefehler: 537, 36/37 ἀλλ'. . . γάρ] om; 572, 7/8 τοῦ ... ὁρισμόν] om (Hom.); 621, 8 καὶ γὰρ παρόντα St.; 665, 21 ἑκατέρας] -ρου.
Trennfehler t 3 = Bindefehler t 3.
Trennfehler **219**: 524, 25/27 καί ... πνεύματος] om (Hom.); 668, 5 ἔνωσιν δέξωνται St.; 669, 4 ἀποδι.] ἀλλὰ διιστᾶν.
Trennfehler **574**: Epist. und c. 4 schließen sich nur teilweise diesem Hyparchetyp an, nämlich mit Varr. h und t. 525, 6 δὲ ἐμὸν μέν] μὲν ἐμόν erinnert an t1, aber nur diese Lesart. Andere Kontaminationsgruppen können nicht wahrscheinlich gemacht werden. Die übrigen Teile der D decken sich ganz mit t 2.

Trennfehler **680** (erhalten ab c.30): 660,32 τε καὶ οὐσία] om; 665,13 χαρακτηριστικαὶ διαφοραί] ὑποστατικὴν διαφοράν; 669,12 δεῖ] χρή. – Von den angehängten fus.-Kapp. könnte Var. C auf ӡ weisen, die Wortstellung der Bibelwendung τὸ πνεῦμα τῆς ἀληθείας von 529,44 möglicherweise auf 378. Trennfehler **708** (arg beschädigt): 665,2 φύσιν ἔχει St.

t=t1+t2:

Bindefehler: Varr. h, o, ι; 524,46 προφητῶν καὶ θεοδιδάκτων] om; 552,44/46 τουτέστιν . . . πράγματος] om (Hom.); 569,49/50 καί . . . γεννητικήν] om, in t1 offenbar nachgetragen, in 678 nach δύναμιν eingereiht, in 407 δύναμιν nach αὐξητικήν gestellt; c.46 fehlt; 617,17–18 διαιρεῖται ἡ οὐσία; 620,3 ἔμψυχον + σῶμα; 620,4 αἰσθητικὸν καὶ ἀναίσθητον] om; 620,7 + εἰς ἄνθρωπον – ἄγγελον; 620,15–31 fehlt, statt dessen Text von Var. ι; 620,40 τοιόνδε st. des gewöhnlichen τοῖον; 620,41 τί² om. Von den Varr. von x entfallen x und Ξ.
Trennfehler t1 und t2 = ihre Bindefehler.

u2=303+721:

Bindefehler: Var. υ; 524,38 συνθήσ.] συνδιαθήσομαι; auf c.66 folgt ein kurzer Abschnitt 'Ιουστίνου φιλοσόφου καὶ μάρτυρος, inc. Τὸ ἀγέννητον καὶ γεννητόν, expl. κατὰ τὸν τῆς οὐσίας λόγον.
Trennfehler **303** (von dieser Hand ab c.51): 660,18 οἷον om.
Trennfehler **721**: 540,14 τὸ εἶναι pr τὴν ὕπαρξιν; 573,4 φύσεως καὶ οὐσίας St. Kontamination: mit fus. Var. q, Fehlen von Var. z; 521,3 ἐλάχιστος + μοναχὸς πρεσβύτερος mit s; 661,23 κατά – Z.26] ἢ κατὰ παράθεσιν ὡς ἐπὶ τῶν ψηφίδων mit 312¹ (d1), 633 (u) oder 415; 669,8 ὕπαρξις + σύνθετος φύσις . . . ἕτερος τρόπος ähnlich 633 (u).

u1=u2+376:

Bindefehler: 524,44 ὀλετῆρα und ἐλατῆρα; 620,41 τί² om.
Trennfehler u2 = Bindefehler u2.
Trennfehler **376**: Varr. β, ν; 621,18 δεκτικήν (Endung); auf c.68 folgt Epist. (nicht nach unserer Gruppe, sondern fus.), darauf c.66.

u=u1+90:

Bindefehler: Varr. h, v, ε, ζ, η; 620,35/36 συμβεβηκότος (Endung); 664,2/3 τινες post ἐκάλεσαν; der Brieftitel ist sehr unterschiedlich formuliert.
Trennfehler u1 = Bindefehler u1.
Trennfehler **90**: Varr. i, ν; 521,9 ὁ θεῖος] om; 669,2 ἐναντίας om; der Titel zur Epist. entspricht dem Stamm, doch ist ἐλάχ. vor 'Ιω. gestellt.

Mit u scheint schließlich noch die 2. Hälfte von **42** (fus.-Text in brev.-Ordnung) etwas gemeinsam zu haben, nämlich die Übereinstimmung in den Varr. x, μ, θ, Ξ und der von 620,35/36; nicht zu finden sind ε und η, wohl aber ς. Der Titel lautet wie bei 721, aber ohne ἐλάχιστος. Wir haben eine D vor uns, die offenbar im großen wie im kleinen kontaminiert ist.

vl = 434 + 483:

Bindefehler: Varr. g, i, d, ζ; 569,42 τῆς οὐσίας εἰσίν St.; 572,20 ἐπί] μέχρι und 572,24 λέγεσθαι] ἔσεσθαι, beide Varr. mit 629. In c.47 gehen die beiden Hss nicht mehr zusammen; in der Zählung weichen sie schon ab c.37 voneinander ab.

Trennfehler **434:** Var. k; 525,9 συντετμημένον] -τιμημένον u.a.m. Kontamination: 521,1 πατρί om mit fus.; Var. q.

Trennfehler **483:** 521,22 ὄντος om; 537,35/37 συμβεβηκός ... ὕπαρξιν] om.

v = vl + 577[1]:

Bindefehler: Varr. h, m, s; 521,5/6 μακάριε (st. Plur.); 524,36/37 Γρηγ. + παρ' οὐδὲν τοῦτο θέμενος καί, ähnlich in o; 540,13 ἐκτός] δίχα; 568,22/23 τό[1] ... ἤγουν] om (Hom.).

Trennfehler v l = Bindefehler v l.

Trennfehler **577[1]** (nur bis in c.10): Var. q.

x = s' + t + u + v:

Bindefehler: c.39 ist um die 2. Hälfte von c.47 ab τί μὲν οὖν = 620,32 bis 621,24 erweitert, die ersten 4 Zeilen jedoch verkürzt wie oben bei 714 (p''); Zusatz zu c.11 und das ZKp. fehlen; an Varr. scheinen für diesen Stamm die Regel zu sein: a, c, f, i, s, G, κ, θ und Ξ, ferner 524,44 ἐλάτειραν + τήν; 540,5 οὐδέ] οὔτε; 568,42 καί om.

Trennfehler der einzelnen Hyparchetypen = ihre Bindefehler.

b = q + m + x:

Bindefehler: Anzahl und Ordnung der Kapitel wie oben in der Einleitung dargelegt (S. 2f); an Textvarianten e, z, μ und 524,15 μιμητής (gg. Var. q). Trennfehler der einzelnen Gruppen = ihre Bindefehler.

Bevor wir uns von der brev. trennen, ist noch eine nicht geringe Aufräumungsarbeit zu leisten, nämlich jene Hss nach Möglichkeit zu charakterisieren, die zwar ihrer Struktur nach zur brev. gehören, aber im einzelnen nicht mehr ihresgleichen haben, um mit ihnen zu Gruppen zusammengefaßt zu werden, oder von denen nicht genügend Vergleichsmaterial zur Verfügung steht. Es wird sich dabei weniger um Reste verschollener Familien handeln als vielmehr um Mischlinge aus artverschiedenen Sippen, deren eigentümliche Merkmale nicht mehr oder nur noch im groben zu erkennen sind. Da der Zweck dieser Arbeit nicht ist, von den einzelnen Hss im Umfang der Kollationsauswahl eine vollständige Liste aller Lesarten zu bringen, seien besonders in diesem Abschnitt nur jene Varianten aufgeführt, die Schlüsse auf verwandte Hss und Hss-Gruppen nahelegen. Auf die Aufnahme dieser Hss in den schematischen Stammbaum wurde im allgemeinen verzichtet.

6 ist nur so weit bekannt, als der Katalog Angaben macht. Ein Vergleich von diesen mit unserem Material und mit der Titelangabe der E läßt vermuten, daß die D der Gruppe c l nahesteht.

24 verrät durch die vorausgesetzte Lysis und die Hereinnahme von c. 1 eine Berührung mit der fus.; auch fehlen in der Epist. die charakteristischen brev.-Varianten; an Stelle der üblichen Widmung – in 378 fehlt sie überhaupt – formuliert der Schreiber einen Titel: πρόλογος τοῦ ἐ. ἀ. πατρὸς ἡ. Ἰω. Δαμασκηνοῦ. Innerhalb der fus. geht 24 in einigen Varianten mit 378 zusammen (in dieser Zusammenstellung unten). Von der brev. kommen in den Zusätzen zu cc. 11 und 39 die Gruppen q und x zur Geltung, im Fehlen des ZKp. aber mehr x, näherhin in den Schlußkapiteln besonders mit dem Zusatz von 661, 23–26 die alte Hs 515 (s′) oder die Kontaminationsgruppe p″.

60 gibt mit c. 1 ebenfalls einen fus.-Einfluß zu erkennen; der Zusatz bei c. 11 läßt an q, in seiner verdoppelten Wiedergabe jedoch an die Verarbeitung von wenigstens 2 Vorlagen, das korrekte Anhängsel zu c. 39 aber und der Schluß mit c. 66 (ohne Zusatzkapitel) jedoch an x denken. Im übrigen vereinigen sich die stark divergierenden Varianten am ehesten in 312¹ (g 3), nämlich die Varianten von 568, 9/10 wie Migne (sonst wie bei Hs 489 angegeben), 568, 30 λέγοντες] διαλεγόμενοι, 568, 47 ἐπί] περί, Var. K und der Zusatz von c. 11. Sehr tragfähig sind diese Varianten nicht, andere jedoch als Brücken zu weiteren Verbindungen noch schwächer. Da dieses c. 1 eine Textform aufweist, die auch anderswo noch auftaucht, sei hier etwas darauf eingegangen! Seine Charakteristik besteht in folgendem: 529, 9 ὄντι . . . φύσιν] om; 529, 11 τῶν ὄντων γνῶσιν] τῶν γὰρ ὄντων αἱ γνώσεις; 529, 13 γνῶσις + εἰ; 529, 14 ἐστιν om; 529, 21 ἀψευδεῖ] ἀληθεῖ; 529, 29 ψυχῆς + ἡμῶν; 529, 33 ὅλη + οὖν; 529, 36 ἐνερ.] ἀνερεῖσαι; 532, 2 οὖν om; 532, 4 πάντα] πάντων; 532, 15 καί . . . χρησώμεθα] om und 532, 16 ἐξαπ.] ἀπάτην. – Alle diese Varianten, ausgenommen die geringfügige von 529, 33, kehren wieder im Exzerpt **744**, hier freilich um einiges vermehrt, z. B. 529, 12 εἰ τῶν ὄντων αἱ γν.] om (Hom.); 529, 19/20 τὴν γνῶσιν] τὰ γνώμην (vielleicht in 60 falsch gelesen, wo die für ην verwendete, undeutlich geschriebene Kürzung als hochgestelltes α angesehen werden könnte und die Endung des Substantivs itazistisch als ην wiedergegeben ist); 529, 31 τις om (in 60: τῆς geschrieben und dadurch schwer verständlich); 532, 35 ἐφιέμενοι] -νος (in 60 undeutlich). 744 ist also mit 60 nahe, wahrscheinlich sogar in gerader Linie verwandt.

In **109** sind mehrere Hss kontaminiert, deren Anteile sich nicht mehr ganz analysieren lassen. Der Anfang (Epist. und c. 4 bis gegen Ende) deckt sich ziemlich genau mit 678 (t 1), aber in der Rückbildung des ἀληθείας von 524, 9 zu ἀμαθείας und der Umgestaltung von ἐρῶ μὲν ἐμὸν μέν in 525, 6/7 zu ἐρῶ δὲ ἐμόν macht sich offenbar schon ein neues Element bzw. die frei gestaltende Tätigkeit des Kopisten geltend. In den letzten Zeilen von c. 4 und im mittleren Teil von c. 47 fällt eine große Ähnlichkeit mit 734 (o′) auf. Der Schlußteil könnte aber wieder in etwa an 678 erinnern; die Einordnung von c. 66 nach 65 ist in der Zeit vor den Drucken jedoch ohne Beispiel. Die Varr. des nachgeholten c. 1 divergieren sehr, stimmen nur z. T. mit 519 überein.

132 bietet für die Einordnung wiederum nur die schwache Handhabe der Katalogbeschreibung. Nach dieser haben wir es wahrscheinlich mit einer brev. zu tun. In der E gehört diese Hs der Titelangabe entsprechend zu einer Gruppe, die m entspricht. In diesem Falle müßte aber im Brieftitel statt der singulären Lesart Ἰω. ὁ Δαμασκηνός: Ἰω. ταπεινός auftreten.

141 ist hier nur wegen der Epist. einschlägig. Mit dem Fehlen der brev.-Lesarten bekennt sie sich zur fus., mit der Variante r aber und der Formulierung des Gesamttitels am ehesten zu i.

153 kam schon bei s″ ausgiebig zur Sprache. In c. 10 f trifft sie sich in den Varr. 560, 37 οὖ . . . 38 ἐστι²] om (Hom.) und 560, 48 ἑκάτερον] ἕτερον in etwa mit ȝ, in c. 47 aber, ebenfalls nur schwach, mit der stemmatisch auch nicht einreihbaren Hs 660 in den Varr. 617, 13 ἢ ὡς] εἰς, 620, 18 ζῷον om und 620, 35/36 συμβεβηκότος (Endung).

164 gehört dem ZKp. nach zu q. Das Zusammentreffen der Wortstellung καθ' ὑπόστ. ἀλλήλαις in 668, 13/14 und der Var. ς könnte an eine Nähe zu 307 denken lassen. Diese Möglichkeit wird aber wieder ferner gerückt durch beachtliche Trennfehler: 164 fügt in 665, 20 nach ἰδιώματα: ἀσύμφυρτα καί ein und 307 liest in 665, 22 χωρίζ.] χαρακτηρίζοντα.

185 trägt alle Charakteristika einer brev., genauer des Stammes q, an sich. Die übrigen Eigenheiten sind meist Sonderlesarten oder so farblos und auseinanderstrebend, daß sie keinen Wahrscheinlichkeitsschluß auf eine Zugehörigkeit zu einer Gruppe erlauben. Mit der Lücke von 620, 35/37 ἀνυπόστατον . . . ἐχόντων] om geht diese Hs jedoch mit 635[1] und 242 (g 1) zusammen.

188 erweist sich wieder als Sproß des Stammes q. Die Varianten gehören in ihrer überwiegenden Mehrheit g an, stehen hier aber zwischen 677 und g 1. Mit g gemeinsam hat unsere Hs außer den der brev. eigentümlichen den Brieftitel und die Varr. I und W und die von 569, 12 (alle bei i genannt) und Var. Y (bei g), mit 677 aber die von 521, 12. 15/16; 524, 5. 44; 540, 2; 568, 24 und 660, 34 und Var. G, mit g 1 die von 620, 35/36 und Π, mit g 4 endlich den Titel von c. 10.

210 gibt sich auf den ersten Blick als eine brev. zu erkennen. Der Zusatz zu c. 11 läßt an die Zugehörigkeit zu q denken, aber das Fehlen des ZKp. widerspricht dieser. Von den wichtigeren Textvarianten legen etliche die Annahme einer Berührung mit i nahe; erkennbar sind aber auch Einflüsse von x und selbst der fus. An die Stelle des Widmungstitels setzt der Kopist προλεγόμενα τοῦ Δαμασκηνοῦ εἰς τὰς φιλοσοφὰς αὐτοῦ.

254 ist den Katalogangaben nach eine brev. Der dort angegebene Titel paßt innerhalb der brev. zu o'.

267 ist der bisher einzige Zeuge (außer Combefis und den von Lequien abgeschriebenen Hss 93 und 226), der das Einschiebsel in c. 65 (661, 3–13 und 660, 36–661, 2) enthält. Das Fehlen von οἷον in 660, 18 läßt an p, διαμορφουμένη in 660, 34 dagegen an eine brev. denken.

307[1] bietet uns eine brev. vom Stamm q. Im übrigen sind von den Textvarianten besonders zu nennen: 665, 22 χωρίς.] χαρακτηρίζοντα (ausschließlich mit p'); 569, 13 ῥηθῆναι] ἐνθεῖναι (mit g 1); 572, 7/8 τοῦ . . . ὁρισμόν] om (wegen Brandschadens zwar nicht genau nachweisbar, aber dem Raum nach zu erschließen; Homoiot., sonst nur noch in t 2); 620, 40 τοιόνδε statt des überwiegend belegten τοῖον (vertreten besonders von der fus., in der brev. hauptsächlich von t 2) und Var. ς (mit o, o' und p). Der Kopist benützte offenbar verschiedene Vorlagen nebeneinander, vor allem solche vom Stamm q.

314 kam für die zweite Hälfte schon im Zusammenhang mit 528 zur Sprache. In der ersten Hälfte weist der Anhang zu c. 39 auf den Stamm x, in der Epist. die Titelgebung auf die brev., das Fehlen der übrigen brev.-Varianten aber auf einen Einfluß der fus., die Art der Gestaltung von 521, 27/28 vor allem auf ȝ, in c. 4 die 2 Varianten von 540, 14 auf g bzw. 677 oder p', in c. 10 schließlich ein paar geringfügige Varr. auf s' (Hs 515).

315 bietet nur eine schmale Vergleichsbasis; die Varianten von c. 10 sind Sondergut, von den des c. 4 zwei Homoioteleuta und nicht einheitlich bezeugt, eine dritte (540, 13 ἐκτός] χωρίς) nur noch bei k belegt. C. 66, eingereiht nach Expos. 53, wird zusammen mit den gleich gelagerten Fällen im Anschluß an die fus. behandelt.

368, ein Epist.-Fragment, stammt nach μιμητής von 524, 15/16 aus der brev.-Überlieferung. Von den übrigen wenigen Varianten fallen nur zwei (521, 9 ὁ θεῖος] om; 521, 10/11 ἀποχωρ. + ἑαυτόν) miteinander auf einen weiteren Zeugen, nämlich auf 405. Diese Hs enthält aber eine fus.

378 ist nach Aufbau, Textvarianten von c. 47 und Zusatz von c. 11 eine brev. aus q. Das Fehlen des ZKp., die Aufnahme von c. 1 und die Umstellung der Epist. (ohne die typischen brev.-Lesarten) an den Schluß der D erwecken von vornherein den Verdacht eines artfremden Einflusses, vor allem aus der fus. In den weiteren Varianten ist kaum einige Harmonie herauszufinden, am ehesten noch eine solche mit Hs 24.

414 ist verstümmelt, liegt uns auch nur teilweise photographiert vor, so daß z. B. nur vermutet werden kann, daß sich bei c. 11 der übliche Zusatz befindet, dies aber zur höchsten Wahrscheinlichkeit wird, weil dieser ganze Passus in c. 47 fehlt. Eine Verwandtschaft mit q darf außerdem aber mit Sicherheit angenommen werden aus der Beobachtung, daß sich die Textvarianten am meisten auf p' konzentrieren. Von den dort genannten treffen nämlich auch hier zu die von 537, 39; 540, 14; 568, 9. 40 und 47; 621, 2 und 18 und Var. ξ.

415 trägt fast alle Merkmale von q an sich, doch ist die Var. q zu treffen und an Stelle des ZKp. wie in 303 und 721 der Text von Justinos; damit ist uns der Weg zu u gewiesen. Mit 376, einem weiteren Vertreter dieser Gruppe, deckt sich auch die größere Zahl der Lesarten der Epist.; die Varr. der restlichen Teile gestatten jedoch keinen Schluß mehr auf eine nähere Verwandtschaft mit diesem Überlieferungszweig, auch nicht mit einem anderen.

422 enthält nur Exzerpte, von denen sich bloß cc. 45 und 66 mit unserer Kollationsauswahl überschneiden. Ein paar schwache Varr. erinnern an i oder t'.

430 hat den Zusatz bei c. 11 und die meisten brev.-Lesarten, in der Briefwidmung aber und 524, 15/16 (Var. q) die fus.-Varianten, auch fehlt das ZKp., Umstände, die an eine Herkunft von q und einen Einschlag der fus. denken lassen. Von den Textvarianten vereinigen sich Var. V und οὐκ om in 572, 28 (einzufügen nach ἄνθρωπος) auf 489 und 603, die eben genannte Var. V und die gleichwertige (τρόπον + ὡς) in 568, 13 auf 510; diese Hss gehören aber alle derselben Gruppe i' an.

431 setzt dem Grundstock einer brev. die fus.-Kapitel voraus und an die Stelle des ZKp. die Lysis, verbindet also brev. und fus. C. 11 ist in der gewohnten Form erweitert und c. 47 um diesen Text gekürzt; allem Anschein nach liegt diesem Gebilde also eine brev. des Stammes q zugrunde. Die Mehrzahl der Varianten ist Sondergut oder farblos und auseinanderstrebend. Nur zwei Lesarten (ω und 668, 19 ὑποστάσει om) vereinigen sich in einer Hs, nämlich in 687 (a), während ῥηθῆναι] ἐνθεῖναι in 569, 13 dem Zweig g 1 eigentümlich ist.

443 scheint einiges mit m zu tun zu haben. Darauf deutet hin das Fehlen des ZKp., des Zusatzes zu c. 39 und der typischen brev.-Lesarten in der Epist.; der Zusatz von c. 11 ist zwar vorhanden, aber nur in einer verkürzten Gestalt. Von den bei m aufgeführten Varr. gelten auch für 443 die von 568, 47; 620, 28; 620, 35/36; 621, 18 und die Varr. K, ε, ζ, η, und υ.

495 entsproßte nach bekannten Merkmalen dem Stamm q, nur fehlt die brev.-Var. z. Die Textvarr. zeigen in gewissem Umfang eine Ähnlichkeit mit p'; von den Lesarten dieser Gruppe treffen wir auch in 495 die Varr. ξ und υ und die von 540, 14; 620, 4; 621, 2; 621, 8/9; 621, 18 und 660, 22, alle nicht sehr tragfähig. Eine auffallend weitgehende Übereinstimmung besteht in der zweiten Hälfte mit 628.

In **519** treffen wir eine brev., zu der sich kein Gegenstück finden läßt. Der Zusatz zu c. 11 und Var. r sprechen für eine Herkunft von q, genauer von i, das Fehlen des ZKp. und die Varr. κ und θ aber für x. Einzig dastehend ist das Einschiebsel von etwa einer Seite bei 620, 10 ὅτι ἡ οὐσία τετραχῶς ... καὶ πάσχει τεμνόμενον καὶ τὰ τοιαῦτα. Mit 109 aber berührt sich unsere Hs (nach dem beiderseitigen Zeugnis der Sonderlesarten in einer gemeinsamen dritten) in der Aufnahme von ὅροι des Anastasios nach der D (in 519) bzw. nach der E (in 109) und von c. 1, das beide Male mit ἀπωσώμεθα in 532, 15 abbricht, und c. 5, beide Kapitel zusammen in 519 nach der Epist., in 109 nach Anastasios, und in der textlichen Ähnlichkeit von c. 1.

543 ist das Produkt eines ziemlich willkürlich zu Werke gehenden Schreibers. Aufgebaut ist sie offenbar auf einem Vertreter des Stammes q, doch fehlt das ZKp. Die beachtlicheren Varr. haben folgende Parallelzeugen: Briefwidmung Ἰω. ἐλάχιστος (brev.) + μοναχός (fus.); 521, 10 ἀποχωρ. + ἑαυτόν mit 368, 405 und 628 (keine dieser 3 Hss läßt sich in das Stemma einreihen); Var. F mit p und 12 und einzelnen verstreuten Hss, darunter 483 (v); 540, 16a ἐστι om mit 483; 568, 9/10 Titel von c. 10 wie Migne mit mehreren Einzelgängern, darunter 150 und 153; 569, 12 ὡς εἶπον] om mit i und 12; 620, 18 ζῷον om und 620, 22 εἶδος] γένος beide Male u. a. mit 153; Var. ν mit t 1 und 664, 10 γνωριζ.] συνερχομένων mit 150 (Kontaminationsgruppe p''). Das Bild, das sich hiemit ergibt, ist ein sehr buntes.

546 ist am Ende verstümmelt, läßt darum die Existenz des ZKp. aus der Zählung des letzten erhaltenen Kapitels 63 als μϛ′ und dem Vergleich mit anderen Hss nur schwach ahnen. Cc. 11 und 39 entbehren der Zusätze. Eine Nähe aber zu m, die aus der bisher gegebenen Charakteristik vermutet werden könnte, schließen die Textvarr. aus, die nichts mit dieser Gruppe gemeinsam haben; anscheinend handelt es sich bei 546 um ein selbständig aus brev. und fus. kontaminiertes Gebilde.

562 gibt nur Auszüge aus verschiedenen brev.-Kapiteln wieder und bietet in dem für uns einschlägigen Teil nur zwei geringfügige Lesarten, die zudem auf ungleiche Zeugen weisen.

573[1] entlehnte im ersten Teil der D nicht bloß c. 10 einer brev., sondern zog laut Var. z offenbar auch für die Gestaltung der Epist. eine solche mit heran. Πρός] εἰς von 524, 16 ist fast nur in d 1 und Γρηγόριος + παρ' οὐδὲν τοῦτο τιθέμενος καί von 524, 37 in v zu belegen. Mit dieser Gruppe würde unsere Hs auch noch zusammengehen in den dort aufgeführten Lesarten von 521, 5/6 und Varr. g, h und m. Von den Varr. von 10b stimmen nur 2 für den gleichen Zeugen 489 + 488 (wieder von d) mit den Varr. von 569, 12 (genannt bei i) und 569, 32. Über den restlichen Teil von 573[1] und über 573 siehe unten bei 453 (ʋ) und ϛ.

594 gibt sich im ganzen Aufbau und durch das Fehlen von Var. q als brev., durch die Form des Brieftitels, durch das ZKp. und den Zusatz bei c. 11 als Sproß des Stammes q zu erkennen. Die brev.-Varr. von 525, 11 (z) und 620, 11 fehlen jedoch, was einen fus.-Einfluß vermuten läßt. Überhaupt scheint mir 594 abgesehen von einigen singulären und anderen geringfügigen Streulesarten einen ziemlich glatten Text zu haben, vielleicht ist es das Ergebnis einer geschickten Kontamination. Die bei 573[1] für 524,37 genannte Texterweiterung findet sich auch hier, jedoch am Rand als Ergänzung von späterer Hand.

600 möchte ich hälftenweise – die Naht wäre zwischen cc. 12 und 39 zu suchen – je verschiedenen Stämmen zuordnen: die erste Hälfte einem, in dem der Anhang zu c. 11 fehlt, der zu c. 39 aber möglicherweise enthalten war, d. h. dem Stamm m oder x, die zweite Hälfte einem, der das ZKp. enthält und vielleicht den Zusatz zu c. 11, nicht aber den zu c. 39, d. h. dem Stamm q. Die Textvarr. bestätigen diese Annahme: die erste Hälfte nähert sich am meisten der Hs 407 (t 1), von deren Varr. folgende auch für 600 gelten: s, u, G, sowie 524,44; 524,46 (bei t); 525,6/7 (t 1, nicht in der Umstellung von 407) und 540,5 (bei x); Var. q und das μοναχός nach 'Ιω. in 521,3 – das Weitere des Titels ist unlesbar – deuten auf einen fus.-Einschlag hin. Die zweite Hälfte von 600 weist mit der charakteristischen Lesart ἀνυπόστατον ... οὐσία] om von 620,35/36 auf g 1; dazu paßt auch noch die Übereinstimmung in den Varr. 621,12 und ζ (i), μ (b), ϛ (g 1) und ⟩ (g).

615 vermengt schon im Aufbau, wie aus der Beschreibung zu ersehen ist, eine brev. mit einer fus. Aus dem Vorhandensein des Anhanges zu c. 11 darf mindestens eine Berührung mit q geschlossen werden. Die Fassung des Titels von c. 10 und die recht wenigen Varr. von c. 4 und der ersten Zeilen von c. 10 (wir besitzen davon auf Film nur die ersten 4 Zeilen) würden sich auf g 1 bzw. die Untergruppe g 4 konzentrieren. Von c. 47 verfügen wir über keine Aufnahmen. Im Schlußteil fehlen das ZKp. sowie alle Lesarten des eben genannten Überlieferungszweiges; es können aber auch für eine andere Verwandtschaft keine halbwegs verläßlichen Merkmale angeführt werden.

628 bietet in Epist. und c. 4 – beide Stücke sind größtenteils von der ergänzenden Hand geschrieben – nur mit dem Brieftitel eine schwache Handhabe zur Feststellung einer Verwandtschaft mit q. In c. 10 sind die Varianten 568,30 διαλέγοντες statt λέγοντες und Z. 47 ἐπί] περί, beide nicht erschütternd, noch anzutreffen in 635[2] (g 1). Das ZKp. spricht für einen Anschluß an q; Genaueres kann aber nicht gesagt werden. Die Nähe zu 495 wurde oben schon erwähnt. 628[1] läßt in der Epist. die brev.-Var. z einfließen und bringt u. a. auch den Zusatz zu c. 11 noch an, gehört also wohl ebenfalls zu q. Die übrigen Lesarten beweisen nichts.

642 ist dem Aufbau nach eine artreine brev., hat aber wohl durch Vermischung mit anderen Sippen, die fus. nicht ausgenommen, fast alle ausgeprägte Eigenart verloren: die Textvarr. der brev. fehlen alle, auch das ZKp. und der Anhang zu c. 39; der zu c. 11 ist zwar da, aber nur noch in sehr verkürzter Form. Wenigstens in diesem haben wir einen Fingerzeig zu q. In dieser Richtung liegen auch die Varr. ϛ und ⟩, die fast ausschließlich in g 1 und p auftreten. Der Titel von c. 10 spricht für die Untergruppe g 4 am ersteren Zweig.

644[1] hat in der ersten Hälfte Blätter verloren und damit den Großteil gerade des Textes, der in unsere Kollationsauswahl fällt. In c. 47 zeigt die Wiederholung des ersten Teiles in Schemaform, daß der Schreiber bei wenigstens noch einer Hs Anleihen machte; wahrscheinlich übernahm er diese ganze Wiederholung und die Fortsetzung davon bis 620,3 aus dem Anhang zu c. 11 (zu schließen aus dem letzten kurzen Satz dieses Textes, der gewöhnlich nur im Anhang zu c. 11 enthalten ist), aber nicht aus der eigenen Hs, wie die Textunterschiede zeigen. Die Varr. des c. 47 lassen die Heranziehung von Vertretern der Gruppe s′ als möglich erscheinen wegen der Übereinstimmung in den Lesarten von 621,13 und Varr. ζ und κ. Δεχ.] ἐπιδέχεται von 621,23/24 aber ist nur von q belegt, wo (neben anderen Stellen) auch δεκτικόν] -κήν (Z. 18) zu finden ist. Der Titel zur Epist. und der Zusatz zu c. 11 weisen schließlich zum Stamm q.

646 gibt nur einen kurzen Auszug aus c. 10 wieder. Darin weist ἕτερον] δεύτερον in 568,13 auf p″, λέγονται om in 568,14 aber auf g 3.

660 ist in seinem Text an nicht wenigen Stellen vom Schreiber aus Ungeschicklichkeit oder Willkür geändert, z. B. ὄντος] ὄρους 521,21; ἐγχειριζ.] ἀειδιζόμενος 521,23; νοηθεῖσι] μυηθεῖσι 524,3; ἀνοίξει] αἰνέσει 524,20; ἄλλα] ὑπάλληλα 572,2; λέγεσθαι] γίνεσθαι 572,24/25; συνιστῶ] ποιῶ 572,50. So muß mit der Möglichkeit gerechnet werden, daß das gelegentliche Zusammentreffen in manchen Lesarten mit anderen Zeugen nicht auf einer Abhängigkeit beruht, sondern auf der Wahl des Schreibers und dem Zufall. Im Aufbau ist unsere D eine brev., dafür spricht auch die brev.-Var. μ. Der Zusatz zu c. 11 weist auf q, doch fehlt für diese eindeutige Zuordnung das ZKp. Die Textvarr. lassen eine Berührung mit einer größeren Zahl von Hss vermuten.

682 bekennt sich mit dem Zusatz zu c. 11, dem ZKp. und den brev.-Textvarr. (jedoch fus.-Var. q) wieder klar zur brev., und zwar zu q. In den Lücken καί . . . ἐλάτειραν in 524,44 und der der Var. Y stimmt sie mit g überein, folgt freilich dieser Gruppe in keiner ihrer vielen Absonderlichkeiten mehr. Irgendwie steht unsere D der von 748[3] nahe, mit der sie diese Lesarten gemeinsam hat: die eben genannte Var. Y, ferner 569,49 ἔχειν + αὐτό (in 748[3] hineinkorrigiert, sonst Charakteristikum von o); 620,37 τῶν συμβεβηκότων] om (in 748[3] wieder ergänzt, nur noch in d vertreten); 620,40 τοῖον] τοιόνδε (überwiegend mit fus.); 665,11 ἔχει ὑποστατικήν (Stellung, mit k und m) und Var. ς mit g 1, o, o′ und p. – **682**[1] enthält als Ergänzung wenig Vergleichsmaterial. Mit der Var. h (mit zahlreichen anderen Zeugen) und besonders mit der Verbalform ἐδεδείουν in 524,6 (nur dieser Gruppe eigen) könnte sie an p″ erinnern.

712 ist mit 60 nahe verwandt, wie der Aufbau (Zusätze bei cc. 11. 17 und 39, Fehlen des ZKp., c. 40 nach c. 45) und folgende Textvarianten zeigen: K, α; 568,21 εἶδος²] σχῆμα; 568,30 λέγοντες] διαλεγόμενοι; 568,47 ἐπί] περί; 569,26 ἤ ante πρᾶγμα; 572,16 ὅρου] ὁρισμοῦ; 572,29/30 ἐστιν] λέγεται, außerdem nach ἄνθρωπος gestellt; 572, 45/47 λίθον . . . ποιῶ] om; 617, 13 ἢ ὡς] εἰς; 665, 10 ἄτρεπτά τε καὶ ἀσύγχυτα (St.). Dieses Verwandtschafts- verhältnis kann aber kein geradliniges sein, weil jede der beiden Hss reich- liches Sondergut aufweist. 712 setzt an die Stelle von c. 47, abgesehen vom ersten Satz, den Text von Var. ι der Gruppe t. 60 hingegen hat im großen und ganzen den üblichen Text, wenigstens soweit wir davon eine Photo- graphie besitzen (bis 620, 31). Wegen des Zusatzes zu c. 39, des Fehlens des ZKp. und wegen des hier als c. 47 verwendeten Textes möchte ich eine nahe Verwandtschaft von 712 mit t annehmen; die Textvarianten hin- gegen stimmen nicht dazu. Offenbar wuchsen 2 oder mehrere Über- lieferungszweige so ineinander, daß eine säuberliche Scheidung nicht mehr möglich ist. – Eine nahe Verwandte von 712 + 60 (aber nicht eine der beiden Hss selber) diente Rob. Grosseteste (s. S. 220) als Vorlage für seine lat. Übersetzung, wie der Aufbau und der Großteil der Textvarr. zeigen. Die Epist. aber, die in 712 nicht enthalten ist (in 60 ist nur noch das Schluß- stück von der Epist. überliefert, das nach den anfallenden Kriterien nicht einer brev. angehört, mit dem darauffolgenden c. 1 also wohl einer fus. ent- nommen wurde), deutet mit allen Zeichen auf eine Herkunft von d hin, ohne daß für sie eine bestimmte Hs als Vorlage genannt werden könnte. Für die Kollation dieser Übersetzung bot den lateinischen Text cod. Paris. lat. 2375 bzw. für das letzte Fünftel die Hoppersche Ausgabe von 1575.

748[3] ist dem Aufbau nach eine brev. von q; dies bezeugen die Varr. von 524, 15/16 und z und μ sowie der Zusatz zu c. 11. Der Ersatz von ἀποχωρ. durch ὑποχωρήσας in 521, 10 und Var. r sprechen für i, innerhalb dieses Zweiges die Varianten von 540, 2 und 569, 12 sowie G und Y einigermaßen für g bzw. 677 (wie auch 188, zusätzlich Var. α), das Übergehen von τῶν συμβεβηκότων in 620, 37 endlich für d. Die Varr. b und w sind vor allem Eigenheit der fus.

Die D des Hilarion (nach der Ausgabe von 1514; s. auch S. 220) gibt im Grundriß eine brev. wieder (einschließlich des ZKp.), nimmt aber umfang- reiche Teile der fus. herein. Hilarion kontaminiert also schon im Aufbau brev. + fus. In der Epist. scheint die Übersetzung von 524, 3 mit „potens ad sacrarum rerum instructionem" die Var. νοηθεῖσι] μυηθεῖσι und von 524, 20 mit „accipiat sermonem linguae in laudem" die Var. ἀνοίξει] αἰνέσει vorauszusetzen, beides Sonderlesarten von 660. Mit dieser Hs würden sich decken die Varr. μέγας (= magnus) st. θεῖος in 521, 9 und ἐν θεολόγοις (inter theologos) st. ἐν θεολογίᾳ von 524, 36 sowie die fus.-Lücke von Var. w. Um die Absonderlichkeiten von 660 in 521, 20 und 21 geht der Übersetzer herum, indem er diese Zeilen überhaupt ausläßt. Der Text der brev.- Kapitel nähert sich am meisten i' (d 1 ?). Möglicherweise stammen auch die fus.-Kapitel aus einem Verwandten dieses Zweiges.

Für die Behandlung der georgischen Übersetzungen (s. S. 218) der D wie der E steht wegen Unzugänglichkeit der einschlägigen Hss zunächst

nur Sekundärliteratur zur Verfügung, deren Angaben für unsere Zwecke
nicht ausreichen. Dies gilt besonders für die erste Übertragung, die dem
Athosmönch Euthymios zugeschrieben wird. Von der zweiten Übersetzung, von Epʻrem Mcire angefertigt, kann hier wenigstens gesagt
werden, daß sie Dial. + Expos. umfaßte und daß erstere aus 50 Kapiteln
bestand, also eine brev. war, und letztere vermutlich als dazugehörig eine
Expos. ord. Mit dieser Übertragung im wesentlichen gleichzusetzen ist die
des Arsen Iqaltʻoeli, die später noch in das Armenische übersetzt
wurde.

Der Mamikonier Bagarat gab nach den Mitteilungen von N. Akinian
offenbar eine Dial. brev. mit dem ZKp. wieder[1]). Vgl. S. 218.

Über die armenische Übersetzung der Pege durch Simeon von
Plndzahankʻ erfahren wir von Akinian, daß sie Epist., Dial. und Expos.
umfaßt, daß die Dial. eine brev. ist, die mit c. 66 schließt, nach den knappen
Indizien bei A. aber einige Besonderheiten aufweist, die in keiner sonst
bekannten Hs oder Hss-Gruppe wiederkehren, und daß in der Expos. am
Schluß c. 100 steht, diese also mit Bestimmtheit eine ord. ist. Vgl. S. 219.

Nachdem die Hss der Db nach ihrer Verwandtschaft zusammen-
geordnet sind, ist dem Ziel der ganzen Untersuchung näherzutreten,
nämlich der Frage, welche Hs oder Hss-Gruppe den ursprünglichen Text
wohl am reinsten wiedergibt; dazu sind die Unterscheidungsmerkmale
der einzelnen Sippen zu prüfen, vor allem die verschiedenen Zusätze.

Wie gezeigt wurde, erweitert q den üblichen Text der D um das
sogenannte Zusatzkapitel und um den Anhang zu c.11, x c.39 um den
Anhang zu diesem Kapitel, m weist keinen dieser Zusätze auf. Nach dem
Zeugnis der griechischen Hss ist q der stärkste und reicht in seinen ältesten
Vertretern bis in das 11. Jh. hinauf, in der arabischen Übersetzung des
Antonios sogar bis in das 10. Jh. x steht in der Zahl der Hss q bedeutend
nach, ist ihrem Alter nach aber diesem mindestens ebenbürtig. m jedoch
ist der schwächste Stamm und erst seit dem 12. Jh. nachweisbar. Das
Alter der erhaltenen Zeugen möchte ich nicht für entscheidend halten,
weil sein Unterschied auf einem bloßen Zufall beruhen kann. Ähnlich
könnte man vom Umfang der einzelnen Überlieferungszweige denken.
Die Sprache als Kriterium für die Echtheit scheidet aus, weil es sich bei
diesen Zusätzen fast ausschließlich um Dubletten zu authentischen
Stücken handelt; aus demselben Grund kann auch der Inhalt der Zusätze
zu cc.11 und 39 nicht zum Vergleich herangezogen werden. Das ZKp.

---

[1]) Was Akinian mit dem letzten Kapitel der Dial. des Tübinger Kodex Ma XIII 74
meint, ist nach seinen knappen Angaben nicht zu klären; auch das für dieses Kapitel angeführte Explicit gibt keinen Aufschluß. Bei dem darauffolgenden Text, der angeblich in
etwa dem c.50 ähneln soll, handelt es sich vermutlich um das Zusatzkapitel. Die in diesem
Kodex auftretenden Lücken und Umstellungen beruhen möglicherweise auf Blattverlust
und Verwechslungen (schon in der Vorlage ?); so gehören wahrscheinlich cc.38–44 zwischen
cc.37 und 45.

läßt sich als Ganzes in der übrigen D nicht nachweisen, ist aber in der Hauptsache nichts anderes als eine kurze Zusammenfassung der in cc. 4, 6, 10, 30, 39–42 behandelten Stoffe, großenteils unter wörtlicher Übernahme ganzer Abschnitte. Es erweckt den Eindruck, daß das ZKp. in kürzester Form über die wichtigsten philosophischen Begriffe für trinitarische und christologische Fragen informieren will. Daß JD selber am Schluß seiner 50 philosophischen Kapitel die ganze Lehre auf diesen einfachen Nenner bringen wollte, erscheint mir zweifelhaft. Schließlich könnte gegen die Ursprünglichkeit des ZKp. die ganz allgemein beobachtete Praxis der Kopisten sprechen, die ziemlich ausnahmslos eher auf eine Vermehrung als auf eine Verminderung des Textes bedacht waren. – Bei den Zusätzen zu cc. 11 und 39 ist noch auf den organischen Zusammenhang zu achten. C. 11 handelt vom Atomon und gibt 4 Arten davon an, als letzte und wichtigste, die, bei der das Atomon im Falle der Teilung als Spezies verlorengeht, wenn z. B. Petros geteilt wird in Leib und Seele, wobei dann weder der Leib mehr Petros ist noch die Seele. An dieses Beispiel der Teilung knüpft nun der Anhang (erste Hälfte von c. 47 bis 620, 31) an. Das kann veranlaßt sein entweder ganz äußerlich durch diese eine Diairesis, die das Teilungsschema in die Erinnerung rief, oder von der Absicht, den Platz des Atomon im Rahmen der Seinsordnung an Ort und Stelle vor Augen zu führen. Ganz fehl am Platz ist die Zugabe nicht, aber vom Thema des Kapitels nahegelegt oder gar gefordert ist sie sicher noch weniger. – C. 39 spricht neuerdings von der οὐσία und bringt nochmals die wesentlichen Sätze darüber und über ihr Verhältnis zum συμβεβηκός. Es liegt nicht fern, hier auch das ἴδιον der οὐσία unterzubringen, näher jedenfalls als im c. 47. Hat aber auch der verbindende Text (620, 32–45) mit seinem Rückblick und der Überleitung zum neuen Thema an dieser Stelle seine Berechtigung? Zwar sind im Anhang von c. 39 die ersten 4 Zeilen dieses Textes abgeändert, so daß sie dem Inhalt von c. 39 entsprechen, überdies wohl auch um die fast wörtliche Wiederholung von 620, 33/34 durch 620, 41/42 zu vermeiden, es erhebt sich aber die Frage, ob die in der zweiten Aufzählung der besprochenen Begriffe (620, 41/42) aufgestellte Behauptung, diese seien bisher behandelt worden, bis c. 39 zutrifft. Zur Not ist diese Frage zu bejahen, wenn man an das c. 30 denkt, wo alle diese Begriffe in ihrem gegenseitigen Verhältnis kurz zur Sprache kamen. Da jedoch in den cc. 40–47 jedem der betreffenden Gegenstände ein eigenes Kapitel gewidmet ist, hat der Hinweis auf das bisher Dargelegte seinen passenderen und wohl einzig berechtigten Platz am Schluß von c. 47. Aus diesen Überlegungen bin ich geneigt anzunehmen, daß keiner dieser 3 längeren Zusätze von JD selber stammt. Einen zwingenden Beweis kann ich dafür freilich nicht erbringen, so daß die Möglichkeit offen bleiben muß, daß das ZKp. ursprünglich vielleicht zur ganzen brev. gehörte und im Laufe der Zeit in einem Teil der Überlieferung, etwa unter dem Einfluß der fus., abgestoßen wurde. Diese Überlegung dürfte besonders gegenüber dem Stamm m angebracht sein, der im Freisein von den Zusätzen und in manchen Textvarr. an einen Einfluß der fus. denken läßt.

Die geplante Edition wird sich darum auf keinen der Hauptstämme der Überlieferung ausschließlich festlegen dürfen, sondern beide bzw. alle 3 berücksichtigen müssen. Da von diesen aber keine Hyparchetypen bekannt sind, sondern solche erst aus anderen Zeugen erschlossen werden müssen, sind alle Überlieferungszweige heranzuziehen, von denen mit Wahrscheinlichkeit anzunehmen ist, daß sie altes Überlieferungsgut enthalten. Auszuscheiden sind dabei 1. alle Abschriften, von denen die Vorlage auf uns gekommen ist, 2. alle degenerierten Vertreter einer Sippe, wenn bessere erhalten sind, 3. alle Hss, die einen Text bieten, der augenfällig durch Kontamination oder aus Phantasie willkürlich umgestaltet wurde.

Die Edition wird sich demnach etwa auf folgende Hss aufbauen: c = 447 + 449 + 502; d = 603 + 510 (+ zur Ergänzung 620) + 489; g′ = 724 + 435 (+ 634 mit Vorbehalt) + 735 + 188; k = 37 + 80; o = 276; p = 446; p′ = 302; 528; m = 119 (am Anfang an seiner Stelle 725) + 756; s = 441; t 1 = 407 + 678; t 2 = 574 + 572; u = 376 (+ 90). Alle übrigen Hss, auch die Kontaminationsgruppe p″ und die freie Bearbeitung von 515, glaube ich ignorieren zu dürfen und mit ihren sordes scriptorum weder die Ausgabe noch ihre Benützer belasten zu sollen.

Schematische Darstellung
der Handschriftengruppen
der Dialectica fusion = D f

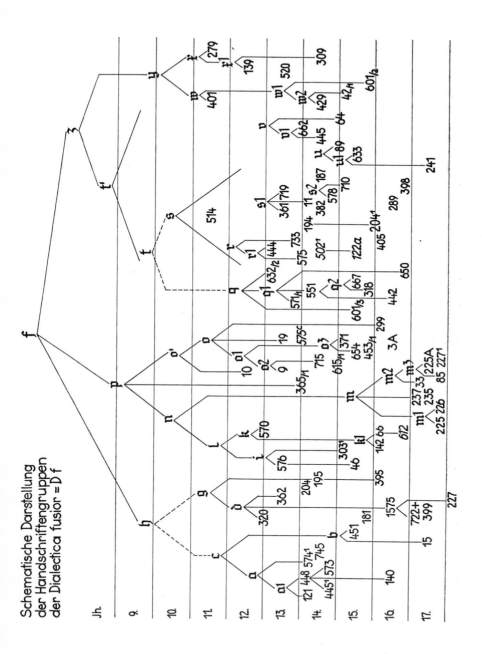

9*

b) Dialectica fusior

α1 = 121 + 448:

Bindefehler: 529, 3 ἡ γάρ] εἰ γὰρ ἡ.
Trennfehler **121:** 561, 3/4 κατά . . . τρόπον] om (Hom.); 564, 27 τῆς οὐσίας]
om. Kontamination: Einführung des Schemas in c. 47 (und möglicherweise
des c. 67). Das Schema von c. 47 hat mit der Unterteilung von ἵππος und
dem darauffolgenden Text seinesgleichen nicht mehr; von 620, 4 wird die
Unterzeile als Hypodiairesis von αἰσθητικόν dargestellt, und 620, 10 fehlt
καὶ τὰ τοιαῦτα.
Trennfehler **448:** 524, 43 ἐξώμεθα] ἐχώμεθα; 568, 8 φύσεως καὶ οὐσίας St.;
c. 67 ist übergangen; für den fehlenden Text von c. 47 ist Raum ausgespart.
Kontamination: 564, 30 γένος + αὕτη οὖν . . . οὐσίας = brev.: 569, 41/42.
   Abschrift von 448 ist **140,** vielleicht auch **445¹** und **573:**
Trennfehler **140:** 537, 20/21 ὑποκείμενον . . . δὲ ἐν] om (Hom.); 564, 14 εἶδος
om; 565, 17/18 διό . . . εἶδος¹] om (Hom.). Mit dem Wechsel der Hände ist
kein solcher der Vorlage verbunden.
Trennfehler **445¹** (bis in c. 10): 521, 8 τοῖς] εἰς; 532, 20 ἀποχρησ.] αὐτοῖς
χρησόμεθα.
Trennfehler **573** (c. 1 bis in c. 10): 529, 37 λογισμοῦ πᾶσαν St.; 532, 18
κακομάχων] θεομάχων; 532, 26 ἔφη post ἀλήθεια.

α = α1 + 574¹:

Bindefehler (nur Ergänzungskapitel): 525, 12 πειθαρχήσαντα st. Dat.;
529, 44 πνεῦμα pr τό; 537, 3 μέν om; 560, 32 δέ om; 561, 39 + αὐτῶν, sonst
zu tilgen; 561, 43 περιέχοντα] ἐσχηκότα; 561, 47 und 49 περιέχον] ἔχον;
565, 29 ὑπάλληλα ante γένη; 665, 17 σῴζει] -ζουσα; 669, 11 εἰδέναι] γινώσκειν,
nur mehr von α1 belegt.
Trennfehler α1 = Bindefehler α1.
Trennfehler **574¹** (nur Ergänzungskapitel): 532, 8 ἔξω] ἔξωθεν; 564, 28
ὥστε + καί. Die Lesart von 529, 39 (c) ist zurückgebildet, vielleicht anhand
einer weiteren Hs.

b = 15 + 451:

Bindefehler: 521, 25 ἐξυπ.] ὑπηρετεῖσθαι; 524, 44 ἐλάτειραν] ἐλατῆραν;
529, 21 διδάξ.] δείξαντος; 532, 16 ἐξαπάτην] ἀπάτην; 564, 15 ἀπαραλείπτως
+ ὅλως; 564, 45 ὡς εἴπομεν] om; 565, 11 ἄπειροι post εἰσιν. Kontamination
durch Korrektur: 621, 21 ἐπεί pr ἐπουσιωδῶν mit brev.
Trennfehler **15:** 529, 19 τῶν ὄντων] ὄντως; 561, 9/11 γένος . . . εἰπόντες] om
(Hom.). Kontamination: c. 47 keine Lücke mehr, darin 620, 4 u. 10 wie 121.
Trennfehler **451:** 665, 7/8 σύνθετον . . . πρός] om.

c = α + b:

Bindefehler: 529, 39 φθάνοντες] φθάσαντες; 560, 44 προσεχῶς + καί; 565, 24
φασι] φαμεν; 620, 40 τοιόνδε (gewöhnlich τοῖον); c. 47 bis 620, 32 om, aus-

genommen 620, 13/14 οἵτινες . . . πρόσωπα, das als Titel für 620, 32 ff verwendet ist. Wenn freilich die fehlenden Partien so anspruchslos aussahen,
wie sie in 2 Vertretern dieses Stammes uns heute noch vor Augen stehen,
ist es nicht zu verwundern, wenn Kopisten wie etwa der von 448 es vor-
zogen, darauf zu verzichten. Kontamination: mit brev. sind beseitigt die
Varr. h, q, v, w, eingeführt D, E; Varr. p und 529, 33 ὅλη + οὖν mit p.
Trennfehler a und b = ihre Bindefehler.

Aus der Sippe von c stammt in der Hauptsache auch **745**. Hiefür
sprechen die Varr. p, q, D, E, die von 620, 25–31, das Fehlen der Varr.
der Schlußkapitel und von der fus.-Lesart ρ. 2 Varr. aber (532, 25 und 31)
kehren bei r wieder.

d = 320 + 362:

Bindefehler: Varr. δ, η; 521, 4/5 τῆς ἐμαυτοῦ γλώσσης ἐπιστάμενος St.;
529, 34/35 περιαγόμενον καὶ περιστρεφόμενον St.; 537, 28 οὐσία ἐστὶν ὑπερούσιος, sonst 3 1 2; 560, 41 μόνον om; 561, 34 φαμεν; 561, 48 τὸ εἶδος (einzufügen nach οὖν)] om; 564, 14 οὔτε] ὥστε; 620, 15 + ἔστι . . . γενικώτατον,
fehlt sonst; 620, 25–31 om. Kontamination: mit brev. Varr. D, E; 561, 53/
564, 1 τὸ γένος] τοῦ γένους mit i und v.
Trennfehler **320**: 524, 2 καί] κατά; 529, 27 τῶν ὄντων] om; 529, 47 καί . . .
κατατρυφήσωμεν] om; 532, 11 κατασκευήν] κατασκήνωσιν; 661, 19 τηκτῶν]
κτινῶν; zahlreiche Schemata. Kontamination: Brieftitel wie 644[1].
Trennfehler **362**: 529, 6 ἀλόγων] -γῳ; 564, 27/28 ἐπιδέχ.] δέχεται, später ergänzt.

Auf d beruht der erste griechische Druck der D von Hopper vom
Jahre **1575**, aber nicht ohne neuerdings nach der brev. „veredelt" zu
werden. So wurde der Anhang zu c. 11 einokuliert (demnach wurde zur
neuen Verwandlung ein Vertreter von q herangezogen), ferner c. 17 b an
Stelle von 17 f und das Plus der Var. r und 621, 21 οὐδαμῶς. Die Lücken
der Varr. v und w wurden geschlossen, die Lysis wurde dagegen weg-
geschnitten. An weiteren Eigentümlichkeiten der editio princeps sind
außerdem zu nennen: Varr. t und u, 521, 26 μεσίτην (Endung); 521, 28
ἁμαρτία + καί; 524, 4 πάσης] πάθη; 524, 42 und 529, 40 ὡς ἄν] ὡσανόν (die
Abschriften berichtigen zu ὡσανεί); 529, 51 πατέρα] πνεῦμα; 561, 47 γένος]
τέλος; 564, 20 μόνον om; 617, 7 ἀνύπαρκτον] ἀνυπάρατον (227: ἀνυπάρεκτον);
617, 15–18] ἡ οὐσία; 620, 25–31 ist am Schluß von c. 47 nachgeholt, darin
620, 25/26 γένους] γένη und ἤτοι τῆς οὐσίας] om und 665, 22 ψυχῆς + καί.
Weitere geringfügige Lesarten betreffen nur evidente Druckfehler, die
von den Kopisten berichtigt werden, wie von den vorgenannten auch die
von 529, 51 (ist Bibelstelle), 561, 47 und 617, 7 (nur von 722).

Vom Druck von 1575 sind abgeschrieben **722 + 399, 353 u. 227**, jede
mit Sonderlesarten. Die ablösende Hand von letzterer (= 227[1]) folgt u.

Reiche Frucht sollte der gedruckte griechische Text von 1575 noch
in Billius tragen, der nach ihm seine lateinische Übersetzung anfertigte,

die **1577**, **1603** und **1619** aufgelegt wurde. B. hat an seiner Vorlage nur einige kleine und eklatante Druckfehler berichtigt. Das verbalhornte Substantiv in 617,7 veranlaßte ihn, es mitsamt den beiden vorausgehenden Wörtern ganz auszulassen. Vgl. S. 221.

Dieser Sippe gehört im wesentlichen noch **181** an. Diese Verwandtschaft zeigt sich in der Übereinstimmung in den Varr. D und E und in den von 561,53/564,1; 620, 25–31 und 621,21 (bei ſ), ferner im Fehlen der fus. Varr. in den Schlußkapiteln sowie im Zusatz zu c.50, der hier freilich schon mit διάθεσις (632,30) abbricht.

𝔤=𝔡+195:

Bindefehler: Varr. a, c, e (362: f); Zusatz zu c.50: 632,28–32.
Trennfehler 𝔡 = Bindefehler 𝔡.
Trennfehler **195**: 529,18 οἶον . . . δεκτικόν] om; 529,19 ἐπιστήμης + οἶον ὀφθαλμὸν κέκτηται; 620,10 κύνα ἵππον; 620,26 τῶν . . . εἰδῶν] τοῦ εἴδους; 620,27 ταῦτα δέ] om; c.65 beginnt bei 657,19 ὅρος.

Von 195 stammt **395** ab (ab c.18):
Trennfehler: 620,44/45 φιλοσοφίας] σοφίας; 660,32 οὐσίᾳ] ἐξουσίᾳ.

In diesem Raum ist auch die Heimat von **204** zu suchen. Dafür spricht das Fehlen der fus.-Varr. in den Schlußkapiteln, näherhin für 𝔤 die Stellung κύνα ἵππον in 620,10 und der Singular in 620,26, gegen letzteres jedoch das verkürzte c.50 und die Zusammennahme von cc.64 + 65. Das Stück 620,25–31 ist an den Rand geschrieben und dürfte in Ergänzung einer Lücke in der Vorlage aus einer anderen Hs genommen sein (wie auch in 195).

𝔥=𝔢+𝔤:

Bindefehler: Fehlen der für die fus. sonst geltenden Varr. der Schlußkapitel: χ, Λ, Ψ, Ω. Dieses Band muß sich jedoch nicht aus einer Abhängigkeit von einer gemeinsamen Vorlage ergeben, sondern kann auch entstanden sein durch selbständige Angleichung an die brev.; auf jeden Fall liegt ein beachtlicher brev.-Einfluß vor.
Trennfehler 𝔢 und 𝔤 = ihre Bindefehler.

𝔦=303¹+576:

Bindefehler: 561,53/564,1 τὸ γένος (fehlt gewöhnlich)] τοῦ γένους.
Trennfehler **303¹** (diese Hand bis in c.51): Schluß des Brieftitels Ἰωάννου μοναχοῦ; 524,3 ἔχων om; 532,4 μετὰ πάντων st. Akk.; 564,26 εἰσι post οὐσίας; 620,12 Παῦλον + Ἰωάννην, Ἀνδρέαν.
Trennfehler **576**: 524,43 εἶτα + μετά am Rand, in 46 im Text; 529,5/6 σκότος . . . στέρησις] om (Hom.); 621,16 ἴδιόν ἐστι St.

Getreue Abschrift von 576 ist **46**, soweit unsere Aufnahmen (Anfangs- und Schlußteil) dieses Urteil erlauben.

f1=66+142:

Bindefehler: Schluß des Brieftitels Ἰωάννου (τὸ) ποίημα τοῦ Δαμασκηνοῦ; 521,20 ἐξιστῶν st. Dat.; 529,21 διδάξαντος st. Fut.; eine Unstimmigkeit bei 537,10/13; 621,14 δέχεσθαι st. Kompos.
Trennfehler **66**: 537,6 καί[1] om; 537,10/14 ἐν ... ἐπιστήμη] om (Hom.); 565,15 εἴδη ἀλλ'] om.
Trennfehler **142**: 521,3 Ἰω. + μοναχός; 532,24 ἀγωγόν gg. das übliche ἀρωγόν; 537,10/13 οὐδέ ... οὐδέ] διό· οὔτε. Kontamination: mit brev. Varr. D und E; durch Korrektur ist der Brieftitel um den brev.-Titel wie in t erweitert; Var. θ mit c; Var. Δ mit s'.
Von 66 scheinen die Exzerpte der Hs **612** herzurühren.

f=f1+570:

Bindefehler: 525,2 ἀλήθειαν + τὴν πάσης ἀγαθοεργασίας πρόξενον; 529,3 ἐστι om; 529,5/6 οὕτω ... ἐστίν] om (Hom.); 529,12 (τῶν γάρ liest Migne nur mit 714; es ist zu ersetzen durch εἰ δὲ τῶν) αἱ γνώσεις pr ἡ γνῶσις. Kontamination: mit brev. Beseitigung der Var. w und gg. n Wiedereinführung von καὶ ποιητής in 532,30.
Trennfehler f1 = Bindefehler f1.
Trennfehler **570**: 532,3 γάρ om; 561,3/4 κατά ... τρόπον] om (Hom.); Spuren einer Korrektur: 529,12 ἡ γνῶσις am Rand, ebenso 561,53 f τοῦ γένους.

l=i+f:

Bindefehler: 620,10 ἵππον κύνα] om; 664,5 οὐκ ἐδέξ.] οὐ κατεδέξαντο.
Trennfehler i und f = ihre Bindefehler.

m1=225+226:

Bindefehler: 529,47 + Βασιλείου τοῦ μεγάλου· Ὡς γὰρ ὀφθαλμόν ... ἀληθείᾳ, ca. 9 Zeilen, in 226 im Text, in 225 am Rand.
Trennfehler **225**: 529,31 τις om; 537,16 σχῆμα + τοῦ κηροῦ καὶ τὸ μὲν χρῶμα usw. Die ergänzte Epist. gehört nicht dieser Sippe an. Starke Ähnlichkeit mit 1575 besteht in der Textgestalt von c.47 und im ungekürzten c.50.
Trennfehler **226**: 529,5/6 οὕτω ... ἐστίν] om (Hom.), später nachgetragen, weshalb 226 wenigstens für einen Teil von 225 als Vorlage denkbar wäre. Die letzten Kapp. von 226 gehen nach Textvarianten und Kapitelfolge auf die Ausgabe von Lequien zurück (s. S. 230).

m3=85+225A:

Bindefehler: 521,23 παρὰ θεοῦ] om; 524,24 ὑμετέραις εὐχαῖς] ὑμῶν ἱεραῖς; 524,27 πνεύματος om; 537,8/9 ἀλλὰ τό] τὸ δέ; 537,22 θεωρούμενον + ἐστιν.
Trennfehler **85** sind im Bereich unseres Filmes nicht nachweisbar, so daß vielleicht 85 mit m2 gleichzusetzen und 225A eine Kopie davon ist.
Trennfehler **225 A**: Var. B.
Mit diesen beiden Hss deckt sich **227**[1] (= Schlußteil der D).

m 2 = m 3 + 33:

Bindefehler: 521,7 κατατολμᾶν + ἵνα μὴ δόξω; 668,21 φύσιν om; Var. ⅄.
Trennfehler m3 = Bindefehler m3.
Trennfehler **33** (auf Film nur Teile von Anfang, Mitte und Schluß) sind
in unserem stark begrenzten Teil nicht nachweisbar. Es ist möglich, daß die
Hss von m2 in gerader Linie voneinander abhängen: 33 – 85 – 225 A – 227[1].

m = m1 + m2 + 237:

Bindefehler: 521,20 ἐξιστ.] ἀφιστῶντι; 524,44 ὀλέτειραν ... ψεύδους] om;
529,29 ἡμῶν + τὸν νοῦν; 529,40/45 ὡς ... κρούσωμεν] om (Hom.), in 237
ergänzt, in 235 Lücke geschlossen; 532,1 ἐν γνώσει] om; 565,20 εἶδος]
γένος; 665,3 + ἄνθρωπος ἁπλῶς λεγόμενος ... ἄνθρωπος ὅρος ἐστίν = ca.
6 Zeilen.
Trennfehler m1 und m2 = ihre Bindefehler.
Trennfehler **237:** 537,27 ἐστιν τοίνυν St.; 564,37 καὶ γεννητικήν om, später
am Rand ergänzt.
     Abschrift von 237 ist **235.**

n = l + m:

Bindefehler: 524,44 ὀλέτειρα und ἐλάτειρα, ohne ν; 532,30 καὶ ποιητής] om;
537,23 οὐσία pr ὅρος οὐσίας, wohl am Rand wie jetzt noch in 570 und 576;
565,4 μεταδίδ.] δίδωσιν; 565,27 εἴδη om; 620,25–32 om; 621,2 τοῖς συμ-
βεβηκόσιν] τὸ -κός.
Trennfehler l und m = ihre Bindefehler.

o 3 = 371 + 654:

Bindefehler: 524,19 καθαίρεται/φωτίζεται trp; 529,24 γνώσεως] σοφίας καί;
532,30 καὶ ποιητής] om, wohl unabhängig von n; 536,38 τοῦτο + οὖν τὸ ὄν;
537,7 bzw. 8 καί ... συμβεβηκός] om (Hom.); 537,8 καὶ ψυχή ... συμβ.]
om (Hom.), wie Migne; 537,14/15 οὐδέ ... κηροῦ] om; 561,8 ἐπειδή] ἐπεί;
561,9 τό + κατὰ πλειόνων; 561,48/49 λέγεται ... εἴδη] om (Hom.); 561,
50/51 ὥσπερ ... γένος] om (Hom.); 564,37 καί[1] ... γεννητικήν] om; 565,46 /
568,2 καί ... θνητόν] om (371 ändert das darauffolgende ἵππον sinngemäß
in ἄνθρωπον und läßt den Rest dieses Satzes unter Aussparung des Platzes
aus); 620,32 Titel περὶ ἀτόμων καὶ ὑποστάσεων καὶ προσώπων; 660,17 τὴν
ἐπίνοιαν] om; 660,31 κατὰ πολλήν] καταστολήν; 665,14 ἑκατέρων (Endung)
post τῶν.
Trennfehler **371:** 521,3 Ἰω. μοναχὸς χαίρειν ἐν κυρίῳ; 525,3 ἔσωθεν] ἄνωθεν;
561,33/35 καί[2] ... εἶδος] om (Hom.); 561,43/44 τουτέστιν ... εἴδη] om
(Hom.); 564,31/32 εἶδος ... οὐσίας] om; 661,22/23 ὕδατος/μέλιτος trp;
669,1 ὑπόστασιν om.
Trennfehler **654:** 524,14 ὁ καρπός] om; 564,24 γένος αὐτῶν] ἐν αὐτῷ γένος;
660,17/18 ἀποφαίνεται] -νη.
     Der Hs 654 nähert sich sehr stark **453** in c. 10. Mit p deckt sie sich
in Var. Q; mit o in 560,37; 561,37/38; 564,27 und 40; mit o3 in 561,8.9

und 565,46f; mit 654 in 564,24. In der 2. Hälfte der D beschränkt sich unsere Hs fast ganz auf die Lesarten der fus. im allgemeinen; mit συνηρμοσμένα st. συνεφθαρμένα in 664,30 lenkt sie unseren Blick auf einen Teil von t und auf 573[1]; mit letzterer und einem weiteren Vertreter (194) der genannten Gruppe geht sie auch zusammen im Homoiot. von 669, 17/19 καί[1]. . . λέγεται] om.

v2=9+715:

Bindefehler: 620,10 ἵππον βοῦν St., der Rest dieser Zeile fehlt; 664,15 σωμάτων] om.
Trennfehler 9: 620,43 οἱ ἔξω] om; 661,14/16 ἢ . . . μιγνυμένων] om (Hom.); 664,2/3 κρᾶσιν om.
Trennfehler 715: 564,40 βοῦν + κύνα ἰχθύν; 661,15/16 φυρμόν . . . κατά] om (Hom.); 661,22 τυχόν] τε.

v1=v2+v3:

Bindefehler: Var. B; 664,2/3 σύγκρασιν] κρᾶσιν; folgende Wortstellungen: 620,21 εἶδος εἰδικώτατον; 661,18 ξύλων ἢ λίθων; 664,15 ἀλλήλοις ἀντικιρνώντων.
Trennfehler v2 und v3 = ihre Bindefehler.

v=v1+19+299:

Bindefehler: Var. A; 521,21/22 καί . . . ὄντος] om (Hom.); 529,12 αἱ γνώσεις] ἡ γνῶσις; 529,36 ἐνερ.] ἐρεῖσαι; 532,7 κατέχετε] ἔχετε; 532,13 τοίνυν om; 532,14 τυραννήσασαν αὐτῶν κακῶς ἀσέβειαν St.; 532,21 ποιησώμεθα] ποιούμενοι; 536,40 ἐστι + πρᾶγμα αὐθύπαρκτον; 537,21 ἐστι + οἷον ἡ ψυχή; 537,29 ἐροῦμεν + σὺν θεῷ; 560,37 τό . . . πάλιν] τοῦ γένους . . . ἀποδεδώκασιν; 561,37/38 ἐάν . . . διαιρούμενα] om (Hom.); 564,27 οὐσίας + τέλειον, sonst nach καί[2]; 564,40 Var. ζ, βοῦν + κύνα; 620,44/45 οἱ . . . διδάσκαλοι] περὶ τούτων. Kontamination: 521,3 Ἰω. ἐλάχιστος μοναχὸς ἐν κυρίῳ χαίρειν = fus. + s'; 525,2 ἀλήθειαν + Zusatz wie Ⅰ; 537,22 συμβεβηκός + οἷον ἡ φρόνησις· ἀναιρουμένης γάρ . . . φρονήσεως = brev.: 540,9–10. 11–13; c.39 ist um den Anhang erweitert wie x, c.47 um den Text der Var. ι (mit t). Trennfehler v1 = Bindefehler v1.
Trennfehler 19 (beginnt in c.10): Kontamination mit Ⅰ Varr. ζ, η; 664,5 οὐκ ἐδ.] οὐ κατεδέξαντο.
Trennfehler 299 (bis c.8): 525,3 ἐκθήσομαι] -σόμεθα; 537,10 καί] οὐδέ; 537,11/12 κηρῷ/χαλκῷ trp.

v'=v+10:

Bindefehler: 532,4 καί[1]. . . πάντα] om (Hom.); 620,22 εἶδος om; 620,45 ὠρθοτόμησαν + ἕκαστον ἐν ἰδίῳ καιρῷ καὶ τόπῳ σὺν θεῷ ἐγράφη; der Rest von c.47 fehlt, aber eine Notiz verweist auf c.39, in dessen Anhang dieser Text zu finden ist.
Trennfehler v = Bindefehler v.

Trennfehler **10**: 524,7 εἰρήσεται] ῥηθήσεται; 532,8/9 τῶν ἀγωγίμων ante παρ'; 665,14 χωρίζ.] χαρακτηρίζονται.

Im allgemeinen in den Raum von ο sind noch zu setzen:
3 A nach dem im Katalog angegebenen Titel;
die korrigierende Hand von 575 (= **575ᶜ**) wegen der Übereinstimmung in den Varr. von 536,40; 537,21 und 22;
die Epist. von **615**, wo sich alle Varr. dieser Sippe wiederfinden, außer der Lücke von 521,21/22, die wohl nach einer anderen Hs geschlossen wurde. C. 1 berührt sich nur schwach mit ο 3 in drei geringfügigen Lesarten.

p=n+ο'+365:

Bindefehler: Varr. p, t, x, y, Q, τ; 529,3 ἡ γάρ] εἰ γὰρ ἡ; 529,33 ὅλη + οὖν. Trennfehler n und ο'= ihre Bindefehler.
Trennfehler **365** (Epist. + c.1): 529,37 ζάλην om; 532,3 πόνῳ] σπουδῇ; 532,34 ἀκενοδ.] ἐκεινοδόξῳ.

q2=318+667:

Bindefehler: 668,21/669,1 ἐκ . . . ὑπόστασιν] om (Hom.); 669,8/10 ἰστέον . . . ὑπάρξεως] om (Hom.), in 551 genau eine Zeile.
Trennfehler **318**: 529,35 περιαγόμενον] περιεργαζόμενον; 560,47 ὡς om.
Trennfehler **667**: 532,22 τοῖς] τῶν; 532,36 δύνασθε] -ται; 565,31/32 διαφοραί om; 660,32 οὐσίᾳ] ἐξουσίᾳ.

q1=571+650+551:

Bindefehler: 532,37 παρά] περί; 564,31 ὄν] ἐστίν; 617,17 γένος] εἶδος; 621,6 φθείρει] διαφθείρει; 668,21 φύσιν om. Kontamination: auf Lysis folgt noch das ZKp. mit q.
Trennfehler **571**: nur Epist. und c.1 folgen diesem Hyparchetyp, ohne neue Varr. Die übrige D dieser Hs ist stark kontaminiert: mit brev. Varr. D und E; c.17 in der brev.-Form; unmittelbar daran angereiht cc. 29 + 30 (Kapitelordnung der brev.); Lysis und ZKp. fehlen; Varr. von c.47 am nächsten bei 734 (ο'). C. 10 folgt n, aber keiner Abzweigung mehr; Trennfehler: 561,22 γένος] γένη; 565,25 ἀριθμῷ] εἴδει.
Trennfehler **650**: 560,48 καθ᾽ ἕτερον (Var. L bei ʒ)] δεύτερον.
Trennfehler **551**: 529,24/25 πατρὸς καὶ θεοῦ St.; 532,11 ἀποτελ.] τελουμένων; 560,48 καθ᾽ ἕτερον] θάτερον; 620,26/27 τῶν . . . καί] om (Hom.).

Wohl unmittelbar auf 551 gehen zurück q 2 und **442**:

Trennfehler q 2 = Bindefehler q 2.
Trennfehler **442**: 521,18 λαμπρότητα] λαμπρότερον, in 551 stark abgekürzt, so daß Verlesen naheliegt; 524,9 χαλεπώτατον] -πώτερον, in 551 wieder genau so abgekürzt; 524,45 κροσσωτοῖς] ἀρωσωτοῖς, kann in 551 unter Beachtung der angebrachten Korrektur so gelesen werden; 664,30 καὶ ἐνούμενα] om.

q=q1+601+632:

Bindefehler: 521,11 τὰς τρικυμίας τοῦ βίου St.; 521,12 ὑλικήν] κοσμικήν; 521,23 παρά] περί; 524,33 φώτων + καθὼς γέγραπται; 524,36 ὡς + φησιν, ἔφη om; 525,3 αὐτοῦ] τοῦ θεοῦ; 525,9 τὸν λόγον συντετμημένον St.; 529,49 λαμβάνει + ὡς γέγραπται; 532,4 πάντα] πάντων; 532,10 τινων] ἑτέρων; 536,38 τοῦτο + οὖν τὸ ὄν; 537,4 δέ + ἐστιν; 537,5 θεωρουμένη ante ὡς; 537,25 ὕπαρξιν] σύστασιν; 560,36 πάλιν + δεύτερον σημαινόμενον; 560,37 ἐστιν + τὸ ὑπὸ τὸ γένος; 561,53 δέχ.] ἐπιδέχονται; 564,22/23 καί . . . ἥμισυ] om (Hom.); 564,30 τέμνεται om; 564,32/33 πάλιν τὸ ἔμψυχον St.; 564,37 γεννητικὴν καὶ αὐξητικήν St.; 565,22 τουτέστιν] ἤγουν τάς; 565,23 εἶδος om; in der 2. Hälfte von c.47 fehlen alle Varr. der übergeordneten Bindeglieder, statt ihrer: 620,12 κατὰ μέρος] om; 621,2 τοῖς συμβεβηκόσι st. Sing.; 621,18 δεκτικήν Fem.; 621,23/24 ἐπιδέχεται st. Simpl.; 664,2 ἔχει (einzufügen nach ψυχῆς)] λέγω; 664,4 πατέρων pr ἁγίων; 669,7 ἔχειν] ὑποσχεῖν. Kontamination: Var. e mit brev.; Var. l (bei ʒ) ist zurückgebildet. Trennfehler q 1 = Bindefehler q 1.

Trennfehler **601**: schließt sich erst von der Mitte ab diesem Zweig an, doch bleiben 620,15–24 und 660,18 οἷον aus. Epist. und c.1 scheinen bis zur Unbestimmbarkeit kontaminiert zu sein; cc.4 und 10 folgen tv.

Trennfehler **632**: die 2. Hälfte der Epist. und c.1 weisen eine Textform auf, die ihresgleichen nicht mehr hat. Im übrigen Teil: 537,6 χρῶμα καὶ μορφή St.; 561,3/4 κατά . . . τρόπον] om (Hom.); 564,16 τοῦ γένους αὐτοῦ] αὐτῷ; 620,37/38 ὕπαρξιν τῶν συμβεβηκότων St.; 621,4 ἴδιον] εἶναι. Kontamination mit brev.: auf c.66 folgt Expos., Lysis fehlt. Der erste Teil der Epist. ist von 632[1] ergänzt, berührt sich mit den Varr. h und m und 521,25 βουλήματι] θελήματι mit 450 (in o) oder 227 (in ꝺ).

r1=444+575:

Bindefehler: 529,18 οἷον . . . δεκτικόν] om.

Trennfehler **444**: 521,1–3 om; 529,5/6 οὕτω . . . ἐστίν] om (Hom.); 620,10 ἵππον βοῦν St.; 661,20/21 μεταλλικῶν . . . τοιούτων] om (Hom.).

Trennfehler **575**: 529,47/48 καί . . . ἐρευνήσωμεν] om, Hom., wohl zufällig wie 733; 665,16 ἀποτελ.] ἐπιτελεῖται. Kontamination: Brieftitel wie x (Varr. a, c, f).

r=r1+733:

Bindefehler: 524,3 τοῖς νοηθεῖσι] om; 524,5 δή] οὖν, auch in 502; 524,44 τοῦ ψεύδους ἐλάτειραν καὶ τῆς πλάνης ὀλέτειραν St., auch in 743 (nahe bei 502); 529,24 γνώσεως + εἰσιν; 529,28 εἰλικρινῶς καὶ ἐπιμελῶς St., ebenfalls in 502[1]; 532,14 αὐτῶν post ἀσέβειαν; 532,15 κακῷ καλῶς St.; 532,25 τέλειον ἄνωθεν δίδοται; 532,31 ἀναλόγως om und γενεσιουργός] δημιουργός; 532,36 πιστεύειν εἰς ἐμέ post ἀλήθεια; 532,37 ἀνθρώπου Sing.; 560,37/38 οὗ . . . ἐστι[2]] om (Hom.); 561,26/29 καί . . .'Αδάμ] om (Hom.), teilweise nachgetragen; 561,31 ὅπερ (so zu setzen st. ὥσπερ)] om; 564,35/36 οὐ . . .

φυτόν] om (Hom.), in r 1 ergänzt; 565, 24 ἀτόμων + ὃν ἤτοι; 620, 10 + ἵππον (gg. ʒ); 620, 36 καί . . . συμβεβηκότων] om (Hom.); 660, 20 καὶ διασαφοῦσα] om; 668, 2 μίαν om; Var. t.

Trennfehler r 1 = Bindefehler r 1.

Trennfehler **733**: 529, 31 τρανῶς om; 529, 48 wie oben 575; 560, 40 ἀλλ'. . . δύο] om, läßt aber Raum dafür; 565, 38/39 λαμβάνω . . . ζῶον[1]] om (Hom.); 565, 44 τὸ χερσαῖον καὶ τὸ ἔνυδρον διαιροῦσι τὸ ἄλογον (einzufügen nach λογικόν)] om. – Die Varr. der Ergänzungen von **733**[1] sind entweder singulär oder sehr geringfügig und auseinanderstrebend; sicher stammen sie im großen aus einer fus., der Brieftitel zeigt jedoch brev.-Färbung.

405 hält sich ziemlich im Rahmen von t'; mit den Varr. von 564, 35/36 und 565, 24 trifft sie sich mit r. Sonderfehler: 529, 28 ἐπιμελῶς om; 532, 36 ἡ ἀλήθεια] εἰ ἀλλήλως; 561, 15 πατρός] υἱοῦ. Die Epist. aber fällt aus unserem Rahmen: der Titel baut auf einer brev. auf, der Zusatz zu Γρηγόριος in 524, 36/37 erinnert an o oder v.

ŝ2=578+710:

Bindefehler: 529, 37 πᾶσαν] πνεῦμα.

Trennfehler **578** (bis c. 8): 521, 10 ἀνθρωπίνης om; 532, 15/20 μή[2] . . . ἀποχρησόμεθα] om (Hom.).

Trennfehler **710** (starke Brandschäden): Var. P ist beseitigt (gg. t).

ŝ1=11+361+719:

Bindefehler: 664, 30 συνεφθαρμένα] συνηρμοσμένα. Kontamination: Lücke von Var. w ist geschlossen, gg. fus.

Trennfehler **11**: 521, 9 ὁ θεῖος ἐκεῖνος] ἐκ. ὁ μέγας καί; 537, 6 χρῶμα δὲ καὶ σχῆμα καὶ μορφή St.; 537, 25 ὕπαρξιν] σύστασιν; 560, 42 καὶ κατάβασις] om; 664, 16 ἀλλήλαις om usf. Kontamination: Var. π (gg. t') ist behoben, ebenso die von 621, 2 (gg. ʒ); Var. ϑ mit c.

Trennfehler **361** (ab c. 38) nicht nachweisbar; trotzdem dürfte eine Gleichsetzung von ŝ 1 mit 361 kaum statthaft erscheinen.

Trennfehler **719**: 529, 13 ὡς . . . γνῶσις] om (Hom.); 537, 6/7 σχῆμα . . . οὐσία] om (Hom.); 537, 25/26 συμβεβηκός . . . ὕπαρξιν] om (Hom.). Kontamination: Beseitigung der Varr. von t' in c. 47.

ŝ=r+ŝ1+ŝ2+194+289+382+398+514:

Bindefehler (schwach): 521, 16 ὑπερφυᾶ] ὑπερφυῶς; 521, 22 μεμυημένος] μεμνημένος.

Trennfehler r, ŝ 1, ŝ 2 = ihre Bindefehler.

Trennfehler **194**: 529, 22/23 Χριστός . . . ἀλήθεια] om (Hom.); 669, 17/19 καί . . . λέγεται] om (Hom.) Die Var. T von ʒ ist zurückgebildet.

Von 194 kopierte **204**[1] (bis in c. 10):

Trennfehler: 521, 5 ὦ μακάριοι] ὦμαι γάρ τοι; 524, 38 συνθήσομαι] σκυθήσομαι; 532, 35 τευξόμεθα] -ξήμεθα.

Trennfehler **289**: 532, 1 ἐν γνώσει] om; 532, 11 ἀποτελουμένων] ἀποστόλων; 536, 37 τοῦ ... τε] οὐσίας ὄντος; 565, 35 οὐσίαν] ἀλήθειαν; 620, 18 ζῷον om, τοῦ² + ζώου, τὸ ζῷον εἶδος τοῦ αἰσθητικοῦ γένος; 620, 19 λογικοῦ] ζώου, ähnlich 660 und 758, was jedoch nicht notwendig eine Abhängigkeit besagt; 660, 29 τραγελ.] τετραγελάφων.

Trennfehler **382**: 529, 31 ἐνατ.] ἀτενίσαι; 560, 47 τὸ γένος post λέγεται; 564, 44 ἀλλ᾽ + ἄτομα ἤγουν; 661, 17 κατά + κόλλησιν καί; 668, 5 ἕνωσιν δέξωνται St. Kontamination mit brev. Var. e (st. f), Fehlen von Varr. v, w, L; Var. π ist durch Rasur entfernt.

Trennfehler **398**: 521, 13 ψυχῆς ... κἀντεῦθεν] om; 521, 22/23 καί ... θεοῦ] om; 525, 11 θεοτίμητοι παρακαλῶ] λων, für das Fehlende aber Raum ausgespart; 529, 28 εἰλικρινῶς ... μή] om, wieder Platz frei; 529, 37 λογισμοῦ πᾶσαν St. usf.

Trennfehler **514**: Var. u; 521, 10 ἀποχ.] ὑποχωρήσας; 529, 21 διδάξαντος st. Fut.; 532, 24 ἀρωγόν] ἀγωγόν; 620, 4 ζῷον ζωόφυτον καὶ φυτόν] om.

187 (ab c. 49) enthält in den Schlußkapiteln nur die allgemeinen Lesarten der fus., könnte also zu dieser Sippe gehören.

t = q + ϩ:

Bindefehler (schwach): Var. P.

Trennfehler q und ϩ = ihre Bindefehler.

Die Zusammenfassung der Hss und Sippen unter ϩ und t ist sehr problematisch, zeigt dasselbe lose Verwandtschaftsverhältnis wie in der entsprechenden Expos.-Gruppe.

u1 = 241 + 633:

Bindefehler: 521, 2 Ἰω. μοναχὸς ἐν κυρίῳ χαίρειν; 521, 13 καθηράμενος ὀπτικόν St.; 524, 3 δυνάμενον + πῶς; 529, 33 πάσῃ] ὅλῃ; 561, 34 ὁ καί] ὅπερ; Var. z. Kontamination: 620, 3–10 wie bei t, wohl von dort entlehnt; die Varr. l und v fehlen wieder.

Trennfehler **241**: 537, 25/26 συμβεβηκός ... ὕπαρξιν] om (Hom.); 564, 27 τὸ ὄνομα καί] om; 664, 16/17 ἀλλήλαις ἐτ. συνδρομῇ] ἀλλήλων ἐτ. συνδρομενῶν.

Trennfehler **633**: 521, 11 καί ... καταλιπών] om; an Stelle von Var. Δ: ἤ κατὰ παράθεσιν ὡς ἐπὶ τῶν ψηφίδων, wie 312, 415 und 721; 669, 8 ὕπαρξις + σύνθετος ... φύσις, ähnlich 721 (u).

u = u1 + 89:

Bindefehler: Var. t; 529, 24 θεοῦ καί] om; 560, 48 καί¹ om; 561, 3 δὲ δεύτερον St.; 621, 20 οὐ (Var. π bei t′)] ὡς.

Trennfehler u 1 = Bindefehler u 1.

Trennfehler **89**: 521, 10 ἀνθρωπίνης + σχήσεως; 529, 29 ἀμβλύνοντες] μολύνοντες; 661, 23 οἴνου] ἐλαίου u. a. m.

Mit dieser Untergruppe scheint noch c. 1 von **378** zu tun zu haben, wie die Lücke θεοῦ καί] om in 529, 24, die Verstümmelung von ἀμβλ. zu ἀμωλύνοντες (529,29; in 89 μολύνοντες) und die Addition der Var. C von ʒ mit dem ursprünglich bloßen Artikel in 532,26 (τοῖς τούτοις) vermuten lassen. Mit δημιουργός statt γενεσιουργός in 532,31 erinnert 378 aber an r.

𝔳1=445+662:

Bindefehler: 620,15–32 om; wenn die Textanordnung von c.47 in 𝔳 der von Hs 64 entspricht, machte das ausgefallene Stück die mittlere und linke Spalte aus.
Trennfehler 445 (diese Hand ab c.10): Var. λ.
Trennfehler 662: 564,35/36 οὐ ... φυτόν] om (Hom.); 669,3 συνυπάρξαι] σύνθετον ξαι (sic).

𝔳=𝔳1+64:

Bindefehler: Varr. c, E, Q; 521,1 πατρί] κυρῷ; 521,2/3 Ἰω. Δαμ. μοναχὸς καὶ πρεσβύτερος ἐν κυρίῳ πλεῖστα χαίρειν; 561,53f τὸ γένος (sonst zu tilgen)] τοῦ γένους; 564,12 μόνον om; 564,27 τέλειον (sonst nach καί²) post οὐσίας; 565,41 λαμβάνω πάλιν St.; 620,10 καὶ τὰ τοιαῦτα] om; 621,21 eine Unstimmigkeit bei Var. ρ: 64 setzt ἀλλ' οὐσιωδῶν, 𝔳1 bloß οὐσιωδῶν; 661,23 οἴνου καὶ μέλιτος] om; 668,1 συνάπτοντα] συνδέοντα; 668,10/11 τὴν ἀρχήν post ὑποστάσεως 11/12; cc.1,2,42,44,45 (in 662 auch c.66) fehlen an ihrem Platz und sind nachgeholt. Kontamination: Beseitigung der Varr. w und l (gg. ʒ).
Trennfehler 𝔳1 = Bindefehler 𝔳1.
Trennfehler 64: 524,11 κεκτῆσθαι] ἐγκεκλῆσθαι; 529,51/532,1 ἀναγγελεῖ ... ἐροῦσι] ἐρεῖ; 532,26 τοῖς τούτοις; 532,36 ἢ + ὄντως; Var. B. Die nachgeholten Kapp. sind zwischen c.66 und Lysis eingereiht. Was von den Varr. von c.1 auch 𝔳 angehört, bleibt dunkel, weil den Text der beiden Kapitelhälften immer nur eine Hs bietet.

𝔱′=𝔱+𝔲+𝔳:

Bindefehler: Var. π. Kontamination mit brev. Var. N.
Trennfehler 𝔱, 𝔲 und 𝔳 = ihre Bindefehler.

𝔴2=42+429:

Bindefehler: Var. m st.l; 529,21 διδάξοντ.] δείξαντος; 532,15 καί ... χρησώμεθα] om (429 dehnt die Lücke zuerst bis μεταχειρ. 17 aus, reduziert sie aber dann auf den genannten Umfang durch eine Ergänzung am unteren Rand); 536,40 κυριώτερον] -ώτατον; 537,20 πάντων post λοιπῶν; 561,12 γινώσκειν χρή St.; 561,52/53 τὸ ὄνομα] τὰ ἄτομα; 564,9 σύστασιν] ὕπαρξιν; 565,40 πάλιν] γάρ; 565,45 καί¹ ... θνητόν] om (Hom.). Kontamination: abgesehen von c.1 und Lysis sind alle Kapp., die in der brev. fehlen, hier übergangen, doch ist die fus.-Ordnung beibehalten.
Trennfehler 42 (nur in der ersten Hälfte): 537,16 καὶ τὸ σχῆμα καὶ ἡ ἐπιστήμη St.; 564,22 καὶ τό] τὸ δέ; 564,47 ἀσωμάτου] σώματος (429: σωμάτου); 565,22 τουτέστιν] ἤγουν τάς. Vgl. auch 𝔲!

Trennfehler **429**: Brieftitel τοῦ ἐν ἀ. π. ἡ. Ἰω. πρεσβυτέρου τοῦ Δαμ.;
532,14/15 ἀπωσώμεθα] ἀπώμεθα; 564,18/19 γάρ post πρᾶγμα (42 übergeht
γάρ ganz; es war in ꭂ2 wohl hineingeflickt); 617,19–620,15 om; 620,17/19
τό . . . λογικοῦ] om; 621,22 τὸ ἄλογον] ἐναντία; 660,21 γνῶσιν] δόξαν;
665,21 χαρακτηριστικά] χαρακτῆρσι καί. – Da die beiden anderen Zeugen
von ꭂ1 in der 2. Hälfte sich anderswohin wenden, bleibt es dahingestellt,
was in diesem Abschnitt von den Lesarten von 429 Sondergut dieser Hs
oder Bindefehler von ꭂ2 oder ꭂ1 ist.

ꭂ1=ꭂ2+601:
Bindefehler: 537,7 χρῶμα δὲ συμβεβηκός] om; 560,46 τοῦ ἀνθρώπου τὸ εἶδος
St.; 561,18 ἤ . . . γένους] om; 561,49 περιέχον] ἔχον.
Trennfehler ꭂ2 = Bindefehler ꭂ2.
Trennfehler **601** (von unserer Kollationsauswahl folgen nur cc.4 und 10
diesem Hyparchetyp): 537,1 συμβεβηκός] συνοικός; 561,13/14 μνημονεύο-
μεν] λέγομεν; 564,29/30 ἀλλ’. . . γένος] om (Hom.).

ꭂ=ꭂ1+401:
Bindefehler: 621,2 τὸ συμβεβηκός] τῷ συμβεβηκότι; das Minus der fus.-
Var. w ist aufgefüllt.
Trennfehler ꭂ1 = Bindefehler ꭂ1.
Trennfehler **401**: 564,13 ὅλον om; 564,27 τέλειον τὸν ὁρισμόν] τὸν ὅρον τέλ.;
620,25–32 om; Var. l fehlt.

ꭕ1=139+309:
Bindefehler: 529,4 λογικῆς ψυχῆς St.; 532,15/17 μὴ πρός . . . μεταχειρι-
σώμεθα] om (Hom.); 537,13 ἀλλά . . . τοῦ σώματος] om; 621,13/14 τῷ . . .
ἐναντίον] om (Hom.), vermutlich am Rand ergänzt, fehlt in 139, in 309 ab
ἤγουν aufgenommen.
Trennfehler **139** (beide Hände): 529,4 τοὔμπαλιν] ὥσπερ; 529,36 ἀλλὰ δεῖ]
om, läßt aber Raum dafür; 529,40 κρούσωμέν om, Lücke dafür; 564,28/31
ὥστε . . . ἰδοῦ] om, Erweiterung der Var. von ꭡ um ein Homoioarkton;
661,15 ἀλεύρων om; 669,6 ἀρχὴν ἑτέραν St. – Die Epist. scheint kontaminiert zu sein: 525,12 fehlt καί (gg. ꭡ); Var. z und das Fehlen von Var. q
gg. fus. – Da die Varr. von 529,4 (lat. quemadmodum) und die von 661,15
in der Übersetzung des Billius wieder auftauchen, darf man hierin die
Spuren einer Mitbenützung dieser Hs erblicken, die darum wohl mit der
gleichzusetzen ist, von der Billius berichtet, daß er sie von Maldonatus
für die Übersetzung zu leihen bekam (vgl. unten Edition 1577!).
Trennfehler **309**: Var. k; 529,5/6 οὕτω . . . ἐστί] om (Hom.); 537,7 καί . . .
συμβεβηκός] om (Hom.); 664,8/9 πρᾶγμα . . . μέν] om (Hom.). Kontamination: fus.-Var. Ψ’ wird vermißt.

ꭕ=ꭕ1+279:
Bindefehler: Var. Q; Rückbildung der Varr. l und L, wohl unter fremdem
Einfluß.

Trennfehler ꭓ 1 = Bindefehler ꭓ 1.

Trennfehler **279**: 529,21 διδάξαντος] διδόντος; 561,53 f τὸ γένος] τοῦ γένους; 620,10 κύνα] γυναῖκα.

520 folgt, soweit der Erhaltungszustand einen Vergleich zuläßt, ꭓ, ohne sich einer der hier zuständigen Hss näher anzuschließen.

𝔥 = 𝔴 + ꭓ:

Bindefehler: Var. E; 525,12 καί om; 529,11 τῶν ὄντων γνῶσιν] γὰρ ὄντων ἡ γνῶσις; 561,35/36 διά ... γένος] om; 564,28/30 ὥστε ... γένος] om; 564,50/52 ὥστε ... ὑποστάσεις] om.
Trennfehler 𝔴 und ꭓ = ihre Bindefehler.

𝔷 = 𝔱′ + 𝔥:

Bindefehler: Varr. l, C, L, T, U, ζ; 564,13/14 οὐκ ἔστι τὸ ὄν St.; 564,40 βοῦν ἵππον St.; 621,2 τὸ συμβεβηκός st. Dat.
Trennfehler 𝔱′ und 𝔥 = ihre Bindefehler.

𝔣 (= 𝔣us.) = 𝔥 + 𝔭 + 𝔷:

Bindefehler: Anzahl und Ordnung der Kapitel wie in der Einleitung dargelegt; Varr. d, h, q, v, w, χ, Λ, Ψ, Ω; bei Var. ρ fehlt auch das darauffolgende οὐδαμῶς. – Trennfehler 𝔥, 𝔭 und 𝔷 = ihre Bindefehler.

Einen eigenen Überlieferungszweig (nicht im Schema der D), von dem freilich nicht zu entscheiden ist, ob er der brev. oder fus. angehört, bildet noch das c. 66, das sich in 4 Expos.-Hss (**437 + 680, 557 + 422 A**) nach c. 53 findet. An gemeinsamen Lesarten weisen sie auf: 665,6 χρή ... ὅτι] om (auch 315); 665,21 ἑκατέρου (statt Fem.-Endung, auch 315); 668,2 ἐξ αὐτῶν] ἐξαπλῶν; 668,8 ἐστι[1] + τί ἐστιν ὑπόστασις ἡ καθ᾽ ἑαυτὴν ὕπαρξις (315 am Rand); 669,3 ἀλλήλαις (in Migne nach συνυπ. einzufügen) + 2 Zeilen: ὅσα ὑποστατικῶς ... καὶ ὀνομάζεται (in 437 + 680a am Rand, in 557 + 422A im Text) und 669,15 ἄλλο + γάρ (auch 315). Außer den bereits erwähnten Kriterien für eine Zusammengehörigkeit ist nur noch für 437 die Übergehung von φύσιν in 668,21 zu nennen, so daß das Stemma von D 66 dasselbe Bild ergibt wie das der ganzen Expos. (w). Anhaltspunkte für eine Zuordnung zu einem Stamm der D sind kaum gegeben; als Bindeglied zu t 2 käme nur die schwache Variante von 665,21 in Frage.

Wiederum ist eine Nachlese von Hss zu halten, die bisher im Stemma keinen Platz gefunden haben:

Von Hs **4** ist nur der Widmungstitel aus dem Katalog bekannt; dieser lautet wie in 𝔭′ und 𝔳.

Hs **5** enthält nach der im Katalog verzeichneten Kapitelzahl eine fus., die vermutlich mit der brev. vermischt ist (nach dem Titel: + πατρί = br, Ἰω. ἐλάχιστος μοναχός = brev. + fus.).

Von **63** wissen wir ebenfalls nur, was der Katalog sagt. Der dort angegebene Brieftitel hat seinesgleichen nicht mehr, baut aber sicher auf der fus.-Form auf. Auch die Vorwegnahme der Lysis vor der D steht einzig da.

93 hat textlich nur eine Parallele: den Druck von Lequien. In der ersten Hälfte von c. 47 freilich bestehen einige Differenzen, die aber keinem anderen Überlieferungszweig folgen und als Nachlässigkeit des Kopisten zu erklären sind.

126 ist nach der Auswahl der Kapitel und ihrer Numerierung eine fus.; die Var. ς aber, die einzige, die in unsere Kollationsauswahl fällt, kommt sonst nur in der brev. vor.

255 ist uns wiederum nur im Katalog zugänglich; der Brieftitel übergeht πατρί und schließt mit 'Ιω. χαίρειν. Ersteres spricht für eine fus., letzteres ist sonst nirgends bezeugt.

Die Epist. von **285** gehört den Varr. d und w nach von Haus aus der fus.-Überlieferung an. Mit Var. p, μιμητής in 524,15, ἐχώμεθα statt ἐξώμ. in 524,43 und dem Fehlen der fus.-Lesarten h und v aber nähert sie sich der Mischgruppe α (einem engeren Anschluß ist jedoch Var. w entgegen), mit der Stellung χάριτι ἐκθήσομαι in 525,3 der Hs 180[1].

412 scheint aus einer fus. ausgezogen zu sein, weil nur in dieser c. 5 enthalten ist. Dann aber sollte Var. χ wiederkehren, was jedoch nicht zutrifft, oder es wäre eine Mischform des Stammes ħ anzunehmen.

418 ist von Combefis (s. S. 221) aus mehreren, von ihm selber genannten Hss kontaminiert, wobei im Aufbau nach der allgemein beobachteten Schreibertendenz die fus. als das Plus den Vorzug erhielt, sonst aber offenbar das Bestreben waltete, aus den beiden Hauptrezensionen eine zu schaffen, z.B. ist bei c. 10 schwer zu entscheiden, ob es fus. oder brev. sein soll. Die Angaben seiner Quellen kann nicht erschöpfend sein, weil z.B. die Zeilen 661, 23–26 in keiner der von ihm angeführten Hss enthalten sind, wohl aber in Pariser Hss unserer Gruppe s'. C. 11 hat den Zusatz von q, cc. 39 und 50 den erweiterten Schluß (wie Migne), auf c. 65 folgt c. 66 (wie Migne), darauf c. 68 (c. 67 fehlt überhaupt, statt dessen philosophische Texte nichtdamaskenischer Herkunft), anschließend an Stelle der Lysis das ZKp. Lequien hat, wie aus den Fußnoten zu ersehen ist, diese Vorarbeiten benutzt und daraus manches übernommen, was er aus Hss nicht hätte schöpfen können, nicht gerade zum Vorteil für sein Werk.

481[1] stellt im Aufbau eindeutig eine fus. dar; in den Textvarr. b, d, h, p, ρ und der von 529,33 nähert sie sich dem Stamm ƥ. Im Fehlen der fus.-Varr. q und der in den Schlußkapiteln aber, in der Korrektur der von 621,21 und in der Einführung der brev.-Varr. z und μ und der von 524, 15/16 zeigt sie einen Einschlag der brev. Von den übrigen Lesarten treffen wir καὶ τὸ γένος τοῦ γένους (561,53f) schon in ƌ und Var. U in ʒ.

572[1] (nur c. 1 ist hier einschlägig) hat einige Lesarten mit 759 (t 3) gemeinsam: 529,11/12 γνῶσιν + τῶν γὰρ ὄντων ἡ γνῶσις; 529,12 αἱ γν.] ἡ γνῶσις; 529,35 καὶ περιαγόμενον] om; 532,15 καί . . . χρησώμεθα] om und die Varr. A und B.

572⁵ betrifft nur die Briefwidmung, die aus einer fus. herrührt.

580 zeigt uns im Aufbau eine glatte fus.; dazu, näherhin zum Stamm x passen von den Textvarr. t, Q, ρ, χ, Λ, Ω und die von 529,3 und 33. Es ist aber auch ein sehr merklicher Einschlag der brev. spürbar: 521,3 ᾽Ιω. ἐλάχιστος πρεσβύτερος, ferner die Varr. von 524,15/16; z, κ (u.a. in s′ und u) und Ξ (in denselben Gruppen). In c.1 decken sich ein paar geringfügige Lesarten mit ʋ3.

598 lehnt sich mit den Varr. von 521,16 und t und v in etwa an r an.

Von **651** steht noch der verstümmelte Anfang zur Debatte. Die befriedigendste Lösung dürfte hier sein, die Heimat dieser Hs wiederum im Raum von r zu suchen. Dieser Annahme würden in etwa folgende Lesarten genügen: αὐτῶν om in 532,14 (in r nach ἀσέβειαν), v, C und B (die Anschlußgruppe stellt noch ἄνωθεν dazwischen). Das Homoiot. von 537,25/26 συμβεβ. . . . ὕπαρξιν kann auch unabhängig von einer Vorlage entstanden sein, trifft sich aber mit 719 von demselben Überlieferungszweig.

697² zeigt wieder die eben genannten Varr. von 532,14 und C, könnte somit am ehesten mit der obigen Gruppe verwandt sein.

Wieder sehen wir uns vor die schwere Wahl gestellt, welche Hss-Gruppen wohl den typischen fus.-Text am reinsten bewahrt haben. Fast überall waren Spuren der Nachbarrezension zu finden, am wenigsten vielleicht in ſ. Doch wird man auch die anderen Sippen berücksichtigen müssen, besonders t, deren Zeugen sich zwar nicht oder nur schwach untereinander in Beziehung bringen und daher vermuten lassen, daß sie Reste eines einst viel ausgedehnteren Überlieferungszweiges sind. So glaube ich für die Edition folgende Hss in die engere Wahl ziehen zu sollen: c = 448 + 451; g = 362 + 195; ſ = 576 + 570; ʋ = 9 + 19; q = 551; r = 444 + 733; ŝ = r + 361 + 719 + 514 + 187 (ab c.49); u = 241; v = 445 + 662; ʍ = 401; ӿ = 279.

Bevor wir nun von der Dial. scheiden, wird vielleicht noch eine Antwort auf die Frage erwartet, welche der beiden Fassungen denn die ursprüngliche, die damaskenische ist. Zunächst ist dazu zu bemerken, daß „nicht ursprünglich" nicht gleichbedeutend sein muß mit „nicht damaskenisch". Die gestellte Frage ist von der Überlieferungsgeschichte her nicht mit Sicherheit zu beantworten; zwar hat die brev. dem Alter der erhaltenen Hss und besonders ihrer Zahl nach einen unbestreitbaren Vorsprung vor der fus. (vgl. Kap. III: Aufgliederung 2), doch könnte dieser als reiner Zufall erklärt werden. In der Zueignung an JD stehen sich die Hss der brev. und fus. gleich. Nach dem sonst vertretenen Prinzip, daß das Minus das Primäre ist, verdient wieder die brev. den Vorzug. So scheint mit gutem Recht die Meinung vertretbar zu sein, die ältere Fassung sei die brev. In diesem Fall hätte der Redaktor, der die fus. schuf, die brev. um die cc. 1–3, 5, 9, 18–28 und die Lysis erweitert und c. 16 in zwei geteilt, was zusammen 18 Stücke mehr ausmacht als in der brev., so daß er auf 68 Kapitel kommt[1]). Außerdem hat er die ersten 30 Kapitel seiner derart erweiterten Dial. in der aus Migne bekannten Weise umgestellt und einige davon revidiert (vgl. Einleitung!). Diese Überarbeitung betrifft in den cc. 4 und 10 nur geringe Änderungen, denen für die Intention des Redaktors nichts Bestimmtes zu entnehmen ist, in c. 6 kurze Einfügungen, die den Aufbau übersichtlicher und den abstrakten Text durch Beigabe von Beispielen anschaulicher gestalten sollen, in c. 8 eine Erweiterung um das letzte Drittel, in c. 17 endlich die Befreiung von unwesentlichen Zutaten, die in anderen fus.-Kapiteln besser am Platz und ausführlicher behandelt sind. – Epist. und D 1 zeigen eine gewisse Ähnlichkeit in dem einleitenden Charakter und in der teilweisen Übereinstimmung der vorgebrachten Gedanken; es entsteht der Eindruck, daß hier zwei Einleitungen addiert sind und eine falsch am Platze ist. Da aber in den Hss die Epist. vor der fus. ebenso einmütig bezeugt ist wie vor der brev.[2]), erhebt sich der Verdacht, daß der Anfang der fus. spätere Zutat ist. – Schon in der brev. ist die inhaltliche Verwandtschaft mit der Eisagoge des Porphyrios unverkennbar[3]); der fus. sind aus der gleichen Schrift besonders noch die cc. 18–28 beigegeben, deren Aufnahme dem Redaktor wünschenswert erscheinen mochte. – Über das positive Zeugnis, das für das höhere Alter der brev. eintritt, vgl. den letzten Abschnitt vom Stemma der E, S. 193 ff! – Wägt man nun die Für und Wider gegeneinander ab, so wird man sich der Wahrscheinlichkeit, daß die brev. die ältere Fassung ist, nicht verschließen können.

Um keine Erklärungsmöglichkeit zu unterdrücken, sei noch der Gedanke angefügt, die fus. sei ursprünglich als selbständige Schrift verfaßt (wie möglicherweise die E. inv.) und erst später zur Trilogie zusammengefügt worden, die dann mit der Widmungsepistel versehen wurde und wobei die fus. zur halben Zenturie der brev. verkürzt und die inv. zur ord. umgeformt wurde. Doch sprechen dagegen die oben für die Priorität der brev. geltend gemachten Argumente und besonders das Fehlen jeder Handhabe in den Hss, die die Annahme einer solchen Entwicklung rechtfertigen ließe.

---

[1]) Die Numerierung von Lequien-Migne ist nach der Mehrzahl der Hss in der brev. wie in der fus. dahin zu berichtigen, daß die Kapitelpaare 64 + 65 und 67 + 68 je als ein Kapitel zu zählen sind. Im übrigen ist die Kapiteleinteilung und -zählung gerade in der brev. Schwankungen unterworfen.

[2]) B. Studer stellt in seinem Buch „Die theologische Arbeitsweise des Johannes von Damaskus" [Studia patristica et byzantina 2], S. 19, als sicher hin, daß die fus. nicht mit Epist. und Expos. überliefert ist; doch ist diese Behauptung unrichtig (vgl. oben S. 96).

[3]) Darüber A. Busse im Vorwort zu seiner Ausgabe von Porphyrii isagoge et in Aristotelis categorias commentarium [Commentaria in Arist. graeca IV, 1], Berlin 1887, S. XLVf.

2.

DIE STEMMATA DER EXPOSITIO FIDEI

Wie die Dial., so existiert auch die Expositio fidei in zwei verschiedenen Fassungen; diese unterscheiden sich weniger durch den Umfang und die Formulierung des Textes als durch die Anordnung der Kapitel: die Expos. ordinata weist die bei Migne wiedergegebene Reihenfolge der Kapitel auf (jedoch c. 52b nach c. 81), die Expos. inversa dagegen diese: 1–18, 82–100, 19–81. Aus der Aufgliederung der Hss (S. 93–96) war außerdem zu sehen, daß in den Hss Db vornehmlich mit E. ord. und Df mit E. inv. zusammengehen. Doch ist diese im Grunde wohl richtige Zuordnung sehr häufig durchbrochen, und die (S. 98f) der Behandlung des Stemmas vorausgeschickten Überlegungen gelten für die E noch mehr als für die D.

Bevor wir aber an die Darstellung des Stammbaumes der Hss gehen, ist es geraten, sich mit wiederholt und scheinbar zusammenhanglos auftretenden Erscheinungen auseinanderzusetzen. Hier sind zunächst zu nennen die b-Kapitel. Darunter verstehe ich die Kapitel 12b, 22b, 23b und 52b (vgl. oben S. 3). 12b ist fast ausschließlich Eigengut der E. inv.; sprachlich und inhaltlich können keine Einwände gegen die damaskenische Herkunft erhoben werden; auch die Einordnung nach c. 12 entspricht dem logischen Aufbau. – 22b enthält in seinem ersten Teil eine Aufzählung der Winde, im zweiten eine von Völkerschaften, 23b eine solche der Meere, beide stammen aus Agathemeros[1]. 22b/1 schließt sich inhaltlich an c. 22, wo u. a. vom Winde als physikalischer Erscheinung die Rede ist, halbwegs passend an, nicht mehr aber die Völkerliste seines zweiten Teiles. Aus dieser Überlegung könnte letztere von Bearbeitern einiger Überlieferungszweige wieder weggelassen worden sein. – 23b hat als Zusatz zu c. 23 (über die Gewässer) so viel Berechtigung wie 22b zu 22. In einem Teil der Überlieferung ist nun 22b nach 23b aufgenommen. Diese Anordnung möchte ich als dem logischen Aufbau weniger entsprechend für die ältere halten; erst spätere Bearbeiter rückten 22b an den geeigneteren Platz nach 22. Gegen ihre Echtheit kann noch ins Feld geführt werden, daß sie in einem verbreiteten Überlieferungszweig fehlen, der zudem der ältere ist, und daß dieses Minus den Vorzug verdient. – 52b gibt, abgesehen von Umstellungen und von einigen Kürzungen, fast wörtlich c. 52 wieder. In den Hss steht dieses Kapitel aber nie bei c. 52, sondern immer nach c. 81, wo es ganz und gar aus dem logischen Rahmen fällt. In den ältesten Hss fehlt es überhaupt, was dem ursprünglichen Textbestand zweifellos am besten entspricht. Wie kommt nun 52b nach 81 zu stehen? Diese Reihenfolge rührt m. E. von einem Schreiber der inv. her. Dieser fand beim Vergleich seines Werkes mit einer anderen Hs, daß in letzterer ein Kapitel anders lautete und trug es nach ganz gewöhnlicher

---

[1] Vgl. Diller bei Hs 514!

Kopistenmanier am Schluß seiner Expos. nach, d.h. eben nach c. 81.
Ein Abschreiber der E. ord. traf bei seinem Vergleich wiederum auf dieses
Anhängsel zu c. 81 und übernahm es in seine Schrift, aber nicht mehr am
Schluß (= nach c. 100), sondern dort, wo es in seinem Kollationskodex
stand, d.h. nach c. 81. 52 b muß schon in den ersten Zeiten unserer Überlieferung in die E eingedrungen sein, weil nur wenige Hss sich von ihm
frei halten konnten. In der unten folgenden Bearbeitung des Stemmas ist
es darum überall als vorhanden anzunehmen, wo sein Fehlen nicht ausdrücklich vermerkt ist.

Eine eigene Erklärung erheischt schließlich das Minus in den Kapiteln 43
und 44, das in der nachfolgenden Liste die Varianten der Siglen I–P
betrifft; es tritt besonders in den ernster zu nehmenden Überlieferungszweigen in schwankendem Umfange auf. Da die Abschreiber offensichtlich
die Tendenz hatten, den Text ihrer Vorlage eher zu erweitern als zu
kürzen, ist, falls für das Gegenteil nicht besondere Gründe mechanischer
(z.B. Blattausfall) oder psychologischer Art (z.B. Abgleiten bei gleichen
Wörtern, logisch oder dogmatisch bedenklicher Inhalt) vorgebracht werden können, jedem Minus ganz allgemein als dem vermutlich ursprüng-
licheren Text der Vorzug zu geben. Für eine Reduzierung des Plus zum
Minus können in unserem Fall keine Gründe aufgezeigt werden. Gut
dagegen läßt sich der umgekehrte Vorgang deuten aus der Beobachtung,
daß die Plus-Stellen den logischen Fortgang zwar nicht stören, für diesen
aber auch ebensowenig erforderlich sind; sie haben lediglich illustrieren-
den oder präzisierenden Charakter und verraten sich dadurch als Einschiebsel, die in Randglossen ihren Ursprung haben dürften. So ist die
Annahme berechtigt, daß das Minus original, das Plus aber, mag letzteres
auch fast die ganze Überlieferung erobert haben, als Einfügung später ist.
Fast alle obigen Erscheinungen führen uns in das Jahrhundert zurück,
das zwischen unserem Autor und den ersten erhaltenen Hss bzw. den
ältesten Übersetzungen liegt. In dieser Periode unserer Überlieferungsgeschichte sind also in einem Teil der Hss an der Expos. bedeutende Veränderungen vor sich gegangen, die zu ihrer Erklärung das Vorhandensein
der E. inv. schon in jener Zeit voraussetzen.

Für häufiger auftretende Lesarten werden in diesem Abschnitt als
Siglen verwendet:

a 789, 10   ἐν τοῖς κόλποις] εἰς τὸν κόλπον (= Jo 1, 18);
b 789, 10   αὐτός] ἐκεῖνος (ibd.);
c 789, 12   γινώσκει (so in den Text zu setzen)] ἐπιγινώσκει (= Mt
              11, 27);
d 800, 24   + ἄλλο, im Text ist es als wohl nicht ursprünglich zu
              streichen;
e 800, 29/30 + καὶ φῶς, ὅτι οὐ σκότος ἐστί, im Text sonst zu streichen;
              die beiden letzten Wörter sind wie angegeben zu stellen.

f 800, 29/30   + καὶ φῶς, ὅτι οὐ σκότος ἐστί vor ἀλλ’ (Z. 28) eingefügt;

g 800, 35   Wortstellung: γραφῇ πειθομένοις;

h 837, 22   Beginn des c. 10 wie bei Migne; die Mehrzahl der Hss macht den Einschnitt nach ἡνωμένως in Z. 26.

i 840, 13   Wortstellung: ἐνέργειαν εἰληφώς;

k 844, 31   dem Titel ist ἔτι vorausgesetzt;

l 844, 31   dem Titel ist ἔτι hinzugefügt;

m 844, 37   παραφθειρόντων (so im Text zu ändern)] καταφθειρόντων;

n 844, 40   ἑστηκότων ἀσφάλεια καὶ τῶν] om (Homoioteleuton);

o 845, 1   τῶν θεουμένων θεαρχία] om (Hom.);

p 849, 29   περιέχεται] περιέχει;

q 849, 30   τὸ δὲ σῶμα οὐχ ὅλος ὁ π. (so geändert)] τὸ δὲ σῶμα περιέχεται, οὐχ ὅλος δὲ ὁ π. (wie Migne);

r 852, 1–3   ἀλλὰ τό . . . σώματος] om (Hom.);

s 900, 22–24   + ἢ ἄνεμος . . . ἀμείβων, sonst zu streichen;

t 900, 35   Die aristotelische Definition vom Winde ῎Ανεμός ἐστι πλῆθος θερμῆς καὶ ξηρᾶς ἀναθυμιάσεως κινούμενον περὶ γῆν wurde dem c. 22b in den Überlieferungszweigen vorausgesetzt, wo es unmittelbar nach c. 22 Aufnahme fand. In einigen Hss fehlt sie auch in diesem Fall (= t);

u 905, 13   καθάρσιον + οὐ (ist sonst nach einer Reihe maßgeblicher Hss zu streichen) vgl. S. 168;

v 905, 13–14   οὐ . . . δέ] οὐ μόνον σωματικοῦ ἀλλὰ καὶ ψυχικοῦ;

w 928, 38–929, 14   τοῦ δὲ μή . . . ἐνεργοῦσι ist eingereiht wie bei Migne, sonst an c. 30 angefügt;

x 929, 18   + πάλιν, sonst ist dieses Wort zu streichen;

y 932, 29–30   ἔκπληξις und ἀγωνία sind miteinander vertauscht;

z 932, 31–38   Stellung der Sätze wie in Migne, sonst umgestellt: κατάπλ. (34) . . . ἀγωνιῶμεν (38). Αἰδώς (31) . . . σωτηρίαν (34);

A 932, 43   λέγεται nach χόλος;

B 933, 3   καλεῖται] λέγεται;

C 928, 39   καὶ γεννητικόν] om;

D 928, 39–41   καὶ σφυγμικόν . . . γεννητικόν] om (Hom.);

E 928, 40   αὐξητικόν] φυσικόν; Z. 40 heißt richtig αὐξητικὸν μὲν τὸ θρεπτικὸν καί (φυτικόν am Anfang der Zeile ist ganz zu streichen);

F 928, 43–44   καθεκτική . . . τροφήν] om (Hom.);

G 929, 4   φυσικαὶ δὲ αἱ] om;

H 968, 20   εἰδέναι] γινώσκειν;

I–P   das mit diesen Varr. bezeichnete Plus stellt in der ord. (P auch in der inv.) m. E. eine Erweiterung gegenüber dem ursprünglichen Text dar und wäre demnach zu streichen. Vgl. oben S. 149!

I 969, 3   + ὡς ἀγαθός;

K 969,4   + ὡς δίκαιος;

L 969,6   + ἐξ αὐτοῦ ὄν;

M 969,7   + ἐξ ἡμετέρας αἰτίας;

N 969,16–19 + προνοεῖ . . . χοίρων;

O 972,3–5   + ὥστε . . . προορισμός;

P 976,3   + ἤγουν . . . εἰς τό;

Q 969,4   κολάζ. + δικαίως; vgl. K!

R 969,10–11 ταῦτα . . . ἡμῖν] om;

S 969,12   τῶν δὲ ἐφ' ἡμῖν] om (Hom.);

T 969,17   καὶ διὰ πάσης τῆς κτίσεως] om (Hom.);

U 972,6–7   ἤδη . . . αὐτοῦ] om (Hom.);

V 976,2–3   ἐν . . . φύσιν[1] (Z. 3)] om (Hom.);

W 985,35   ἀνθρωπείου] ἡμετέρου;

X 985,37   ἅμα[1] . . . σάρξ[3]] om (Hom.);

Y 985,37   ἅμα σάρξ] om;

Z 988,1   nach Ausweis der Hss ist nach νοερά einzufügen: ἅμα θεοῦ λόγου σὰρξ ἔμψυχος λογική τε καὶ νοερά; viele Schreiber gleiten vom ersten νοερά auf das zweite ab (= Z).

α 1176,6–7 διαθήκης post καινῆς;

β 1180,5   ἡ πρώτη . . . βίβλος (6)] om (Hom.);

γ 1180,5   ἡ πρώτη . . . βίβλος (6) post βίβλος (7);

δ 1180,6   ἡ τρίτη . . . βίβλος (7)] om (Hom.);

ε 1180,8   Wortstellung wie Migne; mehrere alte Hss ordnen ἡ πρώτη τῶν Παρ. καὶ ἡ δευτ.;

ζ 1180,13   + πρώτη, wichtige Hss übergehen dieses Wort;

η 1180,18   καὶ (ist zu ergänzen) ἡ] Βασιλειῶν;

θ 1180,19   καί . . . μία (20)] om (Hom.);

ι 1180,20   τρίτη πεντάτευχος] om (Hom.);

κ 1180,21   + βίβλοι, ist sonst zu streichen;

λ 1180,23   τοῦ αὐτοῦ] om;

μ 1180,26   συναπτόμεναι] -ονται;

ν 1180,37   + ἑπτά, sonst zu streichen;

ξ 1213,2   ἐξ . . . τούς[2]] om (Hom.);

ο 1213,9–10 ἐπί . . . περιτομή (10)] om (Hom.);

π 1213,14   ὑπὸ δέ] ὑπόδεξαι;

ρ 1213,17–19 ἐκ . . . Ἰσραήλ] om (Hom.);

σ 1213,20   Wortstellung wie Migne (zahlreiche Hss ordnen: ἦσαν αὐτῶν);

τ 1213,23   γῆν + τῆς ἐπαγγελίας;

υ 1213,24   ἡμῶν (so zu berichtigen)] αὐτῶν;

φ 1213,25   Wortstellung: μέλι καὶ γάλα;

χ 1213,37–38 εἶναι . . . ἡδονῆς (38)] om (Hom.);

ψ 1228,7   ἁμαρτωλοί] ἁμαρτήσαντες;

ω 1228,11   ἀεί om.

Die Überlieferung der Expos. zerfällt analog zur D. brev. und D. fus. in die der E. o(rdinata) und E. i(nversa). Während sich in der D die Kapitelzusätze als brauchbare Leitfehler für die Gruppierung erwiesen, ist dieses Merkmal – hier geht es um die b-Kapp. – in der E nur mit großem Vorbehalt anzuwenden, weil es u. U. nicht mehr besagt als die Übereinstimmung dieser kurzen, durch Kontamination übernommenen Zusätze, während die Masse des Textes ganz verschiedener Art ist. Da sich auch in der E kein Stemma ergibt, sondern nur Hss-Gruppen und da von diesen keine mehr den unverdorbenen Text bietet, scheidet die Qualität als Ordnungsprinzip ziemlich aus. Um aber den Vergleich mit der D zu erleichtern, werden die Gruppen, soweit dies tunlich erscheint, in annähernd derselben Reihenfolge aufgeführt und die zu erschließenden Bindeglieder mit denselben Buchstaben bezeichnet wie in der D.

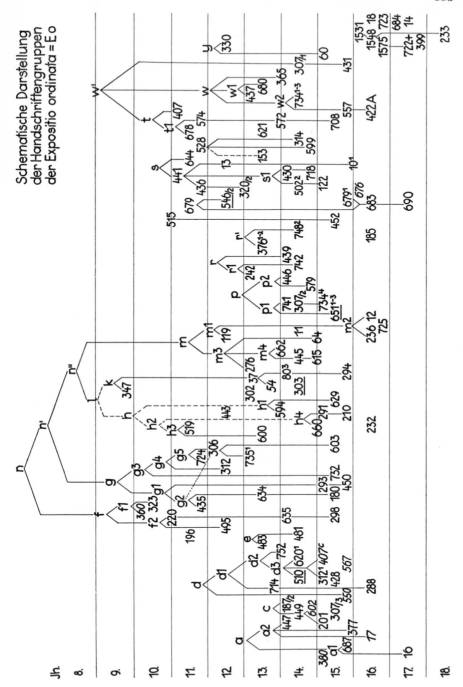

Schematische Darstellung
der Handschriftengruppen
der Expositio ordinata = Eo

a) Expositio ordinata

Für die Hss der E. ord. lassen sich etwa folgende Abhängigkeits-verhältnisse feststellen:

a1 = 16 + 687:

Bindefehler: Varr. U, ι, χ; 900,10 ἡμῶν αἰσθήσεσιν St.; 908,4 καί ...
αὐτῆς] om; 928,44/45 ἐκκριθῆναι] ἐκρυφῆναι; 929,13 θελόντων[1] καί] om;
929,25 μόνης pr μόναι.
Trennfehler 16 (lückenhaft): Alter; viele Lücken schaffen eine große Unsicherheit.
Trennfehler 687: 933,3 ὀργή om.

a2 = 17 + 377 + 447:

Bindefehler: Varr. m, q, X; 985,37 ἅμα[1] ... σάρξ[3]] om (Hom.).
Trennfehler 17: nur Auszüge, darin keine neuen Textvarr.
Trennfehler 377 (geschrieben bis c.77): 840,4 ἄποσος] ἄτοπος; 969,14 οὔτε
ἑπομένως] om.
Trennfehler 447: 837,19/20 λέγεται ... βασιλευομένων] om (Hom.); 929,8
κινητικόν ... καί[2]] om (Hom.).

a = a1 + a2:

Bindefehler: Varr. c, k, v, L, M, N, T, α, ε, ζ, κ, ν, σ, φ, ω; 789,15 οἶδε om;
789,16 πρώτην καί] om; 905,13 τὸ ὕδωρ] om; 929,2 ἐκβ.] ἀπεκβάλλουσα;
968,23 πᾶσαι om; 1180,18 μία βίβλος und 1180,31 Σιράχ δέ St. Kontami-nation: 928,43 καθεκτ.] καθελκτική mit f und 515; Var. e fehlt; c. 90 ähnelt
dem der inv.; c. 22 b nach c. 22, und zwar ganz und in derselben Textform
wie in c.
Trennfehler a1 und a2 = ihre Bindefehler.

c = 187 + 449:

Bindefehler ab c. 22: I–P, R, Y, Z, ε, ζ, κ, λ, ν, φ; 905,14 σωματικοῦ + ἀλλά
und δέ om; 928,44/45 ἐκρυφῆναι, wie a1, was aber keine Verwandtschaft
besagen muß; 969,17 καί ... κτίσεως] δι' αὐτῆς πάσης; 981,2 περὶ τῆς πρός;
1180,22 τοῦ αὐτοῦ] om; 1180,32 ἀριθμοῦνται + ταῖς προρρηθείσαις βίβλοις;
1180,33 διαθήκης + εἰσίν; 1180,36 διά] καί; 1228,4 βήματι τοῦ Χριστοῦ St.;
1228,8 εἰδείη] οἶδεν. C. 22 b wie in a.
Trennfehler 187 (ca. ab c. 19): 932,36 διαπτώσεως φόβος St.; 972,4 ἔργον
post προορισμοῦ (5); 976,4 καί ... γινόμεθα] om (Hom.); 1180,40 διὰ Κλή-μεντος] om.
Trennfehler 449: Varr. b, i, l (gehören vielleicht schon c an), δ, ι.

Von 449 scheinen kopiert zu sein **201** und **602**:

Trennfehler **201**: 844,33 ἔφη om; 928,36/37 χρή ... κίνησις] om; 968,20
τρόποι] σκοποί, in 449 undeutlich geschrieben; 984,39/40 τοῦ ... σαρκώ-σεως] καὶ τῆς θείας τοῦ θεοῦ σαρκώσεως; 1180,39/40 κανόνες ... Κλ.] om.

Trennfehler 602$^{2-5}$ (lückenhaft, bis c. 63): Var. r; 933,3 χολή om; 933,5 χολή καί] om; 929,2 ἀπεκβάλλουσα, schon in a; st. Var. R: καὶ ταῦτα μέν εἰσιν.

449 trug noch eine weitere reiche Frucht:

Alle Kennzeichen sprechen dafür, daß Faber Stapul. (s. S. 220) sie vor sich hatte, als er seine lat. Übersetzung schuf, die 11 mal gedruckt werden sollte. Gegen diese Herkunft scheint das Fehlen der Varr. δ und ι zu sprechen. Doch handelt es sich bei ihnen um Lücken in formelhaften Aufzählungen, die einem aufmerksamen Leser ohne weiteres auffallen müssen und die vom Übersetzer unschwer selber einigermaßen richtig ergänzt werden können. Tatsächlich folgt auch der Wortlaut dieser Stellen nicht genau dem üblichen griechischen Text. Neben 449 muß F. noch eine andere Quelle benutzt haben, vermutlich einen lateinischen Kodex der Burgundio-Übersetzung; sonst ließe sich der Einschnitt zwischen c. 9 und c. 10 bei 837,22 und die Umstellung in c. 29 nicht erklären, sowie die Zerlegung von c. 8 in 4 und die von c. 13 in 3 Teile; selbst der Beginn des 3. Teiles des letzteren Kapitels bei 853,31 im Gegensatz zum häufigeren bei 853,12 ist innerhalb der Burgundio-Überlieferung nichts Neues, was zwar nicht die Ausgabe von Buytaert von 1955 infolge ihrer sporadischen Auswahl der Hss, wohl aber schon ein Glücksgriff in die Pariser Hss, z. B. bei B. N. lat. 18105, erkennen läßt.

Auf c geht schließlich noch Hs **307** in ihrem letzten Teil zurück, ohne freilich weder 449 noch 187 ganz zu folgen, desgleichen ihre Abschriften **431** und **734**^{4}.

d 3 = 312^1 + 510 + 620^1:

Bindefehler: längere oder kürzere Zusätze zu den meisten Kapp., der zu c. 46 = Teil von c. 87: 1160,47–1161,18; an der Stelle von c. 22b/1 (900,35 bis 46) steht ein Text: ἰστέον ὅτι τὰ δ' στοιχεῖα γεννῶσιν ἀνέμους δ' · ἡ μὲν 'Ανατολή . . . παραπνέοντες; Var. V; 900,20 κέκτηται] ἔχει und οὐσία post φωτός 21; 900,31 φύσιν + αὐτοῦ; 905,14 μόνον δὲ σωματικοῦ ἀλλὰ καὶ ψυχικοῦ εἰ . . .; 929,10 ποιῆσαι ταῦτα] om; 932,38 ἀγωνιῶμεν + φόβος ἐστίν . . .; 933,6 δέ + λέγεται; 928,41 σφυγμικόν + περὶ τοῦ θρεπτικοῦ; 929,13 ἡμῶν post θελόντων^2; 929,14 ἐνεργοῦσι + 'Αριστοτέλους πέντε . . .; 985,37 σάρξ^1] ψυχή; 988,2 ist dem Zusatz von d 1 ὄν vorausgeschickt; 1213,36 ἐπιθυμία om, und viele andere. Von den Varr. von d entfallen C und die von 929,10, von den von d 1 1180,22, wohl durch Kontamination.

Trennfehler **312**^{1} (diese Hand cc. 1–8 und 21–27): 929,12 ζωτ. . . . σφυγμ.] καὶ ζωτικὴ ἥτις καὶ σφυγμικὴ καλεῖται.

Trennfehler **510**: Varr. a, i, k, o, p (o und p später berichtigt); 800,27 ὑπεροχικήν Endung; 844,35 und 36 ὄντων om, beide nachgeholt. 929,10 ist die Lücke von d 3 noch um das vorausgehende καὶ μή erweitert; die Varr. von c. 90 sind vielleicht wenigstens teilweise auf d 3 zu beziehen, weil von seinen Zeugen diesen Abschnitt nur 510 vertritt: 1176,5 + τί ἐστι γραφή;

διήγησις συγγραμμάτων; 1180,27 τουτέστι] ἤγουν; ebd. ist die Glosse von
d 2 schon nach Δανιήλ in Z. 25 hineingeraten; 1180,32 οὐδέ . . . κιβωτῷ]
om; ebd. ist der Zusatz von d 1 in οὔτε οἱ Μακκ. gewendet. Kontamination:
840,11 φυσικήν] τοῦ ἡλίου vor allem mit g 2 und 306 in g; Aufnahme
von c. 12 b.

Trennfehler **620**[1] (ab c. 21, auch sonst Lücken): 900,4 καὶ ἀνέμων] om;
969,6/7 αὐτοῦ . . . ἐξ] om (Hom.); 1213,16 ἀκροτόμου πέτρας St.

Eng mit 312[1] berührt sich die korrigierende Hand von 407 (= **407**[c]);
das ergibt sich aus den vielen Verbesserungen, die nach dieser Gruppe
in 407 vorgenommen wurden, einschließlich des am Rand nachgetragenen
Zusatzes zu c. 25, und aus der beiläufigen Beobachtung, daß sie mit den
Vertretern dieser Untergruppe nur auf der Wegstrecke zusammengehen,
wo auch 312[1] dabei ist. Sie aber mit 312[1] schlechthin gleichzusetzen oder
in ihr die Vorlage sehen zu wollen, verbietet die eigene Lesart von 312[1]
in 929,12.

d 2 = d 3 + 752:

Bindefehler: Varr. c, h; 900,20/21 οὐσία post φωτός; 976,1 ἀναχώρησις]
στέρησις; 1180,27 (vgl. d 1) im Text καὶ ἡ ᾽Ε.] ἡ δὲ ᾽Ιουδίθ καὶ ᾽Ε., am
Rand ἕτεραι δύο βίβλοι.
Trennfehler d 3 = Bindefehler d 3.
Trennfehler **752**: 900,9 γάρ ἐστιν] om, mit p; die Definition von 908,4
(bei d 1) ist am Anfang abgewandelt zu: ὅρος· γῆ ἐστι πῆξις; das ἕτεραι δύο
βίβλοι von 1180,27 (bei d 2) ist nach ᾽Εσθήρ eingereiht; 1180,32 fehlt im
Zusatz von d 1 die Zahl γ'; 1180,40 Κλήμεντος + καὶ ὁ Ποιμήν; 1213,26/27
περιέτεμε ᾽Ιησοῦς St.

d 1 = d 2 + 714:

Bindefehler: Varr. g, w, I–P, Y, Z, α, ζ, o; 908,4 + στοιχεῖον ἡ γῆ; 928,43
τροφήν + ὅτε φαγεῖν, wohl als Glosse, weil in 752 am unteren Rand; 929,1
χυμούς + ὅτι τέσσαρα εἴδη . . . ἀποκριτική, wahrscheinlich wieder als Glosse,
weil in 312[1] mit der Einleitungsformel χρὴ γινώσκειν und in 752 ganz ausgefallen; 933,15 τάξιν + θερμὸς ὁ ἀήρ . . . γ' σπλήν, wohl ergänzt wie noch
in 752 und 620[1] am oberen Rand; 972,11/12 συνεργείας αὐτοῦ St.; 988,2
ἐνανθρωπήσαντα + ὁμολογοῦμεν; 988,13 σύνθετον + καὶ δύο τοῦ φύσει . . .
σήμαντρα = Nestor. 43: M G 95,224,17–40 + E 87: 1160,47–1161,18;
1180,22 τοῦ αὐτοῦ] om; 1180,25 μία + ὁμοίως; 1180,27 ist am Rand ἡ δὲ
᾽Ιουδίθ und ἕτεραι δύο βίβλοι ergänzt; 1180,32 ἀριθμοῦνται + καὶ οἱ Μακκα-
βαῖοι γ'; 1180,38 μία + Κλήμεντος δύο und ἀποστόλου om; 1212,10 wohl
wieder am Rand die Definition περιτομή ἐστιν . . ., von d 2 nur von 510
und 620[1] übernommen; 1213,26 ἀντεκατ.] κατέστησεν. Kontamination:
981,2 περὶ τῆς δι᾽ mit inv.; Aufnahme von cc. 22 b, 23 b und des seiten-
langen Zusatzes zu c. 25 ξύλον τῆς ζωῆς . . . πρόξενον, beide (unmittelbar?) aus inv. (ŋ).
Trennfehler d 2 = Bindefehler d 2.

Trennfehler **714**: Var. λ; 837,19/20 τῶν². . . βασιλεύς] om (Hom.); 900,5 pr ἄνεμός ἐστι ῥεῦμα ἀέρος; 900,13 εἰσιν + ἀνθρώπων; 905,15 πνεύματος + περὶ τῶν δ' στοιχείων . . . δύο καὶ δέκα = 10 Z.; 1180,7/8 ἡ πρώτη . . . μία βίβλος post βίβλος (9); 1180,24 ἡ προφητική] om; 1180,27 (vgl. Bindefehler d 1) καὶ ἡ 'Εσθήρ] ἕτεραι δύο βίβλοι, am Rand ἡ δὲ 'Ιουδὶθ καὶ 'Εσθήρ . . . βίβλοι; 1180,39 εὐαγγελιστοῦ + ἐν Πάτμῳ τῇ νήσῳ; 1180,40 διὰ Κλήμεντος] om; 1228,5/6 καί². . . αὐτοῦ] om (Hom.); 1228,9 ἀγαθά] καλά.

Die unmittelbare Herkunft der Hs **288** von **714**, die in der D bewiesen wurde, bestätigt sich auch in der Expos.

d = d 1 + 550:

Bindefehler (nur für den Bereich von 550; was darüber hinaus von den Bindefehlern von d 1 für d zu gelten hat, ist nicht zu entscheiden): Var. C; 929,23 περὶ ἡδονῶν + ἡδονή ἐστιν . . . μορφουμένη; 932,33 αἰσχρῷ + πράγματι; 929,10 ταῦτα gestellt wie bei Migne, sonst nach ποιῆσαι (9). Kontamination: Var. z mit inv.
Trennfehler d 1 = Bindefehler d 1.
Trennfehler **550** (Exzerpte): 900,30 τὸν ἀέρα] αὐτόν; 928,45–929,1 ἀλλοιωτική . . . χυμούς] om; 932,28 pr φόβος ἐστιν . . .

Die cc. 28 und 29 von Hs **567** treffen sich mit d in den Varr. z und der von 929,10.

Dieser Sippe entstammt ferner die absonderliche Hs **428**, wurde aber unter fremdem Einfluß stark umgeformt. Es fehlen von den Varr. bei d die von 929,23; von d 1 Varr. g, w, ζ und 1180,22.32.38 (Κλήμ.); von d 2 900,20/21. Neu treten hinzu die Varr. m, S, T, u (die letzten 3 treffen sich wohl nur zufällig mit dem Hauptteil von r), sowie zahlreiches Sondergut.

e = 481 + 483:

Bindefehler: Varr. c, h, k, I–P, W; es fehlt c. 52 b und das Ende von c. 22 ab 905,12 (481 schließt mit διατρίβει, 483 mit ἵπταται); Zusätze, zugleich Kontamination: c. 23 b ist aufgenommen; c. 25 erweitert wie in d 1, c. 81 um ἐπειδὴ τετράκις . . . καθηγήσατο = Gregor. Nyss.: MG 45,633 A–637 C mit Lücken und Umstellungen, 481 endet in diesem Zusatz anscheinend durch Blätterverlust. Die Berührungspunkte von e mit d 1, besonders in der Aufnahme von cc. 22 b und 23 b (beide in der Textform verschieden!) und des Zusatzes von c. 25, gehen kaum auf die Abstammung von einem gemeinsamen Hyparchetyp zurück, sondern auf Kontamination.
Trennfehler **481** (bis c. 81): Var. Z; 976,1 τοῦ φωτός post ἀναχώρησις.
Trennfehler **483**: 840,12 ἐπιτηδειότητα] ἰδιότητα; 844,34 ἀρχὴ καὶ αἰτία St.; 844,43 ἐστιν ἡμῶν St.; das folgende wäre vielleicht zu den Bindefehlern zu zählen: 1180,24/25 μία βίβλος St.; 1213,14 ὑπό] ἐπεί; 1213,25 μέλι + πεπτωκός; 1228,1 πάλιν τῶν ψυχῶν St.

Äußerlich betrachtet wären a, c, d und e durch die Aufnahme von c. 22 b verbunden; da dieses Kap. aber nur in a und c gleich ist, besagt diese Übereinstimmung nur für die beiden einen organischen, wenn auch nicht notwendig unmittelbaren Zusammenhang, nicht aber für die übrigen Hyparchetypen.

f 1 = 323 + 360:

Bindefehler (nur für den Bereich von 360): Varr. L, M, N, P, R, Z; 976,3 εἰς τό] ἐν τῷ.

Trennfehler **323** (ab c. 27): 976,2/3 ἐκ (ist zu ergänzen) τοῦ κατὰ φύσιν] ἐν τῇ κ. φ.; über den Rahmen von 360 hinaus: Var. σ; 933,14 ἐπί] ἐκ; 1180,3 εὑρίσκονται] ἀριθμοῦνται; 1180,15 παρά . . . Ἁγιόγραφα] om; 1180,32 ἔκειντο] ἔγκεινται.

Trennfehler **360** (nur cc. 43–46): Varr. O, T; 969,8/9 καὶ παιδευτική . . . ἀπογνωστική] καταγνωστική.

f 2 = 495 + 220:

Bindefehler: Varr. O, Y; c. 52 b fehlt.

Trennfehler **495**: Varr. b, K, U, ω; 1213,12 μετά] κατά. C. 16 ist vorhanden, daran unmittelbar anschließend c. 23 b, 22 b an seinem Platz, c. 25 mit dem bekannten Zusatz, alles Zeichen einer vergleichenden Tätigkeit des Schreibers. Eine korrigierende Hand beseitigt die Varr. K und ω und die von 1213,12.

Trennfehler **220**: 789, 5–8 om, ᶜ ergänzt bis περιεργάζεσθαι; 969,3/5 ὡς . . . οὖν] om, ᶜ trägt nach, wobei Var. K entsteht; die spätere Hand füllt auch die Lücken der Varr. L, M, N, P auf. Unregelmäßigkeit in der Kapitelzählung um 16: 14 = ξδʹ, 15 = ξϛʹ, 17 = ξζʹ; dies läßt vermuten, daß c. 16 in einem Teil der Überlieferung zwar schon früh aus einem Zufall oder Versehen ausgeblieben ist, ursprünglich aber vorhanden war.

Von 220 in der korrigierten Form dürfte **635** kopiert sein, von dieser und 635¹ wieder **298**.

Trennfehler **635** (ab c. 15 und ohne cc. 39–47): 900,33 μέρη om; 932,37 τῆς πράξεως] om. Kontamination: c. 16 ist nach c. 17 aufgenommen, c. 22 b/1 (in der Textform von 331) und der Zusatz zu c. 25 am Rand. 635¹ hat stemmatisch weder hier noch eindeutig anderswo seinen Platz.

Trennfehler **298**: c. 22 b/1 und der Zusatz zu c. 25 stehen im Text, τῆς πράξεως von 932,37 ist am Rand ergänzt; Varr. D, R, U, Z, ζ; 932,28–30 εἰς αἰδώ, εἰς αἰσχύνην post ἀγωνίαν; 929,9/10 ταῦτα (gewöhnlich nach ποιῆσαι Z.10 gestellt) post ποιῆσαι Z.9; 968,27/969,1 πάντας θέλει St.; 973,6 τοῦ ἀγαθοῦ ἀναχώρησις St.; die Varr. R und U und die von 968,27 f und 973,6 gehörten vielleicht schon 635 an, sind aber mit dem Blätterausfall verlorengegangen.

f = f 1 + f 2:

Bindefehler: Varr. L, M, N, P, R, Z; 976,3 εἰς τό] ἐν τῷ.
Trennfehler f 1 und f 2 = ihre Bindefehler.

g5=306+724:

Bindefehler: 845, 2/3 καί². . . ἑνότης] om, in 306 und 735¹ später aufgefüllt.
Trennfehler **306**: 789, 5 οὐ δεῖ] om; 840, 5/6 ἤδη . . . κατειλήφαμεν] om,
hier und in 735¹ später ergänzt; 969, 10 ὡς om, hier nachgetragen, nicht
aber in 735¹; Var. V, hier und in 735¹ später berichtigt. Kontamination:
840, 11 φυσικήν] τοῦ ἡλίου und vielleicht 929, 16 μὲν οὖν] om mit g 2; 900, 7/8
αἴτιον darüberkorrigiert αὐτόν, ebenfalls mit g 2, kehrt wieder in 603.

Von 306 sind herzuleiten **603** und **735¹**:

Trennfehler **603**: 789, 5–8 om; 837, 27 ἀναίτιον + καὶ τὸ αἴτιον, war in 306
später darübergeschrieben; 900, 7/8 αἴτιον] αὐτόν; 932, 36 ἤγουν] οἷον;
985, 37 θεοῦ λόγου] λόγος θεοῦ; 988, 1 bricht der einzufügende Text mit
σάρξ ab; die Varr. U und V und die von 969, 10 und 1228, 1/2, alle schon
in 306 richtig gestellt, fehlen hier.
Trennfehler **735¹** (diese Hand cc. 2–96): Varr. T und st. γ: β; 976, 4 καί . . .
γινόμεθα] om, aber am Rand später nachgetragen.

Trennfehler **724**: 837, 28 γενν.] ἀγέννητον; 840, 6 εἴπερ . . . ὅτι] γνῶμεν εἴπερ;
840, 13 ἐνέργειαν om, st. Var. i; 1228, 8 παρ'] πῦρ. Eine starke Kontamination betrifft vor allem den Aufbau und die Auffüllung von Lücken: Varr. h,
w; alle Unordnung um cc. 89 und 93 + 94 ist behoben, doch bleibt 16
nach 17; Beseitigung von Varr. U und γ und der Lücken von 1180, 14
und 19; 1213, 20 (wieder Var. σ) und 1228, 1/2; sonstige Varr.: 1177, 30
ohne Dublette; 1180, 13 wieder die St. Λευιτικὸν Ἀριθμοί.

g4=g5+312:

Bindefehler: Varr. R, γ; 1177, 30 Νοῦν + καὶ τὸ Φὲ καὶ τὸ Τζάδεκ; 1180, 14
ἡ καί . . . πεντάτευχος] om (Hom.); 1180, 19 βίβλος² μία] om, aber wohl
Lücke dafür, wie noch in 306 und 735¹: 1213, 20 αὐτῶν om; 1228, 1/2
ἀναστησόμεθα . . . σώμασιν] om. Kontamination: cc. 89 und 94 + 93 sind
aufgenommen, ersteres nach c. 90, letztere in dieser Reihenfolge zwischen
96 und 97.
Trennfehler g 5 = Bindefehler g 5.
Trennfehler **312** (cc. 8–21 und ab c. 27): Varr. β st. γ, o; 840, 12 ἐπιτηδειότητα καὶ δεκτικήν] om; 852, 1/3 ἀλλά . . . σώματος] om (Hom.); 844, 36
ἀποπ.] καταπιπτόντων, so auch g 2; 968, 21/22 μήτε². . . καταληφθῆναι] om;
1180, 7/8 ἡ πρώτη . . . βίβλος] om (Hom.). Kontamination muß angenommen werden für die Rückführung von μόνον in 849, 26, für die Einordnung
von c. 16 an seinen Platz und für Var. w.

g3=g4+732:

Bindefehler: Varr. b, g, U; 849, 26 μόνον om; 900, 19/20 οὐκ post φῶς; c. 16
steht nach 17.
Trennfehler g 4 = Bindefehler g 4.
Trennfehler **732**: 800, 23 ἀλλά . . . φύσιν²] om (Hom.); 840, 5/6 κατειλήφαμεν
+ καὶ μίαν; 840, 11 θάλπει πάντα St.; 840, 13 ἐνέργειαν] δύναμιν usw.

g2=435+634:

Bindefehler: 800, 29 ἀλλ'. . . φῶς²] om (Hom.); 800, 36 ἀμφιβ.] ἀντιβάλλεται; 840, 11 φυσικήν] τοῦ ἡλίου; 844, 36 ἀποπ.] καταπιπτόντων; 844, 47 τελουμ.] τελειουμένων; 900, 7/8 αἴτιον] αὐτόν; 929, 16 μὲν οὖν] om.
Trennfehler **435**: Var. G.
Trennfehler **634**: Varr. u, T; 852, 1 ὁ ἀήρ post ὅλος (849, 30); 933, 6 ἐπιμένουσα] ἐστι μένουσα; 928, 43 ἕλκουσα] ἔχουσα; 972, 12 καὶ βοηθείας] om; 1213, 32 χρειῶδες . . . ἀποτέμνει] om.

Von 634 stammt **180** ab:
Trennfehler: Var. X; Kontamination: das sonst fehlende Stück vom Anfang von c. 90 ist vorhanden, ebenso ist die Lücke von 800, 29 nicht mehr zu finden; cc. 93, 89 und 94 sind auf späteren Folia nachgeholt.

g1=g2+293:

Bindefehler: 852, 2 περιέχοντος ἀέρος] περιεχομένου σώματος; 1180, 33 τέσσαρα om; 1180, 35 τῶν ἁγίων] om. C. 16 ist wieder an seinem Platz.
Trennfehler g 2 = Bindefehler g 2.
Trennfehler **293**: Varr. b, G; 789, 16 φύσιν om, aber nachgetragen (in 450 vorhanden); 800, 29/30 σκότος οὐκ ἔστιν St.; 969, 21 καὶ προορισμοῦ] om. Kontamination: cc. 93 + 94 sind ordnungsgemäß eingereiht.

Sehr nahe verwandt mit 293, den Textvarr. nach sogar geradliniger Abkömmling davon ist **450**:
Trennfehler (Film bis c. 51): 792, 8 ἀπαθοῦς/ἀγαθῆς trp. Nach dem Pinax aber, falls dieser verlässig ist, stehen cc. 93 + 94 vor 82. Höchstwahrscheinlich ist eine Kontamination anzunehmen; vielleicht sind die beiden Hss auf eine gemeinsame Vorlage zurückzuführen.

g=g1+g3:

Bindefehler: Varr. d, i, y, Z, σ; 929, 9 ταῦτα post ποιῆσαι; 981, 2 wie Migne gegen das häufigere καὶ τῆς περὶ ἡμᾶς; 1180, 1 Σαδί] Ἀδί; 1180, 13 Ἀριθμοὺς Λευιτικόν St.; 1180, 32 ἔκειντο] ἔγκεινται. Var. A fehlt; c. 88 ist vollendet, darauf folgt c. 90 mit dem bis 1176, 27 verstümmelten Anfang; c. 89 und 93 + 94 fehlen zunächst. Kontamination: Varr. I–P; Vollendung von c. 88; Aufnahme von c. 16, teils vor, teils nach c. 17, stand hier wohl am Rand. – Trennfehler g 1 und g 3 = ihre Bindefehler.

h4=291+660:

Bindefehler: 932, 35 ἐξ ἀσυνήθους] ἐκ συνήθους; 928, 39/41 καλεῖται . . . σφυγμικόν] om (Hom.); 968, 21 ἑρμηνευθῆναι] εὑρεθῆναι; 976, 1 ἀναχώρησίς ἐστιν St.
Trennfehler **291** (bis c. 59): Varr. I–O; 905, 14/15 καὶ ψυχικοῦ post πνεύματος, om δέ; 972, 12 ἀγαθόν + τι; 988, 7 λαχούσῃ pr λαβούσῃ ἤγουν = Addition von Lesarten; als Titel zu c. 46 steht der von c. 45, etwas abgeändert.

Von 291 scheint 210 abgeschrieben zu sein, soweit der Erhaltungszustand (bis c. 55) dieses Urteil erlaubt:
Trennfehler: 840, 2 οὐσίαν om; 840, 11 καί . . . φυσικήν] om; 849, 29/852, 1
περιέχει . . . ἀήρ] om (Hom.).
Trennfehler **660** (mit großen Lücken): 972, 12 ἀγαθόν om; 988, 10 τὴν τῆς
σαρκὸς οὐσίαν St.; 1213, 3 μεθ' ὧν] ὅτι ἐν μέσῳ αὐτῶν; 1213, 14/15 τῷ
'Ιησοῦ] πρὸς 'Ιησοῦν.

h 3 = 519 + 600:

Bindefehler: Var. g (auch in g 3); 800, 33 ἱκανῶς om; 800, 36 ἀντιβάλλεται
(wie z. B. in g 2); 933, 14 ἐπί] ἐκ, schon in f 1. Es könnte sich bei der Mehrzahl dieser Varr. um Spuren einer ursprünglich verbreiteteren Textform
handeln.
Trennfehler **519** (bis c. 96): 900, 25 καί . . . ἐστι] om; 1180, 5 παρ' 'Εβραίοις] om.
Trennfehler **600**: 837, 27 ἀναίτιον + καὶ τὸ αἴτιον, auch in 306c + 603 und
528; 840, 12 ἰδιότητα wie in m1 u. a.; 1213, 32 ἀποτέμνει] ἀποκόκτει. Kontamination: die Lücke um c. 89 ist geschlossen, die Varr. der übergeordneten
Bindeglieder in c. 90 sind verschwunden, so daß an einen Wechsel der
Vorlage gedacht werden könnte.

h 2 = h 3 + h 4:

Bindefehler (schwach): 928, 43 καθεκτ.] καθελκτική; 1180, 1 Σαδί] 'Αδί,
schon in g; 1180, 7/8 ἡ πρώτη . . . μία βίβλος] om (Hom.).
Trennfehler h 3 und h 4 = ihre Bindefehler.

h 1 = 594 + 629:

Bindefehler: Varr. α, χ; 1180, 10 αἱ βίβλοι] om; 1213, 3 μεθ' ὧν] οἷς.
Kontamination: Varr. e mit mehreren Gruppen; π mit ḥ; h beseitigt mit
zahlreichen Sippen.
Trennfehler **594**: 789, 7 ἁγίων + πατέρων; 800, 20 καὶ ἀκατάληπτον] om;
929, 8/9 ὅλου τοῦ σώματος post ἀναπνευστικόν; 1180, 8 βίβλος + ἡ . . . βίβλος
1180, 5/6, offenbar übernommen aus einer Hs, in der die Var. β am Rand
ausgeglichen war; als weiteres Kontaminationszeichen: c. 90 ist am Anfang vollständig. Eine spätere Hand brachte zahlreiche Berichtigungen
und Ergänzungen an.
Trennfehler **629**: 985, 37 θεοῦ λόγου] λόγος θεοῦ; 1213, 29/30 οἷς συνανε-
στρέφετο] om. Kontamination: c. 16 ist vorhanden, ebenso ganz cc. 88 bis
90, c. 22b (in einer Textform, wie sie im ersten Teil noch in 434 und 455,
beides Einzelgänger, vorkommt) und in c. 47 bei 993, 5 der Text von MG
95, 412f. Die Hs ist überarbeitet, worauf die Varr. I–O zurückgehen.

h = h 1 + h 2:

Bindefehler (schwach): Var. U (Hom.) und 1180, 22/23 τὰ Άισματα . . .
αὐτοῦ] om (Hom.), wieder ergänzt von c vollständig in 629, bis ᾀσμάτων
in 519 und 660. – Trennfehler h 1 und h 2 = ihre Bindefehler.

Mit dieser in sich nur lose gefügten Gruppe scheinen noch einiges zu tun zu haben **232** und **443**:

232 schließt die Lücke von Var. U; 800,26 ἐπί] τὰ περί; 900,7 ἐκφων.] φωνήσεως; 933,5/6 ὀργή . . . λέγεται] om; 973,6 τοῦ ἀγαθοῦ] θεοῦ u.a.m. – **232**[1] folgt nicht dieser Verwandtschaft, auch nicht eindeutig einer anderen Hs.

443 macht anderweitig kräftige Anleihen: c.89 mit Anschlußstücken, c.16, c.22b/1, Zusatz zu c.25 (vgl. d1), Einschiebsel in c.47, wie in 629. Die Hs ist später überarbeitet und um cc.22b/2 und 23b bereichert, letzteres in einer Textform, die 550 und 714, beide in d, am nächsten steht.

k=347+37:

Bindefehler: Varr. B, Z, α, ε, ν, φ, ω; 900,32/33 γειτνιάσει (ohne Artikel) post τὴν γῆν; 929,25 ὅσαι] εἰσιν, das folgende εἰσιν ist wohl ausradiert; 969,14 οὔτε ἑπομένως] om; 972,11 συνεργ.] ἐνεργείας; 976,3 ἤγουν . . . ἀρετῆς] om; 988,7 λαχ.] λαβούσῃ; 1180,8/9 ἡ[2] . . . βίβλος] om (Hom.); 1180,14 νομοθεσία + καλουμένη, so auch 302; 1180,17/18 μετὰ τῆς δευτέρας] καὶ δευτέρα, ebenfalls mit 302; 1213,13 τοῦ Ναυῆ] om; auf E folgt Trisag. Trennfehler 347 (ab c.21): Var. σ; 1213,3 μεθ' ὧν] om; 1213,19 Βαττ.] Βαγαρίττιδι; 1213,29 οἷς] οὕς. Auf c.24 folgt das ausführliche Eparchienverzeichnis, darauf c.22b/2; dieses deckt sich in Standort und Textform mit 24 und 617, beide von ŋ', der Textform allein nach aber noch mit 601 und 632, beide in t. C.89 fehlt, vielleicht im Hinblick auf die in diesem Kodex noch enthaltene 2. Bilderrede; c.90 ist vollständig, doch weist die Wiederholung der Kapitelzahl ϛγ für c.90, mit der schon c.88 versehen war, darauf hin, daß c.90 ursprünglich keine eigene Zählung und darum auch den Kapitelanfang nicht hatte. Es ist anzunehmen, daß unser ältester Textzeuge, der in seiner Eigenart in manchem von dem abweicht, was andere ebenfalls sehr alte Hss überliefern, mit der inv. kontaminiert ist. Trennfehler **37**: Var. b; 800,29 ἀλλ' + ὅτι ἐστίν; 837,29/30 ἄλληλα] ἀλλήλους; 849,26/27 ἀπερίγραπτον post μόνον; diese Varr. gehören vielleicht schon k an. 929,25 über Rasur εἰσὶν ὅσαι; 969,14 (vgl. k) über Rasur + οὔτε ἑπομένως (wie Migne); 972,10 ἀγαθοῦ παντός St.; 972,12 ἀγαθόν + τι; 976,2/3 ἐν . . . φύσιν[1]] om (Hom.); 1180,8/9 ist die Lücke von k ausgefüllt mit dem wohl selbständig geformten Text: καὶ αἱ τοῦ Ἐσδρᾶ δύο, so auch 302; 1180,27 τουτέστιν] ἤγουν; 1213,9/10 ἐπί . . . περιτομῆς] om (Hom.); Var. F. – 37 ist stark überarbeitet, wobei besonders Lücken ergänzt werden. Es ergeben sich so die Varr. e, E, I–P (ohne O); 969,7/8 αἰτίας + ὄν mit Var. M eingeführt, so auch 303; 972,6 γάρ + πάντα καὶ πρὸ γενέσεως αὐτῶν, mit 303 und 3 Hss der inv.-Gruppe l'; Var. T im Text von Var. N; das Minus der Varr. F und V entfällt, ebenso das von 969,14 und 1180,8/9; c.16 und c.89 mit den angrenzenden Teilen sind vorhanden. Offenbar wurde schon bei der Anfertigung der Abschrift kontaminiert, dazu später noch korrigiert.

37 war die Vorlage für den Kompilator von **54**.

Kopie von der korrigierten Hs 37 ist **80³**:

Trennfehler: 800,30 σκότος] σκοτία; 929,25 ὅσαι εἰσίν ohne das folgende εἰσιν; 932,43 θυμός + καὶ ἐπιθυμία; 1176,5 περὶ γραφῆς + καὶ περὶ τοῦ εἰς ἐστι θεός; 1213,19 Βατταρ.] Γαβαρίτιδι. Kontamination: c.23b und 22b zwischen D und E, nach Textgestalt und Reihenfolge aus 302. 12b zweimal von je verschiedener Hand = 80¹ und 80², wird von 294 nicht übernommen.

Von **80³** ist wieder **294** abgeschrieben:

Trennfehler: 845,1 τελεταρχία + τῶν μυστικῶς τελουμένων ἀρχή, vielleicht schon in 80³, was sich unsererseits wegen Filmlücke nicht feststellen läßt; 900,33 αὐτοῦ μέρη St.; 929,25 εἰσιν post ψυχῆς; 972,6/7 ἤδη . . . αὐτοῦ] om (Hom.). Kontamination: Einreihung von 23b + 22b nach c.23 (Textform von 80³).

l=h+k:

Bindefehler (schwach): Varr. c (Bibelwendung) und n (Hom.).
Trennfehler h und k = ihre Bindefehler.

m4=445+662:

Bindefehler: 928,39 καὶ σφυγμικόν] ζωτικὸν δὲ τὸ σφυγμικόν.
Trennfehler 445: Var. F; 844,44 εἰς τό] om; 849,29/852,1 περιέχει . . . ἀήρ] om (Hom.), jedoch leicht verändert nachgeholt nach σώματος (852,1); 932,44 ἀντιτιμωρήσεως] ἀντιλυπήσεως; 973,3 ἀρετῆς] om und τῆς zu αὐτῆς korrigiert; 988,1 ist die Dublette bloß bis σάρξ geführt; 988,11 θεότητος αὐτοῦ St.

Von **445** stammt **615** ab:

Trennfehler (Film ab c.13): wirre Kapitelordnung, s. Beschreibung; 929,11/12 καὶ αὐξητικὴ καὶ σπερματική] om. Kontamination: Aufnahme von c.16 und am Rand von c.22b (nach der Textform von 64).

Trennfehler **662**: 800,33 ὅτι . . . ἱκανῶς] om und ἀποδέδ.] δέδεικται; 932, 35/36 ἔκπληξις . . . φαντασίας] om (Hom.); 973,4 γενέσθαι . . . πρός] om; 984,36 καί . . . γινόμενος] om; 988,10/11 αὐτοῦ] οὐσίαν, das vorausgehende οὐσίαν ist ausradiert; 1228,8/9 οἷον¹ . . . ἀγαθά] om. Kontamination: c.25 + Zusatz.

m3=m4+64+276:

Bindefehler: Varr. f, q, s, I–P; 800,32 καὶ οὐ πολλοί] om. Die ursprüngliche Lücke um c.89 schwingt noch nach im gänzlichen Fehlen von c.90 und in der Nachholung von c.89 nach c.100.
Trennfehler m4 = Bindefehler m4.
Trennfehler 64: Var. ψ; 840,4/5 ἐστιν post ἀσχημάτιστος; 1213,14 ὑπό] ἐπί; 1228,6 οἷ²+ ἀμετανοήτως. Kontamination: Aufnahme von c.16, c.90 (textlich am nächsten den inv.-Gruppen ĺ' und t) nach 100 + 89, 12b (ähnlich 80¹) zwischen D und E, 22b (= c') und 23b (= χ1) je an seinem Platz.

11*

Trennfehler **276** (auf Film cc. 1–8, 27–45, 96–Schluß): Var. π; 933,15 τάξιν + ὁ θυμὸς ἐφ᾽ ἡμῖν ἐπιπειθής ἐστι λόγῳ, so auch 715 in ϛ; 929,4 φυσικαί/ ζωτικαί trp, mit w; 969,5 πρῶτον om, wohl Versehen beim Seitenwechsel; 972,1 γὰρ τά] καὶ γὰρ πάντα τά. In den ersten Kapiteln scheint eine andere Vorlage benützt zu sein, wie das Fehlen der Var. f und der von 800,32 und das Auftreten der Varr. b und c vermuten lassen.

m 2 = 12 + 236:

Bindefehler: Fehlen der Kapitelüberschriften und der Namen in der Windrose nach 22 b/1.
Trennfehler **12** (bis c. 96): Var. G; 789,17 οὐκ om; 837,24 ταῦτα om; 928,39/40 καὶ γεννητικόν . . . θρεπτικόν] om (Hom.) st. Var. D.
Trennfehler **236** (bis c. 80): Var. u; 932,29 εἰς ἔκπληξιν] om. Für das namenlose Schema der Windrose wurde bloß Platz ausgespart.

m 1 = m 2 + 119:

Bindefehler: Varr. c, C, H, T, Z, δ; 800,23 ἀλλά . . . φύσιν²] om (Hom.); 800,24 ἄν (ἄλλο ist ohnedies zu streichen)] οὖν; 800,25 θεοῦ om; 840,4 ἀσώματος] ἀθάνατος; 840,12 ἐπιτηδειότητα] ἰδιότητα; 844,33 θεῖος] ἱερός; 905,14 μόνον] μόνου; 968,23–26 om; 1180,29 πατὴρ μὲν τοῦ] μὲν πατὴρ αὐτοῦ; c. 70 ist übergangen; auf c. 100 folgt ein Kap. περὶ ἀγαθῶν. Kontamination: Varr. M, O, P (aber gekürzt um εἰς τό), Q; Erweiterung um c. 22 b/1 (vermutlich aus η), den Zusatz zu c. 25 (auch in η) und zu c. 89 ἀναλάβωμεν Λουκᾶν . . . συνανεστρέφετο (tritt sonst nur sporadisch auf).
Trennfehler m 2 = Bindefehler m 2.
Trennfehler **119**: 1177,30/1180,1 Νοῦν . . . καὶ τό] om (Hom.); 1180,16 ἔστιν οὕτως] om; 1180,35 ἁγίων om. Kontamination: Var. ε; c. 70 ist später nachgeholt.

In den Raum von m 1 sind zu setzen **11** und **725**:

Trennfehler **11** (folgt erst in der 2. Hälfte ganz dieser Gruppe): 1180,11 ἐνδιαθέτους] ἐνδιαθήκους; 1213,9 νόμος om, nach περιτομῆς hineingeflickt. – In der ersten Hälfte hat unsere Hs manches mit m 1 gemeinsam, so besonders den Zusatz zu c. 25; große Unterschiede lassen aber wenigstens starke Mischung oder gar einen Wechsel der Vorlage vermuten: c. 23 b nach der inv.; auch die Varr. v und z könnten von dort herkommen. 900,22 ἄνεμος . . . ἀέρος post ἀμείβων Z. 24, mit 194 und 234, beide in t; 908,6 καὶ βαρύ] βαρύ τε, mit p; 929,18 φόβον + ποιεῖ, mit 528; 968,27 πάντας θέλει St., mit 298; 972,6 αὐτοῦ + ὥστε . . . προορισμός = Z. 3–5, mit 528; 972,7 ἀγαθότητα + αὐτοῦ, om in Z. 8, ebenfalls in 528.
Trennfehler **725** (nur Pinax und die ersten 3 Kapp.): im einschlägigen Teil der Kollationsauswahl keine, aber auch keine solchen, die die Zuordnung zu einer Hs dieser Gruppe gestattete. Die Einordnung an dieser Stelle ist durch den Aufbau gesichert, den der Pinax erkennen läßt.

m=m1+m3:

Bindefehler: Auffüllung der Lücke von Var. ξ.
Trennfehler m1 und m3 = ihre Bindefehler.

n″=l+m:

Bindefehler: Var. h; Var. e fehlt. Einreihung von cc. 93 + 94 vor c. 82.
Vgl. Exkurs bei n′!
Trennfehler l und m = ihre Bindefehler.

n′=g+n″:

Bindefehler: Lücke in cc. 88/90 = 1168,24–1176,27: τούς². . . πράξεσιν, wohl durch Verlust eines Bogens; Ausfall von cc. 93 + 94.
Trennfehler g und n″= ihre Bindefehler.
Als Versuch, den Ausfall von cc. 93 + 94 zu klären, ließe sich denken, daß diese Kapitel ursprünglich vor c. 82 standen, Schreiber sie aber aus dem Empfinden, daß sie dort nicht am rechten Platze sind, ganz ausgelassen oder an die passende Stelle zwischen cc. 92 und 95 setzten. Gegen diese Annahme spricht aber, daß die Mehrzahl der Hss und gerade die ältesten keine Spur einer solchen Umstellung zeigen. Überzeugender ist m. E. folgende Überlegung: Die fraglichen Kapitel befanden sich von jeher an ihrem heutigen Platz; in der Frühgeschichte unserer Überlieferung hat sie nun ein Schreiber in Erinnerung daran, daß die Themen dieser Kapitel ausgiebigst auch in der Schrift gegen die Manichäer behandelt sind, übergangen. Ein weiterer Kopist merkte nach Fertigstellung seiner Abschrift bei der Kollation mit einer weiteren Vorlage die Lücke und trug am Schluß seiner Expos., nämlich einer inv., d. h. nach c. 81, das Fehlende nach. Von hier ging die Umstellung in die ord. ein, ähnlich wie c. 52b. Die Reihenfolge 52b + 93/94 spiegelt den zeitlichen Ablauf dieser Veränderungen. Einen mechanischen Fehler (falsches Einbinden von Blättern) geltend machen zu wollen, wäre wohl zu billig; denn es wäre ein merkwürdiger Zufall gewesen, daß diese Blätter genau den Text von cc. 93 + 94 umfaßten.

n=f+n′:

Bindefehler: Var. A; Ausfall von c. 16.
Trennfehler f und n′= ihre Bindefehler.

p1=651¹⁻³+741:

Bindefehler: 933, 8/9 καιρόν post τιμωρίαν; 968,23 δεῖ] χρή; 969,1 σωθῆναι + καὶ εἰς ἐπίγνωσιν ἀληθείας ἐλθεῖν = 1 Tim 2,4; 969,21 προγν.] γνώσεως; 1213,37 ἡδονῆς om.
Trennfehler 651¹⁻³ (ab c. 24): 1176,5 ist der Titel um ὑπὸ ᾿Ανδρέα (!) ἀρχιεπισκόπου Κρήτης erweitert; 1213,9/10–12 ἐπὶ ᾿Αβραάμ . . . περιτομῆς post περιτομῆς als Dublette; 1228,10/11 σύν . . . Χριστῷ] ἐν Χριστῷ ᾿Ιησοῦ τῷ κυρίῳ ἡμῶν.

Trennfehler **741** (ohne cc. 90 und 91): Varr. g und G; 789,5–8 om; 976,1 μένοντες] τοῦ ἀγαθοῦ ὥσπερ καὶ τὸ σκότος· μέροντες; 988,3 θεός ... τέλειος²] om (Hom.).

p2=446+579:

Bindefehler: Varr. o, ψ; 841,1 θείας + οὐσίας; 852,3 πάντως δέ] δῆλον δὲ πάντως; 933,8 καιρόν] ὀργήν; 1213,37 ἡδονῆς ἄγευστον St.; am Schluß der E die Doxologie ὅτι αὐτῷ πρέπει δόξα, τιμή κτλ. Kontamination: c. 89 ist um den Zusatz wie m1 erweitert.
Trennfehler **446**: Var. ι; 988,6 ληφθ.] συλληφθείση.
Trennfehler **579**: 845,2 ἁπλουμένων] ἁπλουστέρων. Kontamination: Lücke von Var. o ist aufgefüllt.

Mit p2 scheint dem Aufbau nach die arabische Übersetzung des Antonios (10. Jh., s. S. 217) verwandt zu sein.

p=p1+p2:

Bindefehler: Varr. d, y, C, E, F, H, I–P, α, η, ξ, o, σ, ω, ohne u; 900,9 γάρ ἐστιν] om; 900,20/21 οὐσία post φωτός; 900,33 αὐτοῦ μέρη St.; 908,6 καὶ βαρύ] βαρύ τε; 929,13 θελόντων¹+ ἡμῶν, sonst hier zu streichen; 969,10/11 οὐκ ante ἐπί; 969,17/18 εὐεργετεῖ καὶ παιδεύει st. Part.; 981,2 καὶ περὶ τῆς πρὸς ἡ.; 981,3 σωτηρίας ἡμῶν St.; 1177,30 καὶ τὸ Νοῦν] om (Hom.); 1180,1 Σαδί + καὶ τό ..., Raum ausgespart, nicht mehr aber bei 651³; 1180,32 ἔγκεινται; 1180,34/35 Λουκᾶν/᾽Ιωάννην trp.; 1180,36 διά + τοῦ αὐτοῦ und τοῦ εὐαγγελιστοῦ] om; 1213,1 μετά¹... ἐπαγγελίαν] μετὰ τὴν τῆς εὐλογίας ἐπαγγελίαν; 1213,15/16 ἐκ πέτρας] om; 1213,19 Βαττ.] ᾽Ατταρίτιδι; c.52b fehlt. – Zu beachten ist die weitgehende Übereinstimmung im mittleren Abschnitt (Anhang c. 30 bis c. 46) mit 307 (w') und ihrer Abschrift 734⁴. Trennfehler p1 und p2 = ihre Bindefehler.

r1=242+742:

Bindefehler: 900,29 ἔχουσιν] κέκτηνται.
Trennfehler **242**: Varr. a, k, o; 837,28 καὶ τὸ γεννητόν] om, später ergänzt; 1180,30 ὁ τούτου μέν] om. Das nachgeholte c. 12b stammt aus der inv. Trennfehler **742**: Var. v; 933,2 τότε om; 933,3 χολή om; 1180,3 διὰ τό] om.

r=r1+439:

Bindefehler: Varr. I–P, S, Y, Z; Var. e fehlt; 844,45 εἶναι/γεννᾶν trp.; 905,9 πτερωτά] πετόμενα; 905,11 ταῦτα μὲν γάρ St. und γέγονεν] γεγόνασιν; 905,14 σωματικοῦ + ἀλλά und δέ om; 928,38 πειθομένου + οὖν; 928,44 εὐθέως] ταχέως; 929,15 τῶν + ἐν ἡμῖν; 932,32/33 φόβος post πεπραγμένῳ; 933,7 δέ + μῆνις; 972,4 ἐστι ἔργον St.; 1177,29 αὐτά] πάντα; 1180,7 τῶν Βασιλειῶν] om; 1180,7/8 ἡ πρώτη καὶ ἡ δευτέρα] om; 1180,9 μία βίβλος] om; 1228,8 εἰδείη] οἶδεν; am Schluß die Doxologie: ἐν Χριστῷ ᾽Ιησοῦ τῷ κυρίῳ ἡμῶν, ᾧ πρέπει κτλ. Kontamination: mit inv. die Varr. q, s, C, Q, ζ, κ, ν. Trennfehler r1 = Bindefehler r1.

Trennfehler **439**: 789,7/8 καὶ εὐαγγελιστῶν] om, ausradiert ?; 932, 27 περὶ φόβου + τοῦ διαιρεθέντος εἰς ἕξ; 969, 3/4 ἁμαρτάνοντας . . . δίκαιος] om; 984, 39/40 st. des üblichen Titels zu c. 46: περὶ τοῦ ἀγγέλου, εὐαγγελισμὸς εἰς τὴν ὑπεραγίαν θεοτόκον.

r′=376¹⁻²+748²:

Bindefehler: Varr. Y, Z, ξ, o; 985, 34/36 ὑπεστήσατο . . . ὥστε] om; 1177, 30f die Namen der hebräischen Buchstaben sind mit der Endung -ω versehen; 1180, 3 διπλοῦσθαι + εἴρηται; 1213, 13 Ἰησοῦ om, mit 682ᶜ.
Trennfehler **376¹⁻²** (diese beiden Hände ab c. 8): Varr. (a, c, d, f; bis hierher 1. Hand), q, u, y, I–P, R, T, U; 840, 12 δεκτ.] ἐπιδεκτικήν; 852, 2 περιέχοντος + σώματος, ᶜ ändert zu τὸ σῶμα; 900, 14 ἔσω ἔξω] om und ἀριστερά + ἔμπρο-σθεν, ὄπισθεν; 900, 20 τὸ φῶς κέκτηται] ἔχει τὸ φῶς; 900, 34 θερμά + τὰ πρὸς τῷ πυρί; 928, 41 σφυγμικὸν δὲ τὸ ζωτικόν St., mit 19 und 719; 969, 5 πρῶτον μέν St., ebenfalls mit 19 und 719; 972, 11/12 βοηθείας καὶ συνεργείας St., u. a. mit 19 und 719 – die bisher aufgeführten Varr. gelten möglicherweise schon für r′ –; 1180, 13 Ἀριθμούς] Ἀριθμουμένους, in 748² abgekürzt. Eine gewisse Ähnlichkeit mit den inv.-Hss 19 und 719 ist nicht zu verkennen. Trennfehler **748²** (Film ab c. 45) sind nicht zu nennen, so daß vielleicht 748² mit r′ gleichzusetzen und 376 Abschrift davon wäre, wenn die Datierung dies gestattete.

In etwa gehört zu r′ noch **185**. Sie deckt sich mit dem Hyparchetyp in den Varr. a, c, d, f, u, y, R, U, Z sowie in den von 972, 11/12 und 1213, 13. Berührungspunkte mit anderen Hss: mit 438 aus ɩ in 840, 9 ἔχειν ἁπλῆν St. und 932, 34/35 ἐκ . . . φόβος] om (Hom.); mit 302 nahe k in 969, 13 εὐδοκεῖ] ἐνεργεῖ; mit m1 im Zusatz zu c. 25; mit 401 aus ŋ in der Textform von c. 22b/1.

Neben die zuletzt behandelten Hyparchetypen sind noch zu setzen **515** und **679**:

Sonderfehler **515**: Varr. a, p, R, T, Z, γ, λ, ω; ohne e, ξ und I–N, P; 800, 32 ἀπόδειξις] περὶ ἀποδείξεως; 837, 27/28 καὶ τὸ αἰτιατόν . . . γεννητόν] καὶ γεννη-τὸν καὶ τὸ ἀγέννητον καὶ τὸ αἰτιατόν; 844, 43 κυριώτερον . . . πατήρ] om (Hom.); 900, 12/13 ξηρότητος/ὑγρότητος trp; 928, 43 καθεκτ.] καθελτική; 929, 8 σώματος + τὸ δὲ κατήκοον . . . = 928, 27–929, 21, die Fortsetzung wiederholt ὅλου τοῦ σώματος; 969, 3 αὐτοῦ om; 969, 4 θέλει om; 972, 11 ἀρχὴ καί] om; 973, 5 ἀβιάστως] βιαστῶς; 981, 2/3 περὶ τῆς δι᾽ ἡμᾶς mit ſ′; 984, 39 θεοῦ (vor λόγου einzusetzen)] om; 1180, 27/28 ἡ Σοφία τοῦ] om; 1180, 35 τῶν ἁγίων] om; 1213, 9 ἐπὶ Ἀβραάμ] om; 1228, 12 ἄληκτον] ἄκλιτον.

Abschrift von 515 ist auch in der E **452**:

Trennfehler: Varr. F, ɩ, o; 837, 25 ταυτῶς] παντῶς (!); 840, 3/4 ἐὰν οὐδέ; 929, 16/18 μέν . . . προσδοκώμενον] om (Hom.); 932, 29 εἰς ἔκπληξιν] om; 968, 25 ἐπάγ.] ἐπείγονται; 976, 1 ἐν τῷ] om; 1213, 36 ἀδύνατον (in 515 ist nur noch das δ lesbar)] ἐπιθυμία; 984, 39 ist θεοῦ wieder vorhanden, wohl als naheliegende selbständige Korrektur des Kopisten.

Sonderfehler **679**: Varr. d, h, y, C, E, I–P, R, ξ; ohne e; 845, 1/3 θεαρχία
. . . ἐνιζομένων] om; 900, 6 τοῦ . . . βαρύτερον] om; 972, 1/2 προγινώσκει . . .
αὐτά] om; 981, 2 περὶ τῆς πρός; 1213, 12 μετά] κατά. – Von 1224, 11 ab ist
die Hs von **679**[1] ergänzt einschließlich der angehängten cc. 12b und 23b,
beide nach der Textform der inv. (ἡ bzw. Ι), von der auch der Schluß von
c. 100 sein könnte.

679 + 679[1] waren die Vorlage für **683**:
Trennfehler: Varr. F, Z, δ; 900, 13 κινήσεις] σκηνώσεις; 988, 9 μεταβ.]
καταβαλών; 1180, 30/31 δὲ τοῦ St.

Von 683 stammt wieder **690** ab:
Trennfehler: Varr. a, U; 900, 14 κάτω om; 928, 45 ἀλλοιοῦσα] οὖσα, am
Rand berichtigt; 929, 10 ζωτικαί om; 929, 12 ζωτικὴ δὲ ἡ σφυγμική] om;
969, 21 προορισμοῦ καὶ προγνώσεως St. usf.

Eine 2. Kopie von 679 ist uns in **546** erhalten:
Trennfehler ab ca. c. 12 – das Vorausgehende folgt nicht dieser Überlieferung –: Varr. U, δ, φ; 1213, 9 γέγονεν + αὐτοῖς; 1213, 12 ist wieder μετά
zu lesen. Das Hom. der Var. δ ist auch in 683 zu treffen, was jedoch vermutlich auf der Textanordnung in 679, wo die beiden μία βίβλος unter-
einanderstehen, beruht, die beiden Schreibern unabhängig voneinander
zum Abgleiten um eine Zeile Anlaß gab.

In den letzten Hyparchetypen treten zwar einige Male die gleichen
Varr. auf, doch wird man diese Erscheinung kaum auf eine Abstammung
von einem gemeinsamen Ahnen zurückführen dürfen, sondern bloß auf
eine gelegentliche mittelbare Beeinflussung durch Kontamination. So lag
es nahe, das Minus in p, r, r′ und 679 durch die Varr. I–P aufzufüllen,
die den größeren Teil der Überlieferung beherrschen, oder das der Var. e
in f, g, p und 679. Ähnlich wird man von der Var. u zu denken haben;
der Text von 905, 12–15 lautete ursprünglich wohl: Κάλλιστον δὲ στοιχεῖον
τὸ ὕδωρ καὶ πολύχρηστον καὶ ῥύπου καθάρσιον, μόνον μὲν σωματικοῦ, καὶ
ψυχικοῦ δέ, εἰ προσλάβοι τὴν χάριν τοῦ πνεύματος; es lag nahe, vor dem hier
in ungewohnter Bedeutung gebrauchten μόνον ein οὐ einzuschieben
(= Var. u) und dann dem οὐ μόνον ein ἀλλὰ καί folgen zu lassen (= Var. v),
Änderungen, welche die lectio difficilior beseitigen und darum als sekundär
zu betrachten sind. Bei Var. ξ kann man zweifeln, ob am Anfang nicht
der kürzere Text gestanden und die Erweiterung stellenweise erst später
eingedrungen ist, wie in k, m, r und 515, oder ob der Textsprung unabhängig voneinander von so vielen Schreibern gemacht wurde.

s1=430+502[2]:
Bindefehler: Var. e, i; ohne a; 900, 4 καὶ ἀνέμων] om; 900, 33/34 εἶναι ψυχρά
St.; 1180, 14 εἶτα om; 1180, 31 καὶ καλαί] καλοῦνται; am Schluß der E:
φάει μοναδικῷ τριάδος παναγάστου δόξα. Kontamination: c. 23b, in der

Form am nächsten 302. Das Einschiebsel in c. 51 fehlt, gg. 441; das läßt sich nur dadurch erklären, daß ein Schreiber noch einen anderen Kodex mit heranzog – das Eindringen von c. 23 b beweist das auch – und hier ausnahmsweise dem kürzeren Text folgte. Sollte in der Vorlage vielleicht gar das Einschiebsel irgendwie als solches gekennzeichnet gewesen sein wie etwa in 436 (in 441 trifft das freilich nicht zu), dann wäre ein Vergleich und eine Korrektur erst recht nahe gelegen.

Trennfehler **430**: 849, 26 τὸ θεῖον μόνον; 1180, 6 βίβλος μία St.; 1180, 10 αἱ βίβλοι] om; 968, 22 καταλ.] περιληφθῆναι; die beiden letzten Varr. sind später berichtigt und erscheinen in der Abschrift nicht mehr.

430 hat einen Abkömmling in **718**:

Trennfehler: 852, 3/5 πάντως . . . δὲ καί] om; 900, 31 μέν om.

Trennfehler **502²**: Erweiterung von c. 22 b/1 um den 2. Teil dieses Kap., Textform alleinstehend.

Von 502² stammt wieder ab **122**:

Trennfehler: 840, 6 μέλαν ἢ λευκόν St., durch Numerierung (später ?) richtiggestellt; 1213, 5 διέτρ.] συνέτριψεν.

s = 644 + 441:

Bindefehler: Varr. a, c, n, I–P, Z, α, λ, μ; ohne e; 968, 22 καταλ.] περιληφθῆναι; 981, 2 Titel wie Migne; 1213, 11 ἔδωκεν ἐκ δευτέρου St.; 1228, 8 εἰδείη] οἶδεν; c. 22 b/1 befindet sich nach c. 22; c. 25 hat den bekannten Zusatz, c. 51 das Einschiebsel MG 95, 413–416 nach 1009, 25 γινώσκομεν. Trennfehler **644**: 1180, 6/7 ἡ τρίτη . . . βίβλος] om (Hom.); Var. e ist später dazugefügt.

Trennfehler **441**: Varr. n und r (beide aber von erster Hand berichtigt und in den Abschriften nicht mehr anzutreffen), φ; 932, 33 αἰσχρῷ + πράγματι; 932, 43 λέγεται + ἀλλά; 933, 3 τρία] δ′ (in 441 anscheinend überkleckst, in 436 τρία, in den anderen Abschriften δ′); 969, 10/11 οὐκ ante ἐπί, wie auch in p und 307 (w′); 969, 21 προγν.] γνώσεως, hernach korrigiert; 981, 2 περὶ τῆς δι′ (st. πρός) ἡμᾶς.

Von 441 sind abgeschrieben **s 1 + 13 + 436:**

Trennfehler s 1 = Bindefehler s 1.

Trennfehler **13**: Var. o (später aufgefüllt); 905, 14 σωματικοῦ + ἀλλά; 928, 45 τροφήν + καὶ μὴ ἐῶσα αὐτήν; 929, 14 ἐνεργοῦσιν + ἀρχὴ δέ . . . καρδία; 969, 6/7 εὐδοκία . . . θέλημα καί] om (Hom.); 973, 3/5 ἤ . . . καλοῦντι] om (Hom.).

Auf 13 könnte **10¹** zurückgehen (diese Hand nur bis c. 11):

Trennfehler: Titel zu c. 1 fehlt.

Trennfehler **436**: Varr. d, e, g, ohne n; 800, 26 καταφατ.] καταφυσικῶς 969, 21 γνώσεως] προγνώσεως. Kontamination: c. 23 b ist aufgenommen, c. 22 b vollendet.

An 436 ist wieder **320** anzuschließen, wenigstens von c. 34 ab, wo die erste Hand wieder einsetzt:

Trennfehler: Varr. β und o; 972,4 ἐστιν ἔργον St. – Im ersten Teil von 320 könnten die Varr. c, h, l, q, s, u an eine Nähe zur inv.-Hs ƕ denken lassen. – **320**[1] (cc. 26–34) läßt sich keiner der bekannten Gruppen eindeutig anschließen.

528 ist Hyparchetyp für **599** und **314+314**[3]:

Sonderfehler **528**: Varr. g, k, q, P, ι, ν; ohne u; 789,8 εὐαγγελιστῶν **pr** ἁγίων; 837,27 ἀναίτιον + καὶ τὸ αἴτιον; 840,12 ἐπιτηδειότητα] ἰδιότητα, wie zahlreiche andere Hss, 314 über Rasur ἐπιτηδ.; 844,34/35 οὐσία τῶν ὄντων, ζωὴ τῶν ζώντων St.; 844,47 τελουμ.] τελειουμένων; 900,33 τῇ γῇ st. Akk.; 900,35 im Text der Var. t περί] ἐπί; 905,7 ἔφη] ἔφησε; 928,43/44 κατέχ.] συνέχουσα; 929,2 καί + ἐκκαλοῦσα καί = Addition von Varr.; 929,13 θελόντων[2] + ἡμῶν; 929,18 φόβον + ποιεῖ; 929,19 δέ[1] + συνιστᾶ; 929,23 ἡδονῆς st. Pl.; 933.9 οὗτος] κότος; 972,3/5 ist der Text der Var. O nach αὐτοῦ Z. 6 eingefügt; 972,7 ἀγαθότητα + αὐτοῦ, om in Z. 8; 984,36 ὑπογραμμὸς ὑπακοῆς ἡμῖν γενόμενος St., 153 aber wie Migne; für c. 90 steht nur mehr 528 zur Verfügung: 1176,5 περί + τῆς θείας; 1213,4–7 ein abgewandelter Text; 1213,11/12 ἔδωκεν . . . νόμον] om, in 314 teilweise hineinkorrigiert; 1213,15 Ἰησοῦ + τοῦ Ναυῆ. Die Zugaben zu cc. 25 und 51 sind an den absichtlich breiter gehaltenen Rand geschrieben, die zu c. 51 ordnet ein Verweis erst bei 1009,30 ein. In diesen Zugaben berührt sich 528 mit s.

Trennfehler **599** (diese Hand bis in c. 21): 789,5 οὐ δεῖ] om. Es wäre auch 314 als Vorlage denkbar, aber erst nach ihrer Überarbeitung. – Die übrigen Hände von 599 scheinen in der Hauptsache je anderen Vorlagen zu folgen, die dritte vielleicht t.

Trennfehler **314 + 314**[3] (cc. 1–21, 25–49, 91–100): Varr. Y und Z; 928,43 ἡ[1] . . . καθεκτική wird wiederholt; 929,13 θελόντων[1] + ἡμῶν st. θελ.[2]; 932,34 φόβος om; 932,36/37 ἀποτυχίας . . . γάρ] om (Hom.); die Erweiterung von c. 25 ist in den Text aufgenommen, die von c. 51 ausgefallen. Kontamination: Varr. I–M. – **314**[1] folgt vielleicht g 3, **314**[2] einer nicht zu klärenden Gruppe.

153 (bis in c. 90) schließt sich in den Textvarr. überwiegend 528 an. Doch weist das Fehlen der Var. k und der von 840,12 und 984,36 auf einen fremden Einfluß hin, der nicht genau zu bestimmen ist. Der Zusatz zu c. 25 wurde ganz fallengelassen, die Erweiterung von c. 51 erst am Ende des Kap. angebracht unter Wiederholung von 1009,25–30 am Schluß.

t1 = 678+574:

Bindefehler: 844,47 τελουμένων] τετελειωμένων.

Trennfehler **678**: Varr. g und o; 852,1/2 περιεχομένου . . . τέλος τοῦ] om (Hom.); 928,39/41 καλεῖται . . . σφυγμικόν] om (Hom.). Kontamination: Aufnahme von c. 12b nach c. 60, der Textform nach aus der inv.

Trennfehler **574** (von dieser Hand cc. 1–3, 21–52, 54–100): Var. c, später berichtigt; 969, 6/7 καὶ εὐδοκία . . . θέλημα] om (Hom.); 981, 2 περὶ τῆς πρὸς ἡ. – 574¹ steht bei der inv.

Bevor von 574 die von 2. Hand wieder ergänzten Teile verlorengingen, wurde davon **572** kopiert:

Trennfehler: 900, 9 γάρ ἐστι] om; 928, 39 καί¹. . . σφυγμικόν] om, aber ergänzt; 969, 10/11 οὐκ ante ἐπί; 1213, 12 wieder μετά; 12 b auf später eingefügten Blättern.

Von 572, ohne die Einfügungen um c. 24, stammt wieder die nunmehr stark beschädigte Hs **708** ab:

Trennfehler: 900, 32/33 γειτνιάσει post γῆν; 929, 7 μεταβατικὸν κατὰ τόπον St.; 1228, 10 αἰώνιον om. Kontamination: Varr. h und q; c. 12 b steht an seinem Platz, nicht aus der Ergänzung von 572, sondern aus h, wie wohl auch die vorgenannten Varr.

t = t1 + 407:

Bindefehler: Var. ω; e fehlt; 1213, 12 μετά] κατά.
Trennfehler t 1 = Bindefehler t 1.
Trennfehler **407**: Var. U; 800, 26 τινα καί St.; 840, 3/7 ὥσπερ . . . οὐσίαν] om (Hom.), später ergänzt; 1180, 5 βίβλος μία St.; 1180, 18–20 alle βίβλος μία] om; 1180, 26 συναπτόμεναι εἰς μίαν βίβλον St., wie 302; 1213, 12 νόμον περιτομῆς] om; 1213, 37 ἡδονῆς ἄγευστον St.; der Zusatz zu c. 25 ist an den Rand geschrieben.

Auf t scheint auch die verstümmelte und schlecht erhaltene Hs **621** zu beruhen (bis c. 38):

Trennfehler: Varr. c, g, p, q, r, t; Varr. a und b sind hineinkorrigiert.

w1 = 437 + 680:

Bindefehler: 789, 18 καὶ αὐτῶν] om, könnte auch für w 2 gelten, ist aber dort wegen Handwechsels bzw. Verstümmelung nicht mehr nachweisbar; 844, 43 κυριώτερον . . . πατήρ] om (Hom.); 1213, 12 μετά] κατά, tritt schwankend auch in den Abkömmlingen von t auf.
Trennfehler **437**: 789, 7 ὑπὸ τῶν ἁγίων] διά τε νόμον καί. Kontamination: mit inv. 985, 35 ἀνθρωπείου] ἡμετέρου.
Trennfehler **680**: Schluß des Titels zu c. 1 mit ἀποστόλων = 789, 7; 969, 7/9 ἐξ . . . παιδευτική] om, aber am unteren Rand nachgeholt; 1180, 20 πεντάτευχος¹] πρωτότευχος. Nach c. 87 verweist eine Notiz (von 1. Hand?) auf Hippolytos (vgl. 557!). Kontamination: c. 23 b nochmals nach c. 100 in der Form von 303, die Reihenfolge von c. 82 (vgl. w!) ist berichtigt.

w 2 = 557 + 734¹⁻³:

Bindefehler: Var. q; 837, 27 ἀναίτιον] αἴτιον; 928, 40 φυτικόν st. Var. E φυσικόν; 972, 5 προορίζει δέ] ἀλλ᾽ οὐ πάντων· προορίζει γάρ, so auch 19 und 719 (inv.).

Trennfehler **557** (ab c. 5): 844,41/42 προσθήσω] -θήκη; 844,47 ἔλλαμψις] -ψιν; 849,30 οὐχ ὅλος] om; 900,13 οὔ] ᾧ; 900,16 μή] μέν; 1180,9 Ἐσδρά] Ἔξρα und Z. 26 Ἔζρα; 1213,32 ἀποτ.] περιτέμνει; nach c. 87 ist ein Abschnitt von Hippolytos eingeschoben: Ἰακωβος . . . ἑκατόν[1]).

Wohl geradliniger Abkömmling von 557 ist **422A**:

Trennfehler (ab c. 10): 837,25 ἁπλῶς] κοινῶς; 840,11 ἥτις] ἀκτίς; 900,32 ψυχοῦται (Lesart dieser Sippe)] ψυχροῦ; 1180,1 Σαδί] Δάδ; 1213,25 γῆν om und 1228,1 die Stellung von πάλιν vor τῶν, die auch in 483 und 557[1] zu treffen ist, was bedeuten könnte, daß 557 an Hand von 483 ergänzt und 422A erst kopiert wurde nach der Einfügung des letzten Blattes in 557. Aber der in der Beschreibung von 557 angegebene Textverlust in cc. 25/26 durch Blattausfall kehrt hier wieder.

Trennfehler **734**[1-3] (diese Hand bis c. 51, doch folgen die ersten Kapp. nicht diesem Überlieferungszweig): Var. 1; 969,2 πρός] ἐπί; 984,37 σωτηρίας ante οὐκ; 988,10/11 οὐσίαν[2] (ohne Artikel) post αὐτοῦ.

w = w1 + w2 + 365:

Bindefehler: Varr. d, h, i, θ; 844,47 τελουμ.] τελειουμένων; 852,3 περιέχον] ὑπερέχον; 900,32 ψύχεται] ψυχοῦται; 905,10 ἡ γῆ / ὁ ἀήρ trp, nicht aber in 437; 929,4 φυσικαί/ζωτικαί trp; 929,7 κατὰ τόπον] om; 929,16 μὲν οὖν] γάρ; 933,3 ἥτις + ἐστὶ καί; 1180,7 τῶν Βασιλειῶν] om; 1213,4 ὅτε] οὔτε und ἐρήμῳ + ὅτε; 1213,33 ἄχρηστον περίττωμα St.; c. 82 steht nach 83. Kontamination: c. 12b in der inv.-Form, eingereiht nach c. 16; Zusatz zu c. 25; nach c. 53 Dial. 66; nach c. 54 auszugsweise Trisag. Trennfehler w1 und w2 = ihre Bindefehler.

Trennfehler **365** (cc. 1–13): Var. b; 845,4/5 γνώσεως] ἀγνωσίας; 845,6 μετάδοσις + γνώσεως.

An dieser Stelle ist auch eine crux stemmatica unterzubringen: **315.** Diese Hs hat mit dem eben besprochenen Überlieferungszweig wenigstens etwas zu tun: nach c. 53 steht Dial. 66, nach c. 54 ein Stück von Trisag., nach c. 87 der Auszug aus Hippolytos, hier aber dem Basileios zugeschrieben und das Ende ziemlich so gestaltet wie im Druck von Diekamp, c. 83 steht vor c. 82; cc. 12, 12b und 16 fehlen überhaupt, weshalb über die Einreihung von 12b nichts gesagt werden kann. Der Zusatz zu c. 25 fehlt. Die zahlreichen Textvarr. aber, fast lauter singuläre Lesarten, haben mit dem Text dieser Gruppe nichts gemein, harmonieren auch nicht mit irgendeiner anderen Hs oder Gruppe. Besonders betont sei das volle Minus in den cc. 43/44.

w′ = t + w + 307:

Bindefehler: Varr. y, E, I–P, Y, Z, C (nicht aber in w, wo diese kurze

---

[1] F. Diekamp, Hippolytus v. Theben (Münster i. W. 1898), S. 7–10, am Schluß jedoch geändert und erweitert. S. XV ist c. 91 zu berichtigen in c. 87.

Lücke bei der Einführung der sonstigen Erweiterungen geschlossen worden sein könnte).

Trennfehler t und w = ihre Bindefehler.

Trennfehler **307** (nur der erste Teil folgt w'): Varr. d und v; 800,35 πειθομένοις τῇ θείᾳ γραφῇ St.; 837,25 ταυτῶς] ὡσαύτως; 840,14 ἐνέργειαν + ἀγαθὴν πᾶσιν τὰ πάντα ἐνεργοῦσαν; 844,43 κυριώτερον . . . πατήρ] om, aber nachgeholt nach παραγαγών und erweitert um die Dublette εἰς τὸ εἶναι, ὡς εἴρηται, παραγαγών; 900,33 κάτω μέν St.; 933,2 τότε om; 933,10 δορυφορικόν] -φορούμενον. – In den mittleren Kollationsabschnitten der E (etwa cc. 30–46) geht 307 mit p zusammen (Trennfehler dagegen: Var. F fehlt; 928,40/41 καὶ γεννητικόν] om), im letzten Teil jedoch, spätestens ab c. 90 und die Ergänzung von 307[1] nicht ausgenommen, genau mit c.

Genaue Abschrift von 307 in allen ihren Teilen sind **431** (cc. 5–44) und **734**[4] (diese Hand ab c. 51), für deren genetische Reihenfolge nur das Alter bzw. der Umfang als Kriterien beigebracht werden können. Das Schema (vgl. c, p und w') konnte nicht alle Wechsel in der Abhängigkeit wiedergeben, zeigt darum den Sachverhalt nur vereinfacht.

y=60+330:

Bindefehler: Varr. c, g, h, n; 840,13 δημιουργήσαντος + αὐτόν, 330 aber αὐτοῦ; 844,41 χειραγωγία + καὶ τῶν ἑστηκότων ἀσφάλεια = Berichtigung der Var. n. Auch hier ist 22b nach 23b aufgenommen, was wenigstens Berührung in einem Kontaminationspunkt bedeutet.

Trennfehler **60**, wahrscheinlich sogar Bindefehler für y: Varr. A (erinnert an n), C, K–P, T, Y, Z; 900,13 κινήσεις + κατὰ φύσιν; 968,20–26 om; 969,16 οὐ λογικόν] om; 1180,40 διὰ Κλήμεντος] om, u. a. m.; mehrere Kapp. sind um kurze Zusätze erweitert, darunter der bekannte zu c. 25.

Trennfehler **330** (nur bis c. 21): 840,12 ἐπιτηδειότητα καὶ δεκτικήν] om. Keine Kapitelzusätze.

Eine letzte Gruppe von Vollhss baut zwar auf Druckausgaben (s. unt. S. 224 ff) auf, könnte somit ignoriert werden. Die Vollständigkeit der Arbeit läßt es aber wünschenswert erscheinen, auch diese zu berücksichtigen, um so den Ort der hier einschlägigen Hss in der Überlieferung festzulegen und um den Wert der frühesten Drucke als Textzeugen zu prüfen. In das Schema wurden nur die Editionen aufgenommen, von denen wieder Hss kopiert wurden, und diese Hss selber.

Donatus von Verona kontaminiert für seine griechische Expos.-Ausgabe von **1531** mehrere Hss (vgl. dort!). Im Aufbau bietet er eine ord., die nach der Stellung von ταῦτα in 929,10 (wie Migne jetzt noch) und besonders nach der Umgruppierung von Var. w mit d verwandt sein könnte oder nach ersterer Var., dem Titel von c. 45 und Var. Z mit g. In den Varr. m, s, x, z und zahlreichen geringfügigen, stemmatisch sonst nicht berücksichtigten, auch den von cc. 12b und 23b, macht sich jedoch deutlich ein inv.-Element von α geltend; auch die Varr. h, q, u, ε, ζ, κ, ν, σ und υ und die Wortstellung λεγόμενα ἐπὶ θεοῦ in 800, 26 dürften hier ihren Ursprung haben. C. 22 b aber ist nach Einordnung (nach c. 23 b) und nach Wortlaut von t, genauer wahrscheinlich von 572 oder 708, entlehnt. – Diese Mischform des ersten gedruckten Textes wurde nun zum Hyparchetyp einer eigenen Überlieferungsgruppe und wirkt dank des auch sonst immer wieder beobachteten Übergewichts vom einmal Gedruckten gegenüber dem Handgeschriebenen bis in unsere heutigen Ausgaben nach. Unmittelbar auf 1531 scheinen die Hss **14, 18** (voraus ebenfalls die praefatio des Donatus), **684** und **723** sowie die Drucke von **1715** und **1548** zurückzugehen. Auf letzterem beruhen **233**, die kirchenslav. Übersetzung des Kurbskij (s. S. 219) und die Ausgabe von **1575**, auf dieser wieder, wie schon in der Dial., die Hss **722 + 399** und die Übersetzung des Billius (s. S. 221). Auch Combefis (s. S. 221) steht unter dem Einfluß der Hopperschen Edition. Die neugriech. Übersetzung hat die Ausgabe von 1548 sicher gekannt, folgt ihr aber nicht ausschließlich; die beiden unten S. 220 genannten Textzeugen sind übrigens nur in der Seitenlinie verwandt. Der Text von Lequien (s. S. 221) ist in allen 3 Teilen der Pege das Produkt einer Kontamination der vorausgehenden Editionen und von mehreren zufällig ausgewählten Hss (vgl. Ausgabe 1712). Er vereinigt zu heterogene Teile in sich, als daß ein Versuch zu einem Anschluß an das Stemma einigermaßen Aussicht hätte. Das gleiche gilt von allen Ausgaben und Übersetzungen, die auf Lequien basieren: **1748, 1771** (?), **1806** (?), **1827** (?), **1839/41, 1844, 1862, 1864, 1880, 1894, 1899** (?), **1913, 1923**.

o (= ord.) = Summe aller angeführten Hyparchetypen.
Bindefehler: Kapitelordnung, wie in der Einleitung bezeichnet, und die Negation aller Charakteristika der inv.; nicht bezeichnend für diese Fassung, aber praktisch in die Mehrzahl der Gruppen eingedrungen sind die Varr. e und u, die überall als vorhanden anzunehmen sind, wo darüber nicht das Gegenteil gesagt wurde.
Trennfehler = Bindefehler der einzelnen Gruppen.

Auch von der E verdient keine Hs oder Hss-Gruppe die Ehre, allein den richtigen Text zu überliefern. Am nächsten dürfte dem Archetyp vielleicht f kommen, doch sind wiederum auch andere Überlieferungszweige zu berücksichtigen.

Den Erfordernissen der Edition glaube ich zu genügen durch Heranziehung der folgenden Hss:
a = 447 (+ 687); c = 449; d = 714 + 752; e = 481, für den Schluß 483; f = 323 + 360 + 220 + 495 (wenigstens in den Textvarr.); g = 435 + 306 (+ 732); h = 519 + 600 + 594; k = 37 + 347; m = 445 + 64 + 119 + 236 (+ zur Ergänzung 12); p = 741 (+ zur Ergänzung der Lücken 651) + 446; r = 742 + 439 + zur Ergänzung 242; r′ = 376 + 748; 679; s = 441 + 644; 528; t = 407 + 678 + 574; w = 437 (+ streckenweise 365, 734 und 680).

Schematische Darstellung
der Handschriftengruppen
der Expositio inversa = E i

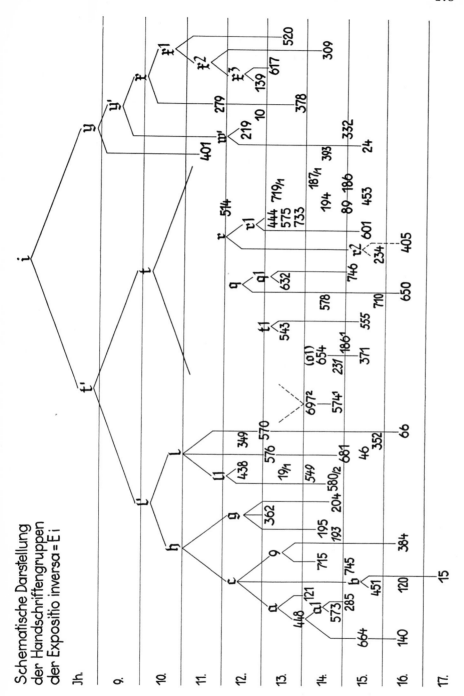

b) Expositio inversa

Neben die Expos. ord. möchte ich als selbständige Fassung die inversa stellen. Unter vorläufiger Beiseiteschiebung aller Überlegungen über ihre Herkunft und aller Erörterungen der bestehenden Schwierigkeiten glaube ich ihre Hss und Hss-Gruppen, deren innere Gliederung ziemlich gesichert sein dürfte, in der im folgenden angenommenen Weise zusammenfügen zu sollen.

$\mathfrak{a} = 121 + 448$:

Bindefehler: Varr. m, Z; 789,13 υἱόν + τις ἐπιγινώσκει; 1180,17 μετὰ τῆς[1]] καί und τῆς[2] om.

Trennfehler **121** und **121**[2] (Film nur bis c. 32): 840,12 ἐνεργεῖ δύναμιν St.; 929,18/19 προσδοκώμενον ... λύπην] τοὐναντίον δὲ μᾶλλον καὶ βλάπτουσιν, usw. Kontamination: die Varr. f (bei i), ξ (t′) und die von 1213,14 (ɧ) sind nicht mehr anzutreffen; Aufnahme von c. 22 b/1 (in der Gestalt von 139 bei ȶ) und der Erweiterung von c. 25 (vielleicht aus ɧ). Einige Berührungspunkte mit 188: 933,7 εἴρηται] λέγεται; 928,44 εὐθέως] ταχέως; 1213,21 ἐξελθόντων st. Perf.; das Anhängsel zu c. 25.

Trennfehler **448**: Varr. F, Y, γ, f, doch ist nach νοοῦμεν in 800,28 ἀλλ' ὑπὲρ τὸ φῶς hineingeflickt; 905,15 τοῦ πνεύματος] om; 972,3/6 ὥστε ... προορισμός post αὐτοῦ durch Numerierung; 1180,8/9 ἡ πρώτη ... μία βίβλος] om (Hom.), später berichtigt (die Lücke erscheint aber noch in 664 + 140). Kontamination: 1213,14 ὑπὸ δέ pr ὑπόδεξαι τοῦτον τὸν καιρόν = Addition von Lesarten.

Von 448 schreiben ab **664** und ɑ1:

Trennfehler **664** (lückenhaft): keine, so daß in dem erhaltenen und kollationierten Bereich diese Hs ein Zwischenglied zwischen 448 und ɑ1 sein könnte, wenn dieser Annahme nicht die Datierung der hier in Frage stehenden Hss widerspräche. Eine spätere Hand hat stark überarbeitet, doch erst, nachdem

von 664 die Hs **140**[2] kopiert war:

Trennfehler: ἔτι von Var. l ist in ἐστι geändert.
Trennfehler ɑ1 = Bindefehler ɑ1.

$\mathfrak{a}1 = 285 + 573$:

Bindefehler: 928,39/41 καλεῖται ... σφυγμικόν] om (Hom.); 928,43/44 κατέχουσα ... καί] om; 1180,14/15 ἡ καί ... πεντάτευχος] om (Hom.). Kontamination: Var. A mit n; die Varr. x (bei ɧ), z (t′) und F (448) sind beseitigt.

Trennfehler **285**: 789,7/8 καὶ εὐαγγελιστῶν] om; 933,2 τὸ πάθος μικτόν St.; 1180,5/7 ἡ πρώτη ... βίβλος] om (Hom.) st. Var. γ; 1180,10 πεντάτ.] μετάτευχος; die Verdoppelung der Lesarten in 1213,14 ist durch Rasur teilweise entfernt.

Trennfehler **573** (diese Hand ab c. 13): 932, 28 ὁ δὲ φόβος διαιρεῖται εἰς ἓξ St.; 988, 3 τέλειος γέγονεν ἄνθρωπος φύσει St.; 1180, 2 ἀριθμοῦνται + καὶ αἱ βίβλοι τῆς παλαιᾶς u. a. m. Kontamination: Berichtigung der Varr. q, γ und der von 1213, 14; c. 12 b ist nach c. 13 nachgeholt, weil es dem ersten Schreiber offenbar nicht bekannt war. – 573¹ folgt nicht diesem Über-lieferungszweig; die meist singulären und farblosen Lesarten bieten auch keine Anhaltspunkte für den Anschluß an einen anderen; lediglich mit 575ᶜ läßt sich eine schwache Ähnlichkeit feststellen in den Varr. 844, 36/37 αὐτῆς + τῆς θείας φύσεως und ἀνάκλησις/ἀνάστασις trp.

♭=15+451:

Bindefehler: 800, 29 καὶ φῶς] σαφῶς; 840, 12 ἐνεργεῖ ante καί, wie in Ι; 900, 9 διαφανές om; 900, 14 ἔσω om; 932, 30 μελλ.] ἐπιμελλούσης; 933, 14 γινόμενον + σχόλιον ἐκ τοῦ περὶ ἀνθρώπου; 928, 43 καθελκτική; 929, 4 αἱ δὲ ζωτικαί] om.
Trennfehler **15**: c. 12 ist mit dem Titel von 12 b überschrieben; die Doppel-lesart von 1213, 14 ist vereinfacht zur Var. π.
Trennfehler **451**: 844, 36/38 ἀνάκλησις . . . ἀνακαινισμὸς καί] om; 969, 10 ὡς om; 1213, 14 Addition der Varr. Kontamination: c. 25 + Zusatz.

c=a+♭+9:

Bindefehler: Var. d; 988, 7 λαχ.] λαβούσῃ.
Trennfehler a und ♭ = ihre Bindefehler.
Trennfehler **9**: Var. β; 1180, 7/8 ἡ πρώτη . . . βίβλος] om (Hom.), bei 1213, 14 bloß Var. π ohne Verdoppelung. Kontamination: 840, 12 ἐνεργεῖ ante καί, mit Ι; 1180, 40 Κλήμεντος + πε′, mit g, in 715 und 384 zu Πέτρου verbildet.

Abkömmling von 9 könnte den Varr. nach **715** sein, aber nur am Anfang und Schluß:
Trennfehler (etwa bis c. 22 und spätestens ab c. 90): 789, 6–8 om; 900, 6/7 τοῦ . . . βαρύτερον post κουφότερον. C. 22 b/1 ist am Rand nachgetragen, in derselben Form wie in 430 + 718 (in s 1). Der mittlere Teil geht nur stückweise mit diesem Zweig zusammen: Varr. x und die von 929, 13, beide bei ♭, und die Var. T (t′). Der Zusatz zu 933, 15 ὁ θυμὸς ἐφ᾽ ἡμῖν ἐπιπειθής ἐστι λόγῳ ist nur noch 276 (m 3) eigen; 972, 11/12 συνεργείας/βοη-θείας trp, wiederholt vorhanden in Ι.

Auf 9 geht ferner **384** zurück:
Trennfehler: 932, 33 τοῦτο δέ] om; 928, 41 ζωτικόν om; 1228, 2/3 καὶ ἀπο-δυόμενος] om, usw. Teilweise besteht Übereinstimmung mit 571: 905, 13 πολύχρηστον pr λίαν; 969, 10 εἰρήκαμεν + ἀφ᾽ ἧς ῥύσαιτο . . . δοξαζόμενος; 969, 17 καί om, unter Schließung der Lücke von Var. T in 384; 969, 19 χοίρων + πεποίηκεν.

Zu c ist noch **745** zu zählen, ohne daß sie eindeutig einer der Untergruppen folgt:

Bindefehler mit a: Varr. m und Z; mit b: der von 840, 12.

g = 195 + 204 + 362:

Bindefehler: Var. o; 1180, 40 Κλήμεντος + πε΄.

Trennfehler **195**: Var. a; 1228, 5 αὐτοῦ om. c korrigiert in 988, 7 λαβούσῃ.

Trennfehler **204**: Var. Z; 1213, 14 ohne Var.; Kontamination: 840, 12 wie I, später korrigiert; 988, 7 λαβούσῃ wie c.

Trennfehler **362**: 1180, 18 μία om. Die Lücke von Var. o ist am Rand ergänzt.

h = c + g:

Bindefehler: Varr. h, x, υ; ohne ω (gg. i); 929, 13 θελόντων² + ἡμῶν; 981, 2 wieder καὶ τῆς περί st. περὶ τῆς δι᾽ von t΄; 1213, 14 stand vermutlich vor ὑπὸ noch ὑπόδειξαι τοῦτον τὸν καιρόν, etwa in der Weise angebracht wie jetzt noch in den Zeugen von g.

Trennfehler c und g = ihre Bindefehler.

I1 = 438 + 580:

Bindefehler: 840, 12 ἐπιτηδειότητα] ἰδιότητα; 929, 4 φυσικαὶ αἱ δέ] om (Hom.); 932, 34/35 ἐκ . . . φόβος] om (Hom.); 1228, 9/10 σὺν ἀγγέλοις] om.

Trennfehler **438**: 789, 13 υἱόν + ἐπιγινώσκει τις = Mt 11, 27; 837, 22/23 Titel zu c. 10 nach δέ von Z. 26, wohl durch Hereinnahme eines als Glosse angebrachten Titels; 840, 9 ἔχειν ἁπλῆν St.; da 580 bis etwa hieher sich einem anderen Überlieferungszweig anschließt, gehört von diesen Varr. ein Teil vielleicht schon I1 an. Var. U; 929, 10/11 φυσικαί . . . ἀπροαίρετοι] om; 988, 2 ἐνανθρωπ.] ἐνωπίσαντα; 988, 12/13 καί . . . φύσεως] om (Hom.); 1213, 35 ἐπιθυμίας + καὶ ἁμαρτίας.

Trennfehler **580** (hier erst etwa ab c. 20): 1180, 18/19 ἡ . . . μία] om (Hom.), später ergänzt unter Einführung von Var. π. Eine spätere Hand beseitigte die meisten Charakteristika unseres Überlieferungszweiges, die von 840, 12; 932, 34/35; ξ (bei t΄) und ω (i).

I = I1 + 570 + 576:

Bindefehler: Var. Z; 840, 12 ἐνεργεῖ ante καί; 969, 15/16 γινόμενος om.

Trennfehler I1 = Bindefehler I1.

Trennfehler **570**: Varr. β und o; 800, 33 ἀποδέδεικται ἱκανῶς St.

Nahe verwandt mit 570 ist **66**:

Trennfehler sind in den ersten 13 Kapp. nicht nachzuweisen[1]), so daß zunächst eine geradlinige Abstammung angenommen werden muß.

Trennfehler **576**: 1180, 38 ἀποστόλου om.

---

[1]) In Unkenntnis des inv.-Aufbaues wurden von dieser Hs beim Photographieren solche Partien gewählt, die großenteils außerhalb unserer Kollationsauswahl liegen.

Geradliniger Abkömmling von 576 scheint **681** zu sein:
Trennfehler (ab c. 4): Var. φ; 969, 10/11 οὐκ ante ἐπί. Nach c. 79 ist 22 b
von anderer Hand angebracht, das in der Rezension fast ganz mit dem
in 682 nach c. 100 nachgeholten übereinstimmt.

Von I hängen noch in einem nicht näher bestimmbaren Verhältnis ab
46, 549 und **19**:
Trennfehler sind für 46 in der schmalen Vergleichsbasis – nur Anfang
und Ende besitzen wir auf Film – nicht zu nennen. Eine Abstammung
von 576 ist möglich.
Trennfehler **549** (umfangreiche Exzerpte): 972, 11/12 ἐνεργείας/βοηθείας
trp, auch in 19; 988, 3 φύσει γέγονε τέλειος St., mit 580. Kontamination:
Erweiterung von cc. 47 und 51 wie in ŋ.

19 bietet im Aufbau eine inv., dem Text nach aber gehören nur etwa die
ersten 12 Kapp. hierher. Vom übrigen Teil trifft sie sich in den Lesarten
972, 5 προορίζει δέ] ἀλλ' οὐ πάντων· προορίζει γάρ und 972, 6/7 ἤδη ... προ-
έκρινε] οὐ προέκρινε δέ mit 719 (unter t), bzw. mit der ersten Var. auch mit
w 2, mit der Aufnahme von c. 22 b/2 nach c. 24, des Zusatzes zu c. 25 und
der cc. 12 b und 23 b an ihrem Platz aber mit ŋ. C. 22 b/1 ist dem von 621 (t)
sehr ähnlich.

An I schließt sich den Textvarr. nach noch **697²** an:
Sonderfehler: Varr. e st. f, k st. l, N (wird aber ergänzt, wobei sich wieder
T ergibt), ohne Z; 837, 28 καὶ ἐκπορευτόν] om; 845, 3 + ὡς, sonst zu streichen; 849, 30 f τόδε τὸ σῶμα οὐχ ὅλος δὲ ὁ περιέχων ἀήρ St.; 1180, 38
ἐπιστολαί om; Anschlußstück nach c. 100: Διαιρεῖται ἡ κατὰ Χριστὸν φιλο-
σοφία κτλ. Kontamination: Kapitelordnung der ord., vielleicht aus t.

Von derselben Art wie 697² ist **574¹** (von dieser Hand nur Anfang und
Schluß, vgl. Beschreibung!):
Trennfehler im Bereich dieser Hand keine. Der in 697² bei 849, 30 f
angegebene Text ist ausradiert und darüber der von Var. q geschrieben;
c. 12 b ist wie in der Vorlage als ιγ' bezeichnet, obwohl es damit in der mit
μθ' beginnenden E ganz aus dem Rahmen fällt.

Nur eine sehr vage Einordnung in die Gruppen der inv. kann bei der
Exzerpt-Hs **749** vorgenommen werden auf Grund der bei den Auszügen
angegebenen Kapitelzahlen; vielleicht könnte infolge der unsicheren
Var. Z noch eine solche in ŋ ausgeschlossen werden.

Eine nur ganz allgemeine Zugehörigkeit zu I' kann nach den Katalogangaben von **3A** angenommen werden.

I'=ŋ+I:
Bindefehler: Varr. l st. k, s; 800, 26 die Stellung wie bei Migne, sonst ἐπὶ
θεοῦ λεγόμενα.
Trennfehler ŋ und I = ihre Bindefehler.

12*

654 ist Vorlage für **371**:

Sonderfehler **654**: Varr. v, H, ψ; 840,14 ἐνέργειαν + καί; 900,9 δεκτικόν ἐστιν St.; 900,34 ἄνω] κάτω; 968,23 ἐπιφοραί om. Kontamination: mit n'' cc. 93 + 94 vor 82; am Schluß die Doxologie wie in p 2, 186¹ und 682¹; Var. T und die von 981,2, beide bei t', sind nicht mehr zu finden, vielleicht in Angleichung an n''.
Trennfehler **371**: 837,23 ἑνώσεως] γνώσεως; 905,13 τὸ ὕδωρ post πολύχρηστον u. a. m. Var. e ist von späterer Hand hineinkorrigiert.

Mit 371 treffen sich die Exzerpte von **231**, von denen freilich nur c. 10 in unsere Auswahl fällt, in der eben genannten Lesart von 837,23. Trennfehler 231: 841,4 ἄρρητον + φιλανθρωπίαν καί.

t 1 = 543 + 555:

Bindefehler: Varr. e und l; 800,35 τῷ μὲν τῇ θείᾳ γραφῇ πειθομένῳ St. und Endung, schließt Var. g in sich; 840,2/3 καταλαμβάνομεν . . . οὐσίαν] om (Hom.); 840,12 ἐπιτηδειότητα] ἰδιότητα; 852,1/3 ἀλλά . . . σώματος] om (Hom.).
Trennfehler **543**: Varr. s am Rand, v, D; 800,26 ἐπὶ θεοῦ καταφατικῶς λεγόμενα St.; 900,29 ἔχουσιν] κέκτηνται, mit 632 in q und r l; 905,6 θεῖος] καὶ μέγας; 988,10 σαρκός¹ + αὐτοῦ καθαρότητα καί usw. Cc. 12 b und 23 b sind später am Rand nachgetragen in der Form von l', 23 b genauer nach l.
Trennfehler **555** (cc. 4–13, 24–26): 800,27 ὑπεροχικῆς] ὑπερβολήν; 840,10 ἡλίου] ἡλιακοῦ; 841,2 λόγου om mit 632; 844,34 ἐστι . . . οὐσία] om usw.

q 1 = 632 + 746:

Bindefehler: Var. Z, γ; 837,23 καὶ διακρίσεως] om; 1213,26 ἀντεκατ.] κατέστησεν; c. 22 b steht an seinem Platz, unmittelbar darauf folgt 23 b.
Trennfehler **632**: Var. Y; 789,5–8 om; 900,29 ἔχουσιν] κέκτηνται; 932,33 αἰσχρῷ] αἰδώ (!); 1213,28 ὁδόν] ἔρημον.
Trennfehler **746**: Varr. D, F; 1180,7/8 ἡ πρώτη . . . μία βίβλος] om (Hom.); 1180,38 ἐπιστολαί om; 1228,12 εὐφροσύνην post ἄληκτον. Kontamination: Var. τ mit ɧ, υ vielleicht aus ɧ.

q = q 1 + 650:

Bindefehler: Var. o; 972,6 γάρ + πάντα καὶ πρὸ γενέσεως αὐτῶν, vgl. Dan. Sus. 42 nach Theod.; 972,12 ἀδύνατον] οὔκ ἐστιν δυνατόν; 976,1 ἀναχώρησίς ἐστιν St.; 1180,31 Σιρὰχ δέ St. Kontamination: Beseitigung der Varr. p und der von 928,43, beide genannt bei t, von η, ξ, aufgeführt bei t', neu eingeführt Varr. α und φ und der Zusatz zu c. 25, alles vermutlich infolge einer Berührung mit ɧ; Var. e, oft verstreut auftretend.
Trennfehler q 1 = Bindefehler q 1.
Trennfehler **650**: 800,35 πειθομένοις τῇ θείᾳ γραφῇ St.; 900,13 κινήσεις + κατὰ φύσιν; 1213,7/8 ἡνίκα . . . περιετμήθησαν] om (Hom.).

r 2 = 234 + 405:

Bindefehler: 968, 25 ἐπάγ.] ἀνεπάγονται.
Trennfehler **234** (cc. 7–87): Varr. F und U: 845, 6 μετάδοσις + γὰρ μετα-
δότιος. Kontamination: Var. s, vielleicht mit l', eingereiht freilich vor
ἄνεμος[1] in 900, 22.
Trennfehler **405**: Var. o; 900, 14 ἔσω om; 900, 17 ἄστρων + καὶ φῶς;
928, 36/37 χρή . . . κίνησις] om; 1180, 16 οὕτως] ταῦτα.

r 1 = 601 + 444:

Bindefehler: Varr. d, e, U, Z; 905, 14 καί om; 929, 19/20 εἰπόντες ἐνταῦθα
St.; 929, 25 εἰσι post ψυχῆς; 1180, 30 ἔγγονος μέν St.; 1213, 11 ἐκ δευτέρου]
om; 1228, 13 die Doxologie: ᾧ ἡ δόξα καὶ τὸ κράτος εἰς τοὺς αἰ. τ. αἰ. A.
Trennfehler **601**: 800, 35 πειθομένοις τῇ θείᾳ γραφῇ St.; 932, 35 φόβος om;
988, 6 λογικῶς] σαρκός; 988, 7/9 λαχούσῃ . . . μεταβαλών] βαλών; 1213, 34/35
ἡ δὲ ἁμαρτία] om. Eine ergänzende Hand trägt am Schluß noch c. 22b
(in der Gestalt von a und c) und c. 23b (Herkunft fraglich) nach.
Trennfehler **444**: 844, 32 τῶν + θείων καί; 844, 33 ἔφη om; 932, 35/36
ἔκπληξις . . . φαντασίας] om (Hom.); c. 31 steht nach 32.

Nach unserem Textbefund hängt von 444 geradlinig **575** ab, von
dieser **733**:

Trennfehler **575**: 789, 13/14 καὶ τό . . . τοῦ θεοῦ] om; 905, 8/9 ἐν τοῖς . . .
πτερωτά] om; 1213, 23 τὴν ἀγαθὴν τὴν γῆν St. Von anderer Hand (= 573[1]?):
844, 36/37 ἀνάκλησίς τε καὶ ἀνάστασις] τῆς θείας φύσεως ἀνάστ. τε καὶ ἀνάκλ.,
aber offenbar erst nach Herstellung der Kopie.
Trennfehler **733**: Var. l st. k; 900, 28 ἀέρος om; 1228, 6 καὶ οἱ] om.

r = r 1 + r 2:

Bindefehler: Varr. D, S; 969, 21 προγν.] γνώσεως.
Trennfehler r 1 und r 2 = ihre Bindefehler.

Zu diesen noch leidlich gruppierbaren Hss gesellt sich eine Reihe
von Einzelgängern:

38 (Exzerpte) folgt mit den Varr. D (bei r) und der kurz vorher bei **444**
genannten Var. von 932, 35/36 in etwa dieser Hs, mit Var. s und der Wortstellung bei 932, 28 einigermaßen l', näherhin 573 (unter a 1).

89 mit den Trennfehlern: Var. s; 1180, 6/7 ἡ τρίτη . . . βίβλος post βίβλος
Z. 9.

186 mit Var. x (auch in ħ), c. 22b (aus a und c) und 23b. Die ablösende
Hand 186[1] hält sich eng an 654.

187 folgt im ersten Abschnitt ganz t, im übrigen aber c.

194 mit den Trennfehlern: 789, 18 ἀλλ’ οὐδέ] ἀλλὰ καί; 969, 7 παραχώρησις]
-ρημα; 1213, 19 Ἰσραήλ post ἐρήμῳ.

453 mit den Trennfehlern: 1213,12 τῷ Ἰησοῦ post περιτομῆς; cc. 93 + 94 stehen vor 90 (vielleicht Einfluß von n''); 908,5 τῶν στοιχείων τῶν τεσσάρων St., mit 440 und 682, beide verwandt mit n''; 932,35 φόβος om, mit Hss verschiedener Gruppen. – **453¹** benützt anscheinend in der Hauptsache dieselbe Vorlage.

514 mit den Trennfehlern: Var. l st. k, und Z, beide auch in l' bzw. l; 1213,37 ἡδονῆς ἄγευστον St., auch in p 2.

578 ergänzt c. 25 um den bekannten Zusatz; weiterer Trennfehler: 968,20/21 τῆς προνοίας τοῦ θεοῦ St.

710 mit schweren Brandschäden: sicher ist die Zugehörigkeit zu t; c. 25 weist den Zusatz auf, wie die vorige Hs und q.

719 geht nur im ersten Teil mit unserer Gruppe zusammen, und zwar sehr eng, im zweiten aber mit 19 (s. Nachtrag zu l!).

t = σ1 + t1 + q + r + alle aufgeführten Einzelgänger:
Bindefehler: Varr. a, b, g, p; 849,29 ὅ] ἄ; 928,43 καθεκτ.] καθελκτική. Kontamination: Var. f (bei i) entfällt, wird häufig durch e ersetzt; Kapitelordnung der ord. Es gibt zwei Möglichkeiten, diese merkwürdige Mischung zu erklären: entweder wurde eine ord. unter Wahrung ihres Aufbaues im Wortlaut des Textes nach einer inv. überarbeitet, oder es wurde eine inv. von t' unter möglichster Beibehaltung ihres Textes in der Kapitelordnung einer ord. angeglichen. Die zweite Möglichkeit scheint mir mehr für sich zu haben, weil im ersten Fall kein genügender Grund einzusehen ist, eine solche Änderung vorzunehmen, während im zweiten der logisch bessere Aufbau des Musters eine Umordnung der Kapitel nahelegte; die cc. 12b und 23b kamen dabei als nicht zur Vorlage (etwa von der Art n) passend in Wegfall. – Trennfehler s. oben bzw. Bindefehler.

t'=l'+t:
Bindefehler: Varr. q, u, z, I–O, Q, T, W, ζ, η, κ, ξ, σ; 968,22 καταλ.] περιληφθῆναι; 981,2 περὶ τῆς δι' ἡμᾶς. Die verbindende Kraft liegt weniger im Gewicht der einzelnen Lesarten als in ihrer Häufung.
Trennfehler l' und t = ihre Bindefehler.

w'=24+219:
Bindefehler: 800,27 ὑπεροχικήν st. Gen.; 845,3 ὑπερούσιος om; 929,1 ἀποκρ.] ἐκκριτική. Var. k u. c. 22 b/1 entfallen, wohl durch Kontamination. Trennfehler 24 (auf Film nur teilweise): 789,7 καὶ εὐαγγελιστῶν] om; 932,33 αἰσχρῷ + πράγματι, mit 441 (s); 933,2 τότε om, mit 307 (w'); c. 22b/2 nach c. 24, 52b am Schluß = nach c. 81. Über 22b/1 und 23b ist mangels Films keine Aussage möglich.
Trennfehler 219: Var. u, S, λ; 969,21 καὶ προορισμοῦ] om; 981,3 τῆς ἡμῶν] om, mit 682; 988,7 λαχούσῃ] ἐχούσῃ; 1180,19 zweimal βίβλος μία] om; 1180,21 αἱ στιχήρεις] om; 1213,10 ἐν τῇ ἐρήμῳ] om. Da von 24 unser Film

für die Kollationsauswahl nur bis c. 34 reicht, sind vielleicht die Trennfehler der restlichen Kapp. von 219 schon ю' anzurechnen.

Auf ю' gehen vermutlich auch die umfänglichen Exzerpte von **332** zurück, jedoch nur im ersten Teil = cc. 1–18, 82–100.
Trennfehler in diesem Bereich: 789,7 ἁγίων] θείων; 789,19 καὶ Σεραφίμ] om; 800,21 κατάληπτον αὐτοῦ St. Die Lesarten des übrigen Teiles divergieren vollständig.

χ3=139+617:

Bindefehler: 841,3 λόγον] τρόπον, mit 651; 849,28 σώματος (vgl. η') pr μέρος; 905,14 μόνον] ὁμοῦ. Der Anschluß an dieser Stelle kann nur aufrechterhalten werden, wenn eine beträchtliche Kontamination angenommen wird: von den Lesarten der übergeordneten Bindeglieder entfallen die von 840,12 (χ1); 929,8 (η'); 929,13 (η); 1213,7 (η') und ω (i).
Trennfehler **139**: 929,8/9 καὶ ἀναπνευστικόν post σφυγμικῇ Z. 12; 988,11 αὐτοῦ om; 1180,14 καὶ ἡ St.
Trennfehler **617** (ab c. 24): 932,34 ἐκ μεγάλης] ἐξ ἀσυνήθους; 928,39/41 καλεῖται . . . σφυγμικόν] om (Hom.), später aber ergänzt; 928,43/44 καθεκτικὴ . . . τροφήν] om (Hom.). – Der Schreiber von **617**[1] hatte anscheinend dieselbe Vorlage vor sich wie sein Vorgänger.

χ2=χ3+309:

Bindefehler: Var. Z; 1180,18 μία βίβλος St.
Trennfehler χ3 = Bindefehler χ3.
Trennfehler **309**: Var. υ; 837,25/26 ἡνωμένως καὶ ἀμερῶς St.; 852,1/2 περιεχομένου . . . τέλος τοῦ] om (Hom.); 1180,14 εἶτα ἄλλη] πρώτη πεντάτευχος, εἶτα ἡ δευτέρα; 1213,9 δεύτερος om. Kontamination: die Varr. f und k sind verschwunden.

χ1=χ2+520:

Bindefehler: 840,12 ἐπιτηδειότητα καὶ δεκτικήν] om; 1180,26 μίαν . . . βίβλον] ἕν . . . βιβλίον.
Trennfehler χ2 = Bindefehler χ2.
Trennfehler **520** (bis c. 59): 932,29 εἰς ἔκπληξιν] om; 1180,21 αἱ] ἐστι.

χ=χ1+279:

Bindefehler: 840,10 ἐνεργ.] ἐξενεργοῦσαν; 1213,13 τοῦ Ναυή] om.
Trennfehler χ1 = Bindefehler χ1.
Trennfehler **279**: Var. q, wohl durch Kontamination; 988,12 φύσεως + ἐκστάς; 1180,21 αἱ στιχήρεις] ἐστι χωρίς.

Auf 279 geht **378** zurück (cc. 1–100 inv. !):
Trennfehler: Varr. m, γ; 844,31 dem Titel vorausgesetzt ὅτι = Verlesung von ἔτι; 1180,12 πέντε νομικάς] ἡ πεντάτευχος νομικῶν; 1180,19 καί . . . πεντάτευχος[1] (20)] om; Var. f ist wieder ausgeglichen.

𝔥′=𝔴′+𝔵:

Bindefehler: 849,28 σωματικός] σώματος; 929,8 φωνητικὸν καί] om; 1213,7/8 οὐ . . . περιετμήθησαν] om (Hom.). – Trennf. 𝔴′ u. 𝔵 = ihre Bindef.

Zu 𝔥′ ist im Grund auch 10 zu rechnen, obwohl für sie eine starke Kontamination mit t′ angenommen werden muß. Von den überkommenen Lesarten entfallen α (bei 𝔥) und die von 849,28 (𝔥′) und 928,39 (𝔥). Neu treten dazu Varr. q, u, z, Z, ζ, η, ι, κ; 1177,29 αὐτά om; 1180,38 ἀποστόλου om, u.a. mit d l.

𝔥=𝔥′+401:

Bindefehler: Aufnahme zahlreicher Erweiterungen: c.22b/1 nach c.22; nach c.24 ein Eparchienverzeichnis und ähnliches, darauf c.22b/2; Zusatz zu c.25; in c.47 bei 993,5 das Einschiebsel MG 95,412f, schon in h vereinzelt aufgetreten; in c.51 nach σέβοντες 1009,30 der Text von MG 95,413–416 wie in s. Cc.9 + 10 sind zu einem zusammengefaßt. Textvarr.: B, I–P, α, ζ, τ, φ; 905,14 μέν] δέ; 928,39 καὶ σφυγμικόν] ζωτικὸν δὲ τὸ σφυγμικόν; 929,13 θελόντων[1] . . . θελ.[2]] μὴ θελόντων ἡμῶν; 932,37 τῆς πράξεως] τοῦ πράγματος; 969,10 εἰρήκαμεν] εἴρηται; 972,7 αὐτοῦ om. Trennfehler 𝔥′ = Bindefehler 𝔥′.

Trennfehler 401: Var. E; 840,2 οὐσίαν om, später ergänzt; 844,45 εἶναι/γεννᾶν trp, auch in r; die Var. von 928,39 (𝔥) ist erst durch Randkorrektur eingeführt, vermutlich nach dem Beispiel der Vorlage; 972,4 κελεύσεως] αὐτοῦ δυνάμεως; 1213,32 ἀποτέμνει] ἀποκόπτει.

i (=inversa)=t′+𝔥:

Bindefehler: die Kapitelordnung 1–18, 82–100, 19–81; Aufnahme der cc.12b und 23b; Varr. c, f, k, ε, ν, ω[1]).
Trennfehler t′ und 𝔥 = ihre Bindefehler.

Für die Edition möchte ich folgende Hss vorsehen:

c = 448 + 451 + 9; g = 195 + 362; l = 570 + 576; q = 650; r = 444; t = r + 89 + 514 + 187 (nur den ersten Teil); 𝔥 = 401 + 279 + 520 (+ zur Ergänzung 309). Das Schwergewicht glaube ich auf l legen zu sollen.

Noch sind drei Restgruppen von Hss unterzubringen, die keine ganze Expos. mehr enthalten, sondern nur noch Auszüge und die nach den innerhalb der bisher getroffenen Kollationsauswahl anfallenden Lesarten weder der ord. noch der inv. mit Sicherheit anzuschließen sind. Auf die Wiedergabe dieser Hss im Schema des Stammbaumes wurde verzichtet.

Die erste dieser Gruppen betrifft das mehrfach isoliert auftretende c.10. Alle diese Hss haben gemeinsam den Beginn bei 837,26, nach etwas variierender Autorengabe und dem Titel von c.10 die Einleitungsformel

---

[1]) Da die Mehrzahl der inv.-Hss unter t′ fällt, sind die Varr. dieses Hyparchetyps mitzuverstehen, wo in der Behandlung der ord. von der inv. allgemein die Rede ist.

Χρὴ εἰδέναι, ὅτι διακεκριμένως und 837, 29/30 ἄλληλα] ἀλλήλους (mit k, wogegen aber der Kapitelbeginn spricht). Sie lassen sich weiter gruppieren durch die Anschlußstücke: in **37 a**, **80 a**, **454** und **278** folgt Maximos: Ἐρώτησις, τί σημαίνει τὸ μοναχικὸν σχῆμα, in **242 a** und **750** dagegen Kyrillos über das Opfer des Lammes, inc. ἕως μὲν γάρ (diese beiden lassen im Titel auch θείας aus), **604** fährt nach anderthalb leeren Seiten mit einer Frage über Homer weiter. Für **757** lassen sich aus einem Anschlußstück keine Schlüsse ziehen, weil hier c. 10 schon 841, 2 abbricht, auch fehlen Autorangabe und Titel.

In einer zweiten Gruppe sind vielleicht Exzerpte und Zitate zusammenzufassen, die sich in cc. 44 ff einigermaßen treffen und hier in den Varr. I–P und 972, 4 ἔργον om und 972, 10 παντός] ἐπὶ παντὸς ἔργου (**84** + **756 A** ohne ἔργου) übereinstimmen. Ein Paar davon: **230** + **363** steht sich wieder näher in Var. U und durch die Ersetzung von τῆς ἀρετῆς durch αὐτῆς (230 ταύτης) in 973, 3; jede der beiden Hss hat wieder Sonderlesarten. – Von den restlichen Hss dieser Gruppe begegnen in **84** und **756 A** keine weiteren Varianten, in **689** aber noch die Var. Z, die Umstellung αὐτοῦ τῆς θεότητος in 988, 11 und die Erweiterung des c. 46 um den bekannten Abschnitt aus der Schrift gegen die Nestorianer und aus c. 87, was eine Verwandtschaft mit der Gruppe d 2 nahelegen könnte, aber durch die Differenz der Textvarr. wieder unwahrscheinlich gemacht wird.

Die dritte Gruppe verdient eine gewisse Beachtung wegen des Alters der Zeugen: **375**, **511**, **512** und **568**; sie enthalten von JD (?) nur den Bibelkanon des c. 90. Ihre gemeinsamen Lesarten, fast alle nur ihnen eigen, sind diese (alle in der Spalte 1180): Z. 9 τοῦ Ἐσδρά post πρώτη (mit arab. Übersetzung); Z. 12 πέντε νομικάς] om; Z. 12/13 die Namen der biblischen Bücher im Nominativ (mit 543); Z. 21 αἱ . . . τοῦ] om; Z. 22 Σολομῶντος] καὶ ὁ; ebd. τοῦ αὐτοῦ] καί (mit 331); Z. 23/24 τετάρτη . . . προφητική] τρίτη πεντάτευχος; Z. 24/25 βίβλος μία] om; Z. 25 εἶτα pr τετάρτη πεντάτευχος; Z. 26 εἰς . . . βίβλον] βίβλος μία; Z. 28/31 Ἰησοῦ . . . υἱός] Σιράχ; Z. 35 ἁγίων om (mit 331 u.a.); Z. 36/37 καθολικαί . . . ἑπτά] om; Z. 37 Ἰακώβου + ἐπιστολή; Z. 38 ἀποστόλου ἐπιστολαί] om und Z. 39/40 κανόνες . . . Κλήμεντος] om, sowie die Varr. ι und λ. Wie die angegebenen Parallelzeugen erkennen lassen, besteht eine schwache Beziehung nur zu 331. **511** hebt sich überdies von den anderen noch ab durch die Lesarten Z. 19 καὶ αἱ δύο] ἡ πρώτη καὶ ἡ δευτέρα und Z. 36 τοῦ + ἀποστόλου καί, **568** dagegen liest die Var. ε mit. Den gleichen Variantenbestand wie 511 weist **512** auf, dürfte demnach eine Abschrift von jener sein.

Nachdem nun alle Hss erfaßt sind, die sich einigermaßen mit anderen in Verbindung bringen lassen, ist auch für die Expos. ord. und inv. eine Nachlese zu halten an solchen, die entweder in ihren Varr. sehr auseinanderstreben und dadurch den Nachweis einer eindeutigen Abhängigkeit von einer anderen Hs unmöglich machen oder deren Vergleichstext oder Beschreibung im Katalog für ein sicheres Urteil nicht ausreichen.

Bei der Behandlung dieser Restgruppe wird versucht, aus der Kollation oder sonstigen Angaben das Mögliche herauszuholen und aus der Übereinstimmung in vielleicht auch nur einzelnen Varr. die Verwandtschaft oder Berührung mit gewissen Hss oder Familien wahrscheinlich zu machen. Zwar ist der Begriff der Verwandtschaft und Familie in der Textkritik als zu vag verpönt, in solchen Fällen aber als Ausdruck für eine nicht mehr genau aufspürbare Beeinflussung doch wohl berechtigt. Hierher gehören folgende Hss:

42 ist, soweit die Textproben vom Anfang und Ende und der Pinax einen Schluß erlauben, nach Text und Aufbau sehr nahe mit 429 verwandt, jedoch nicht in gerader Linie.

Von Hs **43** treffen die nicht-zigabenischen Kapitel unsere Auswahl nur auf verhältnismäßig kurzen Strecken; gesichert ist ihre Herkunft von l′.

48 steht uns nur in einem kurzen Stück vom Schluß, der zudem verstümmelt ist, zur Verfügung, woraus zunächst nur zu entnehmen ist, daß wir eine ord. vor uns haben.

90 enthält von den b-Kapiteln nur 22 b/1, könnte demnach zu s gehören. Dazu aber passen die wenigen Textvarr. in keiner Weise. Von diesen vereinigen sich am ehesten auf 687 (a) Varr. c, ι, sowie 905, 13 τὸ ὕδωρ] om und 929, 13 θελόντων[1] καί (ἡμῶν ist zu streichen)] om.

Von **109** ist die Expos. noch schwerer in das Stemma einzuordnen als die Dial. Am nächsten kommt sie der von Hs 376 (r′) in den Varr. u, y, U und τελουμ.] τελειουμένων in 844, 47, in der Erweiterung der Ortsbezeichnungen von 900, 14 um ἔμπροσθεν ὀπίσω, in δεῖ] χρῇ bei 929, 19, in der Wortstellung πρῶτον μέν bei 969, 5 und der Vertauschung von ἐνεργείας und βοηθείας bei 972, 11/12 sowie im Fehlen der b-Kapitel. Das Fehlen selbst von c. 52 b und des Textes der Var. w sowohl bei c. 26 als auch bei c. 30 und die Zusammenfassung von cc. 9 und 10 zu einem läßt auf eine größere Ausweitung des Einzugsgebietes, selbst in der inv., schließen, wodurch eine Mischung verschiedenartiger Quellen und damit ein sehr uncharakteristisches Gemenge entsteht. C. 23 b von 109[s] ähnelt am meisten 574.

120 nähert sich mit den Varr. c, f, q, π, σ, υ und 800, 26 λεγ. ἐπὶ θεοῦ (St.) und 800, 29 καὶ φῶς] σαφῶς 11. Die Stellung der cc. 93 + 94 vor c. 82 aber läßt den Einfluß eines weiteren Überlieferungszweiges erkennen.

141 zeigt Spuren einer Berührung mit 119 (m 1) in den Varr. C, F und in der Auslassung von ἁγίων in 1180, 35, mit 188 (und in etwa mit 515) aber in der eben genannten Lesart von 1180, 35 und im Übergehen von ἐπὶ Ἀβραάμ in 1213, 9 und in der Var. λ. Es liegt offenbar ein Wechsel der Vorlage vor, wie auch der Sprung in der Kapitelzählung von 47 = μζ′ auf 48 = να′ beweist. Mit den Hss, die in dieser neuen Kapitelzählung weiterfahren, decken sich aber die Textvarr. nicht.

188 hat manches gemeinsam mit 121²: die Var. t und die Lesart 929,13 θελόντων² + ἡμῶν, sowie die schon bei 121 erwähnten. Mit 307 und 734 steht sie möglicherweise in Beziehung durch die Var. λ und die Partikel εἶτα, die τρίτη in 1180,20 vorausgeschickt ist. Auf eine eventuelle Nähe zu 141 wurde oben hingewiesen.

Die Exzerpte von **193** sind im Text für unsere Kollation nicht einschlägig; die angegebenen Kapitelzahlen stimmen mit Vertretern von ɧ überein.

196 hat manche Kennzeichen der alten Textformen an sich: das Minus der cc. 43/44, das Fehlen der b-Kapitel außer 52b, Var. A (mit 220, 323 u.a.), Var. σ (neben anderen mit 323), die Lesarten ἐπί] ἐκ in 933,14 (mit 323, 600 und 440) und ἔγκεινται in 1180,32 (unter anderen auch mit 323). Kap. 16 fehlte nicht, wenn es heute auch nicht mehr ganz erhalten ist. Von einer Lücke um c.89 oder einer Umstellung von cc.93 +94 ist keine Spur mehr zu merken. Ich möchte aus dem Ganzen annehmen, daß 196 in den Raum von f zu setzen ist, aber wohl nicht rein von fremdartigem Einfluß.

199 enthält in seinen Exzerpten die Lesarten z und 932,35 φόβος om, die beide noch zutreffen in 453 und 601 (t).

205 mit seinem Exzerpt könnte mit 90 verwandt sein auf Grund der Gleichheit der Var. u und der Form γεγόνασι statt γέγονε in 905,11. Vorhandensein und Text von c.22b/1 aber paßt zu s.

302 geht im wesentlichen auf k zurück, wie die Einordnung der cc.93 + 94 vor c.82, das Minus der cc.43/44 und die weitgehende Übereinstimmung in den Varr. von c.90 beweisen. Das Vorhandensein sämtlicher b-Kapitel läßt uns noch nach einer Nebenquelle suchen, wobei die Reihenfolge 23b + 22b an t, w′ oder y erinnert. Die Var. εὐδοκεῖ] ἐνεργεῖ in 969,13 und die Stellung βοηθείας καὶ συνεργείας in 972,11/12 finden sich zusammen auch in 185 (r′).

303 gleicht im Aufbau ganz 302 und könnte der Var. A und dem Minus von cc.43/44 nach in den Grundzügen auch derselben Gruppe angehören. Der Zusatz zu c.25 deutet auf den Einfluß eines weiteren Überlieferungszweiges. Die Beteiligung von 303 oder ihrer Verwandten bei der Umgestaltung von 37 aus der gleichen Gruppe wurde schon dort erwähnt. 303 ist anscheinend überarbeitet, wobei bei der Ergänzung von καλεῖται ... σφυγμικόν in 928,39/41 vor αὐξητικόν das φυσικόν der Var. E gesetzt wird. Der Text von c.22b stimmt zu dem von a und c.

Von den vielen Auszügen in der Katenenhs **310** ist nur weniges für uns einschlägig und darin als Var. nur 840,13/14 τοιαύτην εἰληφὼς ἐνέργειαν] ταύτην ἔσχηκεν ἐνέργειαν (so lesen auch 415 und 605, nur ἐσχηκώς statt ἔσχηκεν) und das Homoiot. in 840,3/7 ὥσπερ ... οὐσίαν] om (mit 302 und 407) enthalten.

Von **331** fallen auf 502² und ihre Abkömmlinge (s 1) zusammen der Zusatz

zu c. 25 und die Varr. 900, 4 καὶ ἀνέμων] om und u, in Kap. 90 jedoch auf
594 die Lesarten 1180, 8 βίβλος + ἡ . . . βίβλος (5/6) und die Var. δ.

335 zeigt eine deutliche Ähnlichkeit mit 427 (Anfang verstümmelt), und
zwar durch die Übereinstimmung im Anhang zu c. 25, im Einschiebsel
in c. 47 und in den Varr. u und B, ferner 928, 43 τροφήν + εἰς τοὺς χυμούς
(auch mit 416); 932, 33 αἰσχρῷ + πράγματι (mit s und d); 932, 37 τῆς
πράξεως] τοῦ πράγματος (mit 𝔶) und 1213, 37 εἶναι ἡδονῆς (St., mit 427).
Ein Teil der Varr. von 335 deckt sich mit 416, und zwar im ersten Teil,
der in 427 fehlt und darum nicht mitverglichen werden kann, in den Varr.
c, d, e und k, im Rest aber in Var. u, der schon erwähnten von 928, 43,
in 969, 10 εἰρήκαμεν] εἴρηται (so auch 𝔶, wie auch das Folgende) und wieder
im Einschiebsel in c. 47. Die Ähnlichkeit zwischen 335 und 416 erstreckt
sich also nur auf die erste Hälfte der E. Alle hier erwähnten Hss verraten
eine Berührung mit 𝔶.

348 nähert sich in der Expos. am meisten 89, wie auch in der D, ohne
jedoch die vielen Absonderlichkeiten dieser Hs zu teilen; in der D ist 348
vielleicht mit u gleichzusetzen.

349 enthält eine Expos. inv., anscheinend nach der Sippe I; ihre D gehört
im wesentlichen i an, ohne aber mit einem Glied dieser Sippe gradlinig
verwandt zu sein.

Bei **350**[1] ist anzunehmen, daß die Teilung von c. 8 auf eine Druckausgabe
(1575) zurückgeht, die Varr. der letzten Kapitel gleichen aber mehr 1531
und 1548 oder p.

352 deckt sich in D und E genau mit der Hs 66 (I), könnte daher ihre
Vorlage sein.

372 trifft sich mit **696** im gleichen Umfang des Exzerptes aus c. 44 und
in der sonst nirgends auftretenden Var. ἀγαθότητα] ἀγαθοσύνην von 972, 7.

Für **379** wäre im besten Fall eine Abhängigkeit von p festzustellen auf
Grund der Übereinstimmung im Übergehen von γάρ ἐστιν in 900, 9.

380 zeigt durch die Varr. 928, 43 καθεκτ.] καθελκτική und 929, 2 ἀπεκβάλλουσα eine ferne Verwandtschaft mit 687 + 16 (a 1) und durch die
Var. 928, 39 καὶ σφυγ.] ζωτικὸν δὲ τὸ σφυγμικόν eine solche mit 𝔶. Die
Beziehung zu 687 + 16 wird aber gesichert durch die Varr. der cc. 22 b
und 23 b.

Von **382** nähert sich der Text am meisten I, dem Aufbau nach ist die E
dieser Hs eine ord.; in der Lesart δι' αὐτῆς πάσης st. der Var. T stimmt
sie aber mit c überein, ebenso in der Aufnahme und Textform von c. 22 b;
vielleicht ist darauf auch die Umformung im Aufbau und die Schließung
der Lücke von Var. P zurückzuführen.
Die unnumerierten Kapitel der Hs **393** erwiesen sich bei einer Kollations-
probe als Teil einer Expos. inv., genauer aus der Nähe von 401 (𝔶) oder 𝔶'.

415 läßt c. 16 vermissen, ein Umstand, der auf eine Zugehörigkeit zu n weisen kann. Die Textvarr. aber sind wegen der Kürze des Fragments nicht sehr zahlreich, fast alle sehr farblos, meist wieder geändert und ohne Harmonie. Eigens erwähnt zu werden verdient höchstens die schon oben bei 310 genannte.

416 enthält dem Aufbau nach eine E. ord.; die Ansammlung der Texte aber, wie sie bei ŋ aufgeführt wurden, findet sich auch hier (jedoch c. 12 b erst nach c. 100 und darauf der Anhang zu c. 25), so daß eine Verwandtschaft mit diesem Überlieferungszweig außer Zweifel steht. Der Rumpf unserer E schließt sich auch in den Textvarr. im wesentlichen dem genannten Stamm an, ohne jedoch einem der beiden Äste zu folgen. Der Anfang (ca. cc. 1–12, vielleicht sogar bis 26) bleibt unbestimmt, geht aber vermutlich auf eine Überlieferung zurück, in der c. 12 b fehlt, also ord. oder ŋ. Der Schluß dagegen (c. 90 gibt noch ganz die Fassung von ŋ wieder) scheint ḥ zu folgen.

426 fällt in die Augen durch die doppelte Aufnahme der cc. 93 + 94, einmal an ihrem Platz und einmal vor c. 82. Sicher ist dadurch die Berührung mit oder gar die Herkunft von n″. Für letzteres spräche noch, daß cc. 88 und 89 die gleiche Nummer tragen, was als Spur einer einstmaligen Lücke gedeutet werden könnte. Die Expos. ist bis c. 43 verstümmelt. Die Varr. der restlichen Kollationskapitel sind sehr wenig und recht allgemein und nähern sich am meisten n.

427 wurde in ihrer Nähe zu 335 und 416 und damit zu ŋ schon oben unter 335 genügend besprochen. In der 2. Hälfte aber kann ich keine Verwandtschaft mehr finden.

Hs **429** ist mit Hs 42 (vgl. oben) nahe verwandt. Sie weist außerdem viele Zusätze von Theodor von Abū Kurra auf. Die Textvarr. sind sehr wenig, fast nur Homoioteleuta. Var. A könnte an n erinnern; der Zusatz zu c. 25 und die Textvarr. der ersten Kapitel (etwa bis c. 13) gemahnen deutlich an w 1.

434 gibt einen Anhaltspunkt für die Einreihung in n durch die Unordnung in den Kapiteln 92, 93 und 94, durch das Vorhandensein des c. 22 b/1 und des Zusatzes zu c. 25 und die Erhaltung der Lücke von Var. L vielleicht genauer zu m 1. Δέ + μῆνις in 933,7 begegnet sonst nur noch in r.

440 erweist sich im Aufbau (Fehlen der b-Kapitel, außer 52b, Lücke in cc. 88/90, cc. 93 + 94 vor 82; auch c. 16 könnte später eingeführt sein, weil es keine Kapitelzahl trägt) als zu n″ gehörig, hier wieder einigermaßen zu 660. Es wurden aber auch anderswo Stücke entlehnt, wie dies besonders der Zusatz zu c. 25, das Einschiebsel in c. 47 und die Nachholung von c. 89 nach c. 100 beweisen.

455 gleicht in den Erweiterungen ganz s. Die Textvarr. aber sind nicht allzu zahlreich, meist singulär und lassen keinen Schluß mehr zu auf die Verwandtschaft mit einem anderen Überlieferungszweig.

Die Exzerpte von **485** enthalten neben Sonderlesarten alle für ihren Abschnitt einschlägigen Varr. von t′, dazu allerdings noch die mehrfach auftretende Var. R.

486 und **493** enthalten nur c. 23 b und sind sich auch in den Varr. dieses Kapitels ganz gleich; sie ähneln ziemlich der Hs 369.

Wenn die Auszüge von **564** einigermaßen die Kapitelfolge der Vorlage wiedergeben, haben wir es mit einer inv. zu tun. Dem würde der Zusatz zu c. 25 entsprechen, von dem freilich nur der Anfang übernommen wird.

571 läßt durch die Stellung von c. 89 nach 91 und das Fehlen von cc. 93+94 (möglicherweise standen sie vor 82 und sind mit den benachbarten Kapiteln ausgefallen) eine Verwandtschaft mit n′ erkennen. In dieselbe Richtung weist die Übereinstimmung mit 232 in den Varr. p und A und mit 660 (beide in h) in 928,43/44 κατέχουσα] καθέλκουσα und 968,20 εἰδέναι] γινώσκειν. Es ist aber auch die Wirkung anderer Elemente spürbar: die Berührung mit 384 von c wurde oben schon erwähnt; c. 23 b hat die Textform derselben Gruppe.

589 bietet mit seinen Exzerpten nur eine schmale Vergleichsbasis. Laut Katalog findet sich nach c. 25 der bekannte Zusatz. Die Textvarr. aber stimmen zu keiner Gruppe mit c. 25 + Zusatz, auch nicht zu einer anderen Hs.

605 ist nur zur Hälfte erhalten und bietet hier verhältnismäßig wenig Abweichungen vom Kollationstext. Das Freisein von den b-Kapiteln und die Var. A sprechen für eine Nähe zu n. Spuren eines möglichen Kontaktes mit 310 wurden dort schon festgehalten.

Von **636** geht das nachgetragene Kapitel 12 b mit 416 zusammen. Von den übrigen Exzerpten ist praktisch nichts für die Kollationsauswahl einschlägig. Jedenfalls deckt sich der Schluß von c. 100 nicht mit dem von 416.

655 enthält wiederum bloß c. 12 b; dieses ist vielleicht verwandt mit 80[1].

676 steht nach der Kapitelordnung 683 und 690 nahe.

682 ist der Struktur nach (Fehlen der b-Kapitel einschließlich 52 b, cc. 93 + 94 vor 82) mit n″ verwandt. Den Textvarr. nach aber schließt sich diese Hs am nächsten wohl an 440 an, einem Mischling aus der Sippe, der auch 660 und 232 (h 4) angehören. Die Varr., die in etwa einen Schluß auf eine Verwandtschaft zulassen, sind folgende: Var. A mit n; 837,27 ἀναίτιον] αἴτιον und 837,28 καὶ τὸ γεννητόν] om u. a. mit 440 und 422 A = w; 840,4 ἀσώματος] ἀθάνατος mit Untergruppe m 1; 844,43 ἡμῶν om mit 440; 849,28 σωματικός] σώματος mit ɧ; 908,5 τῶν τεσσ. στοιχ.] τῶν στοιχείων τῶν τεσσάρων mit 440 und 453 = t; 928,36 χρή ... ὅτι] om mit 310, nach dem folgenden τοῦ ist δέ eingefügt; 933,2 τὸ πάθος μικτόν St., mit 285 = c; 929,2 καὶ ἐκβάλλουσα] om mit 440 und 429 = stemmatisch fraglich; 969,11 οὐκ ante ἐπί (10) in mehreren untereinander nicht zusammenhängenden

Gruppen der ord.; 976,1 τοῦ φωτός post ἀναχώρησις mit 481 = e; 981,3 τῆς ἡμῶν] om mit 219 = ιυ′ und 1180,19/20 βίβλος² μία] om u.a. mit 219. Die letzten Kapitel dieser E stammen von einem anderen Schreiber, der die bisherige Kapitelzählung abbricht und mit einer weiterfährt, die der inv. entspricht. In den Textvarr. aber folgt er nur teilweise den bekannten inv.-Stämmen. Nach c.100 begegnet uns wieder dieselbe Doxologie wie in der Familie um 654 von t (hat nicht inv.-Kapitelordnung), was jedoch noch nicht notwendig eine Abhängigkeit davon besagt. Das nachgeholte c.22b ist textlich nahe verwandt mit dem von 681.

Das Fragment **713** gibt durch das Fehlen von c.12b und die bis c.20 durchlaufende Kapitelfolge zu erkennen, daß es aus einer ord. genommen ist. Die Vereinigung von cc.9 + 10 würde freilich für η sprechen. Die Simplexform δέδεικται statt ἀποδ. in 800,33 tritt nur noch in 662 (m4) auf. Von weiteren Lesarten fallen ein paar geringfügige auf 510.

717 läßt aus dem Fehlen der b-Kapitel eine Herkunft von n vermuten, näherhin im günstigsten Fall eine Verwandtschaft mit 682 auf Grund der Varr. a, b, d, e, i, I–P und der Erweiterung von σωθῆναι in 969,1 um die Stelle aus 1 Tim 2,4 καὶ εἰς ἐπίγνωσιν ἀληθείας ἐλθεῖν (in 682 aber ohne ἀληθείας) und der Lesung καὶ περὶ τῆς πρὸς ἡμᾶς im Titel von Kapitel 45.

751 endlich verrät einige Beziehungen zu 683 und 690 durch das Zusammentreffen folgender Varr.: e, y, C, E und F, durch das Übergehen von τοῦ . . . βαρύτερον in 900,6 und das Fehlen der b-Kapitel.

C e r b a n u s (s. S. 220) entnimmt seinen Ausschnitt einer Expos. ord., und zwar aus den Sippen f oder g.

E u t h y m i o s Z i g a b e n o s schrieb für seine Panoplia[1]) eine Expos. inv. aus, wie schon die übernommenen Kapitelzahlen beweisen, nach den Varr. näherhin eine aus η. Der genaue Standpunkt innerhalb dieser ist nicht mehr festzulegen. Das gleiche ist von den oben ausnahmsweise erfaßten Panoplia-Auszügen der Hss 36, 94, 268 und 631 zu sagen.

B u r g u n d i o von Pisa scheint bei der Anfertigung seiner sklavisch wörtlichen Übersetzung ins Lateinische (s. S. 220 und Ausgabe 1955) einen Kodex als Vorlage benutzt zu haben, dessen Text aus verschiedenen Überlieferungszweigen kontaminiert war (unter den bis jetzt bekannt gewordenen befindet sich aber keiner, der sich mit dieser Übersetzung deckt), bzw. selber aus verschiedenen Kodizes kontaminiert zu haben. Das letztere anzunehmen, liegt näher, weil wir aus Burgundios eigenem Zeugnis wissen, daß er für die Übersetzung der Homilien zu Joh. zwei Handschriften aus zwei verschiedenen Klöstern zur Hand gehabt hat. Seine Übersetzung der Expos. gibt im Aufbau eine ord. wieder, und zwar ohne die b-Kapp., so daß wir an n oder t denken könnten. C.89 ist um den langen Zusatz erweitert, wie wir ihn aus m1 und aus 446 + 579 (p2)

---

[1]) Vgl. Oriens christ. 8 (1908) 278–388, JD S. 311f.

kennen. In den Textvarr. verrät B. wieder eine gewisse Bekanntschaft
mit t' in den Varr. c, q, u, z, T, I–P (in t' bloß I–O), W, ζ, σ und ω. Mit
Hs 543 (t 1) trifft sich B. in folgenden 3 singulären Erscheinungen: 1. in der
Fassung des Gesamttitels (ἔκδ. . . . πίστεως ἐν κεφ. ρ' διῃρημένη = traditio
. . . fidei capitulis divisa centum), 2. in der Versetzung des Schlusses von
c. 18 (877, 24–27) an das Ende von c. 17 und 3. in der Aufnahme des Textes
von Var. s nach c. 22. So legt sich die Vermutung nahe, daß B. und der
Schreiber von 543 z.T. aus den gleichen Wassern geschöpft haben.

    Bei der Suche nach einer griechischen Vorlage für die Übertragung
von Grosseteste (s. S. 220) fällt die große Übereinstimmung dieser lateinischen Übersetzung mit 303 in den b-Kapiteln (23 b. 22 b) auf. In beiden
Fassungen stehen sie in dieser Reihenfolge nach c. 23. Diese Ähnlichkeit
betrifft nicht bloß diese Kapitel, sondern auch den Wortlaut im einzelnen,
wobei besonders die Wiederkehr der Sonderlesarten von 303 im Lateinischen bemerkenswert ist: 900, 37 Ἀπηλιώτης + ὁ καὶ Ζέφυρος; 901, 9
Σαρμάται] Σαυρομάται (Sauromatae). In den übrigen Kapiteln finden sich
noch folgende mit 303 übereinstimmende Varr.: 900, 13 κινήσεις + κατὰ
φύσιν (außerdem noch 60 und 650); 900, 25 ἐστι om (noch mit 315) und
969, 8 αἰτίας + ὄν (mit 37ᶜ, 80³, 294). Da Gr. seinen Text nicht neu übersetzt, sondern die Übertragung des Burgundio bloß korrigiert, ist von vornherein zu erwarten, daß er nicht alle Lesarten von 303 übernimmt, sondern
nur die, welche ihm besser erscheinen. Außerdem ist auch für diese Übersetzung anzunehmen, daß Gr. mehr als einen Kodex zur Hand hatte, wie
dies auch für die Übertragung des Pseudo-Dionysios schon nachgewiesen
wurde[1]). Von den Hss der Grosseteseschen Übersetzung verdient nun,
ohne daß ich diese Überlieferung systematisch untersucht hätte, Ambros.
lat. C 108 eine besondere Beachtung, und zwar wegen der weitgehenden
Übereinstimmung mit unserer Hs 303 = Ambros. gr. 386 in den zahlreichen Scholien und ihrer räumlichen Anordnung. So finden sich die gleichen Scholien bei den cc. 7, 8 (das zweite ist im Lateinischen ¹/₄ spaltig geschrieben, im Griechischen aber durchlaufend), 21, 24, 51 und 89. In
beiden Hss findet sich aber wieder Sondergut, in der griechischen z. B.
c. 12 b, durchlaufend geschrieben, aber als Scholion bezeichnet, und der
lange Zusatz bei c. 25. Möglicherweise sind auch die cc. 23 b + 22 b über die
Scholienform in den Text geraten. Eine enge Verwandtschaft zwischen
den beiden Hss ist nicht zu verkennen, wenn auch keine unmittelbare
angenommen werden kann. Da die Scholien, soweit ich sehe, nur in einen
Teil der Grosseteseschen Überlieferung eingedrungen sind, können sie
von einem Kopisten herrühren. Anders wird von den cc. 23 b + 22 b zu
denken sein; sie dürfte R. Grosseteste selber aus einem Vorläufer von
303 für seine Expos. übertragen haben. Auch der Inhalt dieser Hs deckt

---

[1]) Vgl. R. Barbour, A Manuscript of Ps.-Dionysius the Areopagite copied for Robert
Grosseteste, in Actes du X. Congr. intern. d'Études byzant., Istanbul 1955, erschienen
1957, S. 115.

sich weitgehend mit dem damaskenischen Korpus bei Grosseteste (vgl.
H. Thomson 45–51).

Panetius[1]) (s. S. 220) gibt in seiner Übersetzung eine Expos. ord.
wieder. In manchen Erscheinungen wie in den Varr. u und z, der Erweiterung von αἰσχρῷ um πράγματι = negotio in 932,33 und im Anhang zu
c. 25 darf man einen Wegweiser zu d sehen; doch zwingt schon die Var.
w zur Erkenntnis, daß nicht dort allein die Heimat dieser Übertragung
zu finden ist.

Die altbulgarische Auswahl aus der Expos. (siehe unten S. 219) verrät
durch die Reihenfolge der Kapitel ihre Herkunft von einer E. ord.; das
Fehlen der b-Kapitel, der Einschnitt zwischen cc. 9 und 10 bei 837,26
und die Plus-Varr. in den cc. 43 und 44 lassen eine Abstammung von p
vermuten.

Noch steht bei der Expos. die Beantwortung verschiedener Fragen
aus, zunächst von der inv. die, in welchem Stamm wohl die ursprüngliche
Form dieser Fassung zu suchen ist; dazu ist zuerst wieder eine Schwierigkeit innerhalb t′ zu lösen. Wie schon gesagt, besteht das Charakteristikum
der inv. in der gruppenweisen Umstellung der Kapitel, in einigen Textvarr. und in der Aufnahme der cc. 12b und 23b in einer dem ganzen
i-Stamm eigentümlichen Textform. In t′ unterscheidet sich nun t beträchtlich von l′ durch die Kapitelordnung der ord. und durch das Fehlen
der cc. 12b und 23b, ist mit ihm aber durch viele Varr. verbunden, die im
einzelnen zwar meist geringfügig sind, in ihrer Häufung aber zeigen, daß
beiden Sippen dieselbe Textform zugrunde liegt und daß die E von t nur
im äußeren Umriß einer ord. angeglichen wurde. Dabei wurde, bisher
unbewiesen, angenommen, daß l′ der ursprünglichen Form näher steht
als t, daß also letztere deformiert wurde. Ließe sich nun nicht denken,
daß die Entwicklung umgekehrt verlaufen ist, daß nämlich t die ältere
Gestalt aufweist und nur eine Spielart der ord. darstellt, von der die inv.
ihren Ausgang nahm, letztere also nicht als selbständige Fassung neben
der ord. steht? Dieser Gedanke würde ohne weiteres überzeugen, wenn
sich an einem Stamm der ord. eine Stelle fände, wo dieser Überlieferungszweig der inv. entsprungen sein könnte. Ein solches Verbindungsstück
fehlt aber. Auch ein Blick auf die Dial. läßt diese Möglichkeit als unwirklich erscheinen; die Hss der E i, nicht ausgenommen die von t, enthalten nämlich fast alle – und darum hat diese Kombination als Regel zu
gelten – die D in der fus.-Fassung. Wie nun für die D zwei selbständige
Fassungen anzunehmen sind, ohne daß angegeben werden kann, daß und
wo die eine von der anderen entsprang, so legt es sich nahe, eine analoge
Entwicklung auch für die E gelten zu lassen, und wie näherhin bei der
hier in Frage stehenden Hss-Gruppe der D (t′) ein Einfluß der Parallel-

---

[1]) Verglichen wurden aus cod. Ferrar. I 432 die Kapitel 1–39 nach unserer Auswahl.

fassung nachgewiesen wurde, so mag diese Einwirkung bei unserem Zweig
der E vor allem in den oben bezeichneten Rückbildungserscheinungen zu
sehen sein. Demnach dürfte t trotz des ord.-Aufbaues von Haus aus zur
inv. gehören.

Unsere nächste Frage lautet: In welchem der beiden inv.-Stämme
haben wir den ursprünglichen zu erblicken? t′ führt, wie gesagt, eine
große Zahl von Varr. mit sich; diese stellen z.T. offensichtlich eine Glät-
tung des Textes dar. So ist Var. c Angleichung an den Bibeltext, Var. z
Umstellung der Sätze entsprechend der vorausgehenden Aufzählung; die
Varr. von c. 90 wollen durchwegs den Text verdeutlichen und mit analog
gebauten Gliedern harmonieren. Andere Varr. bedeuten Änderungen oder
Versehen, wie sie in der Textkritik gang und gäbe sind. Wollte man nun
ŋ von t′ herleiten, so wäre es schwer zu erklären, warum ein Redaktor
diese Glättungen wieder ausgemerzt haben soll. Auf nicht geringere
Schwierigkeiten stöße der Versuch, t′ auf ŋ zurückzuführen; denn in
diesem Falle müßte in Kauf genommen werden, daß bei diesem Prozeß
die vielen und umfänglichen Zugaben der Vorlage säuberlich weggestri-
chen wurden, ganz gegen die sonst übliche Praxis, die Texte eher zu erweitern als zu kürzen. Eine unmittelbare Abhängigkeit der beiden Überlieferungsstämme der inv. in der einen oder anderen Richtung ist darum
unwahrscheinlich; sie gehen vielmehr auf einen gemeinsamen Archetyp
zurück. Von diesem aber muß angenommen werden, daß er selbständig
neben dem der ord. steht.

Über allem schwebt nun als letzte die Frage, wann die beiden Fassungen der Expos entstanden und wer sie schuf. Der älteste Zeuge für den
griechischen Text, unsere Hs 347, wohl mit Recht in das 9. Jh. datiert,
spricht für die ord.; auch die ältesten Übersetzungen der E, die arabische
des Antonios, spätestens aus dem 10. Jh., und die altslavische aus dem
Ende des 9. oder Anfang des 10. Jh. treten für die ord. ein. Noch weiter
hinauf, in das damaskenische Jahrhundert selber hinein führen uns die
syrischen Zitate des Elias; dieser gibt mehrere Stellen aus den „150 Kapiteln" (= D + E) unseres Kirchenvaters unter Nennung der Kapitelnummern seiner Vorlage wieder. Daraus ergibt sich eindeutig, daß er die D
in der brev.-Fassung und von der E eine ord. benutzte. – Weniger günstig
lauten die Zeugnisse für die inversa. Die ältesten Hss dieser Fassung
werden in das 11. Jh. datiert. Aus demselben Jahrhundert haben wir die
Panoplia des Euthymios Zigabenos, in der ausgiebig eine inv. ausgezogen
ist. Nimmt man aber die der Darstellung des E-Stammes vorausgeschickten Überlegungen über die Einordnung von c. 52b nach c. 81 dazu, so
hätten wir die Existenz der inv. ebenfalls schon im 9. Jh. verbürgt; denn
unsere Hs 347 weist das dort angeführte Kriterium schon auf. Daß für die
inv. kein positives Zeugnis für ein noch höheres Alter mehr vorhanden ist,
kann Zufall sein. Es ist somit sehr gut möglich, daß die inv. annähernd
ebenso alt ist wie die ord. Die Priorität innerhalb der beiden Fassungen

aber ist sowohl nach dem hsl. Zeugnis und besonders nach dem Minus in den cc. 43 und 44, über das ebenfalls in den Vorfragen zur E gehandelt wurde, eindeutig der ord. zuzusprechen. Damit ist wenigstens für die ord. die Frage der Autorschaft gelöst. Wer aber invertierte die Kapitelfolge der ord. und schuf so die inversa, JD selber oder ein Epigone? Auf eine befriedigende Beantwortung dieser Frage müssen wir leider verzichten.

13*

Schematische Darstellung
der Handschriftengruppen der Haereses

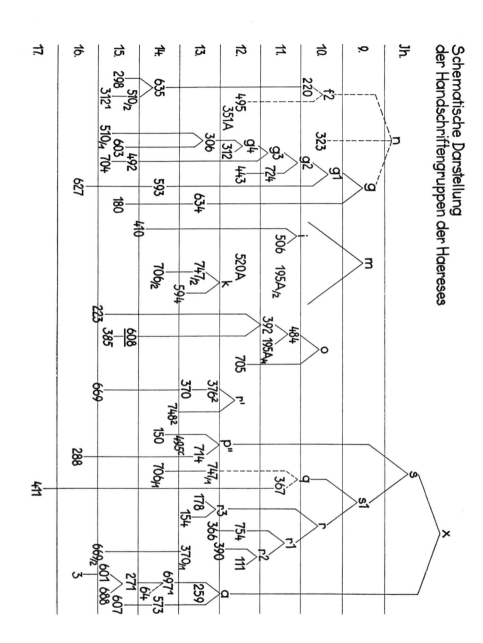

3.

DIE STEMMATA DER HAERESES

Die stemmatische Behandlung der Haeres. nach Dial. und Expos. entspricht, wie aus der Aufgliederung zu ersehen war, dem hsl. Befund, nach dem H, wenn sie überhaupt in Verbindung mit D + E auftreten, gewöhnlich nachgestellt sind. Die Entfernung von ihrem Platz muß sehr früh erfolgt sein, weil schon das älteste Zeugnis, der am Schluß des vorigen Abschnittes erwähnte Brief des Elias, die Zusammenstellung D + E ohne H kennt. Ursache für diese Umstellung oder Abstoßung mag gewesen sein der von D + E sich abhebende literarische Charakter der H oder die Befriedigung des Bedürfnisses nach einer Systematik der Theologie schon durch D + E allein oder die weitgehende Ähnlichkeit der H mit der Anakephalaiosis des epiphanischen Panarion, oder schließlich auch die Tatsache, daß H bereits in kanonistische Sammlungen Eingang gefunden hatten und also dort, wie auch in der Doctrina Patrum[1]), zur Verfügung standen. Daß ein Haeresienkatalog zum Bestand der Trilogie gehört, kann nach dem Zeugnis der Widmungsepistel wohl nicht ernstlich angezweifelt werden[2]). Daß aber darunter gerade unsere Haereses zu verstehen sind, ist vorläufig nur dadurch zu beweisen, daß von JD eine andere derartige Zusammenstellung nicht bekannt ist, die unsere dagegen nach der hsl. Zueignung wohl sicher von ihm stammt.

Wenn uns daher im folgenden Hss begegnen, in denen H in Verbindung mit D + E, allerdings nicht in der geplanten Reihenfolge, auftreten, so muß es dahingestellt bleiben, ob H von Anfang an demselben Überlieferungszweig angehören wie D + E, so daß H aus systematischen Rücksichten von einem Schreiber bloß um-, meist nachgestellt wurden, oder ob sie, um das vorgelegte Programm erfüllt zu sehen, aus einer pegefremden Tradition als Rückwanderer wieder bzw. möglicherweise neu eingeführt wurden.

Bei der eben angedeuteten Überlieferung der H in ganz verschiedenen Sammlungen ist von vornherein zu erwarten, daß sich die verschiedenen Richtungen gegenseitig beeinflußten; besonders nahe lag immer eine Orientierung der Schreiber an Epiphanios, von dessen Panarion JD bekanntlich die Anakephalaiosis (sie reicht bis Nr. 80) übernahm und unter teilweiser Verwertung anderer Quellen auf 100 Nummern ergänzte.

Wieder gebrauche ich zur Vereinfachung der Darstellung für manche Varr. (fast ausschließlich Angleichungen an Epiphanios) Siglen:

[1]) Doctrina Patrum de Incarnatione Verbi, hrsg. von F. Diekamp, Münster/W. 1907, S. 266–270.

[2]) Dem von B. Studer a.a.O. S. 20 Anm. 65 angeregten Gedanken, unter der angekündigten Darstellung der Irrlehren die Expos. zu verstehen, vermag ich nicht zu folgen.

a 677, 1   die Schrift ist im Titel dem Epiphanios zugeschrieben;
b 677, 8   γενεᾶς + ἕως;
c 680, 19   ἀπεικάζοντες] ἀπεικονίζοντες;
d 680, 20   + τυράννους (ist bei Migne zu streichen);
e 680, 23   Ἀβραάμ + δι᾽ ἀγαλμάτων τὴν πλάνην;
f 680, 34   Ἄρεα] Ῥέαν;
g 681, 3   + βλαστησάσης (ist bei Migne zu streichen);
h 681, 4   γεγένηνται] γεγόνασι;
i 681, 6   διῃρέθησαν] διεμερίσθησαν;
k 681, 9   + κατέστη (fehlt ursprünglich wohl);
l 681, 12/13   ὁ κατὰ νόμον (bei Migne so zu berichtigen)] ὁ κατὰ φύσιν
                 νόμος;
m 681, 17   δ᾽ + καὶ μετέπειτα;
n 681, 23   ὀνόματος (wohl ursprünglicher)] ὄνομα;
o 681, 28   + Ἑλλήνων διαφοραί (sonst zu streichen);
p 757, 19   + ψυχήν (fehlte ursprünglich wohl).

Bei dem Versuch, die Hss der H zu gruppieren, betreten wir gerade am Anfang unsicheren Boden, weil die hier einschlägigen maßgeblichen Hss nur stückweise erhalten sind.

f 2 = 220 + 495:

Bindefehler sind im 2. Kollationsabschnitt nicht vorhanden; im ersten, nur von 495 vertreten, ist wahrscheinlich eine Kontamination anzunehmen, die alle Bindefehler des ersten Kollationsabschnittes von n rückgängig macht in (unmittelbarer oder mittelbarer) Angleichung an Epiphanios[1]).
Trennfehler 220 (für die Kollation ist nur die Schlußpartie erhalten) keine, so daß es wieder möglich, aber unwahrscheinlich ist, daß 220 an die Stelle von f 2 zu setzen ist.

Auf 220 dürfte **635** beruhen:

Trennfehler (bis c. 93): 677, 5 οἷον om; 684, 4 ἅμα om, später ergänzt und von 298 ordnungsgemäß in den Text aufgenommen. Kontamination mit Epiphanios: Varr. d, e, k, l, m.

---

[1]) Weitere Möglichkeiten, die offen gelassen werden müssen, sind folgende: 1. Sollte diese Rückbildung durch Kontamination für 220 nicht zugetroffen haben, sondern nur für 495, was allerdings bei der auch sonst bewährten Treue von 495 zu 220 unwahrscheinlich ist, dann wäre die Versetzung der Varr. vom 1. Teil v. f 2 zu n bestätigt. 2. Diese eben angedeuteten Varr. sind in 323 und g nachweisbar, können einem Hyparchetyp angehören, der nicht notwendig mit n zusammenfällt. n wäre dann zu erschließen aus diesem Hyparchetyp von 323 und g und mangels Bindefehler je selbständig aus 220 und 495. 3. Da 323 im erhaltenen (ersten) Teil sich ganz mit g und nach unserer Annahme sogar mit n deckt, ist diese Hs vielleicht mit g oder n gleichzusetzen. Bei der schmalen Vergleichsbasis ist das Gegenteil aber wahrscheinlicher, wird oben auch angenommen. 4. Da uns 323 im 2. Teil im Stich läßt, kann nicht bewiesen werden, ob die Bindefehler dieses Abschnittes von g, nicht auch schon 323 angehören und damit schon n und für f 2 ebenfalls unter die Kontamination fallen.

Auf 635 geht wieder **298** zurück:

Trennfehler: 756,24 ἐλάσ.] ἀλέσαντες; 757,32 αὐτοῦ σῶμα St., wie g; 760,16 βεβαιοῦν] βεβαιοῦνται; Schluß von c.101 bei 773,5. Alle diese Varr. gehörten vielleicht auch 635 an.

Von 635 scheint außerdem noch abzustammen **510**, aber nur in der 2. Hälfte:

Trennfehler: 757,32 κάτω λελ.] καταλελοιπέναι. Am Schluß wird ein längerer Abschnitt angehängt: λέγει δὲ καὶ ἑαυτόν . . . αὐτήν ὁ παράδεισος.

510 dient wieder **312**[1] als Vorlage:

Trennfehler (von dieser Hand bloß noch das letzte Stück von c.101): der begrenzte Umfang.

Trennfehler **495** von f2: 681,22/23 Ἰούδα . . . Ἰουδαϊσμοῦ] om, von ^{c} am Rand ergänzt; 764,8 Ἰσμαὴλ τοῦ] Ἰσμαὴλ αὐτοῦ; der Titel zu H fehlt; bei 768,13 αἰδούμενοι verläßt der Schreiber unter Hinzufügen von πρὸς οὓς εὐλόγως φαμέν seine Vorlage und geht auf c.102 über.

Aus 495 hatte Perionius (s. S. 221) die erste lat. Übersetzung von den H angefertigt, die **1544** zum erstenmal aufgelegt wurde; sie schloß wie 495 c.101 bei 768,13. Erst die Ausgabe von 1619 ergänzte es (s. dort).

g4=312+306:

Bindefehler: 760,27 διδόναι] διδόμεναι.

Trennfehler **312**: 760,16 βεβαιοῦντες] -οῦνται, vielleicht auf Grund von Kontamination.

Trennfehler **306**: keine. Eine Gleichsetzung mit g4 verbietet aber die Datierung von 312. 306 ist nach Epiphanios korrigiert, anscheinend von zwei Händen: die erste, eleganter und zarter, fügt z.B. in 680,4 nach Σκυθισμός: δέ ἐστι oder die Var. l ein; die zweite dagegen in ungelenker Schrift die Varr. d, e, k (eingereiht erst nach χρόνων), sie schließt auch die Lücke von 681,13/14 (g3).

Nachdem 306 von der ersten Hand überarbeitet war, wurde von ihr der erste Teil von **510** kopiert:

Trennfehler: der Titel wird abgeschwächt zu der Formel τοῦ αὐτοῦ Ἰω. Δαμ. περὶ αἱρέσεων . . .

Nach der Korrektur durch die zweite Hand diente 306 dem Schreiber von **603** als Vorlage:

Trennfehler: 681,15 καὶ Ἑλληνισμοῦ] om, was in 306 bis auf das ἑ des darauffolgenden ἕως eine Zeile ausmacht.

g3=g4+492:

Bindefehler: 681,13/14 τούτων . . . ἀπό] om (Hom.); 761,12 ἔν . . . δογματίζουσιν] om. Kontamination wie schon ähnlich in E zwischen 306 und g2: Titel zu c.101 wie bei 634.

Trennfehler g4 = Bindefehler g4.

Trennfehler **492**: 677,5 οἷον om, wohl in selbständiger Angleichung an die übrigen Aufzählungsglieder; 677,10 ἤ] οὐ; 680,18 ἀρχήν] ἀρχικήν; 680,23 εἰσηγησαμένου] ἡγησάμενον; 680,28 τεκτηνάμενοι] τεχνησάμενοι; 681,24 τεσσάρων] τε; 757,39 καὶ ἀποτροπιασμοῖς] om; 760,6/7 ἤγουν πρακτικῇ] om; st. der Lücke von 761,12 finden wir διὰ δὲ τὸ μίαν θέλησιν ἐπ' αὐτοῦ λέγειν. Kontamination: die Lücke von Var. p ist geschlossen.

Mit 492 deckt sich genau **704**.

g2=g3+724:

Bindefehler: 757,23 αὐτῶν (sonst nach προσευχῶν zu ergänzen)] om.
Trennfehler g3 = Bindefehler g3.
Trennfehler **724**: 681,14 καταβ.] μεταβολῆς; 684,1 ἅμα om. Die Nachschrift (bei g) ist an den Schluß der E gesetzt, wodurch der Schreiber verrät, daß die außergewöhnliche Komposition D + H + E sein Werk ist. Kontamination: Var. m als Titel geschrieben.

Auf 724 möchte ich **443**[1] zurückführen:

Trennfehler: 680,29 ὁμοῦ om; 760,1 ἐναρξάμενοι] ἐξερχόμενοι. Der Gesamttitel fehlt zunächst, wird später von fremder Hand in einer offenbar selbstgeschaffenen Form eingesetzt; der Anfang von c. 101 ist wiederholt. Var. m fehlt wieder, vermutlich weil dieser Text als Titel in seiner isolierten Stellung – die einzelnen Nummern der H haben gewöhnlich keine Titel – und Inhaltslosigkeit Anstoß erregte.

g1=g2+593:

Bindefehler: 757,32 κάτω λ.] καταλελοιπέναι; 760,4 ταῦτα om.
Trennfehler g2 = Bindefehler g2.
Trennfehler **593** (cc. 81–100 fehlen): 680,35 Ἀπόλλωνα καὶ καθεξῆς St., mit Epiphanios; 681,4 pr ὡς δὲ ἕτεροί φασιν, das folgende δέ wird unterdrückt; 681,9 κατέστη (fehlt in dieser Gruppe überhaupt)] διῃρέθη; 681,15 μέσος + τυγχάνει, sonst ist τυγχάνων einzufügen; der inhaltsschwere und dem Schreiber wahrscheinlich unverständliche Titel ist durch einen farblosen ersetzt, der Kolophon ging (wohl mit dem verkürzten Schluß) verloren. Die gegen Ende ausgefallenen Teile enthielten im wesentlichen vermutlich die gleichen Lesarten wie 627. Kontamination: c. 101 ist zu Ende geführt (bis 773,5) und 680,21 wieder δοκοῦν zu lesen.

Von 593 ist **627** herzuleiten:

Trennfehler: 680,23 ἡγησαμένου verb. simpl.; 680,35 καθεξῆς καί] om; 756,24 ἐλάσ.] ἀλέσαντες; 757,38 παραδεχ.] δεχόμενοι.

g=g1+634:

Bindefehler: 757,32 αὐτοῦ σῶμα St.; 757,35 Χριστιανοί ... ὑπάρχοντες] om; 760,16 βεβαιοῦν] -οῦντες; c. 101 schließt bei 772,52 mit ἄφθαρτον und der Nachschrift τέλος τῶν ὑπομνημάτων (634 + 180 ἐμπονημάτων) Ἰω. τοῦ Μανδούρ.

Trennfehler g 1 = Bindefehler g 1.

Trennfehler **634**: 757,32 λελοιπέναι] λελιπτέναι; 760,12/13 καί . . . μεθο-
δεύοντες] om; 760,16 ἔνια] τούς; 760,19 βουλομ.] ἀμελομένοις. H folgen ohne
jeden Titel auf die vorausgehende D; c.101 ist überschrieben περὶ τῆς
αἰρέσεως τῶν 'Αγαρηνῶν κτλ.

Geradliniger Abkömmling von 634 ist **180**:

Trennfehler: ein formelhafter kurzer Gesamttitel für H.

Die lat. Übersetzung des R. Grosseteste (s. S. 220; gedruckt **1546**)
schließt sich ganz eng an 634 an. Da sich bei ihm aber die Lücke von
760,12/13 nicht findet, lag G. ein Vorläufer von 634 vor oder neben dieser
Hs noch eine andere. Dieser erschlossene Vorläufer hatte bei 760,16 offensichtlich eine Unstimmigkeit, die G. mit dolos wiedergibt (634 ἔνια] τούς).

n=f2+g+323:

Bindefehler: Var. p; als Titel zu H: κεφάλαιον λδ' τῆς Πανδέκτου (= Doctrina Patrum), πόνημα 'Ιω. μοναχοῦ περὶ αἱρέσεων ἐν συντομίᾳ ρ', ὅθεν
ἤρξαντο καὶ πόθεν γέγοναν; 680,21 δοκοῦν] δουκοῦν, so 323; die meisten
Abkömmlinge machen daraus δ' οὐκοῦν, 443[1] δουκοῦν; 681,11 Πλατωνικῶν
καί] om (Hom.); 681,15 καὶ Σκυθισμοῦ] om, sonst mit Epiphanios einzusetzen nach Βαρβαρισμοῦ; der Schluß besteht aus cc.99 + 101. Der
Gesamttitel war manchen Schreibern offensichtlich unverständlich oder
belanglos und wurde darum zuweilen ausgelassen oder geändert.
Trennfehler f2 und g = ihre Bindefehler.
Trennfehler **323** (erhalten ist nur cc.1–6 und 54–80): im erhaltenen Teil
keine. Vgl. Anm. zu f2, S. 198[1].

Zum Hyparchetyp n gehört noch **351A**, wie die knappen Katalogangaben über Titel, Kapitelzahl und Überschrift des letzten Kap. zu
erkennen geben.

i=410+506:

Bindefehler: 680,24 ἑαυτῶν + προφήτας καί; 681,7/8 κέκληνται] καλοῦνται;
756,22 ἐφαπτόμενοι γεύονται] ἀπογεύονται; 757,10 πορεύεσθαί τινα St.;
757,29 ὑπάρχοντες] τυγχάνοντες; 761,2 ὀνομαζομένων + αἱρετικῶν καί; 761,9
Κύρου ante τοῦ 'Αλεξανδρείας Z. 8; 761,23 καί[1] + παρεισάκτοις; 761,26 ἀπό-
φασιν] φωνήν; 773,2 νομοθετήσας καὶ μήτε] καὶ τέκνοις.
Trennfehler **410**: 680,33/35 μετέπειτα . . . καθεξῆς] om (Hom.).
Trennfehler **506**: 760,16 ἔνια τῶν] om; 761,12 ἐν . . . δογματίζουσιν] om,
so auch g 3.

k=594+747:

Bindefehler: 761,11 καὶ μίαν ὑπόστασιν] om.
Trennfehler **594**: 761,15 τυγχάνοντες] -άνουσι; 773,3 προστάξας . . . νόμῳ]
om; Titel zu c.102: ἔτι περὶ Χριστιανοκατηγόρων . . . καθὼς προγέγραπται
ἐν τῷ ρβ' κεφ. (= c.101).

Trennfehler **747** (nur der 2. Teil folgt diesem Hyparchetyp, der erste dagegen q): 757,41 (nach ὁμοίοις ist im Text αὐτῶν καὶ ἑτέροις zu ergänzen) καί + Παλμοτηριταί, ʿΡουσαλισταὶ καί; 761,10/11 φύσεις ἐπὶ Χριστοῦ; Titel zu c.101: αἵρεσις πλατυτέρα τῶν ʼΙσμαηλιτῶν ἤτοι ʼΑγαρηνῶν; 773,4 παραδούς + ἀποκτείνειν ὅσους καὶ συμβῇ ἕκαστον . . . Χριστιανούς; 773,6 der Titel zu c.102 (vgl. m) ist verkürzt zu Χριστιανοκατήγοροι; der Schluß besteht aus den Kapp. 99, 101, 100, 102, 103, weiteren Häresien und Epilog = 777,16–780.

Von 747 möchte ich geradlinig ableiten **706**.

m=i+k+195A (+351 B)+520A:

Bindefehler: 677,1–6 τοῦ ἁγίου ʼΕπιφανίου ἐπισκόπου Κύπρου πόλεως Κωνσταντίας· πασῶν αἱρέσεων μητέρες . . . ἀνεφύησαν; 680,21 δοκοῦν] ἐδόκουν; 680,25 ἐπιστήμης] ἤ τις τιμή; 680,34 ″Αρεα] ʿΡέαν; 684,2 ὑποκάτω] ὑποκάτωθεν; 756,22 δακτύλῳ] τοῦ δακτύλου; 757,38 παραδεχ.] ἀποδεχόμενοι; 773,6 als Titel zu c.102 Χριστιανοκατήγοροι ἤγουν Εἰκονοκλάσται ἢ Θυμολέοντες; der Schluß besteht aus cc.99, 101, darauf nochmals über denselben Stoff in etwas abgewandelter Form, ähnlich wie in s, οὗτοι μὲν οὖν . . . ἀπηλλοτριωμένοι, endlich cc.100 und 102, in 594 aber nach c.100 andere Häresien, darunter auch c.102, aber nur noch inhaltlich. Doch handelt es sich bei diesen Anschlußstücken nicht mehr um die H selber, sondern um den Rahmen, in den sie eingespannt sind.

Trennfehler i und k = ihre Bindefehler.

Trennfehler **195A** (nur der 2. Teil gehört stemmatisch hierher): 756,14 δειλίαν] ἡλίαν; 756,15 ἀπόσχισμα] ἀπὸ σχημάτων; 757,32 σῶμα om; 761,25 λόγῳ] ἔργῳ. – **351 B** s. oben S. 41.

Trennfehler **520A**: 756,15 θεμίστιος] θεμέλιος; 757,8 ἄλλο om. Kontamination wohl durch Korrektur in einer Zwischenhs: 680,6 μετὰ τὸν τοῦ πύργου χρόνον] μετὰ τὴν τοῦ πύργου οἰκοδομὴν χρόνον (τὴν τ. π. οἰκοδ. auch in r'); 680,20 γόητας + ἢ τυράννους, entstanden wohl aus Var. d, u.a. auch in r'.

o=705+484:

Bindefehler: 677,4/6 αʹ. . .ʼΙουδαϊσμός] om; 680,7 καὶ ʿΡαγαύ] om; 680,13 ἐναρξ.] ἀρξάμενοι; 680,25 ἐπιστήμης] εἰς τιμήν; 680,30 Φρύγες + καὶ ″Αραβες und πρῶτοι om; 680,35 (st. ʼΑπόλλ. . . . καθεξῆς setze καθεξῆς καὶ ʼΑπόλλωνα) καθεξῆς καί] om; 681,3 ἐν ʼΑθήναις (so zu berichtigen)] ʼΑθηνᾶς, 705 und 608 + 385 bilden zu ʼΑθηναίας weiter; 681,6 τῶν om; 681,15 τυγχάνων (einzufügen nach μέσος)] ἐτύγχανεν und καὶ ʼΕλληνισμοῦ] om; 681,23 ὀνόματος (so zu berichtigen)] ὄνομα; 681,24 ὁ ʼΑπόστολος ante περί; 684,5 ὠνόμαζεν] ὀνομάζειν; 756,24 ἐάσαντες (so zu berichtigen)] ἐλάσαντες; 757,22 ʼΑγονυκλῖται] ʼΑγονυκλιταῖοι; 757,35 τὰ ἄλλα Χριστιανοί St.; 760,15 πάσχοντες (wie zu korrigieren ist)] πάσχουσιν; 760,19 προσαγορευόμενοι] καλουμένου.

Trennfehler **705**: 757,44 καὶ ἐνιαυτούς] om; der Titel erinnert an den von n, könnte aber spätere Zutat sein; der Schluß besteht aus cc. 99 und 101; Anschlußstück: Sophronios' 'Ανάθεμα.

Trennfehler **484**: 680,21 σωμάτων] σώματος; 681,6/7 (τῶν) πάντων] πᾶσαι; 681,22 τοῦ αὐτοῦ] αὐτῆς τοῦ; 684,4 χρόνῳ om; 757,36 παρεισάγουσιν] παρεισφέρουσιν, so auch x; 761,5–7 wie Migne, während diese Zeilen sonst fehlen bzw. nur in r in ähnlicher Form vorhanden sind; 761,14 ἀντιποιούμενοι] παριστάμενοι; der Titel gibt überhaupt keine Herkunft an; der Schluß setzt sich wie bei Lequien-Migne zusammen aus den Kapp. 99, 100, 101, 102, 103, darauf Sophronios (inc. 'Ανάθεμα); c. 83 hat die langen Anhänge wie in Migne 744–753. C. 100 bei Lequien-Migne ist nach dieser Hs abgedruckt; dieses weicht aber vom sonst überlieferten in folgenden Lesarten ab (an erster Stelle die Lesart unserer Hs, an zweiter die vorzunehmende Korrektur): 761,15 ὑπάρχοντες] τυγχάνοντες; 761,17 προφάσεως + τινος und ἕνεκα + εἰ τύχοι; 761,22 παρεισάκτους συνάγουσιν] παρεισάκτοις συνδιάγουσιν; 761,23 ἐντρίβονται] -οντες; 761,24 τε om; 761,28/29 ὡς οἱ] ὅσοι; 764,4 τούτους pr εἰς; 764,4/5 ὑπερτιμῶντες] -μῶσιν.

Von 484 sind abgeschrieben **195A** in der ersten Hälfte und **392**:
Trennfehler **195A**: 680,13 ἐναρξάμενος] -μένης; 680,28 τεκτηνάμενοι] τεχνινάμενοι (!).
Trennfehler **392**: 757,9 Χριστιανοῦ] -νῶν; 757,22/23 τῶν προσευχῶν] τὴν προσευχήν, in 484 ist die Endung durch einen Abkürzungsbogen ausgedrückt; 761,24 ἔργῳ] ἔργα.

Artreiner Abkömmling von 392 ist **223**.

Von 392 hängt ferner (vielleicht unmittelbar) ab **608**:
Trennfehler (auf Film nur bis c. 83): 681,23 wieder ὄνομα; 681,15 καὶ Σκυθισμοῦ] om; der Titel drückt den Zweifel an der Autorschaft aus: 'Επιφανίου . . . κατὰ δέ τινας Δαμασκηνοῦ.

Auf 608 scheinen wieder die Exzerpte von **385** zurückzugehen:
Trennfehler: Titel ohne jede Autorangabe; 681,17 καὶ μετέπειτα] om; 680,25 ἐπιστήμης (in dieser ganzen Sippe verunstaltet zu εἰς τιμήν)] om. Kontamination: Var. b und 680,5 καὶ Βαβυλῶνος] om mit 573(a); 680,29 ὁμοῦ om und 681,7 πάντες om mit r'.

Schließlich gehört dieser Gruppe nach allen Kennzeichen, die der Katalog vermerkt, noch **165** an.

Cotelerius (s. S. 221) benützt für seine griech.-lat. Ausgabe von **1677** unseren Kodex 484 als Vorlage.

r′ = 748² + 376²:
Bindefehler: Varr. c, d, e, h, l, p; 677,4/6 α'. . .'Ιουδαϊσμός] om; 680,6 τὸν τ. π. χρόνον] τὴν τ. π. οἰκοδομῆς, so 376², 370 + 669 οἰκοδομήν, 748² τῆς . . . οἰκοδομῆς; 680,9 ἑαυτῶν] ἐν αὐτῷ; 680,23 εἰσηγησ.] εἰσησαμένου; 680,29 ὁμοῦ om; 681,6 οἰκοδομησάντων] -μούντων; 681,7 πάντες om; 681,21

διὰ δέ] καὶ διά; 684,4 ἅμα om und χρόνῳ πέντε ἐτῶν] χρόνοις ἐτῶν ε';
756,13 ἀσεβ.] εὐσεβῶς; 757,18 μηνυθεῖσαν] μὴ νοηθεῖσαν; 757,18 ὑπάρχειν]
-χουσαν; 757,32 αὐτοῦ σῶμα St.; 757,35 Χριστιανοί . . . ὑπάρχοντες] om,
mit g, könnte aber auch unabhängig davon als inhaltlich bedenklich
unterdrückt sein; 757,38 παραδεχ.] δεχόμενοι; 760,1 τῇ (ist einzufügen)
Ἀφρικῇ] τοῖς Ἀφρικοῖς; 760,2 κρατοῦντας] -τες; 760,16 βεβαιοῦν] -οῦνται.
Die Kapitelordnung über c.101 hinaus bleibt offen, weil uns die Hss bzw.
die Aufnahmen im Stich lassen.
Trennfehler **748²** (Film nur bis c.101): 757,9 Χριστιανοῖς] -νοῦ; 757,19
ψυχήν] φύσιν; 757,23 αὐτῶν om; 757,42 προσανεχ.] προσέχοντες.
Trennfehler **376²** (schließt verstümmelt in c.101): 756,19 σύμφρονες] συμ-
φέροντες; 757,9 Χριστιανοῦ + φασιν.

Von 376² stammt **370** ab, folgt freilich von c.99 ab r.

Von 370 ist geradlinig **669** herzuleiten, ohne Unterschied der Hände:
Trennfehler: 681,10/11 Στωικῶν . . . Ἐπικουρείων καί] om (Hom.), in 370
genau eine Zeile. Die Art der Abhängigkeit ergibt sich außerdem aus dem
genauen Nachmalen oder der unrichtigen Auflösung von ungewohnt oder
undeutlich geschriebenen Wörtern in 370, z.B. Πυθαγόρας in 681,31,
λαμβάνειν in 681,32, ἅπασι in 756,29 oder φασιν in 757,9.

p''=150+714:

Bindefehler: Varr. c, i, m; 677,5 οἷον om; 681,2 τῶν ἐν] om und κατω-
κηκότων] -κότος; 681,20 γραφείς] -φέντος; 684,5 + ὕστερον . . . πεποίηνται;
757,18 ὑπάρχειν] ὕπαρξιν; 761,3–4 + ἀπό . . . ἐξ ὧν (!) Εὐσθατιανοί; 764,9
διόπερ] ἐξ οὗ; 773,3 μὲν τῶν] τῶν μέν; das abgeänderte c.101 beginnt mit
Ἰσμαηλῖται οἱ καὶ Σαρακηνοὶ καλούμενοι und schließt mit ἀπαλλοτριωθέντες
bzw. in 150 mit ἀπηλλοτριώθησαν. Kontamination: der Titel vereinigt
Doctrina-Patrum- und Epiphanios-Überlieferung: Τ. μ. Ἐπιφανίου ἐπισκ.
Κ. διήγησις σύντομος . . . δογμάτων καὶ ἄλλως κεφ. λδ' τῆς Πανδέκτου·
πόνημα Ἰω. μον. περὶ αἱρέσεων ἐν συντομίᾳ ρ'. . ., so 714; 150 schreibt diesen
Titel bis δογμάτων über die Kopfleiste und fährt darunter mit πόνημα
weiter, berichtigt aber die Kapitelzahl zu ργ', wie es für ihre H zutrifft.
Auf diese Berührung mit n ist vielleicht auch die Rückbildung der Varr.
von 765,22 und 757,36 (vgl. x) zurückzuführen. Kontamination: mit 484
680,21 σωμάτων] σώματος und 681,3 (genannt bei o) Ἀθηναίας, so 150,
714 τῆς Ἀθήνας, 288 wieder τῆς Ἀθηναίας; mit m 756,22 δακτύλῳ] τοῦ
δακτύλου; mit 390 (in r) vielleicht 757,18 ὑπάρχειν] ὕπαρξιν.
Trennfehler **150**: Varr. f und n; 757,32 κάτω om.
Trennfehler **714**: 677,9 τοῦ μὴ τούς] τοὺς μή; 684,5 ist dem oben angegebenen
Einschub Ἑλλήνων διαφοραί vorausgeschickt; 757,16/17 αὐταῖς . . . τιμᾶν]
om (Hom.); 761,2 ὀνομαζομένων om; 761,6/7 ὑποτέτακται (vgl. s)] ὑπόκειται; 773,1 σὺν γυναιξίν] om.
Abschrift von 714 ist bis ins kleinste auch in den H **288**.

Da die Erweiterung von 761, 3–4 nur in dieser Gruppe heimisch ist, darf gefolgert werden, daß die korrigierende Hand von 495 (= **495ᶜ**), die in dieser Hs am Schluß von c. 99 denselben Satz anbringt, nach p″ arbeitet.

q = 367 + 747:

Bindefehler (hier ist nur der erste Teil zuständig): im Titel fehlt jede Autorangabe; c. 63 stand vermutlich am Rand. Kontamination: Aufnahme von Var. m.

Trennfehler 367: Varr. c und f; 677, 4–6 α′. . .Ἰουδαϊσμός] om; 680, 5/6 μετέπειτα . . . Βαβυλῶνος καί] om (Hom.); 680, 32 μυστηρίοις, ἀφ᾽ ὧν τὰ πρῶτα] μυστηρίων πλεῖστα, ähnlich Epiphanios, und viele andere Absonderlichkeiten; 681, 19 διὰ τοῦ] δι᾽ αὐτοῦ, mit Epiphanios; 680, 21 ἐδόκουν und 684, 2 ὑποκάτωθεν mit m; c. 63 folgt erst nach c. 64. Da das Ende sich aus cc. 99 und 101 konstituiert und c. 83 sich frei hält von den langen Zusätzen, ist anzunehmen, daß diese Hs in der 2. Hälfte eher o bzw. genauer 705 folgt.

Eine sehr getreue Wiedergabe von 367 ist **411**.

Trennfehler 747: der Titel fehlt ganz; 677, 4–6 om; 677, 9 κέκληται] καλεῖται; 680, 10 οὗπερ] οὗ πάντες; 680, 13 ἐναρξ.] ἀρξάμενοι; 681, 13 ἑαυτόν om; c. 63 fehlt ganz, doch ist an seiner Stelle am Rand ein Verweis angebracht.

Wie schon im 2. Teil der H bestätigt sich auch im ersten **706** als genaues Abbild von 747:

Trennfehler: als Gesamttitel ἕτεραι αἱρέσεις διάφοροι; c. 63 ist wieder aufgenommen, veranlaßt wohl durch den Verweis in der Vorlage. – Bei einer Überprüfung der Datierung und bei weiterer Kollation könnte sich vielleicht einmal eine Umkehrung des Abhängigkeitsverhältnisses der beiden letzten Hss ergeben.

r 3 = 154 + 178:

Bindefehler: 756, 24 ἐλάσαντες] ἀλέσαντες; im variierten Schluß von c. 98 μετὰ ταῦτα] om. Kontamination: auf c. 101 in der abgewandelten Form (vgl. s!) folgt dasselbe nochmals in der gewöhnlichen (Migne-) Form; 760, 21 heißt es mit Epiphanios wieder δοκιμάζῃ πολιτείαν (gg. x).

Trennfehler 154: 681, 25 ἀποτέμνων] ἐπιτέμνων; 760, 12/13 καί . . . μεθοδεύοντες] om (Hom.); an c. 103 schließt das Ἀνάθεμα des Sophronios an.

Trennfehler 178: zahlreiche, im ersten Abschnitt starker Einfluß des Epiphanios, z. B. der Titel Ἀνακεφαλαίωσις πρώτου τόμου τοῦ πρώτου βιβλίου τοῦ κατὰ κ′ αἱρέσεων ἐλέγχου οὕτως κτλ.; von den Varr. des 2. Teiles sei nur aufgeführt der Schlußsatz von c. 98 = 761, 5/7: αὗται αἱ αἱρέσεις μέχρι τῶν χρόνων Ἡρακλείου γεγόνασιν, μετὰ δὲ Ἡρακλείου αὗται. An Stelle von c. 102 wird nochmals das abgewandelte c. 101 mit einer Veränderung am Anfang gebracht; c. 83 bricht mit 744, 7 ἀποδείξαντες ab.

r 2 = 111 + 390:

Bindefehler: Schluß von c. 98 mit ὡς ὑπόκειται st. ὡς ὑποτέτακται μετὰ ταῦτα (vgl. s!).

Trennfehler **111**: Var. f; 681,21 διὰ δέ] καὶ διά, schon in r'. Kontamination mit a: 757,38 Dat.- st. Akk.-Endungen; 760,23 φησιν post ἠναγκασμένως. Trennfehler **390**: 677,9 τοῦ μὴ τούς] τοὺς μή, mit 714; 757,18 ὑπάρχειν] ὕπαρξιν, ebenfalls in p''.

Mit r 2 berührt sich in der Textform von cc. 99 und 100 die Hs **370**: Sonderfehler: 761,10 καὶ 'Ονωρίου τοῦ 'Ρώμης (vgl. x)] ἔτι δὲ καὶ Πύρρου καὶ 'Ονωρίου 'Ρώμης; 761,17 εὐτελοῦς] εὐτελῶν; 761,20 τινες om und ὅμως] ὁμοίως; 761,25/26 ab παραβάται bis 764,5 anderer Kapitelschluß: κανόνας ... ἀλλότριον. Kapitelordnung am Ende der H: 99, 102, 101, 100, 103; von diesen sind aber 102 und 103 unseren bekannten nur inhaltlich gleich. Im Schluß von c. 101 finden sich noch folgende Sonderfehler: 773,6 καὶ εἰσι καὶ λέγονται] om; 773,7 ὅτι] οἵτινες und ἑνί] ἐν πνεύματι καὶ ἀληθείᾳ ἤγουν ἐν; 773,8 ἐν ... κατηγόρησαν] κατηγοροῦσι.

Der Hs 370 bleibt **669** auch im 2. Teil treu:
Trennfehler: 761,20 αὐτοὶ ὁμοίως St.

r 1 = r 2 + 754:

Bindefehler: Var. o; 757,8 ζητεῖ ἄλλο St.; 757,38 παραδ.] δεχόμενοι; 757,40 καὶ τερατοσκοπίαις καὶ ἐπαοιδαῖς] om (Hom.); 761,19 οὔτε ... προεστῶτες] om; das abgeänderte c. 101 beginnt erst mit 764,10 Σαρακηνοὺς δὲ ἑαυτοὺς καλοῦσιν; auf c. 103 folgt Timotheos τρεῖς τάξεις.
Trennfehler r 2 = Bindefehler r 2.
Trennfehler **754**: 677,7/8 διαρκέσασα] διήρκεσε; 680,21 δι' ἀλκήν] διαρκεῖν; 681,11/15 καὶ λοιπόν ... 'Ελληνισμοῦ] om; 681,24 τούτων τῶν αἱρέσεων τῶν τεσσάρων ὁ 'Απόστολος St.; 760,6/7 ἤγουν πρακτικῇ] om; 761,2 τοῖς ὀνομαζομένοις 'Αρειανοῖς st. Gen.

Die Textform von 754 gibt **366** wieder:
Trennfehler (bis c. 80): Var. f; 680,27 ὕλης] τέχνης; 684,4 ἅμα om.

r = r 3 + r 1:

Bindefehler: 681,22 προφήτου] πρώτου; im Schluß von c. 99 (vgl. x) ἕν ... ἐνέργειαν] om; c. 83 hat die langen Zusätze (wie bei Migne).
Trennfehler r 3 und r 1 = ihre Bindefehler.

s 1 = q + r:

Bindefehler: 681,25 ἀποτέμνων] ἐπιστέλλων; 756,24 ἐάσαντες] ἐλάσαντες; 761,5 'Ηρακλείου + τοῦ βασιλέως αἱ αἱρέσεις; der abgewandelte Text von 761,12/14 (vgl. x) verdrängt den vorausgehenden schon ab ἐν δέ. Kontamination mit Epiphanios: Varr. g, i und l.
Trennfehler q und r = ihre Bindefehler.

s=p″+s1:

Bindefehler: 684,4 ἐτῶν om; Erweiterung von c. 98 um die sonst fehlenden Zeilen 761,5–7, an deren Ende jedoch st. αἱ ὑποκείμεναι: ἄλλαι αἱρέσεις ὡς ὑποτέτακται μετὰ ταῦτα gesetzt ist; den Schluß der H bildet die Kapitelfolge 99, 100, 101 (in abgeänderter Form wie in Byzantion 10 [1935] 93 f = das abgewandelte c. 101 von m, am Anfang jedoch wie das gewöhnliche c. 101 mit ein paar Zeilen eigenem Text), 102 und 103. Epiphanios-Einfluß: Varr. a, d, e und f. – Trennfehler p″ und s 1 = ihre Bindefehler.

x=s+a:

Bindefehler: 677,8 γενεᾶς + ἕως; ohne Var. m; 756,22 ἐφαπτ.] ἁπτόμενοι; 757,19 ψυχήν + θνητήν; 757,32 κάτω λελ.] κάτω καταλελοιπέναι; 757,36 παρεισάγουσιν] παρεισφέρουσιν, schon in 484; 760,21 δοκιμάζῃ πολιτείαν] βούληται δοκιμάζειν καί; 761,10 Σεργίου + καὶ Ὁνωρίου τοῦ Ῥώμης; 761,12/14 δογματίζουσιν . . . ἰσχυρῶς ἀντιποιούμενοι] ἀθέλητον δὲ καὶ ἀνενέργητον . . . σφοδρῶς ἀντιποιούμενοι. – Diesen abgeänderten und erweiterten Schluß von c. 99 bringt eine korrigierende Hand auch in 510 an.
Trennfehler s = Bindefehler s.
Trennfehler a = **Haereses auctae:**
Bei mehreren Kapiteln ist der Text umgestaltet, besonders die Satzkonstruktion geändert, an viele Zusätze angefügt. Diese Zusätze stammen fast restlos aus der Schrift De receptione haereticorum von Timotheos presb. (MG 86, 11 ff). Im c. 64 greift der Bearbeiter anscheinend auf das Panarion des Epiphanios selber zurück. Die Nachrichten über die Jakobiten und Chazinzarier im Anschluß an c. 83 finden sich inhaltlich und z.T. wörtlich bei Nikephoros Kallistos (MG 147, 437 ff), eine Abhängigkeit, die vermutlich auf einer gemeinsamen Quelle beruht.

Die Art der Umformung sei an folgenden Beispielen veranschaulicht:

Migne	Haer. auctae

677,4–6

μητέρες καὶ

Πασῶν αἱρέσεων
πρωτότυποι δ′
α′ οἷον Βαρβαρ. . . .
ἐξ ὧν αἱ ἄλλαι πᾶσαι
ἀνεφύησαν.

Χρὴ (πάντα, fehlt in 688 + 259) εἰδέναι πιστόν, ὡς πασῶν αἱρέσεων μητέρες καὶ ῥίζαι πρωτότυποι δ′ ὁμοῦ καθεστήκασιν, ἐξ ὧν αἱ ἄλλαι πᾶσαι θεοῦ συγχωρήσει ἀνεφύησαν. Καὶ πρώτη μέν ἐστι Βαρβαρισμός κτλ.

680,15–17

καὶ ἐπὶ ἔθη καὶ θεσμοὺς

εἰδώλων μέντοιγε ἐναρξάμενα τάττεσθαι τὰ τῶν ἀνθρώπων γένη,

καὶ ἐπὶ ἔθη καὶ θεσμοὺς βεβήλους καὶ πράξεις ἀτόπους ἐκκλίνοντες· οὕτως οὖν εἰδωλολατρεῖν τὰ τῶν ἀνθρώπων γένη ἀρξά-

Migne   Haer. auctae

οἷς τότε ἐστοίχησαν, ἐθεο-   μενα,   οἷς τότε ἐστοίχουν, ἐθεο-
ποίουν.   ποίουν.

680, 20–22

ἢ τινάς τι   δράσαντας   εἴτε τινὲς ἕτεροι μνήμης τι ἄξιον
ἐν βίῳ μνήμης   δεδρακότες ἐν βίῳ ἐτύγχανον κατὰ
    δοκοῦν ἄξιον   δι’   τὸ ἐκείνοις δοκοῦν, εἴτε τι κατὰ
ἀλκὴν ἢ σωμάτων εὐρωστίαν.   ἀλκὴν σώματος καὶ εὐρωστίαν ἐπε-
         Ἔπειτα δὲ ἀπὸ τῶν χρό-   δείξαντο.   Ἀπὸ δὲ τῶν χρό-
νων τοῦ Θάρρα.   νων (τοῦ) Θάρρα . . .

Abgesehen von solchen Umgestaltungen des Textes seien an kleineren
Lesarten auswahlweise noch angeführt: der Titel lautet neben der Nennung von JD als Autor περὶ αἱρέσεων ἐν συντομίᾳ, ὅθεν ἤρξαντο καὶ πόθεν
γεγόνασιν; 680, 5 μετέπειτα + διήρκεσεν; 680, 13 ἐναρξ.] ἀρξάμενος, und zwar
nach εἰδωλολατρείας; ebd. ἐστοίχουν + ἑαυτῷ; 680, 14 τηνικαῦτα] τότε;
680, 18 καὶ διὰ μὲν χρωμάτων] ἐν χρώμασι; 680, 19 ἀπεικάζοντες] ἀπεικασμόν;
681, 24 ὁ ἀπόστολος ante περί; 756, 24 ἐάσαντες] φυλάσσοντες und εἴρηται
+ μέρος τῆς (τά ist zu streichen); 756, 26 παρά (st. κατά zu setzen)] καὶ
μείνη; 757, 38 πάσῃ μαντείᾳ καὶ ὀρνιθοσκοπίᾳ (Dat. st. Akk.); 760, 23 ἠναγκασμένως φησί St.

a=573+697[1]:
Bindefehler = die eben genannten Charakteristika.
Trennfehler **573:** 677, 7 ἔστιν διαρκέσασα] οὖσα διήρκεσε; 677, 9 ἀπὸ τοῦ]
διὰ τό; 680, 5 καὶ (ist einzufügen) Βαβυλῶνος] om; 680, 6 τὸν τοῦ πύργου
χρόνον] ταύτην; 680, 9 καί . . . προσεκρίθησαν] τοῖς ἐκεῖσε προσεκολλήθησαν
ἔθνεσιν; 681, 28 διαφοραί] αἱρέσεις; 756, 26 βραχύ] βραχύτατον μέρος· πάλιν
ἑτέραν σεμίδαλιν προστιθέασιν; 757, 37 ἀστρονομίαν καί] om; 757, 41 (einzufügen ist allgemein αὐτῶν καὶ ἑτέροις nach ὁμοίοις) αὐτῶν . . . συνηθείᾳ]
ἔθεσί τε καὶ λόγοις; 760, 17 δογμάτων + προβάλλονται; 764, 8 ἀπὸ τοῦ Ἰσμαὴλ
(mit Artikel)] οὗτοι τὸ γένος ἀπὸ Ἰσμαήλ; 764, 10/11 καλοῦσι δὲ αὐτοὺς καὶ
Σαρακηνούς St.

    Von 573 ist **607** abgeschrieben:
Trennfehler: 757, 19 θνητήν om; 757, 42 τινας Ἑλληνικάς] τῶν Ἑλληνικῶν;
761, 1 τινα] πολλά.

Trennfehler **697[1]:** 680, 25 ἔπειτα + εἰς τιμὴν τούτους μετέβαλον εἶτα; 680, 26
μιμ.] ἐκμιμησάμενοι und οἰκοδόμοι μὲν λίθον ξέσαντες] οἱ μὲν οἰκοδόμοι
ἐγίνοντο, οἱ δὲ λίθους ἔξεον ἐν εἴδει καὶ σχήματι τῷ αὐτοῖς αἱρετῷ, οἱ δὲ
ἀργυροκόποι; 756, 29 ἐν τοῖς ἄλλοις ὀρθόδοξοι ὄντες ἅπασιν St.; 757, 8 ζητεῖ

ἄλλο St.; c. 101 ist überschrieben περὶ τῶν Ἀγαρηνῶν οἱ καὶ Ἰσμαηλῖται λέγονται.

Von 697[1] scheint sich **64** herzuleiten (auf unserem Film fehlen für die Kollationsauswahl cc. 89–100):
Trennfehler: 677,7 ἥτις + ἐστί.

Getreues Abbild von 697[1] ist ferner **271**:
Trennfehler (Film ab c. 25): im photographierten Bereich keine.

Auf 697[1] gehen schließlich (unmittelbar oder über 271) zurück **601** und **688**:
Trennfehler **601**: Ergänzung des Titels um ἐκ τοῦ Πανδέκτου λδ′.
Trennfehler **688**: 677,10 τότε μὴ ἔχειν ἀνθρώπους ἀρχηγόν τινα St.; 680,2 προτίμησιν] πρώτην τίμησιν; 760,20 κοινοβίοις] κυβίοις; 764,10 προσαγορεύ-ονται] λέγονται.

Mit dieser Sippe scheint noch **3** sehr nahe verwandt zu sein, wenigstens soweit dies die Katalogangaben über Titel und Inc. erkennen lassen.

Dieselben Argumente könnten vorgebracht werden für eine Zusammengehörigkeit von **259** und **688**.

Wir treffen in den H. auctae wieder die Tendenz zur Stoffsammlung wie schon in D. fus. und E. inv., hier besonders in ŋ. Wenn darum die wenigen Hss der H auct., die diese Schrift in Verbindung mit D und E bringen, sich mit Expos.-Hss des inv.-Stammes decken, so ist das kaum ein bloßer Zufall, sondern ein Fingerzeig, daß wir in H auct. die Fassung der H vor uns haben, die D f und E i entspricht. Der Redaktor nahm als Grundlage für seine Tätigkeit aber nicht den Text von der Art unseres Stammes n oder g – wegen seiner wohl nicht zu großen Verbreitung kannte er ihn vielleicht nicht –, sondern einen aus einem ketzergeschichtlichen oder kirchenrechtlichen Überlieferungszweig. In den H ist es jedenfalls sicher, daß die längere Fassung aus der kürzeren herausgewachsen, die kürzere also die primäre ist.

Die Hyparchetypen m, o, r′ und x weisen das Plus der Varr. k, m, o und p auf; doch besagt das wahrscheinlich nicht die Abstammung von einem gemeinsamen Archetyp, sondern für die ersten 3 Varr. einen Einfluß des Epiphanios, für die 4. eine naheliegende selbständige Ergänzung. Der Umgebung nach befinden sich die H dieser Gruppen meist in kanonistischen oder häreseologischen Sammlungen.

Für die Überlieferung der H sind noch einschlägig die Schriften des Mönches Nikon wegen der darin enthaltenen Auszüge aus H. Erfaßt wurden von den Ἑρμηνεῖαι 3 Hss: **229A**, **506A** und **731**.
Bindefehler **506A** + **731** + **229A**: 760,16 αὐτούς om; 761,15 πάντα μὲν ὀρθόδοξοι τυγχάνοντες] οὗτοι μὲν πάντα ὀρθόδοξοι τυγχάνουσι, die Verbalendung mit 594; 761,17 σφᾶς αὐτούς] om und τινος εὐτελοῦς] τινων εὐτελῶν (εὐτελῶν lesen auch 370 und 669); 764,3 παραχωροῦντες] -ροῦσιν.

Bindefehler 506 A + 731, zugleich Trennfehler gg. Hyparchetyp u. 229 A: 760, 11 νέας] καινῆς; 761, 19 ἐπίσκοποι + ὄντες; 764, 3/4 αὐτοί . . . ἔργῳ] om. Trennfehler **506A**: 760, 8 αὐτοῖς (st. αὐτῆς) post διαβάλλοντες; 764, 1 μέν om. Trennfehler **731**: 761, 29 καί . . . πορευόμενοι] om. Trennfehler **229A**: 760, 18 οἱ]οῦτοι; 760, 19 προσαγορευόμενοι] -ρεύονται usf.

Das Verwandtschaftsverhältnis dieser drei Hermeneiai-Hss untereinander ist somit klar. – Mit ihrer Textform, näher mit der der Hss 506A und 731, teilweise sogar mit ihrem Umfang, decken sich ganz die Zitate im Taktikon und im Μικρὸν βιβλίον (unsere Hs **686A**). In der Gesamtüberlieferung der H wird man diese Hss nach der Textform, die sonst nirgends bezeugt ist, und nach den zitierten Kapiteln vielleicht in die Nähe von 594 (k) oder wegen der bei o für 756, 24 genannten Var., freilich bloß wegen dieser, zu diesem Zweig setzen dürfen.

An H-Hss, für die sich bisher kein Platz im Stemma ergab, sind folgende zu nennen:

89A ist nach dem kanonistischen Rahmen einem dieser Überlieferungszweige zuzusprechen.

186¹ (diese Hand im Kollationsabschnitt I) ist abgesehen von einigen Sonderlesarten sehr farblos. 680, 17 ἐστοίχησαν] -ουν geht mit a zusammen, aber nicht mehr in dem diesem Zweig eigentümlichen Kontext. Die Unterdrückung von ἐτῶν in 684, 4 findet sich noch in s. **186²** könnte mit dem Fehlen der Var. p und dem Schluß cc. 99 und 101 an n erinnern.

314 berührt sich in den Varr. e, i und l mit s l, in den Lücken 677, 4/6 α'. . .᾽Ιουδ.] om und 757, 44 καὶ ἐνιαυτούς] om mit 705 (o), in den übrigen Textvarr. aber und in der Kapitelfolge am Schluß, soweit der verstümmelte Zustand der Hs eine Aussage darüber zuläßt, und dem zusatzfreien c. 83 mit g, nicht aber in dem für diese Überlieferung bezeichnenden Titel von c. 101.

315 eignet seine sehr frei gestalteten H dem Epiphanios zu. Die Varr. des ersten Abschnittes sind abgesehen von den vielen Sonderlesarten auch wirklich fast ausnahmslos aus Epiphanios. Im zweiten Abschnitt verraten die Varr. 757, 23 αὐτῶν om und 757, 32 κάτω λ.] καταλελοιπέναι eine ferne Verwandtschaft mit g l, mit der Erweiterung von ψυχήν in 757, 19 um θνητήν aber eine leichte Färbung nach x.

351C läßt sich nach den mehr beiläufigen Bemerkungen von Beneševič zunächst nur ganz allgemein einem kanon. Zweig anschließen; dem Inhalt nach aber, auf den B. in seiner Arbeit verweist, scheint diese Hs x anzugehören.

Bei **520A** gestatten die Angaben der eben genannten Untersuchung die Annahme einer nur ganz vagen Verwandtschaft mit einer kanon. Sippe.

562 bietet mit seinen sehr willkürlich geformten Auszügen im Bereich unserer Kollationsauswahl keine Handhabe für eine stemmatische Zuordnung.

644 erschließt sich uns mit seinem kurzen Fragment, das nur mit ein paar Zeilen in unsere Auswahl fällt, ebenfalls kaum. Jedenfalls enden laut Kolophon diese H mit c.101 (als κεφ. ρ'); auch ist dieses bis zu 773,5 geführt. Damit ist eine Zugehörigkeit zu f2 (außer dem Ableger um 443), m, s und 484 (o) ausgeschlossen.

670 enthält in den 10 Halbzeilen seines Exzerptes nur Anklänge an c.101.

Da keine Sicherheit zu gewinnen ist, welcher Überlieferungszweig die Haeres. des JD am unverfälschtesten wiedergibt, und selbst für die H auctae JD als Redaktor nicht schlechthin ausgeschlossen werden kann, wird eine Edition alle diese Möglichkeiten berücksichtigen müssen, etwa in folgender Weise:

$n = 323 + 724 + 634$; $f2 = 220$ (+ 635 zur Ergänzung) + 495; $m = 351 B + i$ ($= 506 + 410$) + 520A + 594; $o = 705 + 484$; $r = 154 + 754 + 390$; $a = 573 + 697$[1].

Zum Schluß ist noch die eingangs beiseite geschobene Frage nach der Herkunft der H zu stellen. Sie wurde schon von Diekamp in der Einleitung zur Ausgabe der Doctrina Patrum mit großem Scharfsinn und überlegener Sachkenntnis eingehend behandelt und dahin beantwortet, daß die H nicht von JD stammen, sondern daß sie von JD aus der Doctrina Patrum herübergenommen wurden (S. LXXII). An diesem Resultat von Diekamp ist aber aus dem durch die Mikroaufnahmen ermöglichten größeren Überblick über das Material einiges zu ergänzen und zu berichtigen.

Zunächst sei die Frage nach der Priorität der beiden Fundorte der H (Pege oder Doctrina) nochmals aufgegriffen. Der Zeit der Entstehung nach sind beide Lösungen möglich: der älteste Doctrina-Kodex, zugleich der einzig erhaltene, in dem sich H als Kapitel 34 finden, wird zwischen 750 und 850 datiert, der Autor der Pege aber starb 754.

Auf der Suche nach der hsl. Zueignung der H an einen Autor bleiben wir seitens der Doctrina ohne Auskunft. In Pege-Hss aber werden sie in einem der ältesten Überlieferungszweige (n) als κεφάλαιον λδ' τῆς Πανδέκτου bezeichnet, womit zweifellos c.34 der Doctrina gemeint ist[1]), aber auch als πόνημα 'Ιωάννου μοναχοῦ κτλ. Allerdings hält Diekamp diese letzteren Worte für einen späteren Eintrag von jemand, der davon Kenntnis hatte, daß der Liber de haeresibus auch unter den Werken des Damaskeners

---

¹) Außer dem bezeichneten Überlieferungszweig ist diese Überschrift noch **714 + 288** eigen, und zwar hier neben dem üblichen einfachen Titel, wodurch der Schreiber seine Arbeit schon im Titel als Kontamination verrät, und 601, hier wohl infolge einer sporadischen Entlehnung aus einer anderen Hs. – Über den Gebrauch der Bezeichnung Pandektes auch für Schriften des JD vgl. Diekamp, S. LXXXII, Anm. 1!

stand (S. LXXXII). Diese Überlegung könnte jedoch ebensogut für den
ganzen Pandektes-Vermerk im Titel geltend gemacht und zum Beweis
für die Autorschaft des JD gewendet werden, so nämlich, daß der Schreiber des cod. 323 (oder der seiner Vorlage), der ja nicht die H allein enthält,
sondern E + H (möglicherweise ging vor der Verstümmelung noch D
voraus), vermerken wollte, daß die Haeres. auch im Pandektes als c. 34
zu finden sind und daß es sich bei ihnen um ein Werk des JD handelt.
Auch der Hinweis Diekamps auf das Fehlen einer Verfasserangabe im
Titel oder auf die Nennung des Epiphanios, um damit JD als Autor
auszuscheiden – nur in den Hss 367, 495, 634, 706 und 747 führen die H
keine Autorangabe bzw. richtiger überhaupt keinen Titel und nur in den
Gruppen m, s und in 705 ist Epiphanios als Autor der H genannt – ist
nicht überzeugend. Denn einmal konnte es ja sehr gut geschehen, daß
im Ganzen der Pege die Haer. nicht wieder eigens mit dem Verfasser-
vermerk versehen wurden, und zum anderen lag es nahe, Epiphanios als
Autor zu nennen, auch wenn der Kopist in der Vorlage keinen oder JD
als solchen angegeben fand, weil ihm ja bekannt sein konnte, daß die
Ἀνακεφαλαίωσις der Irrlehren von Epiphanios von Salamis stammt. Auch
mochte es unschwer geschehen, daß ein Schreiber den Pandektes-Vermerk
seiner Vorlage fallen ließ, wenn er nämlich die Doctrina nicht kannte und
darum diese Notiz nicht verstand, was bei der geringen Verbreitung dieser
Sammlung, die aus dem kärglich erhaltenen Rest gefolgert werden darf,
leicht zutreffen konnte.

Diekamp stellt ferner (S. LXVIII) fest, daß JD in seiner D und E sehr
fleißig die Doctrina benutzt. Als Beweis dafür, daß dieses und nicht ein
umgekehrtes Abhängigkeitsverhältnis bestehen muß, führt er u. a.
(S. LXXXI) an, daß im letzteren Fall JD sich selbst stark ausgeschrieben
haben müßte – „eine immerhin ungewöhnliche Annahme, für die sich aus
seinen Werken keine Analogien beibringen lassen und für die auch keine
sonstige Stütze von Belang vorhanden ist". In Wirklichkeit trifft aber
gerade das Gegenteil zu: H. Prof. F. Dölger hat nachgewiesen, daß es für
JD charakteristisch ist, sich selbst in ganzen Abschnitten und Sätzen
auszuschreiben[1]).

Sollten schließlich nach der Diekampschen These unsere Haer., wenigstens die der Pandektesgruppe, von c. 34 der Doctrina herrühren, dann
müßte eine starke textliche Gleichheit zwischen diesen beiden Rezensionen
anzutreffen sein. Eine Kollation wird durch die schmale Überlieferung der
Doctrina-Haeres. – sie sind nur in einer Hs der Doctrina enthalten, die
zwar durch ihr Alter und ihre Schrift sehr beachtenswert ist, an der Diekamp aber offenkundige Flüchtigkeiten und Versehen tadeln muß –
und die großen Textlücken gegen Ende unserer Ketzerliste sehr erschwert.

---

[1]) F. Dölger, Der griechische Barlaam-Roman, ein Werk des H. Johannes von
Damaskos [Studia patristica et byzantina 1], Ettal 1953, S. 66.

Übrigens betreffen die Mehrzahl der „Varianten", die Diekamp im Apparat zu c. 34 seiner Doctrina-Ausgabe aufführt, auch von anderen Hss einhellig bezeugte Berichtigungen des schlechten Lequien-Migne-Druckes. Über diese hinaus ergibt ein Textvergleich folgende Lesarten (mit erschöpfender Angabe der Parallelzeugen, außer bei den ersten mit Siglen bezeichneten): Varr. a, e, i, k, m, o; ferner 677,4/6 α'. . .'Ιουδαϊσμ.] om (mit o und r'); 677,6 πᾶσαι om; 680,1 ἐστοίχει . . . ἑαυτῷ] om (Homoiot.); 680,5 μετέπειτα] ἑξῆς; 680,24 in der langen Berichtigung in dieser Zeile fehlt nach καὶ τοὺς πρό: ἑαυτῶν; 680,25 ἑκάστη] ἑκάστης (mit m, r' und s 1, wegen Geringfügigkeit nirgends aufgeführt); 680,26 τέχνη om; 681,25 ἀποτ.] ἐπιτέμνων (mit 154); 684,2 θνητά vor τά gestellt; 684,4 Wortstellung ἀσκεῖν ἅμα; 756,24 ἐάσ.] ἀλέσαντες (mit 178, 298 + 510, 627); 757,39–40 Akk.-st. der Dativendungen (mit 315); 757,41/42 τοῖς . . . καί] τὰ ὅμοια τούτοις ἐθνικὰ ὄντα; schließlich das Fehlen der cc. 85, 87–93, 95–98 und das Abbrechen von c. 101 bei 765,21. Die Kollation zeigt, daß sich kein sonst bekannt gewordener Haeres.-Kodex auf diese Doctrina-Hs zurückführen läßt. Zwar soll nicht geleugnet werden, daß die Lückenhaftigkeit der Kapitel und manche andere Fehler auf Kosten des Schreibers dieses Kodex zu setzen sind und daß die Haeres. auch dieses Überlieferungszweiges 100 Kapitel umfaßten, aber ein Beweis für eine enge Zusammengehörigkeit dieser Rezension der Doctrina-Haeres. und den überlieferten Pege-Haeres. läßt sich aus den Textvarr. jedenfalls nicht erbringen.

So komme ich zu dem Ergebnis, daß der Beweis von Diekamp, JD habe für seine Pege gnoseos den Liber de haeresibus aus der Doctrina Patrum übernommen, nicht zwingend schließt, sondern wenigstens die Möglichkeit eines umgekehrten Abhängigkeitsverhältnisses offen läßt[1]). Es soll aber auch dem Vermerk in unserer Gruppe n, daß H = c. 34 der Doctrina Patrum sind, nichts von seinem Gewicht genommen werden. Die verschiedenen sich ergebenden Postulate sehe ich erfüllt in der Annahme, daß H auf JD zurückgehen, sehr früh aber aus der Pege ausgeschieden, jedoch in die Doctrina Patrum und andere Sammlungen aufgenommen wurden. Spätere Bearbeiter haben sie wieder in die Pege zurückgeführt, der von n aus der Doctrina, der von p'' und der H auct. aus einer kanonistischen oder häreseologischen Sammlung.

Zusammenfassend läßt sich bezüglich der Überlieferung der Haeres. festhalten:

Der Liber de haeresibus (= H), der mit der Dial. und Expos. des hl. Johannes von Damaskos verbunden ist, stellt eine leicht redigierte und auf 100 Nummern (als letzte Nr. 101 von Lequien-Migne, ohne 100) ergänzte

---

[1]) Vielleicht würde es sich nach diesem Ergebnis lohnen, die Frage nach der Entstehung der Doctrina Patrum wieder aufzugreifen und dabei JD als Autor neuerdings in Betracht zu ziehen.

Form der Ἀνακεφαλαίωσις des Panarion des Epiphanios von Salamis dar. Der Autor bzw. Redaktor dieser H ist nach dem Zeugnis der meisten Hss JD. Da keine Hs mehr erhalten ist, die den in der Widmungsepistel entworfenen Plan der Pege: D + H + E wiedergibt, sondern die Haer. nur in verhältnismäßig wenigen Hss zusammen mit D und E auftreten, und zwar gewöhnlich nachgestellt nach E und zudem als von der Doctrina Patrum stammend bezeichnet sind, ist zwar nicht mit Sicherheit zu beweisen, daß diese H den für die Pege vorgesehenen zweiten Teil darstellen, doch spricht alle vernünftige Wahrscheinlichkeit dafür.

Überliefert sind unsere H 1. in der Doctrina Patrum als c. 34, das aber nur von einer Hs bezeugt ist und hier nicht lückenlos (hrsg. auf der Basis des mangelhaften Migne-Druckes von Diekamp), 2. im Zusammenhang mit D + E unseres Kirchenvaters, angeblich aus der Doctrina Patrum herübergenommen, aber in der Textform beachtlich von dieser abweichend (unsere Gruppe n) und 3. in häreseologischen oder kanonistischen Sammlungen oder auch isoliert. Aus dem dritten Überlieferungszweig schuf ein Bearbeiter, möglicherweise derselbe, auf den Dial. fus. und E inv. zurückgehen, eine erweiterte Fassung = H auctae, die sich in wenigen Hss mit Df und Ei vereinigt finden (a). Ebenfalls auf der Grundlage dieses dritten Zweiges beruht die Textrezension von p″.

V.

LOKALISIERUNG DER TEXTFORMEN

Zur Abrundung des Themas sind noch die in der Beschreibung fest-
gehaltenen Vermerke über Schreiber, Besitzer, Käufe sowie die bisherigen,
leider zu seltenen paläographischen Untersuchungen von Hss auf ihre
Herkunft von bekannten Schreiberschulen auszuwerten, um daraus eventuell Erkenntnisse für die örtliche Abgrenzung von bestimmten Textformen zu gewinnen.

Nach diesen Feststellungen sind nachweisbar

Im Raum von Konstantinopel:	Dial.	Expos.	Haer.
Hs 752 in Kpel gekauft		d	
732 in Kpel gekauft	d	g	
742 in Kpel gekauft		r	
120 in Makedonien geschrieben ?	p′	Mischform	
734 in Kpel gekauft	o′		
748 in Kpel gekauft	o	r′	
756 A in Kpel gekauft			
757 in Kpel gekauft			
745 in Kpel gekauft	c	c	
223 Vorbesitzer in Kpel			o

In Griechenland,
auf den griechischen Inseln
und im östlichen Mittelmeer:

	Dial.	Expos.	Haer.
Hs 440 in Rhethymnon auf Kreta geschr.		nahe h	
294 auf Kerkyra gekauft	k	k	
558 auf Kythera geschr.	c		
286 auf Rhodos geschr.	g		
681 auf Kreta gekauft		ɪ	
722 auf Zakynthos geschr.	ɒ		
315 aus Thessalien	Mischform	Mischform	?

Auf dem Sinai (jetziger Standort):

	Dial.	Expos.
Hss 677, 679, 683 und 690	g	o

In Unteritalien
und im übrigen Westen:

	Dial.	Expos.	Haer.
Hs 201 in Cingoli und Ancona geschr.	c	c	
620 v. d. Basil. Italiens	d	d	
196 vielleicht tyrrhenisch?	g	f ?	
550 in Corigliano geschr.		d	
288 von Kornelios v. Nauplia geschr.	p″	d	p″
220 in Grottaferrata geschr.		f	f 2
323 aus S. Salvatore in Messina		f	n
291 im Salentinischen gekauft		h	
660 v. Konst.Tzamanturos geschr.	Mischform	h	
644 gräko-lombardisch		s	
285 v. Konst. Laskaris geschr.		a	
219 italo-griechisch	t	w′	
617 italo-griechisch		ҳ	
575 italo-griechisch	ҳ		
492 v. Michael Suliardos geschr.			g
335 abendländisch		Mischform	
621 v. d. Basil. Italiens[1])		Mischform	

Bei aller Vorsicht, die gegenüber der Beweiskraft der Nachrichten über Kauf, Besitz und besonders über die Heimat der Schreiber angebracht erscheint, ist dieser Zusammenstellung zu entnehmen, daß eine Festlegung einzelner Textformen auf bestimmte Gebiete nicht möglich ist, daß sich vor allem keine Handhabe für eine Lokalisierung der längeren oder kürzeren Fassung der Pege findet. Nur die Sinai-Hss einigen sich auf eine eigene Textrezension, die aber von der sonstigen Überlieferung nicht sonderlich absticht. Besondere Beachtung verdient an dieser Stelle Unteritalien insofern, als sich unter den Hss, die es uns erhalten hat, sehr alte Textzeugen der Pege befinden[2]). Wer schließlich vielleicht besondere Erwartungen auf Sabas-Hss von Jerusalem gesetzt hatte, wird diese unerfüllt sehen.

---

[1]) Die Herkunft einer Hs von einer anderen Bibliothek, z. B. unserer Moskauer Hss von Athosklöstern, besagt kaum mehr als die Zugehörigkeit zu einer solchen, diese wieder nicht ohne weiteres etwas über die Provenienz, weshalb der heutige Standort einer Hs in diesem Abschnitt im allgemeinen nicht berücksichtigt wurde. Die Prüfung der Athoshss unter diesem Gesichtspunkt ergab übrigens dasselbe bunte Bild wie die obige Zusammenstellung.

[2]) In diesem Zusammenhang darf vielleicht an den Vortrag von T. Minisci: Riflessi studitani nel monachesimo italo-greco, gedruckt in Il monachesimo orientale [Orient. christ. anal. 153] Roma 1958, S. 215–233, gedacht werden.

VI.

ÜBERSETZUNGEN

Außer den griechischen Hss sind als Zeugen der Überlieferung auch die alten Übersetzungen in fremde Sprachen zu beachten.

Noch in das erste nachdamaskenische Jahrhundert führt uns die syrische Apologie des Elias[1]) hinauf, die mehrere Stellen aus D. br. und E. ord. unter Benutzung der durchlaufenden Kapitelzählung zitiert. Ob Elias eine Vollübersetzung vor sich hatte oder seine Auszüge unmittelbar aus dem Griechischen übernahm, muß offen bleiben.

Eine Übertragung in das Arabische[2]) erfuhren spätestens im 10. Jh. D b[3]) + E o durch Antonios, den Oberen des Simeonsklosters bei Antiocheia (vgl. S. 112 u. 166). Diese Übersetzung des Antonios bildete die Grundlage für alle weiteren Bearbeitungen in dieser Sprache. – 'Abdallāh ibn al-Faḍl nahm 1052 in seine Anthologie „Buch der Erheiterung des Gläubigen"[4]) mehrere Stellen aus der Dial. d. i. Auszüge aus cc. 10 b, 11 (ganz), 14, 16, 17, 29, 43, 44, 49, 51, 66 auf, und zwar nach Kapp.-Zählung und Wortlaut aus der Übersetzung des Antonios. – Der Karmelitermissionär Bruno von Ivo oder de Saint Yves[5]) schuf unter dem Titel „Schild des rechten Glaubens in der Form eines Kompendiums" eine verkürzte Expos., indem er verschiedene Kapitel ausließ, in den übernommenen vielfach zusammenzog, Sätze umstellte und rhetorisch ausschmückte. Abendländischer, nicht genauer fixierbarer Einfluß wirkte sich in der Zerlegung von c. 8 in 4 Abschnitte und in der Einteilung der ganzen Expositio in

---

[1]) A. van Roey, La lettre apologétique d'Élie à Léon, syncelle de l'évêque chalcédonien de Harran, in Le Muséon 57 (1944) 1–52. – Der Verfasser hatte die Güte, uns die Zitate im vollen Wortlaut und ins Griechische zurückübersetzt mitzuteilen, wofür ihm auch an dieser Stelle nochmals gedankt sei.

[2]) Was hier von dieser Übersetzung gesagt wird, verdanken wir der gütigen Mithilfe von Prof. G. Graf (†), der in einem uns vorliegenden Manuskript über „die arabischen Übersetzungen von Schriften des Johannes von Damaskos" zusammenstellte und erweiterte, was er in seiner „Geschichte der christlichen arabischen Literatur" der Allgemeinheit schon zugänglich gemacht hatte. Herzlich sei hier auch Herrn Dr. J. Aßfalg gedankt für seine Übersetzungen aus cod. Vat. arab. 436.

[3]) Es handelt sich entgegen den unsicheren Angaben von Graf (II 43) eindeutig um die D. brev.; die Zahl von 53 Kapiteln entsteht durch Teilung von c. 37 (gezählt nach Migne) und durch die Aufnahme und Zweiteilung des ZKp. (wie auch in unseren Hss 577 und 579).

[4]) Graf II 61.

[5]) Geboren 1600 in Alain in der Bretagne, seit 1642 in Aleppo in der Seelsorge tätig, dort 1661 gestorben. Graf IV 245 f.

4 Bücher aus. Die Veröffentlichung dieser Arbeit im Druck war vorgesehen, wurde aber nicht mehr ausgeführt. – Auch Patr. Silvester aus Kypros (erste Hälfte des 18. Jh.) widmete sein Interesse der Expos., scheint aber in der Hauptsache nur die Einteilung in Bücher (nach Lequien) vorgenommen und Bibelstellen nachgewiesen zu haben[1]).

Eine tiefer gehende Überarbeitung (erhalten in cod. Vat. arab. 1320 s. 19) nahm eine unbekannte Hand vor durch die Einteilung in Bücher und durch ausgiebige Revision und Umformung des Textes. Als Vorlage könnte dabei die Ausgabe von 1715 (s. unten S. 231) gedient haben. – Nicht auf Antonios geht die Übersetzung von Expos. 86 zurück, das der koptische Schriftsteller An-Nušū' abu Šākir ibn Buṭrus ar-Rāhib (13. Jh.) in sein „Buch des Beweises" als Frage 16 (über die Eucharistie), Abschnitt 45 eingebaut hat[2]). Wahrscheinlich handelt es sich nicht um einen Teil einer Vollübersetzung, sondern um eine Übersetzung nur dieses Kapitels, das auch im Griechischen oft isoliert überliefert ist.

Von den Haeres. gelangte nur ein kurzer Abschnitt (c. 83) ins Arabische, und zwar auf dem Umweg über die griechischen Schriften des Mönches Nikon von Rhoïdiu[3]). Daß von den Haeres. noch weitere Stücke mit den Hermeneiai des Nikon übersetzt wurden, wird von Graf nicht ausdrücklich gesagt, darf aber aus der Darstellung gefolgert werden. (Vgl. S. 209). Ins Georgische[4]) wurde die Expos. (Pege?) auszugsweise übersetzt vom Athosmönch Euthymios († 1028). Ep'rem Mcire übersetzte in den neunziger Jahren des 11. Jh. auf dem Schwarzen Berg bei Antiocheia Dial. brev.+ Expos. (ord.?) ins Georgische[5]). Dabei stand ihm unter anderen Arsen Iqalt'oeli zur Seite. Letzterer[6]) fertigte neuerdings eine von der vorgenannten nur wenig verschiedene[7]) Übersetzung der Pege (Db + E) an, um sie seinem Dogmatikon einzuverleiben. Begonnen hat er dieses Werk im Manganonkloster zu Konstantinopel (vermutlich vor 1114), fertiggestellt in Šio-Mġvime. Im praktischen Gebrauch verdrängte diese Übertragung ihre Vorläuferin, wurde außerdem 1744 in Moskau gedruckt[8]). Vgl. S. 127 f.

Den Armeniern[9]) suchte schon im 10. Jh. der Mamikonier Bagarat

---

[1]) Graf III 126.

[2]) Graf II 428 f.

[3]) Graf II 67.

[4]) M. Tarchnišvili und J. Aßfalg: Geschichte der kirchlichen georgischen Literatur [Studi e Testi 185] Città del Vaticano 1955, S. 140 f. – Vgl. oben S. 128.

[5]) Tarchnišvili 188.

[6]) Tarchnišvili 201.

[7]) Dagegen jedoch J. Karst, Littérature géorgienne chrétienne [Bibl. cath. des sciences rel.] Paris 1934, S. 33: „Cette version arsénienne se distingue considérablement de celle d'Ephrem le Mineur."

[8]) Tarchnišvili 208. – Über Sio-Mġvime vgl. Tarchnišvili in Orient. chr. anal. 153 (1958) 314.

[9]) N. Akinian, Simeon von Plndzahankh (1188–1255) und seine Übersetzung aus dem Georgischen ins Armenische. II. Johannes von Damaskus in der armenischen Literatur, (armen.) in Handes Amsorya 61 (1947) 193–219, deutsch. Resumé 249–254. Diesen Artikel

die Dial. mit einer Übersetzung aus dem Griechischen zugänglich zu machen. Simeon von Plndzahankh übertrug vor 1248 die Pege (= D+ E) aus dem Georgischen (Übersetzung des Arsen Iqalt'oeli). Vgl. S. 128.

Eine Übersetzung der Expos. ins Altbulgarische erfolgte am Ende des 9. oder Anfang des 10. Jh. durch den Exarchen Johannes (hrsg. 1878). Nach Mitteilung von Prof. I. Dujčev handelt es sich aber dabei nur um eine Auswahl aus der E (vgl. S. 193). – Ein kurzes Exzerpt aus der Dial. enthält Svjatoslav's Izbornik von 1073. Eine Vollübersetzung der Dial. ins Altbulgarische ist in Hss nachweisbar seit dem 15. Jh[1]), gedruckt wurde eine solche in Auswahl 1881.

An weiteren kirchenslavischen Übersetzungen werden für die Expos. von Bronzov[2]) genannt die von Andrej Kurbskij im 16. Jh. (als Beispiel für mehrere; s. S. 174), die von Epifanij Slavenickij (sic Bronzov), hrsg. 1656 (nach Undolski 1665), und die von Amvrosij Zertis-Kamenskij[3]), Erzbischof von Moskau, hrsg. 1771 (s. S. 174).

An russischen Expos.-Übersetzungen führt Bronzov an:
1. die der Geistl. Akademie von Petersburg in Christianskoe Čtenje 1839, 1840 und 1841[4]), vermutlich nach der Ausgabe von Lequien (s. S. 174),
2. die der Geistl. Akademie von Moskau, 1844, nach Lequien (s. S. 174); dazu tritt als
3. die von Bronzov, 1894 (s. auch S. 174), und als
4. im Rahmen einer geplanten Gesamtedition 1913 die Pege gnoseos nach der Ausgabe von Migne von verschiedenen Gelehrten übertragen, unter der Gesamtredaktion von A. Sagarda (vgl. S. 174).

Die Dial. erschien russisch 1862. Vgl. S. 174.

In der Bibliothek des Klemensklosters in Ochrida befindet (oder befand)

übersetzte uns im vollen Wortlaut Prof. W. Hengstenberg. – Vgl. auch P. Peeters, Traductions et traducteurs dans l'hagiographie orientale à l'époque byzantine, in Anal. Boll. 40 (1922) 241–298. – Ob der armenische und arabische Text von Expos. 57 des cod. Ambros. 803 (unsere Hs 313) mit den obigen Vollübersetzungen etwas zu tun hat, vermag ich nicht festzustellen.

[1]) G. Vernadsky, Kievan Russia, New Haven 1948, S. 283. – Prof. I. Dujčev teilte mit, daß diese Übersetzung nur teilweise veröffentlicht ist und daß seine Versuche, von den betreffenden Hss Aufnahmen zu erhalten, erfolglos waren. So muß die Frage nach der Art dieser Übertragung unbeantwortet bleiben.

[2]) In der Einleitung zu seiner Ausgabe von 1894 S. LXVII ff. – Für die Übersetzungen aus dem Russischen sei hier meinem Mitbruder P. Anselm Reichhold, P. Chrysostomus Blaschkewitz von Niederaltaich und P. Irenäus Doens von Chevetogne gebührend gedankt. – P. Raes vom Pontif. Istituto Orientale gab uns wertvolle Auskünfte aus dem Werk von V. M. Undolski, Očerk slaviano-russkoj bibliografii, Moskau 1871, und aus dem Katalog von Aleks. Vostokov. Nach letzterem enthält der cod. Mus. Rumjanc. 193 die kirchenslav. Übersetzung von Kurbskij, und zwar laut den Verweisen am Rand nach der Ausgabe von 1548.

[3]) Nach C. Kern, Les traductions russes des textes patristiques, Chevetogne 1957, S. 38; als Zeit der Veröffentlichung wird hier 1765–81 angegeben. Undolski dagegen nennt 2 Ausgaben: 1774 und 1785.

[4]) Nach Kern handelt es sich um eine unvollständige Übertragung, die übrigens schon 1830 begonnen worden sein soll.

sich unter Nr. 8 ein Kodex mit Werken des JD in serbischer Sprache[1]).
Sollte diese Hs identisch sein mit dem Kodex, der vielleicht nach anderer
Zählung als 3 bezeichnet ist, so hätten wir hiemit eine serbische Expos.
vor uns[2]). Näheres konnte von ihr nicht in Erfahrung gebracht werden.
Altserbisch erschienen Dial. und Expos. 1827; als Vorlage diente eine
griechisch-lateinische Pege (vermutlich Lequien, s. S. 174).
Rumänisch wurde die Expos. 1806 (wohl nach Lequien) herausgegeben.
Als Übertragung in das Neugriechische hat sich die Expos. in cod.
Athous Vatop. 284 (s. 19) und Sinait. gr. 390 (s. 18) herausgestellt. (s. S. 174).
Die Reihe der lateinischen Übersetzungen eröffnete Cerbanus mit
der Übertragung von Expos. 45–52 vor 1145[3]), hrsg. 1940, 1951 und 1955.
– Die lateinische Expositio schlechthin wurde für das Mittelalter aber
die Vollübersetzung des Pisaner Rechtsgelehrten Burgundio aus den
Jahren 1153 und 1154 (hrsg. 1955)[4]). Diese fand zwischen 1235 und 1239
wieder einen Redaktor in Robert Grosseteste[5]), der sein Latein noch
mehr der griechischen Vorlage anglich, manches ergänzte und in seiner
Weise auch die restlichen Teile der Pege (D u. H) übersetzte (s. S. 127, 192
u. 201)[6]); Epist. und Dial. wurden abgedruckt von Gravius (1546), im
wesentlichen wieder verwertet von Hopper (1548 usw.), ohne Epist. hrsg.
1953. Von G. übernahm Gravius auch die Übersetzung der Haeres. – Als
Nächster versuchte sich an der Expos. der Ferrareser Karmelit Giov. B.
Panetti (Panetius, † 1497) in einer stellenweise recht freien und un-
genauen lateinischen Wiedergabe (vgl. S. 193). – Ein großer Erfolg war
der lat. Expos.-Übertragung von Jacques Lefèvre d'Étaples (Jacobus
Faber Stapul.) beschieden[7]), die 1507 zum ersten Male aufgelegt und
zehnmal wiederholt wurde: 1512, 1514, 1519, 1535, 1539, 1546, 1548,
1559, 1575 und 1602, meist mit dem Kommentar des Josse Clichtove
(Jodocus Clichtoveus) aus Nieuport in Flandern. – Der gebürtige Grieche
Hilarion, Veroneser Mönch der Kongregation von S. Giustina, goß die
Dial. sehr großzügig (er stellt Sätze um und interpretiert und paraphrasiert
nicht selten) in das Lateinische um (s. S. 127) und kam damit in der Ausgabe von 1514 zu Ehren. – Die Haeres. erschienen in lateinischer Sprache
gedruckt zum ersten Male 1544 durch den Benediktiner von Cormery

[1]) R 386: VI (1901) 466.
[2]) R 386: IV (1899) 139.
[3]) Siehe Ausgabe von 1955 S. LI–LIV! – Vgl. oben S. 191.
[4]) Wie R. Barbour im Mai 1958 brieflich mitteilte, erwarb die Bodleiana die Hs Holkham
misc. 4, olim 83; diese enthält die Expositio in der Übersetzung des Burgundio, außerdem
einen Vermerk, wonach Paulus de Monelia, sacri apostolici palacii magister, am 20. Juli
1495 sein Einverständnis zum Druck dieses Werkes gab. Dieses Vorhaben ist aber offenbar
nicht verwirklicht worden. – Vgl. auch oben S. 191.
[5]) Robert Grosseteste Scholar and Bishop, ed. by S. A. Callus, Oxford 1955, S. 47.
[6]) S. H. Thomson, The Writings of Robert Grosseteste. Cambridge 1940, S. 45 ff.
[7]) Diese Übertragung ist viel freier als die mittelalterlichen, interpretiert zuweilen mehr,
als sie übersetzt, erweitert und kürzt in geringem Grade nach Bedarf. – Vgl. oben S. 155.

Joachim Perion (Perionius), dann noch 1548, 1559 und 1575, gingen auch in die Billius-Ausg. von 1577, 1603 und 1619 ein. – In neuer Übersetzung gab der Benediktiner Jacques de Billy (Billius) u.a. die Expos., Epist. und Dial.fus. in den genannten Jahren heraus (s. S. 133f u. 174). – Jean-Baptiste Cotelier (Cotelerius), Patristiker des Jesuitenordens, stellte in seiner Ausgabe von 1677 dem griechischen Haeres.-Text von cod. Paris. gr. 1320 einen neuen lateinischen zur Seite (vgl. oben S. 203). – Wiederum verbesserungsbedürftig fand die bisherigen Übersetzungsversuche der Dominikaner F. Combefis in den Vorbereitungen für die ihm übertragene Gesamtausgabe (vgl. unsere Hs 418, sowie S. 145 u. 174), die zu vollenden ihm aber nicht mehr beschieden war († 1679). Dieses Vorhaben sollte vielmehr von seinem Ordensmitbruder Michael Lequien ausgeführt werden, wobei neuerdings, und zwar bis jetzt zum letzten Male eine lateinische Übertragung entstand; diese wurde veröffentlicht 1712, 1748 und (von Migne) 1864. Vgl. S. 174.
Dem deutschen Sprachkreis wollte 1880 H. Hayd die Gedanken des Damaskeners erschließen mit einer Übersetzung der Expos.; ihr ließ D. Stiefenhofer 1923 eine neue folgen. Vgl. S. 174.
1899 schließlich gab S. D. F. Salmond die Expos. noch englisch heraus Vgl. S. 174.

Ein paar kurze Proben aus den verschiedenen lateinischen Übertragungen, synoptisch angeordnet, sollen das sprachliche Idiom und die gegenseitige Abhängigkeit der Übersetzer anschaulich machen! Es folgen aufeinander: Griechisch, Cerbanus (C), Burgundio (Bu), Grosseteste (G), Panetius (Pa, nur bis E 44 photographiert), Faber (F), Hilarion (H), Perionius (Pe), Billius (Bi), Cotelerius (Ct), Combefis (Cb), Lequien (L).

Epistola Anfang = MG 94, 521, 8–12

Τὸ μὲν στενὸν τῆς διανοίας καὶ τὸ ἄπορον τῆς γλώσσης (τῆς ἐμαυτοῦ)

Bu	Artitudinem	mentis et	inopiam	linguae	meae
G	Angustum quidem mentis	et	defectum	linguae	meae
H	Cum ingenii mei tarditatem et		orationis inopiam		
Bi	Cum ingenii mei angustias ac		linguae difficultatem		
Cb	Cum ingenii mei angustias ac		linguae difficultates		
L	Cunctabar quidem, o beate,				
	exilitatis ingenii mei et		linguae difficultatis		

ἐπιστάμενος ὤκνουν, ὦ μακάριε, τοῖς ὑπὲρ

Bu	dinoscens	pigebat me,	o felix,		actractare
G	sciens	pigritabar,	o beate,		ea quae super
H	non ignorarem	verebar (fateor),	vir sanctissime,		ultra
Bi	exploratam haberem,	cunctabar equidem,	vir beate,	iis quae vires	
Cb	exploratas haberem,	cunctabar equidem,	vir beate,	iis quae vires	
L	conscius			iis quae vires	

δύναμιν　　ἐγχειρεῖν　　　　καὶ τῶν ἀδυ(νά)των　κατατολμᾶν.

Bu excelsiore　　　virtute　　　　　　　temptare impossibilia.
G　　　　potentiam incipere　　　et　impossibilia　　　　audere.
H　　　　vires　　　　audere　　　et tam ardua et fortia aggredi.
Bi meas excederent, manum admovere atque . . .
　　　　　　　　　　　　　　　　ea quibus impar essem aggredi.
Cb meas excederent, manus　admovebo atque . . . adyta　　persuadere.
L　meas excederent, manum admovere et adytorum recessus penetrare.

Expos. 23 Schluß = MG 94,905,12–15

Κάλλιστον　δὲ　στοιχεῖον　τὸ　ὕδωρ καὶ　πολύχρηστον

Bu Optimum igitur elementum　est　aqua et　　plurimo usu utilissimum
G　Pulcherrimum autem elementum aqua et　　plurimo usu utile
Pa Elementum igitur optimum　est　aqua et　multipliciter utilis,
F　Optimum ergo　elementum　　　aqua et plurimo usui accommodum,
Bi Pulcherrimum autem elementum aqua　est
　　　　　　　　　　　　　atque ad multos usus accommodatum,
L　　Optimum autem elementum est　aqua et ad multos usus commodum;

καὶ ῥύπου καθάρσιον,　　οὐ μόνον (μὲν)　σωματικοῦ ἀλλὰ καὶ ψυχικοῦ,

Bu et sordis purgativum, non solum　　　　corporeae　sed　et　animalis
G　et sordis purgativum, non sol. quidem corporalis sed　et　animalis
Pa immundiae purgatrix, non corporalis solum　　　　sed　　spiritualis
F　　sordis purgativum, non modo　　　corporis　sed et　animae
Bi eamque vim habet, ut non modo　　　corporum sed etiam animorum,
L　eamque vim habet, ut non corporum modo　　　sed etiam animarum,

εἰ προσλάβοι τὴν χάριν τοῦ Πνεύματος.

Bu si assumpserit　gratiam　Spiritus.
G　si accipiat　　　gratiam　Spiritus.
Pa et per gratiam accipimus Spiritus sancti (†).
F　modo　　　Spiritus sancti gratiam assumpserit.
Bi siquidem　Spiritus sancti gratia accesserit, spurcitiem eluat.
L　dummodo Spiritus sancti accesserit gratia, spurcitiem eluat.

Expos. 45 Anfang = MG 94,981,4–7

Ταύτῃ τοίνυν τῇ προσβολῇ τοῦ ἀρχεκάκου　　δαίμονος　δελεασθέντα

C　　　　Suggestione igitur principis　　　daemoniorum inlaqueatum
Bu Hac　igitur immissione　archekaku
　　　　　　　(i.e. principis mali) daemonis　　deceptum
G　Hac　igitur immissione　principaliter mali　daemonis　deceptum
F　Hac　igitur percussione　principis malorum daemonis　deceptum
Bi Hoc　igitur daemonis, a quo vitii initium fluxit, assultu　deceptum
　　　　　　　　　　　　　　　　et in fraudem inductum
L　Hoc　itaque　　daemonis　malorum　auctoris　assultu　deceptum

τὸν ἄνθρωπον καὶ τὴν τοῦ δημιουργοῦ ἐντολὴν μὴ φυλάξαντα καὶ

C	hominem	et	creatoris	praeceptum	non custodientem	et
Bu	hominem	et	conditoris	mandatum	non custodientem	et
G	hominem	et	conditoris	mandatum	non custodientem	et
F	hominem	et	conditoris sui	praeceptum	non observantem	et
Bi	hominem	atque	ob violatum	Opificis	praeceptum	
L	hominem		violatique	conditoris	praecepti reum	et

γυμνωθέντα τῆς χάριτος καὶ τὴν πρὸς θεὸν παρρησίαν ἀπεκδυσάμενος
(παρουσίαν)

C	denudatum gratia	et		praesentia	privatum ...
Bu	denudatum gratia	et ea quae ad deum praesentia			exutum ...
G	denudatum gratia	et eam que ad deum confidenciam			exutum ...
F	nudatum gratia,	et	fiducia ad Deum		destitutum...
Bi	gratia exutum, eaque, qua apud eum pollebat, fiducia spoliatum ...				
L	gratia nudatum, qui exuta qua pollebat apud Deum fiducia ...				

Haeres. 1 Anfang = MG 94, 677, 7—9

Βαρβαρισμός, ἥτις καθ' ἑαυτήν ἐστι διαρκέσασα ἀπὸ ἡμερῶν

G	Barbarismus quae haeresis sec. seipsam est sufficiens		a	diebus
Pe	Barbarorum haeresis est,	quae a se orta et sola	ab	
Ct	Barbarismus quae secta	per se est	duravitque	ab
Cb[1])	Barbarismus, qui	seorsim solusque		a	diebus
L	Barbarismus, qui	solus		a	diebus

τοῦ Ἀδὰμ ἐπὶ δέκα γενεὰς τοῦ Νῶε.

G	Adam	usque ad decem generationes	Noe.
Pe	Adami temporibus	usque ad decimum ortum	Noe duravit.
Ct	Adami temporibus	per decem generationes	usque ad Noe.
Cb	Adami	ad decimam generationem	usque ad Noemi tempora perseveravit.
L	Adami	ad decimam usque generationem	seu Noe tempora perseveravit.

---

[1]) Aus Paris. Arch. nat. M. 833 Fasc. 1⁶ p. 144.

VII.

EDITIONEN

Die Pege gnoseos des Johannes Damaskenos hat auch eine ansehnliche Zahl von Gesamt- und Teilausgaben erlebt. Sie zu erfassen und ihre Stellung im Ganzen der Überlieferung zu betrachten, ist ebenfalls ein Teil der vorgenommenen Arbeit. Sie sind im folgenden in chronologischer Reihenfolge aufgezählt und beschrieben, wobei das Erscheinungsjahr zugleich als Sigle zu betrachten ist.

1507. Titelblatt: Contenta. Theologia Damasceni. I. De ineffabili divinitate ... Schlußseite: Sancti patris Ioannis Damasceni de Orthodoxa Fide liber: interprete Jacobo F a b r o S t a p u l e n s i ... Parisiis per Henricum Stephanum ... a.d. 1507. – lat. – Als Ganzes Expos. ord. – Vgl. S. 155 u. 220.

Widmungsepistel bei MG 94,97f. – Faber übernimmt die spätestens seit 1224 sich verbreitende Einteilung der lateinischen Expos. in 4 Bücher (siehe Ausgabe von 1955, S. XVIII): cc.1–14[1]) = I, 1–19; 15–44 = II, 1–30; 45–73 = III, 1–29; 74–100 = IV, 1–28. Von den b-Kapiteln (vgl. oben S. 3) ist nur 22b (schon zusammengenommen mit 22) vorhanden. C. 8 ist in Teile zerlegt: es beginnt I,9 bei 816,9; I,10 bei 821,18; I,11 bei 828,5; in ähnlicher Weise c.13 in 3: c.II,17 bei 852,38 und II,18 bei 853,31. Was bei Lequien-Migne als Anhang zu c.52 erscheint, finden wir hier richtig nach c.81 als IV,9.

1512. Titelblatt: In hoc opere contenta. Theologia Damasceni quatuor libris explicata: et adiecto ad litteram commentario elucidata. I De ineffabili divinitate ... Haec Damasceni cum expositione prima aemissio typis absoluta est Parisiis: ex officina Henrici Stephani. Anno ... MDXII. (Interprete Iacobo F a b r o S t a p u l e n s i : interiecta Iudoci Clichtovei Neoportuensis explanatione). – lat. – Als Ganzes Expos. wie 1507, dazu der Kommentar des Clichtoveus. Widmungsepistel des letzteren MG 94,97–100, worin die neue Übersetzung (des Faber) als sprachlich besser, sinngetreuer und klarer gerühmt wird gegenüber der translatio vetus (= Burgundio).

1514. Sancti Ioannis Damasceni nusquam formis pressa doctiore ore quae Minerve composita opera vulgo. T. IV f. 44r: Interprete Jac. F a b r o S t a p u l ., Venetiis per Lazarum de Soardis 1514. – lat. – Epist. (auf einem

---

[1]) Die Angaben sind dem Inhaltsverzeichnis – nur dieses liegt von dieser Edition photographiert vor – von 1507 nicht zu entnehmen; ich erschließe sie aus 1514.

nicht foliierten Blatt), T. I f. 1 – 12 v Dial. brev. mit ZKp. (Übersetzung des **Hilarion**), T. IV f. 1 r–42 r Expos. (Faber, wie 1507, ohne Clicht.), f. 42 r–43 r Pinax II. – Vgl. S. 127 u. 220.

In der Dial. fehlen cc. 44–45; aber aus der fus. sind cc. 18–28 zwischen cc. 15 und 16 aufgenommen; zwischen cc. 29 und 30 sind 7 Abschnitte über Hypostase und ähnliche Begriffe eingereiht. Cc. 67 + 68 stehen als c. 1 bei der darauffolgenden „Physica" = Nikephoros Blemmydes (MG 142, 1023–1320). Die Abtrennung der cc. 67 + 68 von der Dial. wurde von Billius nachgeahmt und wirkt sich wohl auch noch bei Lequien in der Unordnung der Kapitel am Schluß von D aus.

1519. Titel wie 1512. Haec . . . secunda aemissio . . . Parisiis ex officina Henrici Stephani. Schlußseite: a. d. 1519. – lat. – Wiederholung von 1512 mit dem Kommentar.

1531. Ἰωάννου τοῦ Δαμασκηνοῦ ἔκδοσις τῆς ὀρθοδόξου πίστεως. Τοῦ αὐτοῦ, περὶ τῶν ἐν πίστει κεκοιμημένων. Joannis Damasceni editio Orthodoxae fidei. Eiusdem de iis, qui in fide dormierunt. Veronae. MDXXXI. Schlußseite: Veronae apud Stephanum et fratres Sabios. – griech. – Als Ganzes Pinax II, Expos. ord. u. Deff. – Widmungsepistel und Vorwort bei MG 94, 99–104. – Vgl. S. 173 u. Ausg. (1548, 1559,) 1715 u. 1859.

Diese Ausgabe enthält alle b-Kapitel, 22 b nach 23 b (was Lequien nicht gewahrte), 52 b (als πε′) richtig nach c. 81, so daß sich die Gesamtzahl von 104 ergibt. Der Abschnitt, der normalerweise den Schluß von c. 30 bildet, befindet sich bei c. 26. Im Vorwort (Migne Sp. 103): exemplaria varia ac vetusta recensentes et conferentes, hoc unum descripsimus expurgavimusque.

1535. Joan. Damasceni . . . omnia quae hactenus & a nobis et ab aliis haberi potuerunt opera, ad vetustiora Graecorum exemplaria collata atque emendata. Sunt autem haec. De orthodoxa fide, Jacobo **Fabro Stapu- lense** interprete, lib. IIII. . . . Basileae excudebat Henricus Petrus. Schlußseite: Anno MDXXXV. – lat. – Als Teil II und III Pinax II und Expos. wie 1507.

1539. Joan. Damasceni opera . . . Iam iterum, Graecorum exemplarium collatione castigata. Sunt autem haec. De orthodoxa fide, Jacobo **Fabro Stapulense** interprete, lib. IIII. . . . Nunc primum annotationes, impedita & difficiliora sublimioraque omnia explicantes, accesserunt. Basileae excudebat Henricus Petrus. Schlußseite: anno MDXXXIX. – lat. – Nachdruck von 1535, als Teil II und III Pinax II und Expos. mit einem Kommentar, der nach Meinung des Gravius von Faber herrührt und nach Lequien in manchen Punkten Neuerungssucht verrät. (s. MG 94, 105 u. 783).

1544. Joannis Manduri monachi Damasceni . . . Haeresum quae ad illius tempora extiterunt, Catalogus. Haec omnia nunc primum de Graecis conversa & edita cum Graecis ipsis, Joachimo **Perionio** Benedictino Cormoeriaceno interprete. Parisiis, ex officina Joannis Lodoici Tiletani. 1544. – lat. – JD-Ausgabe: S. 66–103 Haeres. (c. 101 bis 768, 13, darauf

c. 102), lt. Widmungsepistel übersetzt nach einer sehr alten griechischen Hs von St. Hilaire in Poitou (= unsere Hs 495). Wiederholungen 1548, 1559, 1575, 1577, 1603, 1619. – Vgl. S. 199 u. 221.

1546. Sancti patris Joannis Damasceni, philosophi pariter et theologi suo tempore facile summi, universa quae obtineri hac vice potuerunt opera, summo Henrici Gravii studio partim ex tenebris ac situ eruta, partim cum Graecis exemplaribus mature collata: quorum ordo seu numerus is est, De Logica Liber unus ... De Fide Orthodoxa Libri IIII, interprete Fabro Stapulensi, cuius et scholiis iidem illustrantur. ... De Centum Haeresibus Liber unus (vermeintlich editio princeps). ... Coloniae ex officina Petri Quentel, anno MDXLVI. – lat. – Erste Gesamtausgabe des JD; von den Pege-Stücken sind enthalten: S. 7–8 Epist. (Grosseteste); S. 8–9 Pinax I; S. 9–41 Dial. brev. (Grosseteste; s. S. 127 u. 220); S. 69–219 Expos. mit Kommentar wie 1539; S. 234–251 Haeres. (Grosseteste, nicht Burgundio, wie Lequien 94, 678 vermutet). – Widmungsepistel MG 94, 103–106. Die Dial. gleicht fast ganz der Ausgabe von 1953, folgt aber einem weniger interpolierten Überlieferungszweig als diese. – Die H schließen mit c. 101, und zwar mit 772, 52 (vgl. S. 201).

1548. Τοῦ μακαρίου Ἰωάννου τοῦ Δαμασκηνοῦ ἔκδοσις ἀκριβὴς τῆς ὀρθοδόξου πίστεως. Τοῦ αὐτοῦ, περὶ τῶν ἐν πίστει κεκοιμημένων. Beati Joannis Damasceni orthodoxae fidei accurata explicatio, IIII libris distincta, nuncque primum Graece & Latine simul ... edita: Jacobo Fabro Stapulensi interprete. Accessit ... Jod. Clichtovei Neoport. Ennarratio. (Ed. Marcus Hopperus). Basileae, per Henrichum Petri. 1548. – lat., teilweise auch griech. – JD-Gesamtausgabe, darin S. 1–415 Expos. (griech. als Nachdruck von 1531, lat. von Faber mit Kommentar von Clichtoveus [s. S. 174 u. 220]), S. 547 bis 560 Haeres. (Perionius aus 1544), S. 576–605 Epist., Pinax I, Dial. brev.

In dieser Ausgabe treten in der E zum ersten Male der griechische und lateinische Text nebeneinander, beide aus verschiedenen Überlieferungszweigen stammend. Die sich nahelegende Abstimmung aufeinander wurde nur im äußeren Rahmen und da nur in etwa durchgeführt: dem griechischen Text von 12 b und 23 b wurde eine neue lateinische Übertragung beigegeben, worauf auch die Randnotiz hinweist (in 1575 ist sie falsch am Platze); diese Anpassung wurde freilich nicht mehr auf die Kapitelzählung ausgedehnt: c. 12 b, im Griechischen = ιγ′, steht als XIII zwischen XV und XVI, c. 23 b, gr. κε′, als XXV zwischen IX und X; zum lateinischen c. 22 b wurde das griechische, in 1531 nach 23 b gestellt und richtig als κϛ′ gezählt, vorgenommen, wiederum ohne Angleichung der Kapitelzahl, für die jetzt κγ′ getroffen hätte. Der Abschnitt 928, 38–929, 14 (vgl. Einleitung S. 3) steht im Lateinischen bei c. 30, im Griechischen dagegen wurde er bei c. 26 belassen. – In der D einschließlich Epist. entpuppt sich der „incertus interpres" (Hopper), dessen Text vielleicht aus Gravius 1546 unter Vornahme weniger geringfügiger Änderungen entlehnt wurde, als Robert Grosseteste. Die beiden ersten Kapitel sind aber nicht die Grosstestesche Übersetzung (auch nicht die des Hilarion); in den übrigen Kapiteln und in der Epist. wurde der Text gelegentlich etwas modifiziert; doch ist dies möglicherweise auf die Überlieferung des lateinischen Textes zurückzuführen.

1559. Τὰ τοῦ μακαρίου Ἰωάννου τοῦ Δαμασκηνοῦ ἔργα. Beati Joannis Damasceni opera item Joannis Cassiani Eremitae non prorsus dissimilis argumenti libri aliquot . . . Am Schluß der Widmungsepistel: Basileae, anno . . . 1559. – (griech.-)lat. – Neudruck von 1548.

1560. Liturgiae, sive missae sanctorum patrum: . . . Ex libris . . . Joannis Damasceni (= Expos. 86 bis 1152,30). Antverpiae, Ex officina Christophori Plantini: MDLX. –lat.

1560. Λειτουργίαι τῶν ἁγίων πατέρων . . . (S. 125–129) Ἰωάννου τοῦ Δαμασκηνοῦ (= Expos. 86 bis 1152,30). Parisiis, MDLX. Apud Guil. Morelium. – griech.

1562. Liturgiae, sive missae sanctorum patrum. . . . Ex libris . . . (ff.75r bis 77r) Joannis Damasceni (= Expos. 86 bis 1152,30). Antverpiae, In aedibus Joannis Stelsii. MDLXII. – lat.

1570–75. Surius Laurentius: De probatis sanctorum historiis. Köln 1570–75. Unter dem 3. Mai Expos. 84, unter dem 8. September Expos. 87 und Expos. 56. – lat. – Weitere Aufl. vgl. Bibl. hag. lat., Brüssel, I (1898 bis 1899) XXXII. Deutsche Ausg. München 1574–80.

1575. Τὰ τοῦ μακαρίου Ἰωάννου τοῦ Δαμασκηνοῦ ἔργα. Beati Joannis Damasceni opera omnia, quae quidem extant: maxima parte hactenus non visa. Item, Joannis Cassiani Eremitae non prorsus dissimilis argumenti libri aliquot . . . (Ed. Marcus Hopperus). Basileae. Am Schluß der Widmungsepistel: 1575. – Dial. u. Expos. griech.-lat., Haeres. lat. – S. 1–414 Expos. wie 1548 (s. S. 174), S. 574–587 Haeres. wie 1548, S. 608 bis 610 Epist. = 1548, S. 610–612 Pinax I, S. 612–673 Dial. fus. (s. S. 133). – Widmungsepistel MG 94,105–110.

In der Expos. wird 1548 abgedruckt; geändert ist in Angleichung des Griechischen an das Lateinische nur die Teilung von c.8 und c.13 (wie 1507), wodurch aber neue Unstimmigkeiten eingeführt werden: c.8 teilt er in 4 Kapitel und zählt entsprechend weiter (c.10 = ιγ′); bei c.11 aber greift er wieder seine griechische Vorlage auf und numeriert es als ια′. Beim 2. Abschnitt von c.13, für den ιε′ fällig gewesen wäre, richtet er sich wieder nach dem Lateinischen und gibt die Nummer ιζ′, analog beim 3. Abschnitt ιη′. Mit c.14 kehrt er aber wieder zu ιε′ zurück. Die übrigen Unstimmigkeiten von 1548 bestehen weiter. Als bloßer Druckfehler ist κθ′ für c.27 anzusehen (statt λ′), ähnlich im Lateinischen XXVIII für c.99 (statt XXVII). Die Dial., in den beiden ersten Hopper-Ausgaben noch eine brev., im wesentlichen mit dem Grosseteste-Text, ist nunmehr zur fus. umgemodelt, wobei in der Hauptsache wieder die Grosseteste-Übersetzung verwendet wird, für die fus.-Kapitel (auch cc.4 u. 10) aber anscheinend eine neue Übertragung geschaffen wurde, die mit der Hilarion-Übersetzung übrigens nichts zu tun hat, auch nicht mit dem beigegebenen griechischen Text, wie ein probeweiser Vergleich ergibt. Auch in den nicht typischen fus.-Teilen entspricht die lateinische Übersetzung nicht in allem dem griechischen Paralleltext: c.6 ist im Lat. brev.-, im Griech. dagegen fus.-Fassung; in c.47 ist im Griechischen der Abschnitt 620,25–31 zunächst übergangen, aber am Schluß, als μζ′ gezählt, nachgeholt, während das Lat. an dieser Stelle die Übersetzung des bei Db: t meist vorkommenden Textes ἡ οὐσία . . . ὑποκάτω bringt. Lequien beurteilt diese D-Ausgabe (MG 94,519): Variis in locis interpolata atque ad Graecum D.fus. contextum imperite prorsus et insulse accommodata.

1577. Sancti Joannis Damasceni opera, multo quam unquam antehac auctiora, magnaque ex parte nunc de integro conversa . . . Per D. Jacobum Billium Prunaeum, S. Michaelis in eremo Coenobiarcham . . . Parisiis. Apud Guillelmum Chaudiere. MDLXXVII. – Unsere Teile nur lat., außer Haeres. neu übersetzt nach dem griechischen Text von 1575, ff. 163r–350v Expos. ord. mit Clichtov.; f. 418r–v Epist.; f. 418v Pinax I; ff. 419r–437r Dial. fus.; ff. 440r–462r „Physica", c. 1 davon = Dial. 67 + 68; ff. 462r–469r Haeres. (Perionius, s. S. 221). – Widmungsepistel MG 94, 109f. – Vgl. S. 133f u. 174, sowie die Ausg. v. 1603 u. 1619.

Billius nimmt als Vorlage offensichtlich den griechischen Text von 1575, nach dem lateinischen dieser Ausgabe orientiert er sich nur in der Kapitelzählung der Expos., an der er aber die Unstimmigkeiten, die durch die Teilung von cc. 8 und 13 und durch die Hereinnahme von 12b und 23b entstanden waren, beseitigt. In der Dial. glaubt B. laut Vorbemerkung zu dieser Schrift c. 67 + 68 auslassen zu sollen wegen des gleichen Inhaltes mit c. 3 und der Wiederholung in der darauffolgenden Physica. Bei dem in derselben Notiz erwähnten Kodex, den Maldonatus zur Verfügung stellte, handelt es sich höchstwahrscheinlich um unsere Hs 139, die sich als Clar. 152 zu damaliger Zeit im gleichen Haus befand wie Maldonat, im Pariser Collège de Clermont (vgl. Dict. Theol. Cath. IX 1772ff und R 214 Einleitung). – Für die Haeres. übernahm B. die Übersetzung des Perionius, „quia Graecum codicem nancisci minime potui" (f. 462r); im Widmungsbrief hatte er jedoch behauptet, daß alles, was er von Perionius und Zinus übernommen habe, sehr sorgfältig überprüft und verbessert worden sei. – Combefis (MG 94,781): Billius in vertendo Damasceno tirocinium posuit.

1580. Horae, in laudem beatissimae virginis Mariae, secundum consuetudinem Romanae Curiae. Additis mortuorum Vigiliis. Ὧραι τῆς Ἀειπαρθένου Μαρίας κατ' ἔθος τῆς Ῥωμαϊκῆς αὐλῆς. Μετὰ τῆς τῶν τεθνηκότων ἀκολουθίας... Adiecimus D. Joannis Damasceni de Resurrectione mortuorum. Parisiis, apud Hieronymum de Marnef & viduam Gulielmi Cauellat. 1580. – griech.-lat. – ff. 173v–181r Exp. 100.

1585 wie 1580, jedoch ohne Totenoffizium.

16. Jh. Druck einer kirchenslavischen Übersetzung der Expos. von Andrej Kurbskij; Näheres konnte nicht in Erfahrung gebracht werden, wie auch von den meisten anderen kirchenslavischen und russischen Ausgaben. Vgl. Übersetzungen S. 219.

1602. Joannis Damasceni, de orthodoxa fide. Libri IV. Jacobo Fabro Stapulensi interprete. Marpurgi, excudebat Paulus Egenolphus. MDCII. – lat. – Expos. (Faber, ohne Clichtoveus; s. S. 220).

1603. S. Joannis Damasceni opera, multo quam unquam antehac auctiora, magnaque ex parte nunc de integro conversa. Per D. Jacobum Billium Prunaeum, S. Michaelis in eremo Coenobiarcham. [Ed. Fronto Ducaeus S. J.] Parisiis, MDCIII. – Vermehrte und verbesserte Wiederholung von 1577 (unsere Stücke unverändert): ff. 146v–313v Expos.; ff. 378v–379r Epist.; f. 379r Pinax I; ff. 379v–396r Dial. fus.; f. 399r–v Physica c. 1 = Dial. 67 + 68; ff. 419r–425v Haeres.

1606. Θεοδωρήτου ἐπισκόπου Κύρου ἐρανιστὴς ἢ πολύμορφος. Theodoreti episcopi Cyri Dialogi Tres: Cum versione Latina Victor. Strigelii ... Accessit huic secundae Editioni Johan. Damasceni tractatiuncula de duabus in Christo naturis, & communicatione idiomatum, Autore Marco Beumlero Tig.; Tiguri, In officina Wolphiana MDCVI. – Exzerpte aus Expos. 46, 47, 48, 51, 56, 57, 61 und 63, griech.-lat., offenbar nicht in Anlehnung an eine bisherige JD-Ausgabe oder -Übersetzung.

1611. S. Cyrilli Alexandrini et Joh. Damasceni Argumenta contra Nestorianos, ... Jam primum e mss codicibus Bibl. Augustanae eruta, latine versa, et notis declarata a M. Johanne Wegelino. Augustae Vindelicorum apud Davidem Francum. MDCXI. – griech.-lat. – Die Auszüge aus der Expos. beruhen nicht unmittelbar auf JD, sondern auf der Panoplia des Euthymios Zigabenos, was schon Allatius bemerkte (MG 94,181 unter LXXII [so zu berichtigen]). – Dasselbe ist anzunehmen von der Ausgabe von 1728, die um Anmerkungen von Joh. Balthasar Bernold vermehrt ist.

1619. Titel und Inhalt wie 1603. Nach Index ab S. 244 Expos., ab S. 624 Epist. usw., ab S. 688 Haeres. (c. 101 ist aber bis 773,5 ergänzt „ope codicis Augustani" [= Mon. gr. 467], wie Lequien im Vorwort zu den H [MG 94, 677] sagt).

1641 soll nach Cave, Historia literaria I (1720) 411, Expos. 100 in Paris griechisch erschienen sein. Näheres ist nicht feststellbar.

1656 (nach Undolski 1665). Grigorija Bogoslovago ... i I. Damaskina Kniga Nebesa, perevod Epifanija Slavineckago, Moskau 1656 (nach Undolski Nr. 807; = des Gregorios des Theologen ... u. des JD Himmelsbuch, Übersetzung des E. S). – kirchenslav. – Expos. – Vgl. S. 219.

Das Buch ist uns nicht zugänglich. Ich glaubte, die von Bronzov oben (S. 219) erwähnte Ausgabe mit dieser hier trotz verschiedener Differenzen (Namensform des Übersetzers, Jahreszahl, unbestimmte Inhaltsangabe) gleichsetzen zu dürfen.

1677. Ecclesiae graecae monumenta. Tomus primus. Joannes Baptista Cotelerius ... e mss. codicibus produxit in lucem, Latina fecit, Notis illustravit. Lutetiae Parisiorum. Apud Franciscum Muguet. MDCLXXVII. – griech.-lat. – S. 278–337 Haeres. (griech. nach cod. Paris. gr. 1320 mit Berichtigungen nach anderen Hss, lat. darnach neu übertragen), Sp. 757 bis 793 Notae dazu. – Vgl. S. 203 u. 221, sowie Ausg. 1712.

Neben seiner Hauptvorlage hat C. noch verwertet Vindob. theol. 306 und 316 nach den Commentarii des Lambecius und den Pariser cod. Reg. 1026. Am Umfang dieser Haeres. sind neu die langen Zutaten zu c. 83 (ab 744,20) und die cc. 100, 102 und 103. Vom Epilog gibt C. unter Berufung auf Lambecius in den Notae Sp. 793 nur noch das Inc. und Expl. an; den hier ausgesprochenen Wunsch des C. nach voller Wiedergabe des Epilogs erfüllte Lambecius im letzten Band seines Werkes.

1712. Τοῦ ἐν ἁγίοις πατρὸς ἡμῶν Ἰωάννου τοῦ Δαμασκηνοῦ, μοναχοῦ, καὶ πρεσβυτέρου Ἱεροσολύμων, τὰ εὑρισκόμενα πάντα. Sancti patris nostri Joannis Damasceni, monachi, et presbyteri Hierosolymitani . . . opera omnia quae exstant, et eius nomine circumferuntur. Ex variis editionibus, et codicibus manu exaratis . . . collecta, recensita, Latine versa, atque annotationibus illustrata, cum praeviis Dissertationibus, et copiosis indicibus. Opera et studio P. Michaelis Le quien, Morino-Boloniensis, O. P. T. I. II. Parisiis Apud Joannem Baptistam Delespine. MDCCXII. – griech.-lat. – In dieser Gesamtausgabe T. I. S. 1–74 Epist., Pinax I und Dial. fus., S. 74–118 Haeres., S. 118–304 Pinax II, Expos. – Nachgedruckt von Migne 1864. – Vgl. S. 174 u. 221.

In dieser Ausgabe haben wir die Form der Pege, die in ihrem Abdruck von Migne am meisten verbreitet ist und als die maßgebliche angesehen wird. Sie baut auf den früheren Ausgaben, so besonders der des Billius[1] auf und berücksichtigt eine beachtliche Zahl von Hss, d.h. alle, die schon Combefis benutzt hatte (vgl. Beschreibung von 418!), dazu noch 5 weitere (= Paris. gr. 1044, 1105, 1106, 1121 und eine ungenannte mit einer Mischform, vielleicht Coisl. 92). Für die Haeres. hat Lequien nach seinen Angaben (MG 94,678) unsere Hss 443, 492, 495 und 367 zu Rate gezogen. Wie schon Combefis fiel auch Lequien einem unverkennbaren Zug zur Vermehrung der Texte zum Opfer, so in der Dial. bei der Wahl der fus. – die Mehrzahl der konsultierten Hss hätte eine brev. geboten, der Druck von 1575 freilich und Billius enthielten eine fus. –, in der Bevorzugung von c. 17 b gegenüber 17 f (ersteres ist länger; so schon 1575), in den Anhängseln zu c. 31 (aus „unserem Kodex“) und 39 (in 495 von späterer Hand am Rand und in 418) und den Erweiterungen in c. 50 (gegen Ende und am Schluß bei Lequien-Migne als Nota v und y, erstere nur bei Combefis nachzuweisen, letztere in 1575 und der verwandten Sippe und wieder bei Combefis) und in c. 65 (L.-M. Nota m, angeblich aus cod. Reg. Med. 1604; in westlichen Hss ist dieser Abschnitt nur in Voss. gr. Q 20 = unserer Hs 267 begegnet). – Die Haeres. beruhen in der Hauptsache auf der Ausgabe von 1677 mit den dort vermerkten Zugaben; der volle Wortlaut des Epilogs ist aus den Commentarii von Lambecius (R 863: VIII 900–903). Die Expos. wurde vermehrt um cc. 12 b und 23 b (wohl aus einer der vorausgehenden Editionen) und den verlängerten Schluß (etwa nach 495c oder 510; gewöhnlich endet die E mit καρπούμενοι = 1228,12). Die Einteilung in Bücher übernimmt L. aus den letzten Ausgaben, um Verwirrung zu vermeiden. Seine eigene Idee ist die Komposition (D + H + E), die Einreihung von Dial. 66 an seinem jetzigen Platz (statt nach c. 68) und von Expos. 52 b (statt nach c. 81). Zur Versetzung des Schlußabschnittes von Expos. 30 in das Kap. 26 gegen das Zeugnis der Hss mag ihn neben der Berücksichtigung des Inhaltes auch das Beispiel der Editionen (1531, Hopper griech., Billius) bestimmt haben. Nur bei Combefis vorgebildet fand L. die Einteilung von Dial. 65 und 68 als je ein eigenes Kapitel. Trotz der verhältnismäßig großen Zahl und der Vertretung verschiedener Überlieferungsstämme vermochten die Hss L. nicht zur Erkenntnis des Vorhandenseins der Expos. inv. und H. auctae und damit der Zuordnung von D. fus. + E. inv. + H. auct. zu führen, ebensowenig wie auch zur Wahrnehmung einiger Charakteristika der D. brev. (c. 17 eigens gefaßt, c. 8 verkürzt, c. 11 häufig erweitert, die Existenz des Zusatzkapitels) und der fus. (die Lysis am Schluß) und der labilen Existenz und Einreihung von Expos. 22 b; zu Unrecht vermißt er dieses auch (in der Nota e) in 1531, während es dort doch nach 23 b eingefügt ist. Er irrt auch, wenn er Dial. 67 in der Vorbemerkung zu diesem Kapitel nur der brev. zuschreibt. – Die lateinische Übersetzung ist in allen Teilen der Pege neu angefertigt.

---

[1] An ihr tadelt Lequien den Mangel an Sorgfalt und Präzision, Fehler, die er zu bessern gedenkt.

1715. Titel wie griechisch 1531, ebenso Inhalt. Ἐπιμελείᾳ καὶ διορθώσει . . .
Ἰωάννου τοῦ Ἐφεσίου. Ἐν Γιασίῳ τῆς Μολδαβίας· ,αψιε′ Ἐκ τῆς τυπο-
γραφίας τοῦ ἁγίου Τάφου. – griech. – Voraus Pinax II; S. 1–231 Expos.

Die E ist in Bücher eingeteilt, c. 22b an seinen Platz vorgerückt, beides Veränderungen,
die eine Berichtigung der Ausgabe von 1531 nach den (griechisch-)lateinischen Ausgaben
erkennen lassen. Durch die Zählung der b-Kapitel als je ein eigenes ergeben sich wieder
Unterschiede gegenüber der westlichen Zählung. – Vgl. S. 173 f.

1728 siehe 1611.

1744 ist in Moskau nach M. Tarchnišvili, Georgische Literatur, S. 280 A., die
georgische Übersetzung des Arsen von Dial. + Expos. im Druck erschienen
(s. S. 128 u. 218).

1748. Titel wie 1712, jedoch nach dem Herausgeber: Editio novissima
Veneta longe aliis accuratior. Venetiis, Apud Jo. Baptistam Albrizzi
Hieron. Fil. et typis Gasparis Ghirardi. MDCCXLVIII. In unserem Teil
seitengleicher Abdruck von 1712.

1771 (nach Undolski **1774**). JD Bogoslovie perevod A m v r o s i j a Ka-
m e n s k a g o (des JD Theologie, Übersetzung des A. K.). Moskau 1771
(nach Undolski Nr. 2610). – kirchenslav. – Expos. – Vgl. S. 174 u. 219.

1785. Titel und Übersetzer wie 1771 (nach Undolski Nr. 2822).

1806. Ioann Damaskin: Descoperíre cu amerúntul a pravoslavničij cre-
dínce . . . (Genaue Enthüllung des orthodoxen Glaubens). Jaši 1806.
Tip. sf. Mitropolij. – rumänisch – Expos. – Vgl. S. 174 u. 220.

1827. . . . Prep. Otca našego Ioanna Damaskina děla filosofičeska ,,Istoč-
nik znanija" i ,,izloženie pravoslavnyja very obstojatelnoe" ili ,,Bogo-
slavija", prevedesja iz Grečeskago i Latinskago jazyka na Serbskij jazyk.
(Unseres ehrwürdigen Vaters JD philosophische Werke ,,Quelle der Erkenntnis" und ,,Genaue Auslegung des orthodoxen Glaubens" oder ,,Theo-
logie", übersetzt aus der griechischen und lateinischen Sprache in die
serbische Sprache.) Buda 1827, Kn. Vas. Subbotnik. – altserbisch – Dial.
u. Expos. (vermutlich nach Lequien). – Vgl. S. 174 u. 220.

Alle Angaben über die Editionen von 1827 und von 1881 beruhen auf Abschriften von
Katalogblättern des Pont. Istituto Orient., Rom.

1834 soll Erzbischof A m v r o s i j die Expos. ins Kirchenslavische übersetzt
haben, nach Enciklopedičeskij Slovar, Bd. 10 (Petersburg 1893), S. 61,
mitgeteilt von der Deutschen Staatsbibliothek Berlin.

1839–41 gab die Petersburger Geistliche Akademie eine russische Übersetzung von der Expos. in Christianskoe Čtenje heraus. Bronzov vermutet
in der Einleitung zu seiner Edition von 1894, daß als Vorlage die Ausgabe von Lequien diente. – Vgl. S. 174 u. 219.

1844 erschien eine solche von der Moskauer Geistlichen Akademie in Moskau nach dem Text von Lequien. – Vgl. S. 174 u. 219.

1859. Ἔκδοσις τῆς ὀρθοδόξου πίστεως Ἰωάννου τοῦ Δαμασκηνοῦ μετατυπωθεῖσα τὸ τρίτον παρὰ Γ. Κορνάρου ἱεροδιακόνου καὶ Ἰ. Καλαμαρίδου τῶν Κρητῶν. Ἐν Ἀθήναις, τύποις Φ. Καραμπίνη καὶ Κ. Βάφα. 1859. – griech. – Nach Form und Inhalt Wiederholung von 1715.

Als erste Ausgabe ist die von 1531 erwähnt, hier also die dritte. In der durchlaufenden Zählung der 104 Kapitel folgen die Herausgeber dem Druck von 1531, in der Berücksichtigung der Einteilung in Bücher durch Eindruck der Buchanfänge im Pinax und durch Angabe der Bücher in den Blattiteln sowie in der Aufnahme von c.22b an seinem Platz jedoch dem von 1715.

1862. Dialektika svjatago Ioanna Damaskina (Die Dialektik des hl. JD). Moskau, Tipogr. Aleksandra Semena. 1862. – russ. – Dial. (wohl nach Lequien, s. oben S. 174 u. 219).

1864. Abdruck von 1712, übernimmt den Titel der Vorlage, dazu: variorum curis adaucta . . . accurante . . . J.-P. Migne. Parisiis. Apud J.-P. Migne. T.I–III [Patrol. graecae t.94–96]. – griech.-lat. – T.I, Sp.521 bis 1228 Epist., Pinax I (fus. ganz, anschließend brev. erster Teil), Dial. fus., Haeres., Pinax II, Expos. ord. – Vgl. S. 174.

1878. Bogoslovie svjatago Ioanna Damaskina v perevodě Ioanna Eksarcha Bolgarskago, po charatejnomu spisku Moskovskoj Sinodal'noj biblioteki bukva v bukvu i slovo v slovo [ed. O. M. Bodjanskij und A. Popov; Čtenija v imperat. obščestvě istorii i drevnostej rossijskich pri Moskovskom universitetě. Kn.4.] Moskva 1878. (Die Theologie des hl. Johannes von Damaskos in der Übersetzung des Exarchen J o h a n n e s von Bulgarien, nach einer Pergamentkopie der Moskauer Synodalbibliothek buchstäblich und wörtlich hrsg.) – altbulgarisch – Nach Mitteilung von Prof. Dujčev Auswahl aus der Expos. ord. mit diesen Kapp.: 1–11, 15–27, 32, 39–46, 77, 82, 84–90, 92, 94, 96, 97, 99 u. 100. – Vgl. S. 193 u. 219.

1880. Des heiligen Johannes von Damaskus, Mönches und Priesters zu Jerusalem, genaue Darlegung des orthodoxen Glaubens, nach dem Urtexte übersetzt von Heinrich Hayd. Kempten 1880 [Bibliothek der Kirchenväter]. – deutsch – Den „Urtext" sieht der Übersetzer offenbar in der Ed. Lequien-Migne. – Vgl. S. 174 u. 221.

1881[1]). O devjati muzach i semi svobodnych chudožestvach. O razum – o mysli (iz Dialektiki Ioanna Damaskina) [Pamjatniki drev. Piśm. t.23]. Petersburg 1881, Obšč. ljub. drevn. Piśmennosti. – Iz rukopisnago sbornika XVII-go veka, prinadležaščago knjazju P. P. Vjazemskomu. V sostav étogo sbornika vchodjat: 1) 40 glav dialektiki Ioanna Damaskina 1. 1–55; 2) Svjatago J.D. o osmi častech slova (kinovaŕju) s novoj stranicy:

---

[1]) Vgl. oben Ausg. v. 1827!

1. 57–64; ... 13) ... o devjati Musach ... 1. 149–173. (Über die neun
Musen und die sieben freien Künste. Über den Verstand und den Sinn
‹aus der Dial. des JD›. Aus einer Sammelhs des 17. Jh., die dem Fürsten
P. P. V. gehört. Im Inhalt der Sammelhs befinden sich: 1. 40 Kapp. der
Dial. des JD; 2. des hl. JD über die 8 Teile des Wortes ‹rot geschrieben›,
mit neuer Seite; 3. über die neun Musen.) – kirchenslav. – Als Nr. 1 eine
Dial. (brev. ?) in 40 Kapp.

1894. Točnoe izloženie pravoslavnoj věry. Tvorenie sv. Ioanna Damaskina. S grečeskago perevel i snabdil perevod predisloviem, priměčanijami
i ukazateljami Aleksandr Bronzov. (Genaue Darlegung des orthodoxen
Glaubens. Ein Werk des heiligen Johannes Damaskenos. A. Bronzov
übersetzte aus dem Griechischen und versah die Übersetzung mit einem
Vorwort, mit Anmerkungen und Registern.) St.-Peterburg 1894; J. L.
Tuzov. – russ. – Expos. (nach Lequien unter Heranziehung von Basel 1575;
s. S. 174 u. 219.

1899. John of Damascus: Exposition of the Orthodox Faith trsl. by
S. D. F. Salmond [Selected Library of Nicene et Post-Nic. Fathers ...
II 9]. New York 1899. – engl. – Expos. (nach Migne ?). – Vgl. S. 174 u. 221.

1913. Polnoe sobranie tvorenij sv. Ioanna Damaskina. Perevod s gre-
českago (Volle Sammlung der Werke des hl. Johannes Damaskenos, Über-
setzung aus dem Griechischen; hrsg. von A. Sagarda). Beilage zu den
Zeitschriften Cerkovnyj Věstnik und Christianskoe Čtenie. Tom. I. 1913.
S.-Peterburg. Geistliche Akademie. – russ. – Geplante Gesamtausgabe,
von der nur Band I erschienen ist; darin S. 44–347 von verschiedenen
Übersetzern unsere Stücke wie in MG 94, nach dem laut Vorwort die
Übertragung hergestellt ist (s. S. 174 u. 219).

1923. Des heiligen Johannes von Damaskus genaue Darlegung des orthodoxen Glaubens, aus dem Griechischen übersetzt und mit Einleitung und
Erläuterungen versehen von D. Stiefenhofer [Bibliothek der Kirchen-
väter]. München 1923. Kösel u. Pustet. – deutsch – Expos. (offenbar nach
Migne; s. S. 174 u. 221).

1940. Translatio latina Ioannis Damasceni ‹De orthodoxa fide 1. III.
c. 1–8.› saeculo XII. in Hungaria confecta. Scripsit et textum ed. Remi-
gius L. Szigeti [Magyar-görög tanulmányok 13.] Budapest 1940, Páz-
máni Péter. – lat. – Expos. 45–52 in der sog. Cerbanus-Übersetzung.
Vgl. S. 191 u. 220.

1951. The Earliest Latin Translation of Damascene's De orthodoxa fide
III 1–8, by E. M. Buytaert, O. F. M., in Franciscan Studies XI (1951)
49–67. St. Bonaventure, N.Y. 1951. – lat. wie 1940.

1953. St. John Damascene: Dialectica. Version of Robert Grosseteste
ed. by Owen A. Colligan, O.F.M. [Franciscan Institute Publications.

Text Series No. 6] St. Bonaventure, N.Y. 1953, The Franc. Inst.; Louvain, E. Nauwelaerts; Paderborn, F. Schöningh. – lat. von Robert Grosseteste – Dial. brev. (ohne Epist.). Unter Verzicht auf die Überlieferungsgeschichte wird der Text nach 3 Oxforder Hss herausgegeben, für weitere Hss und anderes auf Thomson (siehe oben S. 220 A. 6) verwiesen. – Vgl. S. 127.

1955. Saint John Damascene: De Fide Orthodoxa. Versions of Burgundio and Cerbanus ed. by Eligius M. Buytaert, O.F.M. [Franciscan Institute Publications. Text Series No. 8] 1955, Ort und Verlag wie 1953. – lat. – S. 1–386 Expos. in der Übersetzung des Burgundio; S. 387 bis 404 Expos. 45–52 in der Übertragung des Cerbanus (Nachdruck d. Ausgabe von 1951). S. 2 sind die 11 astemmatisch gewählten Hss mit ihren Siglen genannt, auf denen die Ausg. der B.-Übersetzung ruht, S. 388 die beiden einzigen der C.-Übersetzung. – Vgl. oben S. 191 u. 220.

Aufgliederung der Editionen nach Sprachen und Erscheinungsjahren

	Dial.	Expos.	Haeres.
griechisch		1531	
		1548	
		1559	
	1575	1575	
			1677
	1712	1712	1712
		1715	
	1748	1748	1748
		1859	
	1864	1864	1864
georgisch	1744	1744	
(alt-)kirchenslav.		16. Jh.	
		1656	
		1771	
		1785	
		1834	
		1878	
	1881		
russisch		1839/41	
		1844	
	1862		
		1894	
	1913	1913	1913
serbisch	1827	1827	
rumänisch		1806	

	Dial.	Expos.	Haeres.
lateinisch		1507	
		1512	
	1514	1514	
		1519	
		1535	
		1539	
			1544
	1546	1546	1546
	1548	1548	1548
	1559	1559	1559
	1575	1575	1575
	1577	1577	1577
		1602	
	1603	1603	1603
	1619	1619	1619
			1677
	1712	1712	1712
	1748	1748	1748
	1864	1864	1864
	1953		
		1955	
deutsch		1880	
		1923	
englisch		1899	

VIII.

ERGEBNISSE

Die üblicherweise als Πηγὴ γνώσεως bezeichnete Trilogie des hl. Johannes Damaskenos zeigt weder in den griechischen Hss noch in den alten Übersetzungen mehr die in der dazugehörigen Widmungsepistel angekündigte und uns aus den Drucken geläufige Komposition Dial. + Haer. + Expos. Die Hss enthalten in der weitaus überwiegenden Zahl vielmehr bloß Dial. + Expos.; dieser reduzierte Umfang der Pege ist schon in einem Schriftstück aus dem Ende des 8. Jh. bezeugt. Da nun in den Hss keine Spur dafür zu finden ist, daß die Epist. bei einem Teil der Überlieferung je gefehlt hat und diese und ihr Zeugnis für die Dreiteiligkeit der Pege somit nicht als spätere Zutat abgetan werden können, muß gefolgert werden, daß die Haeres. ursprünglich zum Bestand der Pege zählten, aber schon in sehr früher Zeit aus ihr ausgeschieden wurden. Sie wurden jedoch in Sammlungen häreseologischer, kanonistischer oder dogmatischer (Doctrina Patrum) Art überliefert.

Andererseits gab das in der Epistola entworfene Programm, angefangen von den Schreibern unserer ältesten Pege-Hss bis herab zu den modernen Autoren, immer wieder Anlaß, Dial. + Expos. durch Hereinnahme der Haeres. zur Trilogie zu ergänzen. Dabei kamen aber die Haer. nicht mehr an ihren Platz zwischen Dial. und Expos. zu stehen, sondern gewöhnlich nach Expos. Daß es sich dabei um die von JD ursprünglich für seine Pege bestimmte Ketzerliste handelt, darf wohl schon daraus geschlossen werden, daß JD denselben Gegenstand kaum zweimal behandelte. – Bei der Rückführung der Haer. wurde nun einmal laut Vermerk im Buchtitel auf die Doctrina Patrum (von einer anderen Textform freilich, als sie der einzige erhaltene Kodex aufweist) zurückgegriffen, welche die Haer. als c. 34 enthielt (unsere Gruppe n), das andere Mal dagegen, wie sich aus der stemmatischen Zusammengehörigkeit auf Grund der Textvarr. ergibt, das Gesuchte einer kanonistischen Sammlung entnommen (unsere Gruppe p''); ein diesem letzteren ähnlicher Text bot auch die Grundlage, aus der die Haer. auctae geschaffen wurden (a).

Von der Dial. waren schon bisher zwei Fassungen bekannt, eine längere (fusior) und eine kürzere (brevior). Die Sichtung der Pege-Hss zeigt aber, daß auch von der Expos. und den Haer. je eine zweite, erweiterte Fassung überliefert ist. Da nun in Hss mit Vorliebe die kürzeren Fassungen (Dial. brev. + Expos. ord. + Haer.) einerseits und die erwei-

terten (Dial. fus. + Expos. inv. + Haer. auctae) andrerseits zusammengehen und bei letzteren jeweils dieselbe Tendenz zur Umstellung (in Haer.
verbietet dies der chronologische Aufbau), zur Erweiterung um ganze
Kapitel und zu gelegentlichen Textänderungen festzustellen ist, darf gefolgert werden, daß die längeren Fassungen das Werk eines Redaktors
sind, der die ganze Pege überarbeitete. Sein Name und seine Zeit bleiben
freilich im Dunklen. Jedenfalls zeigen schon die ältesten griechischen Hss,
die erhalten sind (9. Jh.), Anzeichen für das Vorhandensein dieser Redak-
tion. Aus den oben S. 146f, 149, 168, 193ff u. 213f vorgebrachten Überlegungen darf aber als gesichert gelten, daß wir in der kürzeren Fassung
die primäre zu erblicken haben.

Die erarbeiteten Stemmata lassen an Geschlossenheit und Vollständigkeit sehr zu wünschen übrig und führen fast nur zu Hss und Hss-
Gruppen, die untereinander nicht oder kaum mehr zusammenhängen.
Trotzdem zeitigte diese Mühe als Frucht die Erkenntnis, daß eine Reihe
von Hss oder ganze Sippen von der weiteren Bearbeitung ausgeschieden
werden dürfen, weil sie Abkömmlinge von erhaltenen Ahnen oder offen-
sichtliche Redaktionen von Schreibern sind. Es ergaben sich bei den einzelnen Schriften sogar noch Hss-Gruppen, die zu dem Urteil berechtigen,
daß sie die ursprüngliche Gestalt durch den Irrgarten von Textmischungen
weniger verfälscht hindurchgerettet haben als andere. Somit dürfte der
Hauptzweck dieser Arbeit, für die geplante Edition eine Grundlage zur
Gestaltung des Textes und Apparates zu schaffen, trotz des unbefriedigten
Wunsches nach einem sauberen Stemma im wesentlichen erfüllt sein.

Die Zerklüftung der Stemmata muß auf einen Verlust der Bindeglieder
zurückgehen und läßt vermuten, daß der ursprüngliche Bestand an Hss
ein Mehrfaches vom erhaltenen betragen hat; eine solche Breite des Überlieferungsstromes darf aber andererseits wieder als ein Zeichen für die
überragende Hochschätzung der Pege durch die griechisch sprechende
Christenheit des Mittelalters gewertet werden.

In der Vielfältigkeit der Stammbäume aber – wollte man auch noch
alle Einzelgänger berücksichtigen, so würden sie noch differenzierter –
spiegelt sich die kontaminierende Tätigkeit der Kopisten wieder, die bei
ihrer Arbeit nicht bloß die in der Vorlage gelegentlich angebrachten Berichtigungen und Ergänzungen übernahmen, sondern allem Anschein nach
vielfach planmäßig aus mehr als einem Kodex, in unserem Fall zuweilen
sogar aus Vertretern der kürzeren und längeren Fassung, gleichzeitig ab-
schrieben und so zahlreiche Mischtexte schufen, deren Elemente wegen der
Verwischung ihrer Eigenart oft überhaupt nicht mehr bestimmbar sind.

Keinen nennenswerten Beitrag zur Lösung der gestellten Aufgabe
brachte die systematische Erfassung der Randglossen und die Berücksichtigung aller Hss bis herab in die neueste Zeit, kaum mehr der Versuch,
Textformen zu lokalisieren, außer daß in der Überlieferung der Pege
Unteritalien eine besondere Bedeutung zuzukommen scheint.

REGISTER

1. PERSONEN UND SACHEN

Die Zahlen ohne Klammern geben die Seiten an, die Zahlen in Klammer unsere laufenden Hss-Nummern. Übergangen sind die Verfasser von Hss-Katalogen u. ä., weil die Mehrzahl von ihnen unter der R-Sigle verschwindet (s. S. 6). Bei Verweisen auf Hss bedeuten H = Herkunft, Schreib- oder Kaufort, S = Schreiber, V = Vorbesitzer.

'Abdallāh ibn al-Fadl 217
abendländische Hss 216
Adrianopel (H) 30 (255)
Agathemeros 148
Agustin, Antonio (V) 23(181)
Akindynos, Gregorios 68(583)
Akinian, N. 128, 218[9]
Allatius, L. 72(607), 229
altbulgarische Übers. 193, 219*
altslavische Übers. 194
altserbische Übers. 220
Amvrosij, EB v. Petersburg(?) 231
Anastasios Sinaites 60(519), 87(732), 124
Ancona (H) 25(201), 216
An-Nušū' abu Šākir ibn Buṭrus ar-Rāhib 218
Antonios Hierodiakon (V) 20(153)
Antonios v. Simeonskloster 112, 128, 166, 194, 217*
arabische Übers. 112, 128, 194, 217f*
Aristoteles 49(412), 83(701)
armenische Übers. 128, 218*
Arsen Iqalt'oeli 128, 218f*, 231
Aßfalg, J. 217[2], 218[4]
Athos, Hss 216
  Batopedi (H) 40f (349, 351)
  Iberon (H) 40f(343, 346, 350, 351A, 351B, 352, 353, 354)
  Laura (H) 39f (339, 348), 59f (506A, 511, 514)
  Pantokrator (H) 40(345)

Bagarat, Mamikonier 128, 218*
Barbour, R. 192, 220[4]
Barlaam v. Kalabrien 68(583)
Basilianer Italiens (H) 73(620, 621), 216
Basileios 172
Basileios Notarios (S) 53(443)

Beck, H. 42(360)
Benešević, V. N. 210
Bernold, J. B. 229
Bessarion, Kard. (V) 84(708), 86(724)
Beumlerus, M. 229
Billius, J. 133f, 143, 174, 221*, 228, 230
Bindefehler 99[1]
Birgotes, Georgios (S) 44(371), (V) 43(365)
b-Kapitel 3, 148
Blaschkewitz, Chr. 219[2]
Blemmydes, Nikephoros 225
Bodjanskij, O. M. 232
Boëthius 78(655)
Bronzov, A. 219*, 229, 231, 233
Bruno von Ivo 217
Burderios, Anastasios (S) 86(722)
Burgundio v. Pisa 5, 50(427), 73(621), 155, 191, 220*, 224, 226, 234
Busbeck, A. (V) 87[1] (die Nrr. vgl. dort!)
Busse, A. 147[3]
Buytaert, E. M. 4[1], 51(427), 73(621), 155, 191, 233f*

Callus, S. A. 220[5]
Cassianus, J. 227
Cerbanus 191, 220*, 233f
Charsianitu, Kloster in Kpel (H) 27(223)
Chazinzarier 41(351A), 207
Chioniades, Georgios 45(382), 66(574)
Chitrophianum (H) 35(300)
Chrysokephalos, Makarios 76(649)
Cingoli (H) 25(201), 216
Clichtoveus, J. 220*, 224ff
Collège de Clermont in Paris 228
Colligan, O. A. 233
Combefis, Fr. 49f (418), 122, 145, 174, 221*, 228, 230
Contarini, G. (V) 86(724)

238

Corigliano (H) 63(550), 216
Cotelerius, J. B. 3, 203, 221*, 229

Dandolo, Matthaios (V) 23(182)
Darmarios, Andreas (S) 24(189), 34(290),
  35(301), (V) 90(746; Tarmarios)
Demetrios v. Thessalonike (S) 30(255)
deutsche Übers. 221
Dialektik 1, 2
Dial. brevior 2f
Dial. fusior 2
Diekamp, F. 49(412), 73(617), 172, 197,
  211ff*
Diller, A. 59(514), 148¹
Dionysios Areopagites 40(346), 192
Doctrina Patrum 197, 201, 204, 211ff*, 235
Dölger, Fr. 212
Donatus v. Verona 173f
Doens, I. 81(686A), 219²
Dorotheos v. Sozagathupolis (V) 83(702)
Ducaeus, Fronto 199, 228
Dujčev, I. 219, 232

Edition, Hss-Auswahl für unsere 130
Editionen nach Ersch.-Jahren 224ff
          nach Sprachen 234
Eleiabulkos, Nikolaos (S) 57(491)
Elias, syr. Bischof 194, 197, 217*
englische Übers. 221
Epiphanios v. Salamis 3, 11(44), 26(208),
  197f, 204, 209, 212
Epistola 2
Ep'rem Mcire 128, 218*
Eustathios v. Thessalonike 71(602)
Euthymios, Athosmönch 128, 218*
Expositio 1
Expositio inv. 3
Expositio ord. 3

Faber, J. Stapul. 155, 220*, 224ff

Galaktion v. Madara (V) 47(393)
Galatia i. Salentinischen (H) 36(304)
Geistl. Akademie in Moskau 219, 232
Geistl. Akademie in Petersburg 219, 231
georgische Übers. 127, 218f*
Georgskloster τῶν Μαγγάνων auf Kypros
  (H) 27(223)
Glykas, Michael 50(422A)
Goldast Melchior v. Heimingsfeld (V)
  20(150)
Gordillo, M. 73(626), 75(636), 85(718),
  92(756A)
Graf, G. 217², 218

gräko-lombardische Hss 216
Gravius, H. 220, 225f*
Gregorios v. Naz. 19(130), 229
Gregorios v. Nyssa 157
Griechenland (H) 215
Grosseteste, R. 127, 192f, 201, 220*, 226f,
  233f
Grottaferrata (H) 27(220), 216

Haereses 1, 3
Haereses auctae 3, 207ff*
Handschriften der Pege gnoseos 6ff
Hayd, H. 221, 232
Hengstenberg, W. 219A.
Hilarion v. Verona 127, 220*, 225ff
Hippolytos v. Theben 171f
Hoeck, J. 64(563), 72(608), 90(748)
Homer 185
Hopper, M. 127, 133, 174, 220, 226f*, 230
Hunger, H. 87¹
Hyakinthos, Mönch (S) 8(16)

Jakobiten 41(351A), 207
Jeremias v. Kreta (S) 7(8)
Joakim v. Naupaktos u. Arta (V) 22(178)
Johannes Ephesios 231
Johannes, Exarch 219*, 232
Johannes Klimax 39(337), 65(567)
Johannes Kyparissiotes 76(648)
Johannes Presbyteros (S) 86(724)
Johannes Strategos v. Kythera (S) 64(558)
italo-griechische Hss 216
Justinos, Philosoph 81(682), 123

Kalamarides I. 232
Kallistos, Nikephoros 207
Kallistos, Mönch 33(284)
Kamenskij, Amvr. 231
Kapitelzählung der Exp. 4, 5
Karst, J. 218⁷
Kerkyra (H) 34(294), 215
Kern, C. 219³f
kirchenslavische Übers. 174, 219*, 228
Kladios, Nikolaos (S) 53(440)
Kollationsauswahl 6, 98
Konomos, Retzos (V) 63(554)
Konstantinopel (H) 50(422), 87¹ (die **Nrr.**
  vgl. dort), 215
Konstantinos, Patriarch (V) 21(167)
Konstantinos Peloponnesios (S) 16(100)
koptische Übers. 218
Kornaros, G. 232
Kornelios v. Nauplia (S) 33(288), 216
Koronaios, Kyrillos (S) 16(93)

240

2. KODIKOLOGISCHES

a) Handschriften (außer den SS. 6–92 alphabetisch genannten)

b) Datierte Hss

1550: 58(497)	1576: 12(61)	1629: 75(637)	1744: 31(266)
1552–65: 11(43)	1584: 33(281)	1634/5: 41(353)	1747: 9(23)
1556: 33(288)	1600: 37(313)	1647: 11(45)	1759: 21(159)
1560: 30(249)	1600: 57(491)	1701: 61(522)	1769: 16(93)
1562: 34(290)	1600: 86(722)	1742: 27(224)	1785: 28(225)

c) Palimpseste

15(89)	61(527)	75(642)
47(394)	66(574)	85(714)

d) Hss mit Nennung der Schreiber (die Namen sind in das obige Alphabet eingereiht)

178)	30(255)	35(301)	60(514)
8(16)	32(270A)	44(371)	62(539)
12(61)	33(285)	50(422)	63(550)
16(93)	33(286)	53(440)	64(558)
16(100)	33(288)	53(443)	78(660)
17(120)	34(290)	57(491)	86(722)
24(189)	34(292)	57(492)	86(724)
30(249)	35(296)	58(497)	92(757)

e) Hss mit Nennung der Vorbesitzer

16(96)	22(178)	40(346)	63(554)
20(150)	23(181)	43(365)	83(702)
20(153)	23(182)	47(393)	84(708)
21(158)	23(183)	58(497)	86(724)
21(160)	26(209)	61(523)	90(746)
21(167)	36(306)	61(526)	

U   I   O   G   D

NACHTRAG

Großes Entgegenkommen ermöglichte es, die im Sommer 1959 von Prof. M. Richard in liebenswürdiger Weise gemachten Aufnahmen von Athos-Hss hier noch zu berücksichtigen. Von folgenden Hss sind daher die oben S. 13–19 gemachten Angaben wie folgt zu ergänzen bzw. zu berichtigen.

63 *Athous Iberon 374 (4494)*

Film (t) – (F. 1 r–v ?) Lysis lt. Katalog; ff. 2 r–4 v Pinakes I u. II; ff. 5 r–7 v Schemata, z. T. dieselben wie in Hs 745; (f. 11 ist zwischen 8 u. 9 einzureihen); ff. 8 r–11 v Epist.; hier keine Lysis! ff. 11 v–ca. 48 Dial. fus.; ff. ca. 49–169 r Expos. inv. – Unsere Hs ist Schwester von 745 (s. S. 133 u. 178); die Vermutung von S. 144 ist hiemit überholt.

71 *Athous Iberon 693 (4813)*

Film (t) – Vornehmlich JD-Hs; ff. 13 v–20 r Dial. fus. 1–3. 5; ff. 20 v–22 r Pinax II; f. 26 r–v Pinax I; ff. 26 v–28 r Epist.; ff. 28 r bis ca. 62 Dial. brev.; ff. ca. 63–236 v Expos. ord. – Als Vorlage dienten mehrere Hss: die vorausgeschickten Kapp. der D. fus. sind textlich verwandt mit 109 + 519 u. 615 (s. S. 123 ff), aber mit keiner von ihnen in gerader Linie oder ausschließlich; die D. brev. wurde zunächst bis ca. c. 31 von 483 (s. S. 119) kopiert, dann in diesem Teil nach 528 überarbeitet und zu Ende geführt; die Expos. folgt etwa in der ersten Hälfte ebenfalls 528, macht aber auch anderswo Anleihen, wie der Zusatz zu c. 24 und die Einreihung von c. 22 b/$_2$ nach c. 24 zeigen (so auch 24 u. 617); auch eine Hs von der Art von 11 dürfte eine Rolle gespielt haben, besonders im 2. Teil der Expos.

75 *Athous Iberon 1333 (5453)*

Film (g) – Ff. 23 r–34 v Auszüge aus einer Dial. fus.; ff. 34 v–37 v Expos. 91 u. 94. – Unsere Stücke decken sich genau mit den von Hs 612, von der sie vermutlich unmittelbar abgeschrieben wurden. E 91 kann nur in einer E. inv. als ϰϑ gezählt sein; λϑ für E 94 trifft nur in 422 A zu.

77 *Athous Iberon 1357 (5477)*

Film (t) – Als Ganzes (80 fol.) eine neugriechisch Erklärung der Dial. fus.

96 *Athous Laurae 1328 (K 41)*

Film (g) – M. E. 15.–16. Jh., ff. 215 r–245 v Expos. 1–51. 54. 81. 82. – Vorlage war Hs 734[1-3] oder ihre Vorläuferin (s. S. 171 f).

101 *Athous Laurae 1598 (Λ 107)*

Film (g) – F. Ir–v Pinax I; ff. IIr–IIIv Pinax II; ff. 1r–2v Epist.;
ff. 2v–45v Dial. fus.; ff. 49r–167v Expos. inv.; ff. 168r–191v Haeres.
auct. – Dial. und Expos. wurden aus Vertretern verschiedener Überlieferungszweige kontaminiert. In der D spielte dabei mit Sicherheit Hs 89
(s. S.141) eine wichtige Rolle; es wurde aber auch ein nicht mehr aus-
zumachender Zeuge der brev. mitbenützt. Die E dürfte von Haus aus der
Gruppe Ι (s. S.178) angehören, doch sind besonders in der 2. Hälfte deutliche Spuren der ord.-Gruppe c (s. S.154) nicht zu verkennen. In den
Haeres. ist unsere Hs Schwester von 688 (s. S.209).

105 *Athous Pantel. 763 (6270)*

Film (t) – Die Expos. dieser Hs ist von der Ausgabe von 1715 abgeschrieben.

135 *Athous Xeropot. 45*

Film (g) – Ff. 1r–32r Dial. brev. + ZKp. ab c.49 = 625, 23 (Anfang verstümmelt), darauf dasselbe Zwischenstück wie in Hs 302 f. 60r; ff. 32v bis
207v Expos. bis c. 87 = 1157, 29 (Ende verstümmelt; cc. 93 + 94 vor 82). –
D und E gehen auf die gleiche Vorlage zurück wie Hs 302 (s. S. 112 u. 187);
die spätere Hand, die im ersten Teil der E korrigiert, arbeitet anscheinend
nach einer Druckausgabe (s. S.174).

136 *Athous Xeropot. 102*

Film (g) – Ff. 1 (nur teilweise erhalten) bis 2v Pinax II (Anfang verstümmelt); ff. 3r–166v Expos., ohne cc. 94 u. 100; ff. 166v–167v Expos. 22
(nochmals) + 22b/₁ mit Windrose ohne Namen (= 136a). – Stemmatisch
kommt die E neben 543 (s. S.180) zu liegen, 555 möglicherweise unter 136;
136a deckt sich genau mit 12 (s. S.164).

Durch diese letzten Zugänge an Aufnahmen ergäben sich noch geringe
Änderungen in den „Aufgliederungen" III 1–3 (S.93–96) und in den
schematischen Stammbäumen (S.103, 131, 153, 175 u. 196); unverändert
bleibt dagegen die getroffene Editionsauswahl für die einzelnen Schriften.